Karl-Heinz Mottausch

Geschichte der Mundart
der
Stadt Lorsch

mit Berücksichtigung des gesamten
„südhessischen" Mundartgebietes

1999

WILHELM SCHMITZ VERLAG IN GIESSEN

ISBN 3-87711-210-2

© Copyright 1999 *by wilhelm schmitz verlag in giessen*
Computersatz: Ernst-Peter Winter, Münster bei Dieburg

INHALT:

Verzeichnis der Abkürzungen

1. Allgemeine

A.	-	Akkusativ	Lab.	-	Labial
Adj.	-	Adjektiv	L(iq.)	-	Liquida
ags.	-	angelsächsisch	LV	-	Langvokal
Anl.	-	Anlaut	Lwt	-	Lehnwort
anl.	-	anlautend	m	-	mittler (bei Namen v.
Art.	-	Artikel			Provinzen u. dgl.)
Ausl.	-	Auslaut	md.	-	mitteldeutsch
ausl.	-	auslautend	Mda	-	Mundart
Bed.	-	Bedeutung	(a)mdal.	-	(alt)mundartlich
beh.	-	behaucht	Mask.	-	Maskulinum
best.	-	bestimmt	msk.	-	maskulin
bet.	-	betont	N	-	Norden
Betg.	-	Betonung	n	-	nördlich (von)
D.	-	Dativ	N.	-	Nominativ
Dent.	-	Dental	N(as.)	-	Nasal
Dg.	-	Dehnung	Nbt.	-	Nebenton
Di.	-	Diphthong	nbt.	-	nebentonig
Dig.	-	Diphthongierung	ndd.	-	niederdeutsch
Dim.	-	Diminutivum	Ne.	-	Neutrum
Fem.	-	Femininum	ne.	-	neutral
fem.	-	feminin	O	-	Osten
FlN	-	Flurname	ö	-	östlich (von)
G.	-	Genitiv	obd.	-	oberdeutsch
geschl.	-	geschlossen	ON	-	Ortsname
Grl.	-	Geräuschlaut	pal.	-	palatal
Gutt.	-	Guttural	PN	-	Personenname
hdt.	-	hochdeutsch	PU	-	Primärumlaut
Hptt.	-	Hauptton	Rbl.	-	Reibelaut
hptt.	-	haupttonig	(a-, m-)rf.	-	(alt-, mittel-)
Inl.	-	Inlaut			rheinfränkisch
inl.	-	inlautend	S	-	Süden
Jh.	-	Jahrhundert	s	-	südlich (von)
K	-	Konsonant	Sb.	-	Substantiv
Kg.	-	Kürzung	Schr.	-	Schreibung
KGr.	-	Konsonantengruppe	Schrspr.	-	Schriftsprache
KV	-	Kurzvokal	schrsprl.	-	schriftsprachlich

sprl.	-	sprachlich	V	-	Vokal
StAL	-	Stadtarchiv Lorsch	Vb.	-	Verb
sth.	-	stimmhaft	Vel.	-	Velar
stl.	-	stimmlos	Vsl.	-	Verschlußlaut
SU	-	Sekundärumlaut	W	-	Westen
Uk	-	Urkunde	w	-	westlich (von)
unbeh.	-	unbehaucht	Zsl.	-	Zischlaut
unbest.	-	unbestimmt	Zsstzg.	-	Zusammensetzung
unbet.	-	unbetont			

Weitere Abkürzungen verstehen sich von selbst oder werden jeweils erklärt.

2. Provinzen, Kreise, Orte

(alte Kreiseinteilung wie im SH)

Wir verwenden hier die gleichen Abkürzungen wie im SH mit flg. Änderungen:

Da	-	Kreis Darmstadt
DSt	-	Darmstadt
Hd	-	Heidelberg
Hp	-	Be-Hepp
L	-	Lorsch(er)
Ma	-	Kreis Mannheim
Mhm	-	Stadt Mannheim
sNeck	-	Gebiet südlich des Neckar, vor allem von Waibel und Treiber bearbeitet
SHess.	-	das Südhessische, d. h. das Arbeitsgebiet des SH, einschließlich des Mannheimer Einzugsbereichs nördlich des Neckar
Vpf	-	Vorderpfalz
Wo	-	Kreis Worms
Ws	-	Stadt Worms

Literaturverzeichnis

1. Stärker abgekürzt zitierte Arbeiten

Alles	A., H. 1954: Mundart und Landesgeschichte der Wetterau. Diss. Marburg (maschinenschr.)
Bauer	B., E. 1957: Dialektgeographie im südlichen Odenwald und Ried. (DDG 43). Marburg
Baur	B., G.W. 1967: Die Mundarten im nördlichen Schwarzwald (DDG 55a; b). Marburg
Bert.	Bertaloth, G. 1935: Zur Dialektgeographie des vorderen Odenwalds und des nördlichen Rieds (Fränk. Forschungen 5). Erlangen
Bertram	B., Otto 1937: Die Mundart der mittleren Vorderpfalz (Fränk. Forschungen 7). Erlangen
Bescher	B., Hermann 1933: Die Grundlagen der Mundartgeographie des südlichen Rheinhessens. Diss. Gießen
Born	B., Ekkehard 1938: Die Mundart in Darmstadt und in seinem Umland (Fränk. Forschungen 12). Erlangen
Braune	Braune, W.; Mitzka, W. 1967: Althochdeutsche Grammatik. Tübingen, 12. Aufl.
Bräut.	Bräutigam, K. 1934: Die Mannheimer Mundart. Diss. Heidelberg (Walldorf b. Heidelberg)
Breunig	B., H. 1891: Die Laute der Mundart von Buchen und seiner Umgebung. Tauberbischofsheim
Brilmayer	B., K.J. 1905: Rheinhessen. Gießen [Quelle hist. ON-Belege aus Rhh, sofern nicht anders angegeben]
Christmann	Ch., E. 1927: Der Lautbestand des Rheinfränkischen und sein Wandel in der Mundart von Kaulbach (Pfalz). Speyer
Deboben	D., L. 1944: Die alten Namen der Gemarkung Worms. Diss. Gießen (maschinenschr.)
Derwein	D., H. 1940: Die Flurnamen von Heidelberg. Heidelberg
Duden-Etym.	Duden-Etymologie. Herkunftswörterbuch der deutschen Sprache. Bearbeitet von G. Drosdowski, P. Grebe u.a. Mannheim 1963
Erdmann	E., J. 1906: "Beiträge zur Kenntnis der Mundart von Bingen-Stadt und Bingen-Land"; in: ZfdM 1, Heft 2 u. 3.
Fm.	Förstemann, E.: Altdeutsches Namenbuch. I. Die Personennamen, 2. Aufl. Bonn 1900/01; II. Die Ortsnamen, 3. Aufl. Bonn 1913-16
Franck	F., J. 1971: Altfränkische Grammatik, 2. Aufl. von Rudolf Schützeichel. Göttingen

Freil.	Freiling, P. 1929: Studien zur Dialektgeographie des hessischen Odenwaldes. Marburg
Friebertshäuser	Fr., H. 1961: Sprache und Geschichte des nordwestlichen Althessen. (DDG 46) Marburg
Froeßl	Fr., H. 1950: Sprachbewegungen in Rheinhessen in althochdeutscher und mittelhochdeutscher Zeit. Diss. Mainz (masch.-schr.)
Grimm, WB	Gr., J.: Deutsches Wörterbuch. Bd. I-XVI (in 32 Bd.). Leipzig 1854-1960
Grund	Gr., H. 1935: Die Mundart von Pfungstadt und ihre sprachliche Schichtung. Diss. Heidelberg (Bühl in Baden)
Hall	H., R.D. 1973: Upper Hessian Vocalism. Structure and History. (DDG 74). Marburg
Hasselbach	H., K. 1971: Die Mundarten des zentralen Vogelsberges. (DDG 76). Marburg
Heeger	H., G. 1896: Der Dialekt der Südostpfalz. Teil I.: Die Laute. Landau
Heilig	H., O. 1898: Grammatik der ostfränkischen Mundart des Taubergrundes und der Nachbarmundarten. Leipzig
Held	H., K. 1915: Studien zur Dialektgeographie der hess. Pfalz. Diss. Marburg (masch.-schr.)
Hofmann	H., J. 1903: Die Wormser Geschäftssprache vom 11. bis 13. Jh. Berlin
Hommer	H., E. 1915: Studien zur Dialektgeographie des Westerwaldes. (DDG V). Marburg
Hirsch	H., A. 1971: Mundarten im Spessart. Aschaffenburg
IEW	Pokorny, J. 1959: Indogermanisches etymologisches Wörterbuch. Bd. 1. Bern
Kluge	Kl., F. 1957: Etymologisches Wörterbuch der deutschen Sprache. 17. Aufl. unter Mithilfe von A. Schirmer bearbeitet. von W. Mitzka. Berlin
Km.	Kaufmann, H. 1976: Rheinhessische Ortsnamen. München
Kehrein	K., J. 1871: Volkssprache und Wörterbuch von Nassau. Neudruck Wiesbaden 1966
Kroh	K., W. 1915: Beiträge zur Nassauischen Dialektgeographie. (DDG IV). Marburg
Kuntze	K., E. 1932: Studien zur Mundart der Stadt Saarbrücken. (DDG XXXI). Marburg
Lenz	L., Ph. 1888: Der Handschuhsheimer Dialekt. I. Teil: Wörterverzeichnis. Leipzig
Lexer	L., M. 1966: Mittelhochdeutsches Taschenwörterbuch. Stuttgart, 32. Aufl.
Mang	M., L. 1933: Die Mundart von Rothselberg. Vokalismus und Abriß des Konsonantismus. Diss. Würzburg (masch.-schr.)
Maurer	M., Fr.1930: Sprachschranken, Sprachräume und Sprachbewegungen im Hessischen. Gießen

Metz   Metzendorf, Wilhelm 1986: Heppenheimer Lexikon. Heppenheim

Michels   M., V. 1979: Mittelhochdeutsche Grammatik. 5. Aufl., hrsg. von H. Stopp. Heidelberg

Müller   M., W. 1937: Hessisches Ortsnamenbuch. I. Provinz Starkenburg. Darmstadt. [Quelle hist. ON-Belege aus St, sofern keine anderen Angaben gemacht sind]

Ostersp.   Das Rheinische Osterspiel der Berliner Handschrift, hrsg. von H. Rueff. Berlin 1925. Mainz 1490

Paul   P., H. 1969: Mittelhochdeutsche Grammatik. 20. Aufl. von H. Moser und I. Schröbler. Tübingen

R   Ramge, H. 1967: Die Siedlungs- und Flurnamen des Stadt- und Landkreises Worms. Darmstadt.

RWB   Müller, J.: Rheinisches Wörterbuch. 9 Bd. Bonn/Berlin 1928-1971

Schatz   Sch., J. 1927: Althochdeutsche Grammatik. Göttingen

Schnellbacher   Sch., E. 1963: "Mundart und Landschaft des östlichen Taunus". Marburger Universitätsbund, Jahrbuch Bd. 2, hrsg. von L. E. Schmitt, S. 375-500. Marburg

Seibt   S., W. 1930: Zur Dialektgeographie der hessischen Bergstraße. Gießen. [Ortsgrammatik von Heppenheim]

Sexauer   S., O. 1927: Die Mundart von Pforzheim. Leipzig

SH   Südhessisches Wörterbuch, begründet von Fr. Maurer, bearbeitet von R. Mulch. Marburg. Bd. I 1965-68; Bd. II 1969-72; Bd. III 1973-85

Siemon   S., K. 1921: Die Mundart von Langenselbold und die Dialekte seiner weiteren Umgebung. Diss. Marburg (hdschr.)

Sütterlin   S., L. 1917: "Die Heidelberger Mundart", in: Badische Heimat, Jg. 4, S. 71-92

Treiber   T., G., 1931: Die Mundart von Plankstadt. Diss. Heidelberg (Walldorf bei Heidelberg)

Valentin   V., Fr. 1934: Geschichtlich-geographische Untersuchungen zu den Mundarten rings um Mainz. (Fränkische Forschungen 2.) Erlangen

Waibel   W., Paul 1932: Die Mundarten im rechtsrheinischen Bereich des ehemaligen Fürstbistums Speyer. Diss. Heidelberg

Weber   W., H.: 1908f.: "Der Vokalismus der Mundarten des oberen Weschnitztales", in: ZfdM 3 (1908), S. 258-276; 348-360; 4 (1909), S. 239-264; 335-351

Weinhold   W., K. 1967: Mittelhochdeutsche Grammatik. Zweite Ausgabe, unveränderter Nachdruck der 2. Aufl. 1883. Paderborn

Welz   W., J. 1913: Die Eigennamen des Codex Laureshamensis. Straßburg

Wenz   W., H. 1911: Laut- und Formenlehre der Mundart von Beerfelden mit Berücksichtigung der nächsten Umgebung. Diss. Straßburg

2. Übrige Literatur

Altenkirch, J. 1936: Die Namen der Gemarkung Bingen und Büdesheim. Gießen (Flurnamenbuch des Volksstaates Hessen, 9)

Arnold, W. 1875: Ansiedelungen und Wanderungen deutscher Stämme. Marburg

Autenrieth 1899: Pfälzisches Idiotikon. Zweibrücken

Bach, A. 1924/25: "Zum Problem der Stadtmundarten", in: Teuth. 1, S. 41-48

Bach, A. 1931: "Über Heimat und Verfasser des Rheinischen Marienlobs", in: Teuth. 8, bes. S. 210-229

Bach, A. 1950: Deutsche Mundartforschung. Heidelberg, 2. Aufl.

Bach, A.: Deutsche Namenkunde. Heidelberg

    1952:   Die deutschen Personennamen I

    1953:   Die deutschen Personennamen II

    1953a: Die deutschen Ortsnamen I

    1954:   Die deutschen Ortsnamen II

Bach, A. 1970: Geschichte der deutschen Sprache. Heidelberg, 9. Aufl.

Baesecke, G. 1985: "Die althochdeutschen Beichten", in: PBB 49, S. 268-355

Bauer, E. 1959: Hemsbach/Baden. Lautbibliothek der deutschen Mundarten 15/16. Göttingen

Bauer, E. 1961: Neckarsteinach und Darsberg, Kreis Bergstraße. Lautbibliothek der deutschen Mundarten 23/24. Göttingen

Behaghel, O. 1928: Geschichte der deutschen Sprache. Berlin-Leipzig, 5. Aufl.

Beranek, F. J. 1965: "Zur Geschichte des jiddischen Vokalismus", in: ZfMaf 32, S. 260-274

Besch, W. 1967: Sprachlandschaften und Sprachausgleich im 15.Jh. München

Beyer, E. 1955: "La prononciation de l'ich-Laut", in: Les Langues Modernes 49, S. 214-221

Blumöhr, Fr. P. 1939: Die Flurnamen von Neustadt im Odenwald. Marburg (Hessisches Flurnamenbuch 15)

Böhme, O. 1893: Zur Kenntnis des Oberfränkischen im 13., 14. und 15. Jh. mit Berücksichtigung der ältesten oberfränkischen Sprachdenkmäler. Leipzig-Gablonz a.d.N.

Bohnenberger, K. 1953: Die alemannischen Mundarten. Tübingen

Bräutigam, K. 1934: "Zum Problem der Stadtmundarten", in: Teuth. 10, S. 248-251

Bremer, O. 1895: Beiträge zur Geographie der deutschen Mundarten. Leipzig

Brinkmann, H. 1931: Sprachwandel und Sprachbewegung in althochdeutscher Zeit. Jena

Bruch, R. 1953: Grundlegung einer Geschichte des Luxemburgischen. Luxemburg

Bruch, R. 1954: Das Luxemburgische im westfränkischen Kreis. Luxemburg

Bruch, R. 1955: "Die Lautverschiebung bei den Westfranken", in: ZFMaf 23, S. 145ff.

Brunner, K. 1951: Altenglische Grammatik nach der angelsächsischen Grammatik von Eduard Sievers neubearbeitet. Halle, 2. Auflage

Bucher, J. 1936: Die Flurnamen des Dorfs Wörrstadt in Rheinhessen. Gießen. (Hessisches Flurnamenbuch 11)

Castlemann, A. S. 1975: Das Lautsystem der Mundart von Zweibrücken-Niederaubach (DDG 80). Marburg

Christmann, E. 1924/25: "Die Wandlungen des germanischen Reibelauts þ und des germanischen Verschlußlautes *d* zwischen Vokalen in den Mundarten der Rheinpfalz", in: Teuth. 1, S. 214-218

Christmann, E. 1926/27: "Ein Beitrag zur Pfälzischen Sprachgeschichte", in: Teuth. 3, S. 276

Christmann, E. 1931: Sprachbewegungen in der Pfalz. Richtungen und Schranken, Restformen und Restgebiete. Speyer

Christmann, E. 1935: "*ch*-Schwund vor *t* im Rheinfränkischen und Südfränkischen", in: ZfMaf 11, S. 235-239

Christmann, E.: Die Siedlungsnamen der Pfalz. Speyer

    Teil I: 1968:   1. Lfg., 2. Aufl.;

             1953a: 2. Lfg.

             1953b: 3. Lfg.

    Teil II: 1964a: 1. Lfg.

             1964b: 2. Lfg.

Christmann, E. 1965: Flurnamen zwischen Rhein und Saar. Speyer

Coseriu, E. 1974: Synchronie, Diachronie und Geschichte. Das Problem des Sprachwandels. München

Dal, I. 1940: "Systemerhaltende Tendenz in der deutschen Kasusmorphologie", in: Norsk Tidskrift for Sprogvidenskap XII, S. 199-212

Dauzat, A. 1951: Dictionnaire des noms de famille et prénoms de France. Paris

Debus, Fr. 1963: "Stadtsprachliche Ausstrahlungen und Sprachbewegungen gegen Ende des 19. Jh., dargestellt am mittleren Rhein- und unteren Maingebiet", in: Marburger Universitätsbund, Jahrbuch, S. 17-68

Debus, Fr. 1973: "Der Name Lorsch", in: Die Reichsabtei Lorsch. Festschrift zum Gedenken an ihre Stiftung 764. I. Teil, S. 35-57. Darmstadt

Demeter, K. 1919: "Studien zur Kurmainzer Kanzleisprache (ca 1400-1550)", in: Archiv für hess. Geschichte und Altertumskunde, N.F. XII (Darmstadt), S. 427-558

Dieth, E. 1950: Vademekum der Phonetik. Bern

Eggers, H. 1955: "Die altdeutschen Beichten", in: PBB 77, S. 89-123

Eggers, H.: Deutsche Sprachgeschichte. Hamburg

    1963: I.   Das Althochdeutsche

    1965: II. Das Mittelhochdeutsche

    1969: III. Das Frühneuhochdeutsche

Elsässer, A. 1909: Die Kürzung der mittelhochdeutschen Stammsilbenvokale in den hochdeutschen Mundarten. Diss. Halle [Das Rf. S. 33-44; Überblick S. 73-75]

Essen, O. von 1979: Allgemeine und angewandte Phonetik. Darmstadt, 5. Auflage

Falk, Fr. 1866: Geschichte des ehemaligen Klosters Lorsch an der Bergstraße. Mainz

Fecher, M. 1941: Die Namen der Gemarkung Lorsch. Gießen (Hess. Flurnamenbuch 21)

Fecher, M. 1942: Die Namen der Gemarkungen Kleinhausen und Seehof bei Lorsch. Gießen (Hess. Flurnamenbuch 24)

Fleischer, W. 1961: Namen und Mundart im Raum von Dresden. Berlin

Fleischer, W. 1966: Strukturelle Untersuchungen zur Geschichte des Neuhochdeutschen. Berlin (Sitzungsbericht der sächsischen Akademie der Wissenschaft zu Leipzig, philologisch-historische Klasse Bd. 112 Heft 6)

Fouché, P.: Phonétique historique du français. Paris

    1952: I.   Introduction

    1969: II.   Les Voyelles. 2e éd.

    1966: III. Les Consonnes. 2e éd.

Fourquet, J. 1956: Les Mutations consonantiques du Germanique. Paris, 2e tirage

Fourquet, J. 1958: "Phonologie und Dialektologie", in: ZfMaf 26, S. 161-173

Frings, Th. 1926/27: "Der Eingang von Morant und Galie", in: Teuth. 3, S. 111-119

Frings, Th. 1950: Grundlegung einer Geschichte der deutschen Sprache. Halle, 2. Aufl.

Gallée, J.H. 1910: Altsächsische Grammatik. Halle-Leiden, 2. Aufl.

Gleißner, K.; Frings, Th. 1941: "Zur Urkundensprache des 13. Jh.", in: ZfMaf 17, S. 1-157

Glöckner, K. 1937: "Lorsch und Lothringen - Robertiner und Capetinger", in: Zeitschr. für Geschichte des Oberrheins, N.F. 50, bes. S. 322f.

Goossens, J. 1969: Strukturelle Sprachgeographie. Eine Einführung in Methodik und Ergebnisse. Heidelberg

Grammont, M. 1971: Traité de Phonétique. Paris, 9e éd.

Gutjahr, R. 1978: "Amt Starkenburg und Kellerei Lindenfels in den Secreta Palatinatus (1514)", in: Geschichtsblätter Kreis Bergstraße, 11, S. 272-276

Hahn, W. vor 1932: Die Namen der Gemarkung Darmstadt. Gießen (Flurnamenbuch des Volksstaats Hessen 4)

Hard, G. 1966: Zur Mundartgeographie, Düsseldorf

Haster, W. 1908: Rheinfränkische Studien. Der Konsonantismus in Rheinhessen und der Pfalz. Diss. Gießen, Darmstadt

Heidolph, K.E. u.a. 1981: Grundzüge einer deutschen Grammatik. Berlin

Heike, G. 1972: Phonologie. Stuttgart

Heimburger, K. 1888: "Grammatische Darstellung der Mundart des Dorfes Ottenheim", in: PBB 13, S. 211-247

Heinrichs, H.M. 1961: " `Wye grois dan dyn andait eff andacht is...´. Überlegungen zur sprachlichen Grundschicht im Mittelalter", in: ZfMaf 28, S. 97-153

Henzen, W. 1957: Deutsche Wortbildung. Tübingen, 2. Aufl.

Hermann, F. 1924: Aus der Geschichte des Dorfes Schwanheim an der Bergstraße. Friedberg (Hess. Ortsgeschichten 1)

Hirt, H. 1925: Geschichte der deutschen Sprache. München

Höfler, C. 1958: Die zweite Lautverschiebung bei Ostgermanen und Westgermanen. Tübingen

Hofmann-Krayer, E. 1924: "Über einige Analogiewirkungen in der Zeit- und Hauptwortbeugung des Deutschen und seiner Mundarten", in: ZfdM 19, S.150f.

Hoppe, R. 1956: Die Flurnamen von Ziegelhausen. Heidelberg (Oberrheinische Flurnamen. 3,6)

Jost, W. 1940: Die Namen der Gemarkung Erzhausen. Gießen (Hess. Flurnamenbuch 19)

Jutz, L. 1931: Die alemannischen Mundarten. Halle

Kaufmann, H. 1971: Pfälzische Ortsnamen. München

Kaufmann, H. 1979: Die Ortsnamen des Kreises Bad Kreuznach. München

Keller, K.E. 1961: German Dialects. Phonology and Morphology with selected texts. Manchester

Kienle, R. von 1969: Historische Laut- und Formenlehre des Deutschen. Tübingen.

Klappenbach, R. 1944: "Zur Urkundensprache des 13. Jh.", in: PBB 67, S. 155-216

Koch, E. 1939: Rheinhessische Rechtsaltertümer. Würzburg

Koekkoek, J.B. 1958: "Amerikanische Arbeiten zur Phonologie des Deutschen", in: ZfMaf 26, S. 54-57

König, W. 1978: dtv-Atlas zur deutschen Sprache. München

Koob, F. 1956: Die Weschnitz und ihre Probleme in den vergangenen Jahrhunderten. Heppenheim

Koob, F. 1965: "Die Gerichte in der Zent Heppenheim und im Bereich des Oberamts Starkenburg vom Mittelalter bis Ende des 18. Jh.", in: 900 Jahre Starkenburg. Veröffentlichungen zur Geschichte der Stadt Heppenheim. Bd. 2, S. 165-251. Heppenheim

Koob, F. 1973: "Zur Geschichte des Heppenheimer Weinbaus", in: 1200 Jahre Heppenheim. Heppenheim

Krahe, H.; **Meid**, W. 1967: Germanische Sprachwissenschaft III. Wortbildungslehre. Berlin (Sammlung Göschen)

Kranzmayer, E. 1935: "Lautliche Sonderwege alter Dreisilbler im Ostoberdeutschen", in: ZfMaf 11, S. 65-131

Kranzmayer, E. 1956: Historische Lautlehre des gesamtbairischen Dialektraumes. Wien

Krause, W. 1953: Handbuch des Gotischen. Tübingen

Krause, W. 1970: Runen. Berlin (Sammlung Göschen)

Krell, L. 1927: Die Stadtmundart von Ludwigshafen am Rhein - Versuch einer Darstellung ihrer Laut- und Formenlehre. Kaiserslautern

Kress, Br. 1937: Die Laute des modernen Isländischen. Leipzig

Krüer, Fr. 1914: Der Bindevokal und seine Fugen im schwachen deutschen Präteritum bis 1150. Berlin

Kunz, R. 1958: "Zur Deutung des Lorscher Flurnamens Ruppenbruch", in: Die Starkenburg, S. 23-24

Kunz, R. 1979: "Die Gemarkung Lindenfels und ihre Namen", in: Geschichtsblätter Kreis Bergstraße 12, S. 173-206

Kunz, R. 1983: "Die Gemarkung Auerbach und ihre Namen", in: Geschichtsblätter Kreis Bergstraße 16, S. 143-195

Küpper, H.: dtv-Wörterbuch der deutschen Alltagssprache. München
    1971a: Bd. 1, *a-Pep*
    1971b: Bd. 2, *Per-Z*

Lenz, Ph. 1892: Der Handschuhsheimer Dialekt. Nachtrag zum Wörterverzeichnis von 1887.
Darmstadt

Lenz, Ph. 1903: "Auslautendes *-ig, -ich* und verwandte Wortausgänge im Deutschen", in: ZfhM
4, S. 195-215

Lessiak, Pr. 1933: Beiträge zur Geschichte des deutschen Konsonantismus, Brünn - Prag -
Leipzig - Wien

Levy, E. 1961: "Neuhochdeutsch *-tsch-*", in: Kleine Schriften. Berlin

Lewis, H.; **Pedersen**, H. 1937: A Concise Comparative Celtic Grammar. Göttingen

Lexer, M. 1972-1878: Mittelhochdeutsches Handwörterbuch. 3 Bde. Leipzig

Lindgren, K.B. 1953: Die Apokope des mittelhochdeutschen *-e* in seinen verschiedenen Funk-
tionen. Helsinki

Lindgren, K.B. 1961: Die Ausbreitung der neuhochdeutschen Diphthongierung bis 1500. Helsinki

Löffler, H. 1974: Probleme der Dialektologie. Darmstadt

Louis, G. 1917: *Nicht* und *nichts* im Sprachgebiet des Deutschen Reiches einst und jetzt. Diss.
Marburg

Lüdtke, H. 1968: "Ausbreitung der neuhochdeutschen Diphthongierung?", in: ZfMaf 35, S. 97-
109

Martin, B. 1959: Die deutschen Mundarten. Marburg

Martinet, A. 1955: Economie des changements phonétiques. Bern, 3. Aufl.

Maurer, Fr. 1925/26: "Germanisch *þ* im Pfälzischen", in: Teuth. 2, S.326

Maurer, Fr. 1933: Volkssprache. Erlangen (Fränk. Forschungen 1)

Mertes, E.: "Althochdeutsch *iu* ohne Umlaut im Dialektgebiet des Deutschen Reiches",
    in: Teuth.,   1929/30, Nr.6, S.161-234
                     1930/31, Nr.7, S.43-120; 268-286

Metzendorf, W. 1980: "Die Flurnamen von Mittershausen-Scheuerberg", in: Mittershausen-
Scheuerberg. Ein Odenwälder Heimatbuch, S. 147-198. Heppenheim

Metzendorf, W. 1983: "Die Steinurkunde von St. Peter in Heppenheim (805)", in: Geschichtsbl.
Kreis Bergstr. 16, S.27-64

Meyer, H. 1934: Die alten Namen der Gemarkungen Waldmichelbach und Aschbach im Odenwald. Gießen (Flurnamenbuch des Volks staates Hessen 6)

Mieses, M. 1924: Die jiddische Sprache. Berlin - Wien

Mitzka, W. 1943: Deutsche Mundarten. Heidelberg

Mitzka, W. 1954: "Die dänische und die deutsche Konsonantenschwächung", in: ZfMaf 22, S.
65-87

Moser, V. 1929: Frühneuhochdeutsche Grammatik. I. Lautlehre. 1. Hälfte: Orthographie, Betonung, Stammsilbenvokale. Heidelberg

Moser, V. 1951: Frühneuhochdeutsche Grammatik. I. Lautlehre. 3. Teil: Konsonanten, 2. Hälfte (Schluß). Heidelberg

Moser, V. 1971: Historisch-grammatische Einführung in die frühneuhochdeutschen Schriftdialekte. Halle 1909, Nachdruck Darmstadt

Moser, H.; **Stopp**, H.: Grammatik des Frühneuhochdeutschen. Heidelberg

    1970: 1. Bd., 1. Teil: Vokalismus der Nebensilben I., bearbeitet von K.O. Sauerbeck

    1973: 1. Bd., 2. Teil: Vok. der Nebensilben II, bearbeitet von H. Stopp

    1978: 1. Bd., 3. Teil: Vok. der Nebensilben III, bearbeitet von H. Stopp

Moulton, W.G. 1954: "The Stops and Spirants of Early Germanic", in: Language 30, 1-42

Moulton, W.G. 1961/62: "Zur Geschichte des deutschen Vokalismus", in: PBB 83, S. 1-35

Mulch, R. 1959: "Odenwälder Mundart", in: Der Odenwald, hrsg. von Dr. Heinrich Winter, S. 139-141. Essen

Mulch, R. 1963: "Zur Dialektgeographie des hinteren Odenwaldes und Spessarts", in: ZfMaf 30, S. 169-184

Mulch, R. 1967: "Sprachbewegungen im hessischen Raum", in: Hessisches Jahrbuch für Landesgeschichte 17, S. 20-57

Müller, E. 1931: Der *d*-Rhotazismus im Westmitteldeutschen, Diss. Marburg

Nebert, R. 1891: Zur Geschichte der Speyrer Kanzleisprache. Diss. Halle

Paul, H. 1884: "Vokaldehnung und Vokalkürzung im Neuhochdeutschen", in: PBB 11, S. 101-134

Paul, H.: Deutsche Grammatik. Tübingen (Unver. Nachdruck: 1968)

    1916: Bd. I;   Teil I Einleitung, Teil II Lautlehre

    1917: Bd. II   Flexionslehre

Paul, H. 1975: Prinzipien der Sprachgeschichte. Tübingen 1975, 9. Auflage

Penzl, H. 1969: Geschichtliche deutsche Lautlehre. München

Penzl, H. 1971: Lautsystem und Lautwandel in den althochdeutschen Dialekten. München

Pfaff, Fr. 1891: "Zur Handschuhsheimer Mundart", in: PBB 15, S. 178-194

Pfeifer, A. 1926: Beiträge zur Laut- und Formenlehre der Mainzer Mundart. Diss. Gießen

Philipp, M. 1974: Phonologie des Deutschen. Stuttgart - Berlin - Köln - Mainz

Pope, M.K. 1952: From Latin to Modern French. Manchester

Protze, H. 1961: Das Wort "Markt" in den mitteldeutschen Mundarten. Berlin

Reeg, W. 1935: Die alten Namen der Gemarkungen Hähnlein, Bickenbach und Alsbach a. d. Bergstraße. Gießen (Flurnamenbuch des Volksstaates Hessen, 7)

Reutercrona, H. 1920: Svarabhakti und Erleichterungsvokal im Altdeutschen bis ca 1250. Heidelberg

Reutter, R. 1970: "Die Namen der Gemarkung Fürth", in: Principalis Curia in Furden. Chronik von Fürth i.O., zusammengestellt und in Teilen überarbeitet von Th. Loehrke, S. 159-199. Fürth

Rheinfelder, H. 1953: Altfranzösische Grammatik. 1. Teil, Lautlehre. München, 2. Aufl.

Richter, E. 1934: Beiträge zur Geschichte der Romanismen. Beihefte zur Zeitschr. für Rom. Phil., 82. Halle

Ritzert, A. 1898: "Die Dehnung der mittelhochdeutschen kurzen Stammsilbenvokale in den Volksmundarten des hochdeutschen Sprachgebiets, in: PBB S. 131-222 [über das Rf. bes. S. 177-185].

Rupp, M. 1982: "Die Lampertheimer Mundart", in: Lampertheim. Ein Blick in die Stadtgeschichte. Bd.I, S. 345-383. Lampertheim

Schach, P. 1958: "Zum Lautwandel im Rheinfränkisch-Pfälzischen: Die Senkung von kurzen Vokalen zu *a* vor *r*-Verbindungen", in: ZfMaf 26, S. 200-222

Schannat, J.Fr. 1734: Historia episcoporum Wormatiensium I. Frankfurt

Schatz, J. 1907: Altbairische Grammatik. Göttingen

Schauerhammer, A. 1908: Mundart und Heimat Kaspar Scheits, auf Grund seiner Reimkunst untersucht. Halle

Schirmunski, V.N. 1962: Deutsche Mundartkunde. Vergleichende Laut- und Formenlehre der deutschen Mundarten. Berlin

Schmidt, H.F. 1911: "Lautlehre der rheinfränkischen Mundart der Sprachinsel Verbász in Südungarn", in: ZfdM 6, bes. S. 98ff.

Schmitt, H. 1964: "Die Weschnitz. Betrachtung über einen Flußnamen", in: Der Rodensteiner 25

Schmitz, H. 1934: "Flurnamen der Gemarkung Heppenheim", in: Starkenburg. Blätter für Heimatkunde und Heimatpflege 11, 5/6, S.17-20

Schramm, K. 1966: Mainzer Wörterbuch. Mainz

Schulze, U. 1967: Studien zur Orthographie und Lautung der Dentalspiranten *s* und *ʒ* im späten 13. und frühen 14. Jh. Tübingen

Schützeichel, R. 1955: "Zur Geschichte einer aussterbenden lautlichen Erscheinung (*bit* `mit´)", in: ZfMaf 23, S. 201-236

Schützeichel, R. 1960: Mundart, Urkundensprache und Schriftsprache. Studien zur Sprachgeschichte am Mittelrhein. Bonn

Schützeichel, R. 1961: Die Grundlagen des westlichen Mitteldeutschen. Tübingen

Schützeichel, R. 1974: Althochdeutsches Wörterbuch. Tübingen, 2. Aufl.

Schwan, E. 1936: Die Straßen- und Gassennamen im mittelalterlichen Worms. Worms (Der Wormsgau, Beiheft 1)

Schwarz, E. 1926: Die germanischen Reibelaute *s, f, ch* im Deutschen. Reichenberg

Schwarz, E. 1950: Die deutschen Mundarten. Göttingen

Schwarz, K. 1914: Das intervokalische -*g*- im Fränkischen. Sprachgeschichtliche Untersuchungen. Straßburg

Schwitzgebel, H. 1958: Kanzleisprache und Mundart in Ingelheim im ausgehenden Mittelalter. Diss. Mainz 1957. Kaiserslautern

Sommer, F. 1948: Handbuch der lateinischen Laut- und Formenlehre. Heidelberg, 3. Aufl.

Sonderegger, St. 1961: "Das Althochdeutsche in der Vorakte der älteren St. Galler Urkunden", in: ZfMaf 1961, S.251-286

Sonderegger, St. 1974: Althochdeutsche Sprache und Literatur. Berlin (Sammlung Göschen)

Steger, H. 1968: "Hochmittelalterliche Ortsnamenschreibungen als Quelle für die historische Dialektgeographie", in: Onoma XIV, S. 165-174

Stopp, H. 1974: "Zur Herausbildung der neuhochdeutschen Norm in rheinfränkischer Schriftlichkeit des 14. bis 17.Jh.", in: RhVBl 38, S. 62-75

Trubetzkoy, N.S. 1958a: Grundzüge der Phonologie. Göttingen, 2. Auflage

Trubetzkoy, N.S. 1958b: Anleitung zur phonologischen Beschreibung. Göttingen, 2. Aufl.

Valentin, P. 1962: "Althochdeutsche Phonemsysteme", in: ZfMaf 29, S. 341-356

Valentin, P. 1969: Phonologie de l'allemand ancien. Les systèmes vocaliques. Paris

Wagner, G.W.J. 1873: Die geistlichen Stifte im Großherzogtum Hessen, Bd. II. Darmstadt

Wagner, K.: "Die Geschichte eines Lautwandels",
    in: Teuth. 1925/26, 2, S. 30-46
         1933, 9, S. 33-47

Wagner, K. 1927: Deutsche Sprachlandschaften. Marburg (DDG 23)

Wagner, O. 1944: Die Namen der Gemarkung Mörlenbach im Odenwald. Gießen (Hess. Flurnamenbuch 28)

Walldorf, E. 1936: Die Namen der Gemarkungen Schornsheim und Udenheim in Rheinhessen. Gießen (Flurnamenbuch des Volksstaates Hessen 8)

Weinberg, W. 1973: Die Reste des Jüdischdeutschen. Stuttgart - Berlin - Köln - Mainz. 2. Aufl.

Weise, O. 1908: "Der Übergang von *sch* in *tsch*", in: ZfMaf 3, S. 197-200

Werner, O. 1972: Phonetik des Deutschen. Stuttgart

Wiesinger, P. 1962: "Die Entwicklung von mittelhochdeutsch *î - û - iu* im Schlesischen", in: ZfMaf 29, S. 249

Wiesinger, P.: Phonetisch-phonologische Untersuchungen zur Vokalentwicklung in den deutschen Dialekten. Berlin
    1970a: Bd. 1. Die Langvokale im Hochdeutschen
    1970b: Bd. 2. Die Diphthonge im Hochdeutschen

Wilmanns, W. 1911: Deutsche Grammatik. 1. Abtlg. Lautlehre. Straßburg. 3. Aufl.

Wolf, L. 1975: Aspekte der Dialektologie. Eine Darstellung von Methoden auf französischer Grundlage. Tübingen

Wolff, L. 1921: Studien über die Dreikonsonanz in den germanischen Sprachen. Berlin

Zwierzina, K. 1925: "Mittelhochdeutsch *ait* < *aget*", in: Neusprachliche Studien. Festgabe Karl Luick. (Die Neueren Sprachen, Beiheft 6), S. 122-140. Marburg

Verzeichnis der exzerpierten Quellen
(meist stärker abgekürzt zitiert)

1. Gedruckte Quellen

BI,II,III	= Quellen zur Geschichte der Stadt Worms, hrsg. durch H. Boos. Berlin.
	1886: I. Urkundenbuch: 627-1300
	1890: II. Urkundenbuch: 1301-1400
	1893: III. Monumenta Wormatiensia. Annalen und Chroniken.
	(Zitiert nach Band, Seitenzahl und Jahr der Urkunde)
Baur I,II,III	= Hessische Urkunden, hrsg. von L. Baur. Darmstadt 1860ff. 3 Bde.
	(Zitiert nach Bd., Seitenzahl und Jahr der Urkunde)
B/GR-Bobst	= "Aus alten Bürgermeister- und Gemeinderechnungen", in: 1200 Jahr Bobstadt. Veröffentlichungen zur Geschichte der ehemaligen Gemeinde und des jetzigen Stadtteils Bobstadt. Hrsg. im Auftrag der Stadt Bürstadt. Bearbeitet von Fr. Zehnbauer. S. 185ff. Heppenheim 1976
BS	= Lorscher Bienensegen,
	s. Braune W.; Helm, K.; Ebbinghaus, E.A.: Althochdeutsches Lesebuch, S. 85. Tübingen 1965. 14. Aufl. (vgl. Teil A 2).
Codex Laureshamensis:	
a) CL	= Cod. Laur., bearbeitet und neu hrsg. von K. Glöckner, 3 Bde. Darmstadt 1929-1936 (Nachdruck 1963)
CL Reg.	= Register im 3. Bd. der Glöcknerschen Ausgabe
Glöckner	= Verweise auf Vorwort und Anmerkungen des Herausgebers
b) LC	= Lorscher Codex, ins Deutsche übertragen von K. Minst. 6 Bde. Lorsch 1966-72
LC Reg.	= Register im 6. Band der Minstschen Übersetzung
Minst, LC	= Verweise auf Vorwort und Anmerkungen des Übersetzers
Dahl	= D., J.K. 1812: Historisch-topographisch-statistische Beschreibung des Fürstenthums Lorsch. Darmstadt (Ukk zitiert nach Seitenzahl, Herkunftsort und Jahr der Ausstellung)
Dorfrg. Lamp 1567/8	= Karb, H.F. 1981: "Die Lampertheimer Dorfrechnung von 1567/68", in: Geschichtsblätter Kreis Bergstraße 14, S.213-228
Festschr. OMumb	= Ober-Mumbach, Gemeinde Mörlenbach. Festschrift mit Chronik zur 850-Jahrfeier, Mörlenbach 1980
Gef. 1632	= „Gefällverzeichnis des Klosters Lorsch 1632", hrsg. von F. Koob, in: Quellenveröffentlichungen zur Heimatgeschichte des Kreises Bergstraße, Reihe 7, S. 1-31

Gl1-5	= Lorscher Glossensammlungen aus dem 9. bzw. 10./11.Jh., s. Teil A 2.
Grob.	= Friedrich Dedekinds Grobianus. Verdeutscht von Kaspar Scheidt. Abdruck der 1. Ausgabe (1551). Halle 1882
Heilgers, R. 1960:	Dreimol hoch mei Muttersproch. Worms, 11. Aufl.
LB	= Lorscher Beichte, s. Braune W.; Helm, K.: Ebbinghaus, E.A.: Althochdeutsches Lesebuch, S.55f. Tübingen 1965, 14.Aufl. (vgl. Teil A 2)
Monumenta Germaniae Historica:	Libri confraternitatum Sancti Galli, Augiensis, Fabariensis, ed. P.Piper 1884. S.218f.: Nomina de Monasterio Sancti Nazarii.
PU	= Urkundenbuch der früheren Freien Reichsstadt Pfeddersheim, hrsg. durch Prof. D. Bonin. Frankfurt/M. 1911 (zitiert nach Seitenzahl und Jahr der Uk)
Scriba, H. E.:	Regesten der bis jetzt gedruckten Urkunden zur Landes- und Ortsgeschichte des Großherzogthums Hessen. Darmstadt
	1847: Abteilung 1, Starkenburg
	1851: Abteilung 2, Rheinhessen
Steinmeyer	= St., E.; Sievers, E.: Die althochdeutschen Glossen. Berlin
	1882: Bd. II
	1898: Bd. IV
Tischz I	= Wormser Tischzucht, 1. Teil, ed. A. Schirokauer; Th.P. Thornton in: Höfische Tischzuchten, Texte des späten Mittelalters 4 (1957), S.54-58 (zitiert nach Versen)
Tischz II	= Wormser Tischzucht (1. und) 2. Teil, ed. Weller, E.: Dichtungen des 16.Jh., Stuttgart 1874 (Teil 2 S.71-77, zitiert nach Seitenzahl, da ohne Verszählung)
W	= Weistum:

1. Nach Grimm, J.:   Weisthümer. Göttingen 1870-78
   Bd.I:

W Be-Auerb	1422, S. 477
W Be-Bensh	1421/1473, S. 467-468
W Be-Reichb	1513, S. 475-477
W Er-Beerf	1457, S. 446-450
W Hp-La[ndsberg]	1430, S. 469-475
W Lorsch	1463 (Lorscher Wildbann), S. 463-467
W Of-Drei	1338, S. 498-503
W Sachs[enheim]	1449, S. 452-454

   Bd. IV:

W Da-Weit	1484, S. 532f.

W Diebg	1429, S. 533-537
W Wo-Eich	1476, S. 628-630
W Wo-Ibh	1486, S. 630-633
W Wo-NFlörsh	1374, S. 635-637
W Wo-Osth	14.Jh. (Kopie), S. 634f.
Bd. V:	
W Wo-Osth	1338, S. 635f.

2. Andere Ausgaben:

W Be-Bobst 1588:   "Vom Bobstädter Weistum", in: 1200 Jahre Bobstadt. Veröffentlichungen zur Geschichte der ehemaligen Gemeinde und des jetzigen Stadtteils Bobstadt. Hrsg. im Auftrag der Stadt Bürstadt, bearbeitet von Fr. Zehnbauer (Heppenheim 1976), S. 73-90

W Be-Viernh 1562   = Knöpp, Fr.: "Das Viernheimer Weistum vom 17. März 1562", in: 777-1977. Zwölfhundert Jahre Viernheim. Hrsg. vom Magistrat der Stadt. (Viernheim 1977), S. 78f.

W Be-Zotz 1475   = "Das Zotzenbacher Weistum von 1475", in: Geschichtsblätter Kreis Bergstraße 10 (1977), S. 134-143

Zinsb Bensh 1550   = Zinsbuch des Joh. von Walderdorf zu Bensheim, erneuert 1550 und Güterbeschreibung des Joh. von Walderdorf zu Bensheim, erneuert 1545, hrsg. von Rolf Reutter. Darmstadt 1972 (als Manuskript vervielfältigt)

Zinsb Be-Lind 1369,   Kunz, R.: "Die beiden ältesten Zinsbücher der Kellerei Lindenfels im
Zinsb Be-Lind 1455:   Odenwald", in: Archiv für hess. Geschichte und Altertumskunde. N.F. 35 (1977), S. 49-98

Zorn   = Z., Fr.: Wormser Chronik, mit den Zusätzen Franz Bertholds von Flersheim, hrsg. von Wilhelm Arnold. Stuttgart 1857. (Chronik etwa zwischen 1538 u. 1570 abgefaßt, Ergänzungen bis 1623)

2. Ungedruckte Quellen

Aus dem Stadtarchiv Lorsch (StAL, s. Teil A 4):

GR   = Gemeinderechnungen, ab 1670

GRB   = Belege zu den Gemeinderechnungen, ab 1685

KKB   = Kriegskostenrechnungen, Belege: 1634-1666 (StAL LVIII,28,1)

KZ   = Entrichtung des Krautzehnten 1668ff. (StAL LXV,16,1)

Lorscher Flurbuch, um 1655 (StAL XXI, 24)

Ratsprotokolle über die Ämterverteilung, 1657ff. (StAL LXV,13,3).

Anderes, z.T. veröffentlicht, aber von mir in der Originalurkunde eingesehen:

Hessisches Staatsarchiv, Darmstadt:

Mehrere Ukk aus Lorsch (1441-1605), zitiert als LU + Jahreszahl;

HpU 1327 (Uk Al; Ausstellungsort Lorsch oder Heppenheim, sprachlich sehr ergiebig).

Zur Transkription

Es werden grundsätzlich die in der deutschen Mda-Literatur üblichen Zeichen verwendet mit folgenden Abänderungen bzw. Zusätzen:

Vokale:

$ą$	=	halbgeschl. *a (å)*, zwischen *a* und *ǫ*
$ę$	=	halboffenes *e*, zwischen *e* und *ę̣*
$ã$	=	nasalierter Vokal
$u̇, ǫ̇u̇$ usw	=	gegen den mittleren Gaumen hin artikulierte vel. Vok.
$ə̈$	=	offener *ə*-Laut (nach *ɒ* hin artikuliert)
$i̯, u̯$	=	unsilbische *i, u*
$w̯$	=	unsilbischer Laut zwischen *u̯* und *w*
$ă$	=	halblanger Vokal
a''	=	kurzer Vokal mit losem Anschluß an den flg. Konsonanten

Konsonanten:

ḅ	= stl. Vsl.	
b̲	= stl. Halbfortis	Diese Zusatzzeichen werden für die moderne
ṣ	= halbsth. K.	Mda nur in bes. Fällen verwendet

g´, d´, s´, l´	= halbpal. *g, d, s, l*
l̂	= (voll)pal. *l*
ł	= vel. *l*
x´	= halbpal. *x* (D 49.6.2.2)
ǰ	= *j* mit stärkerem Reibungsgeräusch
R	= Zäpfchen-*r*
l̥ usw.	= silbisches *l* usw.

Hochgestellte Zeichen meinen schwach gesprochene Laute.

Einzelheiten zur Aussprache sind aus dem deskriptiven Teil B zu entnehmen.

[ ]   = phonetische Umschrift (nur angewendet, wenn erforderlich, insbesondere bei enger phonetischer Transkription und meist für ältere Sprachstufen.)

/ /   schließt phonologische Transkription ein.

⟨ ⟩   = Schreibung.

In Strukturformeln werden folgende Symbole verwendet:

ă̆	= beliebiger Vokal
K	= beliebiger Konsonant
G	= Geräuschlaut
N	= Nasal
L	= Liquida

Kleine Buchstaben (z.B. *g k n*) meinen den betreffenden Konsonanten selbst.

D) Historischer Teil II: Die Konsonanten.

Nasale und Liquiden

1. Einleitung

1.1. Nasale und Liquide gehören (zusammen mit den D 39.2 bzw. D 48 behandelten $\underset{\sim}{u}/w$, $\underset{\sim}{i}/j$) zu den Sonor-KK. Von daher und wegen gewisser Gemeinsamkeiten im Verhalten besonders bei *n* und *r* rechtfertigt sich ihre Behandlung unter einer gemeinsamen Überschrift. Vergleicht man ihre Anfälligkeit für Veränderungen, dann ergibt sich folgende Reihenfolge der Zunahme: *l* - *ŋ* *m* - *n* - *r*. Sieht man von ausl. *-m* > *-n* ab (D 2.1), dann kennt die arf. Zeit keine nennenswerten Wandlungen, es sei denn die jederzeit mögliche Angleichung von Nas. an umgebende KK.

1.2. Eine davon ist besonders erwähnenswert: Von alters her stand vor gutt. Vsl. das Allophon [ŋ]. Erst im Laufe des 11.Jh. wurde es phonemisiert (D 31.6).

1.3. Die Nas., insbesondere *n*, sowie die Liq. *r* teilen die Tendenz zur Vokalisierung in tautosyllabischer Stellung hinter V unter dessen gleichzeitiger Umfärbung, ggf. verbunden mit Nasalierung. Dies war die tiefgreifendste Veränderung in diesem Bereich, über deren wahres Ausmaß die weitgehende Wiederherstellung besonders der Nas. in der Neuzeit hinwegtäuscht.

1.4. In der Stellung vor V sind sie allesamt unverändert geblieben. Nur *m-* wurde in unbet. Silbe zu *b-* in *bit* "mit" wie verbreitet wmd., vgl. Hoffmann 175, ebenso z.B. BII. PU öfter (neben *m-*). Im einzelnen s. darüber Schützeichel 1955. Ob und inwieweit die Erscheinung auch in St vorhanden war, kann ich auf Grund meines historischen Materials nicht sagen.

2. Die Nasale

a) Auslautend *-m* > *-n*

2.1. Schon im Ahd. wandelt sich *-m* in Flexionsendungen in *-n*, nach Braune (§124 mit A.1) im Fränk. bald nach 820. In der LB herrscht *-n*, z.B. *allen sînen sanctin, uuîhidon* u. dgl. *-n* auch im CL (Welz 112), soweit bei der Latinisierung der Namen überhaupt stehengeblieben.

Hingegen blieb *-m* außerhalb der Flexionsendungen zunächst erhalten. Offenbar trat der Wandel nur hinter unbet. V ein, wurde aber dort verhindert bzw. alsbald rückgängig gemacht, wo daneben flektierte Formen standen, also z.B. *fadam* wegen z.B. (Gl1) N. Pl. *fadama*.

2.2.1. Erst nach der Jahrtausendwende erscheint *-n* auch in ON auf *-heim*. Die ältesten ⟨*-hein*⟩ finden sich nach Franck (§76,2) in einer Wser Uk 1096. Aber schon BI 34: 1016 stehen *Hove-, Risolves-, Leinhein*. Solche Schrr. reißen nun nicht mehr ab (neben häufigerem *-m*), z.B. Hoffmann 175f.: 1255 *Dūrenkein, Peffelnkein*, 1279 *Hochein*, ferner z.B. 1263 *Hŭchilhein, Lammeshein*; HpU 1327 2x *Heppinheyn*, 2x *-enheym* "Hp" (s.u.); Zinsb Be-Lind 1369, 58 u.ö. *Benshein*, 63 *Geydenhein*; W Wo-NFlörsh 1374 *Flersshen* und *Flershem*; WL 1423 *Winhein* und *Sehem*; W Wo-Ibh 1486 2x *Ibernsshenn* u.a.

2.2.2. Dem widerspricht aber z.T. die heutige Aussprache: in Wo nur *-m*, z.B. *dę̄ŋgəm* = *Dūrenkein, piʃlgum* = *Peffelnkein, hoxəm* = *Hochein*, aber auch *Mühlheim* = *mīlə*, s.u. und C 34.3.4.4. Rechtsrheinisch: einerseits *bensəm* "Be-Bensh", *bīwəsəm* (1511 *Bibesen*) "GG-Bieb", *hębrəm* "Hp", *mǫnəm* "Mhm", *rǫurəm* "Be-GRohrh/GG-KRohrh", *wǫinəm* "Ma-Weinheim", andererseits *fęnə* "Be-Viernh", *howə* "Be-Hofh", *lǫmbədə* "Be-Lamp", *nō̜ədə* "Be-Nordh", *raiš̩lsə* "Er-Reichh", *wad(ə)rə* "Be-Watt"; ferner um Mhm (nach Bräut. §62) z.B. *faidənə* "Feudenheim", *frīsənə* "Friesenheim", *hogənə* "Hockenheim", *segənə* "Seckenheim". Nicht hierher gehört *fę̄lə* "Be-Fehlh" < *Felden* (gg. Bauer §74, s. C 6.1.3) mit Schr. nach dem benachbarten *šwǭnə* "Be-Schwanh". Die von Bauer vertretene Meinung (§117), *-m* sei in ON "mit einsilbigem kurzem Stamm meist erhalten, in denen mit mehrsilbigem oder einsilbigem langem Stamm geschwunden", entspricht nur einer sekundären Regelung, nicht den ursprünglichen Verhältnissen, vgl. obige hist. Schrr., ferner die von der Autorin selbst genannten *fęnə, howə, rōrəm*. *-ə* ist besonders nach S hin verbreitet (Bauer aaO; sNeck Waibel §52), Nordpfalz (Haster 1908, 48).

2.2.3. In Ableitungen auf *-er* erscheint aber in L (und verbreitet) meist wieder das *m*: neben *lǫmbədə* "Lampertheimer" (alt: GRB 1728 *Lamperter*) stehen *fęnəmə, howəmə, rǫurəmə, wadəmə* (zu *wadərə*) usw.; danach auch *fę̄ləmə, ridrōdəmə* zu *ridrōdə* "Be-Riedr", *grūnəmə* zu *grūnə* "Be-Gron" (vgl. C 34.3.2.1), *biŋəmə* zu *biŋə* "Bingen" u.dgl; sogar in FIN, z.B. L † *Uff der Bitzen* = *[bids]*, dazu *Bitzheimer Teilung [bidsəmə dāliŋ]*. Weiteres s. Fecher 1941, 107f.; C 34.3.2.1 (*Kessenau*); aus Be-KHaus Fecher 1942, 53. Auch diese Erscheinung ist verbreitet[1], vgl. z.B. Pfaff 1891, 184f.; Wagner 1944, z.B. Nr. 42, 44, 461; Freil. §256.

2.2.4. *-n* statt *-m* kommt nicht nur in ON vor, vgl. hist. Schrr. wie Hoffmann 175: 1283 *Holderbŏn* PN; BII 278: 1380 *ein gaden*; BI 267: 1283 *in ganzen willen, bit diesen brieve* gg. *mit ganzeme herzen*, 335: 1299 *mit glichen willen*; BIII 309: 1400 2x *den rat*, Dativ!; weitere *den* für *dem* Hoffmann 170; s. auch Weinhold 560.

Die heutige Mda hat D. *im/əm*, bet. *dēm, wēm*, ebenso *weləm* "welchem", † *henəm* "jenem" (neuer *sęləm*), aber auch A. *welən, henən/sęlən*, deren *-n* nach D 4.2.2,1 analogisch ist, so daß

---

[1] In - vermutlich kanzleisprl. Ansätzen - bereits im CL, vgl. 2047 *Mudacheimer* zu 2047 *Mudach*, und z.B. 2048 *Mudacher*; über *Lust(at)heimer* s. C 34.3.3.3.

auch bezüglich des D. Vorsicht am Platz ist. Älter scheint hingegen -*m* beim Possessivpron., z.B. *mọ(i)m, dọ(i)m, unsəm*. Das starke Adj. kennt zwar -*əm*, doch steht dies im Verdacht, einer "besseren" Sprachschicht zu entstammen, da daneben jeweils volkstümlichere Ausdrucksweisen zur Umgehung dieses -*əm* bestehen. Es gibt folgende Möglichkeiten: 1. unflektiertes Adj. beim Ne., z.B. *mid wọ̄rəm kọld wasə* "mit warmem/kaltem Wasser", *aus pū̜ gold* "aus purem Gold", *ba drugə wɛrə* "bei trockenem Wetter", *ba šē wɛrə* "bei schönem Wetter", *ba šlɛ̄šd lišd* "bei schlechtem Licht", *mid ọnə gọ̄n* "mit anderem Garn", also vor allem mit Präp.; 2. unbest. Art. + schwaches Adj. beim Msk., Ne.: *mir‿əmə grọusə grax* "mit großem Lärm (`Krach´)", *fumə ọldə/naiə wọi* "von altem (neuem) Wein", *bamə šēnə wɛrə, mir‿əmə ọldə gọ̄n*, vgl. Nr.1; 3. schwaches Adj. (ohne Art.!), nur Msk., z.B. *(s rī̃sd) no frišə kuxə* "(es riecht) nach frischem Kuchen", *mid ọldə/naiə wọi*. Daneben auch immer "besseres" -*əm* möglich. Nr. 3 liefert den Schlüssel: -*ə* < -*ən* und dieses aus -*əm*, dann umgedeutet, weil -*ə* dem starken/schwachen msk. A. gleicht, dann Aufgabe des -*ə* beim Ne. entsprechend dem A.; zuletzt Einführung des unbest. Art. (Nr.2), die jüngste Stufe der Entwicklung. Es gab demnach den Wandel -*əm* > -*ən* auch beim Adj.

2.2.5. Beim Sb. sind mir, abgesehen von hist. Schrr. (*gaden*, s.o.), keine Reste bekannt. Es heißt (entgegen der Schrspr.) *bɛ̄səm*: mhd. *bĕsem(e), borəm: bodem, brosəm* "das Weiche im Brot": *brôsem(e), busəm: buosem, farəm: vadem, ọ̄rəm: âtem*, ferner FlN aus Wo mit *Wittum*, mhd. *widem(e)* (R 301); sekundär in *wasəm* "Rasen": mhd. *wase(n)*, gebietsweise *šɛ̄rəm* "Schatten" (Bauer §118,3; L *šɛ̄rə*). Hinter Ton-V z.B. *grọ̄m, họ̄m* "Kram, heim" u.a.; lediglich rhh *Klan* "Rinne u.a." muß -*n* > -*m* haben (SH: mhd. *klam*)[2].

2.3. Ich nehme folgende Entwicklung an: Nach ahd. -*m* > -*n* hinter unbet. V stellte sich dieselbe Tendenz gegen 1000 (ON-Belege!) abermals ein, nun auch hinter Ton-V (vgl. Paul §85). Bei Sbb. führte dies zum Wechsel -*n*/-*m*-, z.B. **hein/hɛim*-, **vadən/vadəm*- > N.A. **vādən/vadəm*-, der dann im Lauf der Zeit zugunsten der flektierten Formen ausgeglichen wurde (aaO), zuerst *hēm, *später auch* *vadəm (hier zugleich auch Durchdringen des KV, C 5.3.1.1). An den A. (später auch N.) Sg. *vādəm konnte sich der A. **wā̜zən* anlehnen und dann nach *vadəm- ein *važəm- (mit KV!) bilden, entsprechend in *šēdən. Dieser Ausgleich ist nicht zu früh anzusetzen, vgl. obige Schrr. mit -*n*, ferner Zinsb Be-Lind 1455 *Wasen*.

Bei ON galt *-*hein* (> -*ən*; C 34.3.4.6: D 35.6.1a). Von den Ableitungen auf -*heimer* (> -*əmər*) aus konnte -*m* wiederhergestellt werden (vgl. C 34.3.4.5). Dabei war wie immer Rhh "fortschrittlicher": keine *ə*-Reste. *Mühlheim* als (nur schriftliche!) Adoptivform weist auf den nicht zu unterschätzenden Einfluß der Kanzleien und der Oberschicht auf den Wiederherstellungsprozeß hin. Auch waren ihm größere Orte eher ausgesetzt, so noch im sSt zu

---

[2] Jedoch nicht *kūnə* "Schimmel auf dem Wein": vulgärlat. *cana*, mhd. *kân*!

sehen, vgl. *bensəm, hębrəm.* (trotz hist. ⟨-n!⟩), *wǫinəm* mit *nō̜ədə, wadərə.* Überhaupt ist *-m* in St teilweise recht spät durchgedrungen, vgl. *bīwəsəm*: noch 1511 ⟨-en⟩ (s.o.).

Bei den Adj. konnte *-ə(n)* leicht beibehalten werden; nicht so sehr beim Art. und den Pron., wo eine größere Notwendigkeit der formalen Kennzeichnung des D. bestand (vgl. Moser 1951, §133, A.4). Hier ist *-m* von später apokopierten bet. Formen *déme, íme* ausgegangen.

b) Lösung des Nasalverschlusses; Schwund

I. Die Nasale hinter Vollvokal

3.0. Es kommen hier in Frage Verbindungen aus *V+N* im Ausl. sowie *V+N+Grl.* im Inl.

3.1.1. Am klarsten, weil am besten erhalten, ist der Nas.-Schwund im Ausl. Bedingung ist dabei Länge des V, betroffen ist nur *-n*, da *-m* ja ursprünglich zu *-n* geworden war (D 2) und *-ŋ* hinter LV nicht vorkam (B 2.4.5,2). Beispiele für *-n* hinter KV: *ǫn,* Präp. "an", *dǫn* "dann, denn": mhd. *danne, en* "Ende", *in,* Präp., *kǫn* "Kanne", *rin* "Rinde", *šbin* "Spinne", *šun* "schon": *schône, wǫn* "Wanne; wann": mhd. *wanne.*

Hinter LV ist *-n* gefallen (unter ursprünglicher Nasalierung: D 22.2.1.1). Dadurch entstand ggf. eine Alternanz *-∅/-n-.* Beispiele: *ō̜,* Art. "ein(e)" (Fem., Ne. gg. D.Sg. Fem. *ō̜nərə),* *ǫi,* Adv. "ein" (s. C 4.3.3), *bō* in *bō maxə* "Schnee räumen" (`Bahn´): mhd. *ban(e), brǫu(n-)* "braun": *brûn, dəfū* "davon" *dar von, hē* "hin": *hin(e), kablȫ̜* "Kaplan", *lō* "Lohn", *mǫi,* bet. "mein(e)" (Fem., Ne.), *rǫi* "Rhein", *sō* "Sohn": *sun, šdȫ̜* "Stein(e)" (gg. *šdō̜niš* "steinig"), *dsǫu* "Zaun", *dsō* "Zahn" - *dsē* "Zähne"; *fro-láišnō̜m* "Fronleichnam" hat Kg. im Vorton (C 32.1.3).

-n fällt auch unter folgenden Bedingungen: a) wenn auf *-n* ursprünglich noch ein *-ə* folgte, s.o., ferner *glō̜(n-)* "klein": *kleine, grī(n-)* "grün": *grüene,* FIN L *hō-lębə,* s D 23.2.2.2, † *kádrǫi* "Katharina", *ō,* Adv. "an": *ane, šē(n-)* "schön": *schœne;* b) wenn es auf *-nde* zurückgeht. In Frage kommt vor allem *Beunde,* mhd. *biunde,* in FIN: *baĩ(n)* (SH)[3], FIN L *Kapain [kabǫi]* < *Gebeunde* (Fecher 1941, 107f.).

3.1.2.1. In neueren Lwtt bleibt *-n,* Beispiele s. C 4.3.5; ferner *bō̜n* "(Eisen-)Bahn" (gg. *bō,* s.o.), *grōn* "Krone"; heute auch in PN wie *faldīn, šdefō̜n* (aaO). Doch war dies nicht immer so, s. C 4.5,4 und SH *Valentin,* außerdem GRB 1720 *Steffa* 2x, 1724 *steffa.* Die Halb-Mda stellt auch sonst gern *-n* wieder her, z.B. für *glō̜: glǫin, rǫin* "Rhein" In den Farbbezeichnungen (Handel!) *braun, grün* sowie im Wort *Sohn* dringt *-n* auch in die echte Mda ein.

---

3   Aber *-n* hinter KV in rhh *ben,* s. C 5.4.3.2,1.

3.1.2.2. Daneben gibt es einige Wörter mit *LV̄+n.* ohne daß die Schrspr. am Werk ist:

1) Fem. Sbb. wie *bōn* "Bohne"; mhd. *bône, lɔi(n)* "Leine"; *līne, rōn* (Fem.) "Striemen": arf. **runa* (?) sowie z.T. *bãi(n)* "Beunde" (s.o.) und die Wörter von C 5.4.3.2,2 haben *-n* bewahrt, weil in St ursprünglich auf *-ə* aus der verallgemeinerten schwachen Flexionssendung *-en* ausgehend, heute nur noch im O, s. C 35.2.2a. Daher das Überwiegen des Typs *Lein* in St und *Leiⁿ* in Rhh (SH). Aber L *bī,* jünger *bīn,* "Biene", Pl. *bīnə* hat schrsprl. *-n* als ursprünglich starkes Msk. (SH).

In anderen Fällen mag Anlehnung an ein Grund-Vb. mitgespielt haben, so z.B. *lēn* "Lehne" nach *lēnə:* allgemein (SH), doch *Lehnstuhl* = [*lẽ-*] Bi-Zotz.

In einem Fall ist indessen auf der Basis des Sg. umgekehrt ein neuer Pl. ohne *n* (aber mit alter Nasalierung) geschaffen worden: Der *r*-Pl. zu *Huhn* (ahd. *huonir*) erscheint, soweit nicht durch *Hünkel* ersetzt (so L: *hiŋgl*̣), in St und Rhh als *hẽr* u.ä. Belege aus der heutigen Mda s. SH *Hühner-,* vgl. ferner Heilig §246; Hirsch K.22. FIN: Da-Hähnl *Hähnerseck* [*hẹ̄ŋš-*] (Reeg 1935, 30); Be-Waldm *Hühnereck* [*hị̄ṛr-*] (Meyer 1934, 32); hist., R 161f.: Wo-Hepp *Hühnerflug* 1494/1560 *hier-,* Offst 1720 *Heer-;* Gundersh *Hühnerscherre,* z.B. 1490/1525 *hyrre-;* Weiteres aus Rhh z.B. Walldorf 1936, 33; 86 (Az-Schornsh Udh).

2) Bei Vbb. (1.Sg. Präs., Imperativ) wurde gleichfalls *-n* auf analogischem Wege früh wiederhergestellt, z.B. *iš mōn* "ich meine" zu *mōnə, iš grɔin* "ich weine" zu *grɔinə,* Imp. *mōn, grɔin.* Reste haben im ganzen Shess. anscheinend nicht überlebt.

3) Einige msk. Pron.-Formen: bet. adj. *ɔ̄n* "einen", sb. jünger N. *ɔ̄n(ə),* A. *ɔ̄n,* älter N. *ɔ̄nə,* A. *ɔ̄n: ɔ̄n(ə) is kumə* "einer ist gekommen", *wɔn iš ɔ̄n fən aiš fəwiš!* "wenn ich einen von euch erwische!"; *blɔus ɔ̃n mɔn wɔ dō* "nur éin Mann war da", *di ɔ̄rəmə baiəšin hɛwa blɔus ɔ̃n blug* "die armen Bäuerchen haben nur éinen Pflug". Entsprechend verhält sich *kɔ̄(n)* "kein-"; ähnlich die Possessivpron. *mɔi(n), dɔi(n), sɔi(n)* (bzw. unbet. mit *ɔ,* s. C 32.3.1); *mɔin* = sb. N.A.Sg. "meiner, meinen" bzw. "der/den meine(n)"; adj. "mein(en)": *dsị̄gš-ə dɔn náiə ōdsug ō?* "ziehst du deinen néuen Anzug an?", *iš dsị̄g mɔin ắ ō* "ich ziehe (den) meinen auch an"; *dɛs əs dɔ́in ōdsug.* Älter war aber *mɔi (mɔ)* im adj. N. vor K, während vor V nur *n*-Formen gebräuchlich waren: *dɔ́in abl̥, dɔn ábl̥* gg. *dɔ́i fadə, dɔ fắdə.* Die Verallgemeinerung des *-n* entstand offensichtlich nach dem A. Bei *ɔ̄n, kɔ̄n* ist der Prozeß in L bereits abgeschlossen.

Reste ohne *-n* sind beim unbet. Pron. weithin vorhanden: Bauer §§110,d3: 168,1-3; Bert. §186: Freil. §278; SH: *ein:* sb. A., adj. N. allgemein *-n,* adj. A. *ắ* verbreitet Rhh; *kein:* sb. A. allgemein *-n,* adj. N.A. öfter noch ohne *-n.*

Daraus folgt, daß *-n* einst überall geschwunden und dann wiederhergestellt sein muß und zwar in folgender Raihenfolge: 1. A. der unbet. Possessivpron. und von sb. *(k)ein:* keine Reste ohne *-n;* 2. N.A. bet. Possessivpron.; 3. N.A. adj. *(k)ein:* Reste; 4. N. unbet. Possessivpron.: verbreitete Reste.

Nun gibt es noch weitere pronominale A. mit *-n*: *ēn* bet. "ihn" (allgemein *-n*: SH *er*); bet. *dēn* "d(ies)en", *wēn*. *ē* ist hier am verbreitetsten (SH *der*), *ĕ* besonders im Odw (ebenso in Ws!). Hier ist eine ursprüngliche Zweiheit ausgeglichen: bet. *dēn/wēn*, unbet. *dĕn, wĕn*; *dēn/wēn* müssen für *dẽ/wẽ* stehen. Solche Formen belegt z.B. SH s.v. *Milch* (Sp 659) für Bi-Dietersh, ferner Christmann §17,3.

Die Wiederherstellung des morphologisch wichtigen A.-*n* ist rein innermdal. zu erklären. Denn auch die Pron. *welcher, jener* haben *-ən* (statt *-ə*: D 4.2.2,1): *welən, henən/sęlən*. Erhalten war *-n* geblieben hinter kurzem Voll-V, also *dĕn/wĕn*; ferner unbet. *in* "1. einen (unbest. Art.); 2. ihn" (vgl. C 42.4), † *ən* "den" (Art.). Von hier aus erfolgte Übertragung: *in* → *ẽ* > *ēn, dĕn* → *dẽ* > *dēn*, dann *dēn* → *wẽ* > *wēn*, schließlich die übrigen Pron.

Zu beachten ist, daß auch dort zunächst der A. erfaßt wird und da offenbar zuerst unbet. Possessivpron. mit KV (vgl. *den/wen!*).

4) Gewisse einsilbige Vb.-Formen. Dabei sind zwei Gruppen zu unterscheiden:

a) *n* im primären Kontakt mit LV (Di.): Inf. *dū, gęi, šdęi* "tun, gehen, stehen", aber 1.3.Pl. *dūn, gęin, šdęin*, dazu die Inf. *haben* (`hân'): *hō, sein: sǫi*.

Die Verteilung von *Ø* und *-n* stimmt im größten Teil des Gebietes mit L überein[4]. Doch gibt es bezeichnende Abweichungen. Im einzelnen: Die genannten Vbb. haben auch im Inf. das *-n* mehr oder weniger verbreitet im öSt (Odw, (s)Er): SH; für *sein*: Bauer §111,7; *stehen*: aaO K.8. - 1. Sg., soweit alte *n*-Endung erhalten: nwRhh allgemein *-n*, aber *ich sein* fast allgemein, Held §266; Bescher §74,12 (im W ohne *-n*); für St: Freil. §418,3; *ich tun* auch Az-Vend (Held §251), nwGG (SH); bei Held (aaO) weitere Vbb. mit 1.Sg. *-n*. - 1.3.Pl.: im allgemeinen *-n*, vereinzelte Reste von (nasaliertem) LV: *gehen* DSt. Of-Jüg, *haben* † Be-Bibl (SH).

Stehengebliebene Reste erweisen auch hier *n*-Verlust als das Ältere, sieht man vom nwRhh ab, dessen erhaltenes *-n* aus der nahen *-n/Ø*-Grenze zu erklären ist (vgl. Martin §146). Auch die auffallenden Inf. mit *-n* gerade im konservativen öSt dürfen nicht zu falschen Schlüssen verleiten. Freiling (§§201,5b; 397) weist ausdrücklich auf junges Eindringen von *-n* (statt Nasalierung!) im 19.(20.) Jh. hin. Neben schrsprl. Vorbildern ist dabei mit vorwiegend innermdal. Prozessen zu rechnen. Ein (L) (*mę, si*) *gẽi*, war von *iš gęi* durch (phonemisch relevante!) Nasalierung genügend abgesetzt. Erst durch deren rasches Nachlassen im 19. Jh. (C 23.2.1.1) entstand die Notwendigkeit eines Ersatzes. Als solcher diente *-n*, das gerade in St in Vbb. auf *LV/Di.+r* erhalten war (D 5.3.1,2): *iš šbǭ* "ich spare" - *mę šbǭ-n* und danach auch *mę gęi-n*. Da auch der Inf. *šbǭn* lautet, hat man besonders im O auch *gęi-n* gebildet.

---

[4]   Die 1.3.Pl. scheidet in Rhh wegen des Einheits-Pl. aus, s. D 33

Anders beim *-n* der 1.Sg. bes. in Rhh. Nach *iχ hun* u.ä. "ich habe" (mit *-n* hinter KV!) verallgemeinerte *ich sein* sein *-n*, das in der Bindung *sein-ich*[5] erhalten geblieben war. Wegen der Gleichheit der 1.Sg. dieser beiden Vbb. mit dem Einheits-Pl. konnten nach deren Vorbild auch andere Vbb. festes *-n* in die 1.Sg. übernehmen (Held §251).

b) *n* in sekundärem Kontakt mit LV (infolge Ausfalls eines Zwischen-K): 1. *dān, frān* "freuen", *šdrān (drān,* L ∅); † *frān* "Frauen", alle ursprünglich mit *-wen*, s. C 25.3.3; 2. *dēn, hēn* mit *-n < /-dən/*, s. D 24.9.6f; *brān* ist an *šdrān* angelehnt; *dēn, hēn* haben ältere **dẽ, *hẽ* ersetzt genau wie *gẽin*: **gẽī*. vgl. Be-Bibl 1903 *hẽ(n)* (SH *haben*); s. ferner D 39.2.6.

3.1.3. Voraussetzung für den Nas.-Schwund war die Vorwegnahme der Hebung des Gaumensegels in der Nasalierung der VV seit ca 1150 (C 23.2.1.2). Phonemisch änderte sich dabei wegen [-ã] = /-ān/ nichts. Erst das Nachlassen der Nasalierung ermöglichte die oben beschriebenen Umdeutungen sowie die Verwendung von *n* als sekundären Hiattilger in jung entlehnten Adj. wie *lilā, rōsā*, flektiert *lilān-, rōsān-*. Über *mẹinə* s. C 23.2.2.2 A. 175.

Eine weitere Voraussetzung für den Nas.-Schwund war die V-Länge, also loser Anschluß, die nach C 4.3.3 ursprünglich in weiterem Umfang vorhanden war als in der Schrspr. Die ständig zunehmende Druckkonzentration auf den Anfangsteil des Ton-V führte durch Vernachlässigung von dessen Abglitt nicht nur zur Dig. alter Längen (C 20.4.1.1,1; 20.6), sondern auch zur Einebnung alter Dii. (C 20.7.1.1,2a) sowie zum Aufgehen des Nas. im vorhergehenden LV/Di., wenn kein weiterer V folgte: So wie **au̯/au̯ə- > ā/āu̯ə-* (C 20.7.2; 20.7.4.1) wurde *ãn/ãnə-* zu *ã/ãnə-*. Dies galt ursprünglich sicher auch im Satzzusammenhang bei engem Anschluß an folgenden V, wenn er nach C 2.7,1 sein ?- verlor. Davon zeugen neben den Possessivpron. (und etwa rhh *sein-ich*, s.o.) spärliche Reste wie *glãn-úmšd* "Di-KUmst" (Freil. §201,5b). Solche *n*-Bindung ist anzusetzen z.B. für *kann-ich* (gg. *ich kann*): **kãn-iχ/iχ kã̃*, oder *wenn man klein ist ...*, heute *wọmə glọ̄ is ...* [6].

3.1.4. Der Schwund von *n* nach LV/Di. ist eine typisch obd. Erscheinung[7], zu trennen von /-ən/ > -ə, das weiter nach Norden ausgreift. Die *Weiⁿ/Wein*-Grenze liegt im NW etwa auf der Hunsrückschranke (vgl. Martin §146f.), nur unbet. *mei(n), dei(n), sei(n), kei(n)* reichen darüber hinaus (Schirmunski, s. A.7; vgl. Kuntze §180). Weiter östlich ist der *n*-Schwund viel weiter nach N vorgedrungen (vgl. z.B. Kroh §§19; 396ff.).

---

[5] Vgl. die Übertragung des Umlauts z.B. in L *iš hẹb* "ich habe" nach *hẹw-iš*: C 1.4.4.2.

[6] Vgl. z.B. das Alem., wo solche Formen verbreitet sind, z.B. Jutz 1931, 251f.

[7] Überblick bei Schirmunski 1962, 385f.

3.1.5. Die Chronologie ist nicht leicht zu erstellen, weil einschlägige Schrr. höchst selten sind (phonemische Schrr.!). Doch läßt sich nicht alles als reine Schreib-(Lese-?)Fehler deklarieren: FIN Wo-Berm 1288 *Geidimberc* = *gein dem berc* (?, s. R 75, nach Baur); BII 35: 1316 *Gernodus in hauburttir* = 41 G. *an Hanen burgdor* = 114 G. *dicti an Hanporter*. ⟨au⟩ für *[$\bar{a}$] wegen *$\bar{a}\mu$ > $\bar{a}$ ab 1300; FIN Wo-Gundersh *Rehwiese*, 1445 *reeg-*, 1501 *Rhen-* (R 235); PU 148: 1512/1518 *irrede* für *in-*; Zinsb Bensh 1550,7 *neutzehen*; Derwein Nr. 744: 1577 *Weihgarten* (= *Wein-*). Andererseits setzt der Wandel die vollzogene Apokope nach C 38.5 (schon etwa Mitte des 12.Jh.) und eine starke Nasalierung der VV (ab ca 1150) voraus, so daß mit Beginn des *n*-Schwundes in der 2.Hälfte des 12.Jh. gerechnet werden kann. Abgeschlossen war er etwa zwei Generationen später, denn *-$\tilde{a}$n* > *-$\tilde{a}$* setzt eine Zwischenstufe *-$\tilde{a}$ⁿ* voraus.

3.2. Nicht so klar ist die Entwicklung von Nas.+homorganen Grl. Es kommen in Betracht folgende Gruppen: *mb, nd, ng*, ferner *ns*, während ahd. *nf* nach C 48.3.2 durch Sproß-V getrennt war. In einzelnen Fällen fehlt(e) *n* jedoch vor *f*: 1. BII 447: 1375 *vernúfte*, D.Sg., nach Paul (§68) dissimiliert aus *n - n* (schon ahd., Schatz §275); 2. *fufdsęi, fufdsiš* "15, 50", allgemein üblich (SH), alt, vgl. GRB 1728 *fuffzig*, aber trotzdem nicht unbedingt bodenständig, weil weit verbreitet im dt. Sprachgebiet (Paul 1916, §242). Zahlwörter sind ohnehin stark umgangssprachlich beeinflußt. 3. In sekundärem Kontakt mit *f* ist *n* aber einst ausgefallen, vgl. SH *Handvoll* (Typ *Hǟfel*, bes. nRhh; L †*hǫmbļ*), *Muffel I* "Mundvoll", verbreitet mit *ū ō ǭ* (L *mumbļ*, s. D 14.1.2.3).

3.3.1. Hingegen war *n* vor *s* ursprünglich am ganzen Rhein entlang ausgefallen, also auch im SHess. (Christmann 1931, 37f.; vgl. Brinkmann 1931, 56). L hat heute im allgemeinen *ns* bzw. (bei Wandel *s* > *š*) *nš* (phonetisch genauer *ⁿds, ⁿdš*: B 2.4.3,3): *dunšd*, mhd. *tunst, fenšdə* "Fenster": *vénster, gǫns* "Gans", *ginšdə* "Ginster", *uns*, aber auch mit sekundärem Kontakt *ǭns* "eins" < *einez̧, kǭns* "keines", *mǫins, dǫins, sǫins*; aber *ǭšļə* "plump, schwerfällig gehen", zu Anselm (SH *Anschel, anscheln*)[8]. *drǫšļə* "trödeln" (vgl. SH *transcheln*) kann sekundäre (expressive) Nasalierung haben (vgl. SH *Träunschel, Trunschel*).

Neben verbr. *ǭšļə* gibt es weitere Zeugnisse (s. SH): *Fehster* Di-Urb Münst; *flanscheln*: *-ǭš-* St; *flansen* "tratschen gehen" Er-Hebst, zu mhd. *vlans* "Mund"; † *gǟs* Of-Jüg Offth; *granscheln*: *-ǟš-*, *-ǭš-* vereinzelt; verbr. *haunisch*, *-eu-* (L ∅), allgemein nasalierter Di. (LV) + *š*; *heinseln*: *-ais-* nEr, nBe; verbr. in *mans- (-ig)*, *manschen II, -scheln I, II* u.a.; *Ranchel*: *rȁχ-* GG-Erf, Be-Nordh; *ōs/ūs*-Rest im Odw, Freil. §344,7: *wȁsd* "Wanst", Wenz 50; über *Runst* s.u. Überhaupt sind solche Formen in den Grenzgebieten noch öfter anzutreffen, vgl. Siemon §§49; 375; Heilig §§74b; 115,1a; S. 234ff.; NW: Martin §238,4.5; N: Schnellbacher §259.

---

[8] Heute in L auf *ǭš* "Arsch" bezogen.

Verbreiteter ist *n*-Schwund in verschieden starker Verbreitung besonders im öSt bei sekundärem Kontakt mit *s*: SH *ein I (eins)*; *kein(s)*; zu *meines, d-, s-* vgl. z.B. Seibt §235; Bert. §190; Freil. S.86; ferner *(du) meinst*: Freil. §204., also einst auch im lebenden Paradigma vorhanden.

ON, St: GG-*Geinsh* (SH *Rohrbrummer*): *Geisemer* (vgl. z.B. 1433 *Gensheim*); Di-*Brensb* = [b*r̥ẹ̃ĩsbox*] (Freil. S.268; a. 1335ff. *Brens-*, aber 1356 *Breyns-* mit ⟨ey⟩ für LV infolge *n*-Verlustes), Er-*Hainst* = [*hā̃šd*] (s.u.), O/N*Kainsb* [*ḳọišbox*] (alle Freil. §202a); Rhh: Az-*Lonsh Wonsh* = [*lōsəm, w-*] (Held §217). Nur historisch Be-*Bensh* = [*bensəm*], aber 1566 *Beins-* (Stadtsiegel!) = *[b*ẹ̃ĩs-] (vgl. Di-*Brensb*; C 20.4.4.2,1; 23.7.5).

FIN, z.T. nur hist.: Wo-Hepp *Linsengewann*, 1286 *lysin* (R 199); Wo-Monsh [*wasʋrĩs*] = *-runst* (mhd. *runs(t)* "Rinne"[9]), 1286 *-runst-*, 1767 *-ruß-*; NFlörsh [*wasʋriš*] (Umdeutung zu *wasserig*), 1308 *-runsz-*, 1365 *Rust-* (alle R 249).

Weitere hist. Schrr. sind (wie im Ausl.) selten. Die älteste stammt aus dem CL: 2876 *Heister marca* (< *Heinsteter*, vgl. 2843 *Heinstete*); später: LU 1441 *zyse* (neben 6x *zins-*); oft hingegen LV+*n* in Ws (14.Jh.): *ziens, -ĩ-*, zuerst 1327 (BII 154); aber BI 343: 1300 *user* (kein Schreibfehler, gegen Hoffmann 177). Vgl. auch Christmann 1931,37ff.

Es ist somit sicher, daß *n* einst im gesamten shess. Raum (unter Ersatz-Dg.) sowohl in primärer als auch in sekundärer Verbindung mit folgendem *s š* geschwunden war, also auch in Wörtern wie L *dinšd* "Dienst", mhd. *dienest*; *menš(ə)*, ahd. *mennisco*; *winšə* "wünschen"; *fọinšd, glenšd, šenšd*, Superlative zu *fọi, glọ, šẹ* "fein, klein, schön". Damit schließt sich die Mda an das große alemannische Schwundgebiet an, das sich allerdings im N mit einem schon älteren traf.

3.3.2. Der Schwund kann nicht vor dem *ə*-Schwund gemäß C 38.5 eingetreten sein, d.h. nicht vor ca 1150. Andererseits war damals der Wandel *ns* > *nᵈs* noch nicht vorhanden (*ãns* > *ãs* und nicht *ãᵈs*), der Mitte des 13.Jh. liegen dürfte (D 43.2). *n* ist somit bald nach 1150 gefallen.

3.3.3. Wir kommen somit auf eine parallele Entwicklung zu ausl. *-n*; *ãns* > *ã̃ⁿs*, d.h. Lockerung des Nasalverschlusses, begleitet von Ersatz-Dg., *ã̃ⁿs* > *ãs*.

3.3.4. Im Gegensatz zu ausl. *-n* ist *n* vor *s š* weitgehend wiederhergestellt worden. Im lebenden Paradigma können innermdal. Ausgleichsprozesse im Spiel gewesen sein, z.B. *du* *grãĩšd* "weinst" nach *grãĩnə* zu *grọinšd*. Doch waren im übrigen hochsprl. Strömungen am Werk, die gelegentlich zu Überbildungen führten (C 23.2.2.4,1). Nach Ausweis von häufigen Schrr. wie *ziens* vollzog sich die Wiedereinführung des Nas. so, daß dieser zunächst hinter den gedehnten V (Di.) trat, also *gọ̃ũs* (zum V s. C 23.5.5) > *gọ̃ũns*, dann *gõns, gõns*. Dieses ist noch verbreitet im wOdw (SH), also ein wichtiger Hinweis auf einstigen LV bei *n*-Vorlust. Dafür dann

---

[9]   D.Sg. *rũns(t)e*, daher der Umlaut ("am ...").

später *gā̜ns* > *gǫns*. Besonders in schrspr.-fernen Wörtern konnte sich die Länge bis heute erhalten. Man vergleiche z.B. folgende Stichwörter aus dem SH: *pinseln, Flans I, Flansel (-er, -ig, -n), flansen, lunsen, Runst [rōns̆]* (Wo-Alsh). Im allgemeinen hat sich der KV durchgesetzt, so in L. Nur an der V-Färbung (*o* für *a̜ ǫ*) ist die ehemalige Dg. zu erkennen.

3.4. Neben dem *n*-Schwund vor *s s̆* gab es auch einen solchen vor *ds*: /*ands*/ > *ā̃ds*. Die Überreste sind hier noch spärlicher und finden sich vornehmlich im öSt (s. SH): Binse: [*bēds*] (*ds* nach D 43,1) Er-LWieb Wallb KPBeerf; hist.: FIN Be-Lind *Bintzingswies*, 1590 *Bitz-* (Kunz 1979, 184), vgl. Zinsb Be-Lind 1455, 79 *Biincze wieße*: *einzig*: *ā̃dsi(χ)* Odw; *grunzen*: *grō̃dsə* Of-Dud; *Heinz* (Lockruf für Schweine): *hā̃ds, -ō̃-* Odw (*Heinz II*); *maunzen*: *ā̃ūds* verbr. St, Rhh; *ranzeln*: *ā̃ds* Di-Wieb.

Häufiger und allgemeiner verbreitet sind indessen Wörter des Typs *ā̃ⁿds* (zu *nⁿds* s. B 2.4.3,3), also mit Dg. und wiedereingeführtem *n*. Aus L: *ǭns̆ə* "lange über Belangsloses tratschen" (SH *anzeln[10]*); *grīns̆ə* "grinsen" (eig. *-nz-*, Kluge); *grūns̆ə* "grunzen"; *pīns̆ə* "leise vor sich hinweinen" (vgl. SH *pinz-*); *pefe-mīns̆* "Pfefferminze"; *s̆brīns̆(l̩)* "schmächtiges Kind"; *s̆drŭ̃ns̆ə* "prahlen"; PN wie *Kunz, Munz [kūns, mūns]*. Die Dg. in diesen Wörtern ist nach Ausweis des SH verbreitet. Weiteres, besonders nach dem SH (in Klammer die L Form, soweit mir bekannt): *Banz* "Katze", vor allem Odw; *Bonz* "Innereien vom Rind usw.": allgemein *ō*; *Finz*: *ī* Be-Zwing; *granzen* "grunzen": weithin *ā*; *grunzen*: *ō* in der Nachbarschaft des obigen *grō̃dsə*; *Hinz* in "H. und Kunz": *ī* Da-Balkh (*hīns*); *Prinz*: † *ē* Da-Esch Balkh (*brins*); *Tanzbär*: LV Er-Hebst (*dǫns-*); *Tänzel* "Kreisel": *ē̜* Wo-HSülz; *Wanze*: *ō* Be-Aschb (Bauer §16 A.1; *wǫns*); ON Be-*Bonsw* [*bōns-*] s. C 23.5.1.1; FIN *Pflänzer*: wiederholt *ē̜* in Wo (R 231).

Die L Verhältnisse zeigen die Tendenz zum KV als letzte Stufe der Beseitigung eines Typs **ā̃ds*. Vielfach ist sie schon überall im SHess. verschwunden, vgl. z.B. die Stichwörter *blinzeln, brunzen, Franz, ganz, Glanz, Kranz, Münze, Pflanze* (gg. *Pflänzer*) u.a. im SH.

Im konservativen Odw sind die Überreste am zahlreichsten, und im SO waren sie noch 1898 reihenweise vorhanden (Heilig §114f.). Im m/öSt ist die ehemalige Ersatz-Dg. noch am *o* (statt *a̜ ǫ*, Typ *gons* "ganz") zu erkennen (vgl. C 23.5.6): Bauer §161f.; Seibt §14; Weber 274f.; Bert. §192,2f.; Freil. §306,2f. 6. Die Entwicklung verlief der in *ans* also völlig parallel.

3.5.1. Wenn der Nas. vor *ds* vokalisiert worden war, dann sicher auch vor Vsl., also in *and*, aber auch *amb, aŋ̇ġ*. Historische Belege sind ebenso selten zu erwarten wie für *ans*. Und bei nachfolgender Wiederherstellung des Nas. mußte der gelängte V nach D 8.4.1 wieder gekürzt werden. Außerdem ist hier mit besonders starker Analogiewirkung zu rechnen. Während z.B. ein Stamm **ǭūs* "uns" stets unverändert blieb, also auch **ǭūz-ər*, war dies in den meisten

---

[10] In L haben sich *anscheln* und *anzeln* z.T. vermischt, indem letzteres seine Bedeutung dem ersteren angepaßt hat; *ǭs̆l̩ə* s.o. 3.3.1

Paradigmen mit $V-N-Vsl.$ nicht der Fall. Neben *$h\bar{\rho}\bar{u}d$ "Hand" stand *hen "Hände" (D 31.2), ebenso *$k\bar{\rho}\bar{u}b$ "Kamm" - *$k\check{a}m$-. *$k\bar{e}m$, *$l\bar{\rho}\bar{u}g$ "lang" - *$l\check{a}\eta$-. *$l\bar{e}\eta$-. Das Bewußtsein für den geschwundenen Nas. war stärker ausgeprägt und bot bei Einsetzen der hochsprl. Reaktion auf die "vulgäre" Lautung einen größeren Ansatzpunkt zur Wiederherstellung des alten Zustandes, zunächst in den alternierenden Paradigmen und dann in der verbleibenden gliederarmen Reihe.

3.5.2. Trotz dieser ungünstigen Umstände ist Nas.-Schwund auch vor Vsl. zu erweisen:

1) Es gibt einige spärliche Relikte und hist. Schrr.: FlN L *Rehngarten*, s. C 5.4.3.3; Be-Lamp hat $h\rho id$ "heute" $<$ *hinaht* (Bauer §59,5 A.2) mit ρi $<$ *$\tilde{ai}$ (C 23.5.2, erhalten wegen des Anklangs an hdt. *heute*); vereinzelt ist *(ge)mei^{n}t* belegt, SH *meinen*; es regnet heißt *s rĕd* in Az-Bechth (SH *Meßbuch*); *ranksen*: *-ăg-* Er-Hebst, SH; der FlN Be-Lind *Lohgarten* heißt auch *Lang-*: 1568 *Lhoehauß*, 1593 *Lauenhaus* = *[lρu-]*, 1742 *Laag Garthen*, etwa *[lōg-]*, 1774 *Laag-* usw. (Kunz 1979, 196f.), Verwechslung von *[lρ̄ūg]* "lang" mit *[lρu-g-]* (vgl. L *Rehngarten*); GG-*Crumst*, 1248 *Crumbstat*, aber 1509 *Croymb-* könnte *[grŏb-]* meinen (unsicher, weil daneben auch z.B. 1261 *Crumme-*); über den ON der VPf *Beindersheim* s. C 20.4.4.2,1. Sehr zahlreich sind in St die Reste von *o* für *ρ̣ ρ*, s. C 23.5.1.1. Wenigstens in *gehangen* ist *o* auch nBi nachgewiesen (SH *hängen*). Im S: Derwein Nr.749: 1793 *Saand* mit Ersatz-Dg. Der Nas.-Schwund vor K hatte somit einst ganz St, den größten Teil Rhhs und wenigstens Teile der VPf erfaßt (vgl. auch hist. *gereynden* für *-eyd-* 1477 Edenkoben, Bertram §261). Eine genaue Abgrenzung der Erscheinung bes. nach W/SW bedürfte eingehenderer Untersuchungen.

2) Nach N, O und S hin schließen sich überall Gebiete mit eindeutig nachweisbarem Nas.-Schwund an, s. die Übersicht bei Schirmunski 382f.; im einzelnen: In Oberhessen ist anscheinend nur (noch?) *a* betroffen, Hall 207ff.; vgl. Hasselbach §197,1. Das südöstliche rf.-ostfränk. Grenzgebiet kennt nach Heilig noch die Typen *ăb* ($<$ *ămb*), §§111a; 115 A.; *ămb* für *ăb* §111; *ã(n)d* ($<$ *ănd*): §§114b; 146; *ạ(n)g* ($<$ *ăng*): §§119, außerdem §§207; 213; 219; 246; Nachtrag S.234f., also mit erhaltener Länge trotz teilweiser Wiederherstellung des Nas. Dabei sind alle VV betroffen. Weiter nördlich: Hirsch 25 (*Hand*); 29f. (*Kind*); 32 (*Pfund, könnt*); 40 (grundsätzlich). Im S hat Waibel fast durchweg Nas., aber im äußerst konservativen Liedolsheim sowie im Nachbarort Hofstetten *šaid*, *gmȭid* (§§53, IIc1; 73). Damit gewinnt man Anschluß an das heute stark eingeschränkte schwäb.-alem. Gebiet mit Vokalisierung vor Vsl., unabhängig vom vorhergehenden V (vgl. Jutz 1931, §§55 (S. 147); 102). Dieselbe Erscheinung findet sich - abgesehen vom Ofränk. - auch in Resten im Bair. (Kranzmayer 1956, §46c, e mit Karte 23). Kranzmayer spricht sie als gemeinobd. an. Sie greift aber gerade im Wmd. weit über das Obd. hinaus[11]. Mir scheint, daß es sich um eine großräumige Bewegung gehandelt hat, die auch das Rf. erfaßte, womöglich dessen W ausließ. Von N her kann sie nicht gekommen sein, weil 1. oberhess.

---

[11] Schon Bremer 1895 (90ff.; 211ff.) zeigt ein großes (ehemals) zusammengehörendes obd.-md. Schwundgebiet auf.

Eigenheiten zwar einstmals das SHess., aber nie das gesamte Obd. erfaßten und 2. die oberhess. Beschränkung auf *a* eher den Eindruck des langsamen Ausklingens der Bewegung macht. Der Ursprungsherd scheint das Bair. gewesen zu sein, von wo aus der Schwund nach W (Alem.), NW (Rf.) und N (Ofränk.) übergriff.

3.5.3. Der Nas.-Schwund vor Vsl. gehört unbedingt zusammen mit den anderen vorkonsonanti- schen Nas.-Reduktionen. Auch zeitlich muß es eine einheitliche Bewegung gewesen sein, vgl. den ersten Beleg mit ⟨ei⟩ in *Beindersheim* 1278 mit dem Ergebnis von C 3.3.2. Außerdem setzt die lautgerechte Entwicklung von *Feind, Freund* (C 8.4.1) noch Senkung von *i ü u* (C 19.13) vor *n+d* voraus, so daß vor 1150 nicht mit dem Nas.-Schwund gerechnet werden kann.

Die Wiederherstellung des Nas. erfolgte hier auf Grund der oben beschriebenen Schwäche des Alternanzsystems früher und intensiver, allerdings nicht ganz reibungslos, sondern führte wieder- holt zu fälschlicher Einführung eines Nas., s. C 23.2.2.2-4.

II. Die Nasale hinter unbetontem Kurzvokal

4.1.1. Die Trennung der Behandlung der Nas.-Entwicklung nach der Stellung hinter bet. V und hinter unbet. KV, d.h. *a*, erfolgt mehr aus praktischen als aus logischen Gründen. Denn vom Standpunkt des SHess. aus gehören beide zusammen, zumal das Verhalten von *n* hinter unbet. LV (Lwtt!) bereits oben mitbehandelt ist (C 3.1.1; 3.1.2.1). Hier wie dort ist weitaus am häufigsten *n* betroffen, einige Male *ŋ*, *m* gar nicht, weil es wegen des ursprünglichen Übergangs *-m > -n* in solcher Stellung nicht vorkam. Hier wie dort gibt es die Kategorien KV+ ausl. *n*, + *ns*, + *nK*, darüber hinaus jedoch auch *-ana-*.

4.1.2. Betrachtet man die Entwicklung allerdings großräumiger, dann greift der Nas.-Schwund hinter *a* viel weiter aus als der hinter Ton-V. Dieser Unterschied zeigt sich schon im nordwestlichen rhein-moselfränk. Grenzgürtel (Martin §§146f.). *-an > -a* findet sich nicht nur im größten Teil des Alem. (Jutz §104) und mit Einschränkungen im Bair. (Kranzmayer 1956, §46h), sondern auch im Ofränk. und den Rhein abwärts bis ins Niederfränk. (Übersicht bei Schirmunski 1962, 367).

4.2.1. Ausl. *-an > -a*, ebenso ursprünglich *-an+a* (vgl. C 3.1.1), ohne Nasalierung. Beispiele, Sbb., Sg.: *bala* "Ball(en)", *balga* "Balken", *grōwa* "Graben", *lōra* "Laden", ferner *glāwa* "Glaube(n)", *kuna* "Kunde" (Verallgemeinerung von *-an*), † *menša* "Mensch" *nōma* "Name", auch *baǫmda* "Beamter"[12]; Pl.: *būwa* (Sg. *bū*) "Junge", *jura* (Sg. *jud*) "Juden", *šmędsa* "Schmerzen", *bluma* "Blumen", *gāsa* "Ziegen ('Geißen')", *kiša* "Küchen", *hędsa* "Herzen", Sg. jeweils ohne *-a*; Adj.: *in ǫlda mǫn* "einen alten Mann"; Art.: *da* "den", N.A.Ne. *a* (*kind*), N.A.Fem. *a* (*frā*); Vb.:

---

[12] Verallgemeinerung der *-a(n)*-Kaus und daher vom Standpunkt der Mda aus indeklinabel.

Inf., 1./3.Pl. *driŋǝ, lãfǝ, maxǝ* "trinken, laufen, machen"; ON: *-heim* > *-ǝn* > *-ǝ* s. D 2.2.2; 4.2.4; ferner *biŋǝ* "Bingen", *sabrigǝ* "Saarbrücken"; Weiteres: *aisǝ(n-)* "eisern(-)", *ēdǝ(n-)* "irden(-)" (mhd. *-în*), *ǫnǝ* "entlang, hin" < *ane + hine* (vgl. D 35.3.1).

Betroffen waren auch die Reste des Part. Präs., s. D 32, sowie der flektierte Inf.: mhd. *ze tragenne* > *sǝ drǫ̈ǝ*.

Scheinbare Ausnahmen: *tǫnǝn* "turnen" (*iš tǫnǝ*), *modǝn, tǫndn̥, gǫjǝn*, Pl. zu *modǝ, tǫndǝ, gǫjǝ* "Motte, Tante, (dummes) Weibsbild" (jidd. *goie*: SH *Goje*). Bei der Entlehnung[13] wurde *-e/-en* erhalten und zu /*-ǝr, -ǝrn*/ umgedeutet (vgl. C 8.4.1), vgl. *modǝ* "Mutter", Pl. *modǝn*. Die SH vorgelegte Erklärung auf Grund eines *turnern* als Ableitung von *Turner* erübrigt sich, denn dieses ist in L seinerseits vom Vb. abgeleitet: *tǫnǝrǝ*.

4.2.2. Dagegen ist *-n* in einigen anderen Fällen wirklich erhalten bzw. wiederhergestellt[14]:

1) Unbest. Art., A.Msk. *in*, N. älter *ǝ* vor K, *in* vor V, jünger *in (ǝn)* wie beim Possessivpron., s. D 3.1.2.2,3; vgl. C 42.4.3.1; *in (ǝn)* "ihn", *ǝn* 1. † best. Art. A. Msk. (Mittelstellung: D 37.2.2.2), 2. Fragepartikel "denn"; wiederhergestellt in *henǝn (sęlǝn)* "jenen", *welǝn* "welchen", vgl. *alǝ* in *alǝ rid* "immer wieder" (`allen Ritt´), *(iš hęb) alǝ grund* (jünger *alǝn*) "Grund genug". Hinter kurzem Voll-V schwindet *n* in *in* nicht (fester Anschluß!). In der Fragepartikel und im best. Art. blieb er aus morphologischen Gründen erhalten. Danach wurde es in *henǝn* usw. wiedereingeführt, aaO. Über den fem. unbest. Art. *ǝn⏝* s. C 32.5.1.

2) Pl. der Diminutiva: Sg. *-šǝ*, Pl. *-šin*, z.B. *bɔ̄m* "Baum": *bēmšǝ, bēmšin*, oder Sg. *-ḷ*, Pl. *-ḷšin*, z.B. *haus: haisḷ(šin), wǫšd* "Wurst": *węšdḷ(šin)*. *-šin* mit erhaltenem *-n* ist im S verbreitet: Bauer §171; Bert. §148,6f.; Freil. §§369,2; 412. Sonst herrscht Sg. *-che*, Pl. *-cher*, s. SH WK I,24. (Der Typ *-chin* fehlt dort, ist aber alt). *-šǝ/-šin* ist gegenüber *-ḷ(šin)* im sSt jünger und auf dem Vormarsch[15], daher in L z.Zt. keine genaue Abgrenzung zwischen beiden Typen[16]. Weiter südlich herrscht *-ḷ (-lǝ)*, Pl. *-ḷin* (SH aaO; Bräut. 125). Also ist *-ḷ/-ḷšin* als Kreuzung zwischen *-ḷ/-ḷin* und

---

[13] "Motte" hieß früher *šɔ̄b* "Schabe".

[14] Über den rhh Einheits-Pl. auf *-(ǝ)n* s. D 33.

[15] Vgl. Bauer §170f.; K. 32. - In Ws sind die *l*-Diminutiva schon sehr früh zurückgedrängt worden, nach Hoffmann 212 im 13. Jh. *-lin : -chen* = 69 : 12.

[16] *-(šin)* wird hinter *s š x* ausschließlich gebraucht (*fas* "Faß" - *fęsḷ, fiš - fišḷ, bɔx* "Bach" - *bęx῀ḷ*); hinter Vsl. herrscht Schwanken, vgl. *rɔd* "Rad": † *rēdḷ, rēdšǝ, wǫšd* "Wurst": *węšdḷ, blɔ̄d* "Blatt": *blēdšǝ* (!), *šɔ̄f* "Schaf": *šēfḷ, mǫn* "Mann": *menšǝ* und *menḷ, ǫuwǝ* "Ofen": *ęibšǝ, kisǝ* "Kissen": *kisǝšǝ* (!), *haufǝ* "Haufen": *haifḷ*.

-*šə* anzusehen. Zunächst entsteht -*šə/-šin*, dann wird -*šin* als bequemes Pl.-Morphem angesehen (vgl. z.B. rhh Pl. -*cher*) und mit *-(ə)lin* zu -*ịšin* vereinigt.

Entwicklungsstufen: Sg. -*əlīn* > *-*ələn* (C 34.2.5a) > -*əln* (C 38.4.2.1, vgl. BII 382: 1365 N.Sg. *Henneln. Jekeln*; 399: 1366 *an dem geszeln*; 457: 1367 *daz geszeln*; 650: 1393 *by dem heilgen huseln*. s. auch Deboben 17; 695: 1398 *Cleisln*) > -*əl* (D 5.3.2). Pl.: -*əlīn* + Pl.-Suffix -*ə* (Weinhold 468; Paul §123 A.3; Kienle 167; vgl. Henzen 1957, 145f.)[17]: -*əlīnə* wird nach C 34.2.5 zu -*əlin*, und -*n* blieb hinter kurzem Voll-V, vgl. auch W Be-Reichb 1514 *zwey dorfflin*.

3) Das <u>Motionssuffix</u> mhd. -*in(ne)* lautet allgemein -*(ə)n*, z.B. PN *di hūfnāglsən* "Frau Hufnagel", *di masodṇ* "Frau Massoth", *di šdālən* "Frau Stahl", *di šmidṇ* "Frau Schmitt", *di šnairən* "Frau Schneider"; außerhalb der PN wird heute das entlehnte -*īn* bevorzugt, z.B. *gēdnərīn* "Gartnerin", *kešīn* "Köchin", *lēρrərīn* "Lehrerin", *wędīn* "Wirtin", auch *kēnišīn* "Königin", *fronsę̣isīn* "Französin". Älter ist auch hier -*ən*; Reste z.B. *di šdumən* "die Stummin" (= stumme Frau).

Beispiele aus dem SH auf -*ən*: *Vagabundin, Französin, Kalbin, Köchin, Prinzessin* u.a. Daneben gibt es vereinzelte Reste von -*ə*, z.B. SH *Kalbin: kalwə* nEr[18].

Auffällig ist jedenfalls die fast allgemeine Erhaltung von -*n*, das nur hinter (häufigem) -*er* berechtigt ist, s. D 5.3.1,2. Andererseits ist -*ə* nur hinter anderen KK als *r* belegt. Man hat daher mit folgender Entwicklung zu rechnen: Ausgangspunkt ist ahd. -*in* > -*ən* (s. C 29.4.2,1): CL 461, 496 *Frenkin*; später: Hoffmann 169: 1299 *wirthen*; BII 42: 1310 *Lenysen*, 48: 1313 *eptissen*, 56: 1314 *Zodeln*, 73: 1316 *Hulineckern*, 433: 1317 *pryeln* "Priorin"; ⟨i⟩ nach C 42.2 z.B. BII 41: 1333 *Susinheimerin*, 243: 1304 *burgersin*, 420: 1368 *priorin*. Hinter *l r* fällt *n* regelmäßig (C 38.1.1; 38.4.2; 38.5.1), -*ln* (-*ḷn*) > -*l* nach D 5.3.2. Daher steht hinter bet. V + *l* heute -*(s)ən*, hinter -*ḷ* nur -*sən*, Beispiele s.o.

Abgesehen davon müssen sich ursprünglich -*r+n* und übrige KK + *ə* gegenübergestanden haben. Das geschwächte, morphologisch aber wichtige -*ə* wurde dann auf verschiedene Weisen verstärkt: älter durch Verallgemeinerung des deutlicheren Allomorphs hinter *r*: **keχə* "Köchin" > **keχən*; später durch Übernahme des schrsprl. -*in* als -*īn* (C 4.3.5): *kešīn*. Dabei spielen in den Berufsbezeichnungen sicher auch hochsprl. Tendenzen eine Rolle (vgl. *šnaidərīn* neben PN *šnairən* und mdal. *nēdən*).

4) Über den rhh Einheits-Pl. auf -*ən* s. D 33.

---

[17]   Ein weiteres Beispiel für ein Neutrum mit sekundärem Pl. auf -*e* ist † *kin*, s. D 31.1.

[18]   Anders hingegen sind zu erklären *Heidese, Judese*, s. SH.

4.2.3. Die <u>Anfänge des *n*-Schwundes</u> sind nicht leicht zu erkennen. Sicher ist, daß er wegen der Erfassung auch von *-ən(n)ə* vor der "*gabel(e)*-Apokope" (um 1150; C 38.4.1) zumindest nicht abgeschlossen gewesen sein kann.

4.2.4.1. Außerdem ist *-ə* < *-ən* trotz wiederholter Behauptungen nirgends der Apokope des 13. Jh. zum Opfer gefallen. Nach Debus (1973, 35ff.) hat der Name *Lorsch -ən* < *-heim* verloren: CL *Laurisham* u.ä. Daneben aber *Laurissa* > *Lorse* (> [lōʒ̣s]). Mit *-heim* (lat. *-ham*[18a]) ist der vorgerm. Name des karolingischen Reichsklosters von der Oberschicht der herrschenden Namensmode jener Zeit angepaßt worden (Bach 1954, §584), jedoch ohne Rückhalt in der Volkssprache, s. auch D 44.

4.2.4.2. Ebensowenig ist *-ən* < *-heim* gefallen in rhh ON wie Wo-*Eich*, Az-*Albig Nack*, so Km. 2: 47ff.; 150f.[19]. *Eich* aus **Echinheim* wird begründet mit CL 1450 *in Aichinum* (mit der aus der Luft gegriffenen Dig. *é* > *ei* und Deutung von *-um* < *-heim*), was einen unwahrscheinlichen Gegensatz zwischen *Ai-* für späteres *Ei-* (C 1.3.1) und späterem *-um* < *-əm* (C 42.5) in demselben Wort voraussetzt. Aber Glöckner liest *Aichinun*! Die richtige Deutung bei R 21: *Eichenen* > **āχə*, dann fällt *-ə* als falsch verstandenes fem. Deklinationsmorphem, vgl. z.B. 1306 *zu Eichen* (auch das benachbarte Wo-*Hamm* war alt *Hamme(n)* > *hǫmə*, neuer *hǫm*; ferner C 35.2.2a). Ebenso abwegig die anderen ON-Deutungen, *Albig*: *Albech(e)in* erst 1297, vorher *Albecho* u.ä.; *Nack*: alt *Nacke, -che*, erst 1433 *Nackheim* (vielleicht nach einem Bewohnernahmen auf *-əmər* gemäß D 2.2.3); unannehmbar ist auch Kaufmanns Erklärung von Bi-*Planig* (177ff.; ab 1092 *Bleiniche* u.ä.[20]) sowie die Deutung (33f.) von CL 1990 *Dale* = Mz-*Dalheim* als alter *heim*-Name. Solche ON sind also kein Beweis dafür, daß *-n* schon vor der allgemeinen Apokope völlig gefallen wäre.

4.2.5. Da man aber als Zwischenstufe zwischen *-ən* und *-ə* ein **-ə̃* ansetzen muß, kann der *n*-Schwund zur Zeit der Apokope bereits eingesetzt haben.

[18a] *-ham* zeigt die im Romanischen übliche Vereinfachung von germ. *ai* zu *a*, vgl. fränk. **haim* > franz. *ham-eau*, **waiðanjan* > afranz. *gaaignier* (franz. *gagner*). Unter den ersten Mönchen des von Gorze in Lothringen aus gegründeten Lorscher Klosters befanden sich sicher auch Romanen!

[19] Auch von Kaufmann 1971 wiederholt behauptet, z.B. für *Berg* (22f.), für *Lorsch* selbst S. 280; ebenso 1976 wiederholt, s. Register *-heim*.

[20] Geradezu abenteuerlich mutet seine Erklärung des Übergangs **-inc-heim* über **-ekum* zu *-iχ* an: über *-ec-h(en)* mit ⟨c⟩ = /k/, dann /k+h/ > χ!

Immerhin bietet der CL schon Hinweise auf beginnenden Verfall von -*ən*. Hier eine Auswahl von einigermaßen sicheren Beispielen (die sich leicht vermehren ließen)[21]: 3687d *De Ardahen* gg. 3689c, 3690 *De Ardahe*; 3813 u.ö. *in Aschibrunnen* (u.ä.) gg. 3361 u.ö. *in -e*; 1108 *in Berenbrunne(n)*; 3270/73 *in Bertoldesbare* gg. 3271f. *in -en*; 3660 *De Esgilenbrunnen, In -e*; 140 2x *Ad Furden*, 21 *In Furden*, 3x *In Furde*; 3070 *in Gunnissen*, 3730b, 3728a *in Gunnose*; 3557 Titel *Hirslande*, Text *in villa H*. gg. 3556f. Ti. *-en*. Te. *-e* gg. 3560 Ti./Te. *-en*, 3561 Ti./Te. *-e*; 3681 *De Laren, In Lare*; *De Oberenhoven, In -hove*; 2187, 2193ff. u.ö. *in villa Menzingen*, 2188 *in v. M.-e*; 3678 *de Widergisen, In W.-e*.

Solche Schwankungen kann man m.M. nicht als Schwierigkeiten der Kopisten bei der Latinisierung deuten. Vielmehr ist die Verwirrung auf einsetzenden *n*-Schwund zurückzuführen. Die ergibt sich aus weiteren Schrr. außerhalb des CL: Mz-*Selz*, CL 1093 *in Salsen marca*, aber a. 1194-98 *in Selse* (Km. 199); 1242 *in Mulne* (*Mühlheim* bei Wo-Osth) < CL 163 *Mulnen* (s. C 37.1.2.3), ebenso 1272 (Km. 148). BI 279: 1287 hat 2 falsche *-n*: *unden* (+ V) "und", A.Pl. *zwene manden* neben 2x zw. *mande*.

Hinzu kommt, daß auch -*ən* im Wortinneren vor K nachweislich schon in der 2. Hälfte des 12.Jh. reduziert war (s.u.). Man darf dafür etwa *[$\bar{ə}$]* ansetzen, denn dieses unterlag eben nicht dem allgemeinen *ə*-Schwund, war also von altem [ə] verschieden. Andererseits setzte die ab der 1. Hälfte des 12. Jh. durchgeführte Verschmelzung von [*d*] mit /-*ən*/ zu -*n* (D 24.9.6-8) noch intaktes *n* voraus.

4.2.6. Völliger *n*-Schwund war damals also noch nicht eingetreten. Mit Sicherheit war *n* zunächst in engen syntaktischen Verbindungen vor folgendem V ("Bindung") erhalten geblieben (Vgl. D 3.1.3). Davon gibt es bis heute genügend Reste: *geiə* gg. *geiən‿ōwəd* "gegen Abend" (oder *geiər‿* nach D 8.4.1), *geiəniwə* "gegenüber", *siwən‿*, *dseiən‿ůə* "7, 10 Uhr", (*əm ə)nůərəs* ... "um ... Uhr" (eig. `ein Uhr oder + *s*´); FIN L *im grousnagə* "im Großenacker" (Fecher 1941, 160), *im naiənagə* "im Neuen Acker" (aaO 122), *im pafənagə* "Pfaffenacker" (119); Be-KHaus *goigsənagə* "Gurken-" (Fecher 1942, 25), *mougənagə* "Moken-" (*moug* Mutterschwein", aaO 26); Be-Bibl *Rebenäcker* [*rēwən-*] (SH); mit Agglutination des Art. (*in den* ...) Wo-Osth *Ebeln* [*nēw-*] (R 102), *Nächte(n)* < *âhte* in Wo-Eich Hamm (R 55); ferner z.B. Freil §201,2; Bertram §259; verbreitet war einst *Nast* "Ast" (SH)[22] aus *ein‿Ast*; s. auch D 4.2.2,1.

4.2.7. Vermutlich war -*ən* auch in Pausastellung zunächst erhalten als [*n̩*] oder [*ən*], s. bes. C 39.5. So ist gegen 1200 mit einem Nebeneinander von beispielsweise **šeβ$\bar{ə}$* + K gg. **šeβ(ə)n+Ø* (bzw. *V*) "schöpfen" zu rechnen. Die Ausweitung des Schwundes auf die Pausastellung gehört

---

[21] Weggelassen wurden alle Fälle, wo auch Unsicherheit bei der Latinisierung eine Rolle spielen kann, z.B. 3678 *de Widergisen* gg. *In Widergisa*.

[22] Moser (1951, §128,2) belegt *Nast* seit dem 16.Jh.

noch ins frühe 13.Jh. So setzen bald nach 1300 klare ⟨-e⟩ ein. Beispiele: PU 32: 1304 *in Dalekere* D.Pl.; W Wo-Osth 1338 *verkunte sie*; BII 104: 1320 *gewinne* Inf., 307: 1352 *uff zweyn husere* D., 416: 1367 *brechen und bûsze* (aber 418: 1368 *br. und bûszen*), 441: 1373 *bit zwelfen burgere*, 471: 1377 *Henchen* (PN: N.) und *Henche* (D.), 494: 1378 *von ine* "von ihnen", 557: 1384 *lebe* "Leben", 660: 1394 *mit andern ... gutere* (vorher: *gutern*). ON: 1312 *Eschillbrucke* "Da-Esch" (Born §284); FIN Wo-Hepp 1304 *burnige* "Börnchen" (R 84). Von diesen Beispielen sind solche zu trennen, die auf den ebenfalls früh einsetzenden Untergang der schwachen Deklination im Sg. hindeuten: ältester Beleg FIN Wo-Horchh 1292 *bi der Leim Grube* (R 194), Eich 1316 *der frauwe auwe* (R 116); aus BII, 255: 1347 *vor sante Martines borte* ("Pforte"; ds. Uk: *vor Jûden borten*), 332: 1356 *in der Huntgasse*; 332: 1356 A.Sg. *die mûle*, D.Sg. *mulen* u.a. Es ist sicher kein Zufall, daß die Zeugnisse für den Untergang der schwachen Deklination im Sg. älter sind als die für den *n*-Schwund. Der Verfall der Endungen war offenbar nur eine Quelle für den Untergang der Deklination[23], wenn diese auch sicher durch jenen beschleunigt worden ist. Doch wird manche der zitierten *e*-Schrr. aus dem Bereich der Deklination auf *n*-Schwund weisen.

Der Schwund in der Pausastellung führte zur Vereinheitlichung von *šebə̄/šebən*. Als letzte Etappe hat der Verlust der Nasalierung zu gelten, der erst nach dem allgemeinen ə-Schwund liegen kann (D 4.2.5). Eine Folge davon war der Rückgang der nunmehr phonemisch unmotivierten Bindung (und ihr später teilweiser Ersatz durch *r*-Bindung, s. D 8.4.1). Das Ergebnis war allgemein -ə; über -ɒ im Mhmer Einflußbereich s. D 9.1.3 A.40.

4.3.0 Auch in gedeckter Stellung wird *n* hinter ə aufgegeben:

4.3.1. Im Vorton: *əwɛg* "(hin-)weg" (mhd. *enwēc*); *ədswā* "entzwei" (*enzwei*), verbr., SH; ferner *hin- > ə-* vor K, s. SH *hin-durch* (L *dɒrš*), *hin-hinter* (verbr. St, Rhh; L *hinən*, s. D 35.6.1d); über *ent-* s. C 40.0 A.296.

4.3.2. Im Zwischen- bzw. Nachton: *bəgeiəd* 3.Sg., 2.Pl., Part. zu *bəgeiən* "begegnen", *geiəd* "Gegend" (mhd. *gēgende*), s *reiəd*, *gəreiəd* "es regnet, geregnet" (< *-ent*, s. C 38.4.1); mit sekundärem -*d* (D 53.2.5.1f.) *dudsəd* "Dutzend" und *(n)erjəd-* "(n)irgend-"; *ōwəd* "Abend" (und danach *mojəd* "Morgen"); *dsiməd* "Zimt" (mhd. *zinment*); Reste des Part. Präs., s. D 32; Lwtt, z.B. *fɛrmədī̯ən* "(Tabak) fermentieren", *kumədī̯ən* "kommandieren", *kuma(n)jȫn* "Kommunion", *lɒmədī̯ən* "lamentieren", *(siš) sɛgədī̯ən* "(sich) zu helfen wissen" (`sekundieren`); resthaft in *dausəd* "1000" (SH; L i.a. -*sṇd*); vielleicht im ON -*Dürkh*, s. C 5.3.1.7,3; vor *s*: -*əs* < -*ənš* im substantivierten Inf. (Henzen 1957, §166), z.B. *sɒ̯wəs* "(das) Sagen, die Aussage", *šdrigəs* "Strickzeug", *šraiwəs* "Schreiben, Brief", *ufdrḗrəs* "Auftreten".

Entsprechende Schrr. treten bereits mit den ältesten deutschsprachigen Ukk in Ws auf: BI 335: 1299 *gesamet-*, 343: 1300 *samit* (vgl. z.B. 267: 1285 *sament*); BII 10: 1303 *gemachent*, Part.!,

---

[23] Auch der starke *s*-Genitiv wurde ja beseitigt, obwohl -*s* bis heute erhalten ist.

78: 1317 *gesetzent* (mehrfach), 164: 1330 *uffeliche* (Mz-Opp), 656: 1363 *lomedis* "Leumunds",
447: 1375 *willenclichen* 2x gg. *willec-*, 573: 1386 *kommet* "kommend", 598: 1388 *argenlist*,
ebenso 646: 1392; 617: 1390 *ewenclichen*[24]; BIII 247: 1406 *follenclichen* (mehrmals) gg. 2x
folliclichen, 330: 1427 *gewapeten*, aber 3.Sg.Prät. *ordenet* u.a. WL 1423 *lumit* "Leumund";
GRB 1705 *abet*.

Zwar fehlen noch frühere Belege wegen des Mangels an deutschsprachigen Ukk, doch kann als
sicher gelten, daß *n* in diesen Fällen zur gleichen Zeit wie im Ausl. gefallen ist (s. D 4.2.5-7),
zumal ja auch zunächst nur der "innere Ausl.", d.h. *-ən + K-* betroffen gewesen zu sein scheint
(s.o.).

4.3.3. Besonders zu erörtern sind <u>ON mit mittlerem *-ən + K.*</u> Die größte Gruppe stellen die mit
-əns-. Dabei sind zu unterscheiden solche mit a) primärem Kontakt *-n+s-* (schwach flektierte PN
+ *-stadt, -stein*), b) *-əns-* < *-ənəs-* infolge Synkope nach C 37.2.2.2.

Zu a: Nach Kaufmann (1976, s.u.) ist *n* hier schon ahd. geschwunden. Dadurch wurde *ə (< ən)*
zwischen Liq. und *s* nach D 37.1.3.1. noch im 10.Jh. synkopiert. Besonders aufschlußreich ist
Mz-*Nierst* (aaO 157f.): 882 *Nerin-*, 880 *Neren-*, 923, 991 *Neri-*, 994 *Ner-*; vgl. ferner Be-*Bürst*
(231f.); Bi-*Eng* (54f.); Az-*Wöllst* (230), *Wörrst* (231f.: schon 10.Jh. *Weri-*, 1140 *Wer-*); CL 179
Zullesthein, -ist- = 3792 *Zullen-*; 182 u.ö. *Babestadt* "Be-Bobst" (< **Bâbun-*); (Nr.) 848
Ebenstein "Eppstein", 850-56 *Ebin-*, aber 849 *Ebi-*; 3670 *Blanke(n)stat*; 1304n *Frecanstat(en)*
gg. 3551 *Freckestatin* u.a. Ich vermute Schwund etwa im 9.Jh. im Zusammenhang mit der
Abschwächung der Mittelsilben (C 28.4.2).

Zu b: Abgesehen von *-məns-* (D 6.7.1) ist überall ⟨-es-⟩ = [əs] erhalten. Der *n*-Schwund liegt
später (nach der Synkope). Beispiele (nach Kaufmann 1976): Bi-A*sp*: CL *Ascmundes-*, 1132
Aspines-, -es- spät (aaO 8); Az-*Blöd*: 1070 *Blettenes-*, 1357 *Bledes-* (23); Bi-*Büdh*: 1074
Buodenes-, -des- spät (32); Az-*Ensh*: 12.Jh. *Ansens-*, 1141 *Enses-* > 1224 *Ennens-* = mdal.
[enəs-] (55); Az-E*Büd*: *Butines-* u.ä. alt, 1373 *-es-* (57); Wü. *Heddesheim* bei Mz-*Stad*: 1162
Hetdenes-, 1177 *Heddes-* (204); Bi-*Ipp*: 1203 *Ippins-*(117); ferner GG-*Bieb*: CL 3828 *Bubenes-*,
1358 *Bubis-*. Umgekehrte Schr.: Wo-*Monsh* [munsəm], CL 1210ff. *Munnes-*, nach Kaufmann
(145f.) ahd. *Mun(n)es-*, aber a. 1182 *Munnins-* (aaO).

Zur Datierung des *n*-Schwundes vergleiche außer 1141 *Enses-*, 1177 *Heddes-*, 1182 *Munnins-*
noch CL 6a *Eichenshart* (älter) = *Eiches-* (jünger). Am wahrscheinlichsten ist die Zeit bald nach
1100, kaum früher wegen der noch verhältnismäßig seltenen Schrr.

---

[24] Eine andere Deutumg des häufigen *-enclich-* für *-ec-* bei Schützeichel 1960, 98. Dagegen kann man
aber das öfter vorkommende *-enchlich-* ins Feld führen, das als Kompromiß zwischen *-echlich-* (D
30.2.4,2c) und *-enclich-* anzusehen ist.

Das gleiche Schicksal ereilte *n* vor anderen KK, vgl. Wo-D/R*Dürkh* C 5.3.1.7,3, jedoch nur in älteren, bereits mehr oder weniger verdunkelten Bildungen, während in jüngeren -*ən*- wie im Wortausl. behandelt wurde: funktionslos gewordenes **ɔ̄* wurde früh zu *ə*, weil daneben kein *ən* stand. Die älteren Bildungen konnten infolgedessen auch ihr inneres -*ə*- (< -*ən*-) noch durch die Synkopen des 12.Jh. verlieren, die jüngeren nicht.

Beispiele für ältere Bildungen mit *n*-Verlust:

CL 2 *Liusebrunnen* = 1976 *Liusen*-; Ob./Nd.-*Eschbach* nnw Frankfurt: CL oft *Aschebach*, z.B. 3327-30, aber z.B. 3331f. -*en*-, Ti(tel) -*e*-, z.B. 3339-42 -*en*-: Text, Ti; vgl. 3298 *Aschibach*, Ti -*in*- (Wü. w Ehingen); *Eschborn* nw Frankfurt: 3318 *(in) Aschibrunnen* = 3361 *Asche*-, 3319 *Aschi*-, 3374 u.ö. -*en*-; *Frankfurt*, Entwicklungsstufen: z.B. 29 *Frankonofurt* > z.B. 78 *Frankon*- > 3873 *Franckenvurt* und -*e*-.

Es ist klar, daß Appellativa kaum in Frage kommem. Immerhin scheinen *eŋgl* "Enkel" und *hiŋgl* "Huhn", hierher zu gehören: ahd. *huoninklîn* > **hų̄nəġ* > **hų̄ŋ-*.

Jüngere Bildungen mit Erhaltung sind z.B. die ON auf -*en-bach*, z.B. Be-*UFlock* [*flogə*-], OL*aud* [*laurə*-], Mörl [*mę̄lə*-], Er-*Erl* [*ę̄lə*-], oder *Frankenthal* [*froŋgədāl*] (gg. *Frankfurt*).

4.3.4.0. Auch die Suffixe -*ing(e)*, -*ung(e)* haben ihre eigene Geschichte.

4.3.4.1. Abgesehen von schrsprl. *kēniš* "König" (ahd. *kuning*) spricht die heutige Mda *peniŋ* "Pfennig" (ahd. *phènning*), † *Hornung* "Februar" (L Ø), verbr. -*i/uŋ* (SH), Hohlmaß *Vierling* (L Ø, aber GRB 1705 *ferling*), verbr. -*liŋ*. Daneben in einigen Wörtern -*iŋ* statt -*iχ* (-*ig*): *gadiŋ* "passend" (präd. -*iŋs*), mhd. *gatec*, meist so, -*iχ* z.B. Da-Arh, Be-Schlierb (SH); *pešiŋ* "Pfirsich", verbr. -*iŋ*, -*iχ* sEr, sAz, s. SH mit WK I,33; *wešiŋ* "Wirsing", -*iχ* war älter (Kluge); † *henšiŋ* "Handschuh", mhd. *hentschuoch*, daraus nach C 34.2.4.1b *henšiχ*, das noch n/öSt belegt ist, SH mit WK III,19; *meniŋ* "Mennige", allgemein, SH, s. D 30.4; *Materie* "Eiter" (L *aidə*): *madēriŋ* einst verbr., SH mit WK 59; zu *Ferien* (L *fēɐ̯riə*) belegt das SH aus Wimpfen † *Fähringe*, aus dem Odw -*(i)χ* u.ä. Ferner: Bi-Drom *Heilings*- zu mhd. *hî-leich*, SH; FIN Be-Schwanh 1710 *Neulichsbrunn*, 1623/1710 *Neuling* (Herrmann 1924, 23).

Das Schwanken zwischen -*iχ* und -*iŋ*, unabhängig von der Etymologie, und das Vorkommen gerade des ersteren im beharrsamen Odw für sonstiges -*iŋ* erweckt den Eindruck, daß -*iŋ* auch für altes -*ing(-)* überall sekundär ist. *gadiŋ*, *henšiŋ* usw. wären dann Adoptivformen.

Alte Schrr. bestätigen dies: BI 267: 1283 *kůnigen*, 279f.: 1287 *sillenge*, 4x *pennenge(n)*, 1x *pennege*; BII 16: 1304 *Wendepennig*, PN, 45: 1312 *menige* "Meinung, Ansicht" neben *phenninge*, 135: 1325 *zů dem Kunege* (Hof in Ws), 200: 1338 *phennicgelt*, 268: 1349 *kunyg*, *kunge* D.Sg., 645: 1392 *beteydigen* gg. 649: 1393 *unbeteidingt*, 669: 1395 *schiluge* "Schillinge" usw.; noch Zorn hat 192 *geteidingt*, 256 -*igt*, 259 *beteidinʒt*; 257 *einzling* gg. 258 *einzlige* (mhd. *einzelinc*); ON: Mz-*Köng*: CL 1292 *Chuningero*-, aber 366*/ Cunigern*-.

4.3.4.2. Die Entwicklung ist so verlaufen (vgl. Pfaff 1891, 184; Lenz 1903, §19): Da *-ng-V* schon gegen 1100 assimiliert worden war (D 31.5), hat *menige* sein *n* schon früher verloren. Nach Braune (§128 A.2), Schatz (§281; vgl. Franck §76,3) zeigt sich dissimilatorischer *n*-Schwund in der Folge *n - ng* schon seit dem 9.Jh.; die Beispiele bei Schatz lassen erkennen, daß er vor allem in Mittelsilben auftrat, also *kuning* gg. *kunig-, *meiniga*.

Bei *-ing(e), -unge* bestand somit von alters her ein Wechsel *n+g* oder *Ø+g*, je nachdem ob der Wortstamm ein *n* enthielt oder nicht, wodurch es praktisch zu einer Spaltung der Suffixe kam:

n - ige (> *ijə) gg. *-iŋŋə > *-eŋŋə. *-ijə* mußte mit dem Adj.-Suffix *-ig* zusammenfallen. So gab es also zunächst ein Nebeneinander von *n- *eŋg/ij-, K - *ŋg/ŋŋ-*.

Bald nach 1200 schwand /ŋ/ auch in *-eŋg: *-ēg. *-ēg/-eŋ- vermischte sich mit *-ēg/-ij-* und geriet in den Einflußbereich der Adj. auf *-ig/-ij- > -iχ* (D 30.2), zuerst letzteres, später (infolge der Reduzierung der Flexion durch den ə-Schwund des 12./13.Jh.) auch ersteres. Nur so lassen sich die häufigen Schrr. ohne *n* deuten, und nur so erklären sich auch die heutigen *iχ*-Reste in konservativen Gebieten.

Nun standen sich aber bei *-ung* ursprünglich *n - ige* und *K - inge > -ij(ə), -eŋ(ə)* gegenüber. Durch die lautliche Entwicklung war der Gegensatz unmotiviert geworden und tendierte zum Ausgleich zugunsten der häufigeren Form *-eŋ(ə)*, die außerdem durch die Oberschicht gestützt wurde[25] und eine genauere Abgrenzung von *-ung, -ig* ermöglichte. Die WKK im SH, z.B. *Handschuh, Pfirsich* legen die Vermutung nahe, daß *-iŋ (-eŋ)* vom S(W) her entlang des Rheines nach N ausgestrahlt ist, also zu den typischen "Vorderpfälzer" Eindringlingen gehört.

4.3.4.3. Diese Gegengewegung setzte offenbar recht bald ein und führte zu echten Überbildungen, z.B. BII 638: 1392 *ewing-*; PU 54: 1367 *billing*, die aber vielleicht nur auf dem Papier stehen[26]. Aber in einer Reihe von Wörtern setzte sich *-iŋ (-eŋ)* für neu entstandenes (*Pfennig*) oder altes (*Mennige*) *-iχ* fest. *-iŋ* galt offensichtlich zeitweise als "feiner" als *-iχ*, ganz gleich welchen Ursprungs. Wörter mit sekundärem *-iŋ* haben meist einen größeren Verkehrswert, so *Pfennig, Vierling* (Handel!) oder wurden oft im Verkehr mit Höhergestellten verwendet, so *Ferien, Materie*, vielleicht auch die "feineren" Obst- bzw. Gemüsesorten *Pfirsich* und *Wirsing*. - Adj. kamen weniger in Frage, weil *-iχ* hier sehr geläufig war. Lediglich *gadiŋ* als Wort des Handels hat die Entwicklung mitvollzogen, wie es auch sein *-d-* erhalten hat (D 24.3.2,6).

---

[25] *-ung* gehört heute noch weitgehend der gehobeneren Ausdrucksweise an. Sein Einfluß hat sich später auch im Ersatz von mdal. *-iŋ* durch *-uŋ* bemerkbar gemacht, s. C 34.2.7.

[26] Beispiele aus anderen (obd.) Gegenden bei Moser 1951, §129,4b.

Die heutige Aussprache z.B. von *peniŋ* ist also wider Erwarten nicht ursprünglich, sondern als Wiederherstellung des ausgehenden 14. und 15.Jh. zu erklären. Da *-iŋ(ə)* "-ung" den Ausgangspunkt bildete, versteht man, warum gerade im Typ *peniŋ* im Gegensatz zu Wörtern wie *Ring* nirgends Reste von [-ŋg] zu finden sind (vgl. D 31.2).

4.4.1. Nicht unverändert blieb *-ən-* auch im Zwischenton vor V, d.h. insbes. in ON auf *-enheim*[27]. Diese haben statt des *-n-* verbreitet *-r-*: sSt z.B. (L) *hębrəm* "Hp", *wadərə(m)* "Be-Watt"; ferner Be-*Gadh* [*gārərə*, *-rən*][28] (14./15.Jh *Geydenheim* u.ä., 1561 *Geidenau*, 1599-1620 *Gadern(heim)*, 1653 *Geudenau*). Im Vorfeld von Mhm/Hd jedoch *-ənə* (*Dossen-, Feuden-, Friesen-, Hocken-, Seckenheim*: Bräut. §62; Gebiet mit Zäpfchen-*r*!). - Rhh, Beispiele aus Wo: *fredərəm* "Frett", *hębərum* "Hepp", *medərəm* "Mett", *munsərəm* "Monz", *owərəm* "Abh", *waxərəm* "Wach" usw. Ebenso nach N hin, doch im weiten Vorfeld von Mainz heute *-ənəm* (Bsp. s. Held §759). Die N-Grenze zieht heute etwa von Mz-*Opp* (dieses selbst hat älter *r*, jünger *n*, Km. 168) über *Fries, Az-Udh, Bi-Jug Bad* auf Kreuznach zu. Stadtsprl. Strahlungen haben sie zurückgedrängt (Beachte Mz-*Momm*, Bi-*Zotz* mit *-r-* im *n*-Gebiet). Im S setzt sich *r* in die Pfalz fort, s. Bertram §260 und unten.

4.4.2. Der Vorgang wird gewöhnlich als Dissimilation *n - m/n > r - m/n* aufgefaßt (z.B. Bach 1953a, §60,1; Bauer §115,1; Bräut. §70). Aber Fälle wie *wadərə, gārərə*[29] widersprechen: Während ausl. *-n* bereits ab ca 1150 gefallen ist (s.o.), setzen die ersten Schrr. mit *r* erst 150 Jahre später ein[30]: Az-*Bech* [*bešərəm*], *Bēchinheim (Km. 10f.), 1303 *Bechirheim*, 1325, 1344 *Becher-* (*-en-* z.B. 1315-50, 1401); später: Mz-*Momm* [*mumərəm*], alt (CL) *Mům̊enheim* u.ä., 1519 *Mommern-* (aaO 145); Be-*Gadh* s.o.; Wo-*Monz* [*munsərəm*], alt (CL) *Munzin-* u.ä., ab 1600 *-ern-* (aaO 146f.). In den zwei letzten Namen haben sich *r* auch in der Schr. festgesetzt.

---

[27] Über den Sonderfall von altem *-nen* + *-heim* s. C 37.1.2.3 (Haplologie).

[28] Aussprache sowie mehrere ältere Namensformen verdanke ich einer freundlichen brieflichen Mitteilung von Herrn Pfarrer Runge, Gadernheim.

[29] Die Nebenform *gārən* hat */-ərn/* nach Be-*Gadn*.

[30] Das von Kaufmann (1971, 190f.) aus dem CL (2160) zitierte *Munderheim* (Titel) ist in seiner Zuordnung zu *Mundenheim* strittig. Im Text *Mundeger marca*, daher von Glöckner (z.St.) mit anderen zu *Maudach* gestellt (vgl. Minst, LC IV, 59f.).

Ich möchte folgende Entwicklung annehmen: *-ənəm* > *-ə̃ⁿəm* (*ⁿ* meint *n* mit reduziertem Nasalverschluß, was auch als Zwischenstufe für den Wegfall von ausl. *-n* anzunehmen ist), im Lauf des 13.Jh. Entnasalierung von *ə̃* und Ersatz von *ⁿ* durch *r*[31].

4.4.3. In Appellativen ist der Wandel kaum anzutreffen. Nur die Formen des D.Sg. Fem. des unbest. Art. zeigen ebenfalls diesen Rhotazismus. Im SHess. kommen folgende Typen vor: /ərər/ (*meist* = [ərv, rv]), /ərərə/, /ər/ und /ərə/, letzteres z.B. in L (im übrigen s. SH *ein I*, Sp. 61). Grundform ist *ərər* < *ə̃ⁿər, das nach D 9.1.2 zu ərə werden konnte. ərər-ə ist Erweiterung nach C 41.2,3, /ər/ ist entweder junge Kg. aus ərə oder Haplologie aus ər-ər.

Alles übrige ist anders zu erklären. Das Lwt *fəsolərī̦̃ən* "versorgen" (verbr., SH), zu mhd. *soldenieren*, ist an andere Wörter auf *-erieren* angelehnt, z.B. *dišgərī̦̃ən* "sich (eifrig) unterhalten" (`diskurrieren`), *fəšǫmərī̦̃ən* "zerkratzen, beschädigen" (franz. *chamarrer*), *obərī̦̃ən* "operieren", *siš rędərī̦̃ən* "sich zu helfen wissen" u.a.; vgl. auch *pafimərī̦̃ən* "parfümieren"!

4.5. Auch sonstiges /ər/ oder auch /əl/ statt */ən/ entspringt späterer Umdeutung:

1) Vbb. auf *-ənən*. Dies wurde nach C 38.1.2 zu *-ən*. Betroffen sind *begegnen, regnen; leugnen, rechnen, sammeln, trocknen, zeichnen,* L *bəgęiən, ręiən; lāx̣ḷə, rex'ị̣ə, sǫmḷə, drig'ị̣ə, dsāx̣ḷə*[32]. Die beiden ersten büßten zunächst überall ihr *-n* ein (Inf. *reja*, 3.Sg. *rejəd*). Nach dem Wandel /ər+K/ > [ə+K] (D 8.4.1; 9.1.1.2f.) wurde *rejəd* zu /rejərd/ umgedeutet, und auf dieser Basis entstand der Inf. *ręiən* wie auch das Sb. *ręiə* = /ręiər/, vgl. *ręiəriš* "regnerisch".

In den anderen Vbb., wo kein unmittelbarer Zusammenhang mit einem Grundwort (Sb. *rēgen*, Präp. *gēgene*) auf *-ən* hergestellt wurde, liegt früher Suffixtausch[33] vor:

Als Inf., 1.3.Pl. /-əln/ (Sg. z.B. 3. /-ld/) zu /-əl/ geworden waren (D 5.3.2), konnte der viel seltenere Wechsel /-ən/ gg. /-ənd/ dem häufigeren /-əl/ /-əld/ angeglichen werden. Dies verweist etwa auf die Zeit gegen 1200 als Zeitpunkt des Suffixtausches (d.h. vor dem vollen *n*-Schwund), wenn sich auch die älteren Formen noch lange daneben gehalten haben müssen, vgl. etwa WL 1423 *leucken* (C 38.1.2). Damals war /ən+K/ bereits [ə̃+K] (D 4.2.5ff.). Daß von reduziertem Nas. ausgegangen werden muß, scheint besonders *trocken/trocknen* zu zeigen: L und verbr. *drugə(n-)/drig'ị̣ə*, St aber auch Reste eines Typs *trocker/trockern*, besonders im O (SH: Bauer §§173,1; 174,1). Die Weichen sind hier von *[-ə̃d, -əd] nach beiden Richtungen hin gestellt worden.

---

[31] Auch in gewissen modernen keltischen Sprachen wird leniertes *n* zu *r*, vgl. Lewis-Pedersen 1937, §71.

[32] Weiteres ist hochsprl. beeinflußt, so z.B. *ǫdnə* "ordnen".

[33] Keine Dissimilation, wie oft behauptet, so schon Pfaff 1891, 180. - Vgl. auch C 38.1.2.

-*ənə* im öSt ist jüngere Neuerung, da im Vordringen (aaO), und führt zu Überbildungen wie *geräuchent* (Freil. §417,9).

2) Über *modə, tǫndə* usw. s. D 4.2.1, über *hausmacher* D 32. Auf Umdeutung von [-ə] zu /ər/ beruht auch z.B. *siš gedšən* "der Gote (*gedšə*) nachschlagen" (wie z.B. *siš fadən* "dem Vater nachschlagen"), vgl. besonders D 9.1.1.2.

3) *šlḗrə* "Schlitten", † *pilwə* "Kopfkissen" haben verbreitet /ər/ (Bauer §172,3; SH *Pülven*; vgl. Bertram §324) in Anlehnung an Gerätenamen auf -*er* des Typs *Hammer*.

4) Der früher beliebte PN *Valentin*, L *faldīn*, sonst noch in der älteren Form *fẹldə* bekannt (vgl. GRB 1728 *Velte*), heißt zuweilen auch /-ər/ (SH) nach dem Vorbild anderer PN wie *Dieter*, *Günter, Heiner, Walter, Werner.*

5) *nẹ̄wə(r‿)* "neben", Rhh *nẹ̄wɒ*, ist nach Präp. wie *über, unter* umgeformt (ausgehend von der falschen *r*-Bindung, D 8.4.1 Ende).

6) Unbet. *man* ist *mẹ* + Vb., Vb. + *mə(r‿)* durch Angleichung eines **mə* < **mə̃* an *mẹ/mə(r‿)* "wir" (vgl. C 32.5.1).

Voraussetzung solcher Umbildungen war die starke phonetische Annäherung von altem /ən/ und /ər/ (D 9.1.1.2).

III. *n (ŋ)* hinter Liquiden:

5.1. Hinter L ist *ən* schon früh zu *n* geworden, in Mittelsilben schon ab ca 950 (C 37.1.1), in Endsilben etwa in der 1.Hälfte des 12.Jh. (C 3.8.4). Eine Entwicklung /ən/ > *[ə̃] > ə war deshalb ausgeschlossen. Es gibt nur Erhaltung oder völligen Aus- bzw. Abfall. Dabei sind mehrere Gruppen zu unterscheiden:

5.2.1. Im Zwischenton ist solches *n* grundsätzlich ausgedrängt worden. Betroffen sind in der Hauptsache ON. Vereinzeltes *ŋ+K* hatte das gleiche Schicksal.

5.2.2. Beispiele; jeweils älteste Namensform sowie ältester Beleg ohne -*n*-:

1) -*ln+K*: Bi-*Biebelsh*, 1194-98 *Bibilins-, -lns-* lang geschrieben (Km. 16f.); Wo-*Ditt*: **Thiudilînes-*, schon CL *Tidels-, D-* u.ä. (Km. 38f.); Az-*Epp*: **Eppilînes-*, vgl. 1070 *Epplens-*, 1143 *Eppilns-*, 1194-98 *Eppelns-, -i-*, aber CL 904ff. *Ebbeles-, Ebblis-* (Km.56f.); Az-*Essb*: CL 1297 *Aschininbr.* = 948 *Escilebr.*, vgl. 3660 *Esgilen-*, a. 1124 *Esselbr.* (Km. 60f.); Er-*Mich*: *Michlinstat, -en-* CL 6a, 19, 20, 141, aber 164 *Michel-*, vgl. a.1113 *Michel-*(Müller); GG-*Rüss*: Cl 3673 *Rucile(n)s-*; Be-*Sied*: 1012 *Sidilines Brunnon*, Zinsb Be-Lind 1369, 63 *Sydels-*. - Wü. *Mühlhausen* bei Maulbronn: CL *Mul(i)nhus-* (2272/74, 2277-81), aber 2321 *Mulhusen*.

-*lŋ+k*: Wo-*Pfiffl*: 1068 *Phephilinc-*, 1141 -*elinc-*, aber 1181 *Puffelkum* (s. C 42.5.1.1).

2) *-rn÷K*: Mz-*Ebh*: 776-96 *Aburwines-*, 1026 *Evernes-*, 1092 *Eberns-*, 1263 *Ebers-* (Km. 45f.);
Wo-*Ibh*: CL 859, 1404 *Ibernes-*, (CL) 1482 *-rns-*, 1402 *Iberns-*, a.1173 *Iberns-*, 1270 *Ybers-*
(Km. 112f.); Wo-*Pfedd*: *Paterînes-*, CL 820 *Paterno villa* - CL 1382ff. *Pheters-* (vgl. Km.
172f.). Gleiche Entwicklung in Wo-*Gundersh*: CL z.B. 1066 *Guntrames-*, aber CL 920 *Guntirs-*:
*-ərəməs- > *-ərmś- (C 37.2.1f.) und *-ərnś-* nach dem *-n* der anderen ON. Vgl. ferner CL
K.158 *Gagersberg* gg. 158 *Gagerenesberg*.

Hinter dem Ton-V bleibt *-rns-* teilsweise: GG-*Gernsh*, (L) [gɛnsəm] (vgl. SH): CL 6a, 3671
Gernes-, 30 *Gerunes-*; Az-*Schornsh* [šɔ̯ɲnsəm] (Held §756): a. 782 *Scoronis-*, 8.Jh. u.ö.
Scornes- (allerdings 1317 *Schors-*, Schreibfehler? - Km. 191); aber hist. *dorstag*, s. D 11.

Einen anderen Weg scheint *-rəŋk-* eingeschlagen zu haben, vgl. Wo-D/R*Dürkh* C 5.3.1.7,3 ohne
frühe Synkope zwischen *r* und *n*, daher *-rəŋk > -rək-* nach D 4.3.3b.

3) *-ln÷V* (V = reduziertes *-(h)eim*, vgl. D 35.6.1a): Az-*Biebelnh* [bī̆wələm], ⟨ln⟩ bis heute (Km.
16); Az-*GBick* [begələm], 1128 *Beccheln-*, ⟨ln⟩ bis in die Neuzeit (Km. 75f); Bi-*Ing*: 774
Ingilin-, ⟨n⟩ lang geschrieben (Km. 114f.); vielleicht Wo-*Leis* [laisḷəm], vgl. R 34: vor 1300 nur
n-lose Schrr.; *Mühlheim* s. C 34.3.4.4; Az-N/O*Saulh* [sɑ̯ḷəm]: alt *Sauwilen-* u.ä., ⟨ln⟩ lang
geschrieben (Km. 189f.); Wü *Willenheim* (Wölm) bei Wo-Osth: 1325 *Willen-*, 1587 *-well-* (Km.
227f.; R 302; vgl. C 48.5.2). Ferner CL 3659 *Vchel(n)heim*.

4) *-rn÷V*: Mz-*Köng* [kiɲərəm]: CL 3662 *Cunigern-*, a. 1335 *Kunigir-* (Km. 126); Az-*GKöng*
[kiɲərəm]: seit 1268 nur ⟨-rn-⟩ (Km. 78f.); Az-*GOd* [ōrəm, ōrərəm]: 1194-98 *Odern-*, *Otter(n)-*
(Km. 80); Mz-*KWint* [windərəm]: 1189f. *Wintir-*, erster *n*-Beleg 1494 (Km. 125); Bi-*Wack*
[wagərəm]: 754 u.ö. *Wacharen-*, ⟨rn⟩ bis heute (Km. 216). Aber hinter dem Ton-V bleibt *rn*:
Mz-*Zornh* [dsǭnəm], CL 1093 *Tzaren-* (Km. 238f.).

5.2.3. Im Zwischenton ist (funktionslos gewordenes) *n* überall ausgefallen außer hinter Ton-V +
r. Der Ausfall war in der 2. Hälfte des 12.Jh. (CL!) schon vollzogen. Ältester Beleg ist a. 1113
Michelstadt. Andererseits wird die Synkope der 2.Hälfte des 11.Jh. vorausgesetzt (C 37.2.2.2).
Dieser *n*-Schwund liegt daher um 1100. Grundsätzlich war eine solche Vereinfachung natürlich
auch schon früher möglich. Doch gab es vorher kaum entsprechende Gruppen. Ein vereinzelter
Fall ist Gll *palboum*, vgl. Wolff 1921, §48.

5.3.1 Im Nachton (d.h. es folgt kein stärkerer Nbt. mehr):

1) Zwischen KK: *-ln+K*, z.T. mit frühem Verlust eines Nbt. nach C 34.2.2: PN *faldīn* "Valentin",
s. C 34.2.6; D 4.5,4; 31.7.3; *holə* "Holunder": ahd. *holuntar*, *pals* "Pfalz": ahd. *phalanza*, mhd.
pfal(e)nze (Wolff 1921, §49); *holə < *holdər < *holndər* mit Assimilation *ld > ll* nach D
31.7.3 weist auf frühen *n*-Schwund, wohl ebenfalls schon 1100. Vgl. auch Paul §86 A.4.

2) Hinter V: *-rn* unterlag keinen lautgesetzlichen sondern nur analogischen Veränderungen: ę̄nšd
"ernst, E-", ferner C 38.4.2; 38.5.2.1. gešdə "gestern" entspricht mhd. *gēster*.

Anders *ln*: Einziger Fall mit innerem *ln* ist *Mühlheim*, s. C 37.3.4.4; auch sonst kennt der CL nur *Mulnen* mit *ln* (CL Reg. *Mühlheim. Mulnen*); später: a. 1242, 1272 *in Mulne* gg. 1269 *de Mullen*, 1325 *in Müllen, gein Mülle*: *n*-Schwund anscheinend erst im 13.Jh., wohl zusammen mit dem folgenden.

5.3.2. Auch ausl. *-ln* stieß zunächst allgemein sein *-n* ab[34], später dann teilweise Ersatz durch *-ə*: *-ḷn* s. C 38.4.2; *LV+ln* s. C 38.5.2.2; *KV+ln*: vgl. zunächst C 38.7.5.1, ferner *fil* "Füllen" (GRB 1720 *füll knecht*), mhd. *fülîn*, verbr. *fil*, aber *filə* bes. Rhh (SH). Entwicklung: **vülīn* > **vülən* (C 34.2.1)/*vüln-* (C 37.1.2.3), 12.Jh. **vēlən* > **vēln* (C 38.5.1)/*veln-* und Quantitätsausgleich (C 5.3.1.7): **veln* > **vel*; ebenso *hiṇgḷ, eṇgḷ*, C 34.2.5a; ähnlich *holə* "holen": **hūln/hol* > *hol+n* (C 4.3,2.2,4).

Dieser *n*-Abfall gehört noch ins 13.Jh., vgl. FIN Wo-Abh *Häuselgraben*, 1286 *husil-* (R 145f.); *Riedelweg*, ca 1310 *rudil-* (R 243). ⟨-l(e)n⟩ wurde nicht nur in morphologisch wichtigen Kategorien, sondern auch im Diminutivum lange weitergeschleppt, s. die Beispiele D 4.2.2,2. Doch beachte man falsche Setzungen von *n* hinter *-el*, z.B. BII 514: 1381 *in hymmeln* A.Pl., 623: 1390 *eyn viernczeln* A. (zugleich Hinweis auf die Zerrüttung der schwachen Flexion).

Bis ca 1250 dürfte *n* im sRhh geschwunden sein, im sSt wohl nicht viel später. Frühe Belege aus L fehlen mir, doch vgl. Zinsb Be-Lind 1369,61 *Henel*. Im Widerspruch zu diesen Ansätzen stehen jedoch die noch relativ häufigen verbalen *-ḷn*-Reste, bes. sSt (C 38.4.2.1), die auf langes Überleben von *-ḷn* weisen. Diminutiva und fem. Pl. auf *-ḷ+n* sind indessen überall vereinfacht. Daraus folgt, daß *-n* in morphologisch wichtigen verbalen Kategorien (Inf., 1.3.Pl.) beibehalten wurde und zwar zunächst nicht nur hinter *-ḷ*, sondern auch hinter Ton-V + *l* (vgl. die Schrr. D 4.2.2,2). Erst in der Neuzeit wird *-n* zugunsten von *-ə* dort beseitigt, wo es auch die aufkommende Schrspr. bzw. "feinere" Sprache der Oberschicht nicht (mehr) kannte, eben hinter Ton-V, vgl. mhd. *zeln* - nhd. *zählen*, daher L *dsęilə*. Verbreitetes *-ḷn* hingegen verschwindet nur ganz allmählich.

c) Assimilation und Dissimilation

6.1. Auch hier sind *m* und *n* am stabilsten. Es überwiegen bei weitem die Assimilationen.

6.2. Schon ahd. (9.Jh.) ist Angleichung von *m* an folgendes labiodent. *f* (*fimf* > *finf*; Braune §123 A.1; Franck §76,1). Die L Quellen haben (zufällig) keine Beispiele. Der Weg führte wohl zunächst zu labiodent. *n*. Als infolge der Phonemisierung von [ŋ] im 11.Jh. (D 31.6) die Bandbreite von /n/ eingeengt wurde, gab man alsbald die labiodent. Allophone zugunsten der

---

[34] Eine Ausnahme bildete in Rhh die morphologisch wichtige Endung des Einheits-Pl. der Vbb. (*-əln*, *-ərn*), s. C 38.4.2.1.

dent. Artikulation auf. Die neue Verbindung wurde gegen 1150 durch Sproß-V "sprechbar" gemacht (C 48.3.2; 48.8).

Nach Aufgabe der Sproß-VV in der Neuzeit konnte man *nf* beibehalten. So in L: *auskunfd, finf. fəninfdiš*. Eine modernere Umgehung der Verbindung Dent. + Labiodent. besteht im Ersatz von *nf* durch *mf*, genauer [$m^b f$] (B 2.4.2,2). Eine Abgrenzung von *nf* und *mf* im SHess. ist weder auf Grund der Angaben im SH (*fünf* und Zubehör; *Hanf*) noch nach den Handbüchern möglich, vgl. Bauer §169,5: Leitform ist *fimf*; Seibt §35 *nf*; Born §178 *mf*; Freil. §60 *mf*; Bräut. §69,3 *mbf (!)*; Treiber §50 A.7f. *mf*; Bertram §156 *mf*; für Rhh, nach dem SH: W *-nəf*, sonst verbreitet *nf*, aber in Ws *mf. n* ist offenbar überall das Ältere; mittelalterliche Ukk haben meist ⟨nf⟩, aber z.B. BII 526: 1381 *fumff, fumfzehen*. *m* nimmt heute nach S und SO hin zu und findet Anschluß an das alem. *-m(p)f* (Jutz 1931, 171; soweit der Nas. nicht aufgelöst ist). Das alte shess. [*nəf*] ist demnach zuerst durch [*nf*], dann von S her (alem. Ma mit nVPf[35]) durch [$m^b f$] abgelöst worden, ganz offensichtlich über die Oberschicht (vgl. die Kanzleiform in BII !). [$m^b f$] steht dann für jedes *n+f*, vgl. Ws *fənimfdiš, kumfəmī̦ən* "konfirmieren", *sęmf(d)* "Senf".

6.3. Angleichung von *m* an folgenden Gutt., Dent. ist seltener. Verbreitet ist *Bangert* (SH), mhd. *boumgart(e)*, vgl. Baur III 300: 1348 *baungart* (Bi-Ing), spätere ⟨n⟩ s. R 71. Historisch sind z.B. 1208 *Helngerus* (Hoffmann 175); BII 152: 1327 *heinlich*.

6.4. Angleichungen von *ŋ* sind gleichfalls selten. Verbreitet ist *gsǫmbux* "Gesangbuch" (SH: L anscheinend nur *gsǭŋ*-); *Jungfer*, L *juŋfə*, hat häufig *n m* (SH); Di-*Lengf* = [*lenfəld*] (Freil. §210). Anderes ist nur historisch, s. D 52.2,5.

6.5.1. *n* gleicht sich gern folgenden lab. und gutt. Vsl. an. Beispiele (hist. und modern) s. zunächst D 31.3; 53.1,1/5. Das dort dargebotene Material zeigt deutlich die Tendenz, die im lebenden Sandhi fakultative Angleichung je nach Häufigkeit und Auflösbarkeit einer Verbindung mehr oder weniger stark zu fixieren. Typisch hierfür sind ON auf *-enbach* (aaO), vgl. aber auch Da-*Wemb* < *Wende-* (1287). Weitere moderne Beispiele (immer neben erhaltenem *n*): *di sim̦ bšdimd šən dō* "sie sind (*sin*) bestimmt schon da", *dę kom̦ bal nimęi* "er kann bald nicht mehr"; *di siŋ̦ gǫns sišə šun fǫd* "sie sind ganz sicher schon fort", *di sin šəŋ̦ gǫŋə* "sie sind schon gegangen", *dęs əs diŋ̦ gǭn* "das ist dünnes Garn". Stark fixiert ist *šǫimbā* "scheinbar, anscheinend", stärker z.B. auch *Endkeutel*, s. SH: *eŋ*-; L *en-* und *eŋ-*.

Auch hier bestätigen gelegentliche hist. Schrr. das Alter dieser Erscheinung: ahd. s. Braune §126 mit A.1, 1a; dazu z.B. CL 1061 *Herinberti*, Titel *Erem-*, 809 *Isanbert-* gg. 697 *Isam-*; BII 20: 1305 *umbillich*, 495: 1379 *Rosemberg* (neben *-en-*); BIII 298: 1429 *offembar*.

6.5.2. Nichts als ein Sonderfall der beschriebenen Angleichung ist die in *-ən + u̦-*, s. D 39.2.4.

---

[35] Aber z.B. bei Christmann (§134) und Heeger (§33) noch Sproß-V.

6.5.3. Die Assimilation von *n* an folgendes *m* führt zum völligen Verlust des *n*. Beispiele, Adj./Bewohnernamen zu ON auf *-enheim: -əmər*, s. C 34.3.4.6; *dsiməd* "Zimt": mhd. *zinment*; *ǭm*. unbet. *əmə* "einem", *mǫim (d-, s-)* "meinem" (d-, s-)"; Satzinl.: *ǫn, in, fun* + best. Art. *əm* > *ǫm, im, fum*; + *əmə* "einem" > *ǫmə, imə, fumə*, s. C 44.1.2g; + Possessivpron. *mǫ(i)(-)* > *ǫmǫ(i)(-)* u.s.w.; auch *ǫn, in, fun* + bet. *mē̢* > *ǫmē̢* usw. (fakultativ); ferner die Vb-Formen *iš, ę kon* + *mə* "mir", *miš* häufig > *kom-*, außerdem *kon* + *mə* "man" > *komə*; ebenso *wǫn* > *wǫm* vor *mə/mē̢* fakultativ, vor *mə* "man" obligatorisch. Aber *wann* + *wir* > *wǫmə* kann auch nach D 39.2.4 erklärt werden.

Historisch, Hoffmann 171: 1293 *ame*, 1283 *imme* neben 1287 *inme*, 1287 *vomme, fome* neben 1281 *vonme*, 169f. und 176: 1287 *eime, sime*, 1299 *mime* neben 1283 *eineme* u.a.; BII 47: 1312 *eymuticlich, eyme*, 104: 1320 u.ö. *mime*, 415: 1367 *eygem* u. dgl.; HpU 1327 *eyme* 3x, *sime*.

6.6. Eine Angleichung von *n* an vorhergehenden K kommt praktisch nur bei anl. *gn-* in Frage. Hier spricht die ältere L Mda durchaus *gŋ*, z.B. *gŋal* "Knall", *gŋẹiwḷ* "Knebel", *gŋē̢šd* "Knecht", *gŋǫn* "Knorren", *gŋubə* "knuffen". Unter hochsprl. Einfluß ist diese Aussprache im Schwinden, doch muß sie einst weit verbreitet gewesen sein, obwohl die Handbücher sie fast durchweg nicht erwähnen[36]. Mir ist sie z.B. aus Wo bekannt. Über das einstige Verbreitungsgebiet kann man nur Vermutungen anstellen. Jedenfalls dürfte sie weithin im SHess. gegolten haben und steht höchst wahrscheinlich im Zusammenhang mit der gleichen Erscheinung im Schwäb., Bair. (vgl. etwa Schirmunski 1962, 401).

Auch über den Zeitpunkt von *gn-* > *gŋ-* läßt sich nichts Sicheres ausmachen; man kann nur sagen, daß dieses Phänomen alt ist, da es heute im Abklingen ist.

6.7.1. Während in Mittelsilben von ON die Folge /K + ənš/ nach D 4.3.3 in K + *əš* übergeht, ist /m + ənš/ zu /ms/ gekürzt. Am plausibelsten ist die Annahme eines so frühen dissimilatorischen Schwundes des 2.Nas. (/mənš/ > /məš/, vgl. Km. 88 zu Az-*Gumbsh*), daß das *ə* noch synkopiert werden konnte.

Beispiele: Mz-*Eimsh*, CL *Umines-*, z.B. Nr. 267, 270, a. 803 *Umanes-*, 1313 *Umes-*; Wo-*Gimbsh*, CL oft *Gimmines-* u.ä. (z.B. Nr. 1444) a. 1429 *Gyms-*; Az-*Gumbsh* < *Gummundes-* (Km. s.o.), a. 1334 *Gumis-*, 1367 *Gummens-*; Ma-*Hemsb*, z.B. CL 6a *Hemmingis-*, aber 3669 *Heimeges-, -inges-*, 3632 *Hemmes-, Hems-* zuerst a.1364; der *Hemsberg* bei Bensh: CL 3810-12 *Hemminges-*, 153 *-is-*, aber Titel *Hems-*. Vgl. auch *Lambsheim* (bei Frankenthal): *Lammundes-*, 1190 *-ens-*, 1254 *-es-*, 1376 *Lams-* (vgl. Km. 89).

In *Hems-bach, -berg* verhielt sich /mənš/ wie /mənš/. Der Beleg CL *Hems-*zeigt zugleich, daß die Synkope in der 2.Hälfte des 12.Jh. schon vollzogen war. Die Dissimilation ist wohl eine Folge der

---

[36] Nur bei Weber fand ich Schrr. wie z.B. *gŋowḷiš, gŋoxə, gŋolə* u.a. (§4,1).

Synkope /mənəš/ > /mənš/ (C 37.2.2.2), gehört also ins 11.Jh. Die Schreiber behielten aber ⟨mes⟩ meist noch lange bei.

6.7.2. Dissimilatorischer Schwund in Appellativen ist selten. Einzelnes s. C 3.2; 4.3.4.

3. Die Liquiden

a) *l*

7.1. *l* kommt in den verschiedensten Stellungen vor, z.B. *lɔŋ* "lang", *līd* "Lied"; *flījə* "fliegen", *glād* "Kleid"; *šbēlə* "spielen", *wolə* "wollen"; *ǫld* "alt", *balgə* "Balken"; *al* "all", *gēl* "gelb"; *abl̥* "Apfel", *bugl̥* "Buckel, Rücken"; *babl̥ə* "sprechen".

7.2. Schwund ist bes. in einigen unbet. Wörtern oder Silben zu verzeichnen:

a) Zu *wolə* lautet die 2.Sg. *wid* = mhd. *wilt*, seit dem 11.Jh. (Weinhold §421), gebildet nach *solt*; verbr. s/m/öSt: Bauer §106,2 mit K.22; Seibt §142b; Bert. §234; Born §192,8; Freil. §199; 396f. Im S: Bräut. §68,2; Treiber §47 A.6; Waibel §50,2. Das Part.: L heute *gəwold*; ebenso heißt es von *solə*: *solšd, gsold*. Aber diese haben ältere *gəwod, sošd, gsod* ersetzt (vgl. die Handbücher). Wie BII 294: 1424 *wiltu* zeigt, galten solche Formen einstmals auch in Ws. Nicht bei Bauer erwähnt werden die 2.Pl. *sold, wold*, bei denen ebenfalls *l*-lose Formen vorkommen, vgl. Seibt, Freil. aaO.

Hierher auch das Adv. L † *sęd* "dort" < *sēlb + t*, vgl. Freil. §199.

b) Für *als* erscheint älter unbet. *as*, z.B. *iš bin grẹisə as dū* "... größer als ...", verbr.: SH (vgl. D 37.2.2.2).

c) Neueren Datums ist der Abfall von *-l* in *-mō(l)* "-mal", sicher zunächst vor K, vgl. *gęb-mer ̯əmo di hǫnd* "gib mir mal die Hand" mit *gęb-mə s əmōl*, jünger dann auch ... *mō*.

d) Statt *wifl̥ mōl* "wieviel Mal" kann man auch *wifə ̯mōl (-fm̥-)* hören.

e) *awl̥ - awail = aləwail* (vgl. C 32.5.4,2): Verlust des ersten *l* zugleich durch Dissimilation.

Dissimilation spielt auch eine Rolle im PN *wilem* "Wilhelm". Für das Alter vgl. BII 432: 1372 *Wilemiten*; GRB 1717 *Wilm*.

f) Auch sonst wurde die Folge *l - l* gelegentlich durch Dissimilation beseitigt: *gŋail* "Knäuel" (mhd. *kliuwel*), *gŋowl̥iš* "Knoblauch" (*klobelouch*) wie im Hdt., ferner *bensnig ̯l̥* "Nikolaus" (verbr.: SH *Pelznikolaus*), *ǫi-rnulə* "einlullen" (= "beschwatzen") neben *-lulə* und das veraltete *nulša* "Art Schnabeltasse" (Vorläufer des Kinderfläschchens)", zu *nudļə* "herumlutschen"[37]. - Wser Ukk des 14.Jh. haben fast durchweg *werntlich* für *werltlich*.

7.3.1. Während so der Bestand weitgehend gewahrt blieb, sind im Lauf der Zeit stärkere Veränderungen in Bezug auf die Artikulationsstelle eingetreten. Leider bieten die Handbücher praktisch nichts etwa über (halb-)pal. Aussprache, so daß genauere Angaben über deren Verteilung nicht möglich sind. Solche (halb-)pal. Allophone sind das Ergebnis von Assimilationsprozessen, s. B 2.4.1, 4b; D 49.6.2.

7.3.2. Es spricht einiges dafür, daß im gesamten deutschen Sprachgebiet vor K und im Ausl. in älterer Zeit vel. Aussprache (d.h. dent. *l* mit gleichzeitiger Hebung der Hinterzunge) vorherrschte. Geminaten wurden dabei wohl als [*ll*] realisiert. Für diese Aussprache gibt es folgende Gründe:

1) Im Lauf der ahd. Zeit wurde *a* zu *o* im 2.Teil von Zsstzg. (insbes. Namen) vor *l*-Verbindungen, s. C 29.4.2,2. Nach Welz (40ff.) trat diese Verdumpfung in L seit der 2.Hälfte des 8.Jh. ein. Nur ein vel. ("dunkles") *l* macht *a* > *o* verständlich.

2) Die Sprachgeografie zeigt, daß [*l*] erst nachträglich aus den genannten Positionen verdrängt wurde. Das Engl. und Niederländ. haben den älteren Zustand bewahrt (vgl. Bach 1950, §11,2) ebenso wie das Ripuarische. Omd., Teile des Ndd. einerseits und Teile des Alem. (Jutz 1931, §105) und altertümliche bair. Mdaa andererseits (Kranzmayer 1956, §49c).

Diese Aussprache ist im Rf. (wie auch sonst weithin) verlorengegangen. Die Gründe zur Aufgabe der vel. Allophone sind heute nicht mehr genau zu ermitteln. Man wird aber nicht fehlgehen mit der Annahme, daß die vel. Varianten aufgegeben wurden, nachdem sie infolge gewisser Assimilationsvorgänge des 12.Jh. stark eingeschränkt worden waren. Es kommen in Frage:

1) Durch die Degemination (D 50,4f.) mußte [-*ll*-] zu [-*l*-] werden.

2) [-*əl*] verschmolz nach D 49.6.1f. mit vorausgehendem Dent. und Gutt. zu (halb-)pal. Verbindungen; [-*əl*] war nur noch hinter Di., Lab. und *š* möglich.

3) Wahrscheinlich wurde auch durch das Aufkommen von Sproß-VV zwischen *l* und Gutt. jenes in die Palatalisierung von -*ə* + Gutt. > -*i* + pal. Gutt. hineingezogen.

4) Vermutlich wurde *l* ferner hinter Pal.-V entvelarisiert, z.B. in *gēld*, *wel*, *dswel*əf*. Danach kam *l* nur noch vor 1. im Ausl. hinter nichtpal. VV und in der Folge Lab. + *əl*; 2. vorkonsonantisch hinter nichtpal. V und Lab., Dent. (*kāl*əb*, *wāld*).

---

[37] Eventuell ist von einem *nudel* < *ludel* auszugehen und dieses zu ahd. *ludo* "grobes Wollzeug" zu stellen, aus dem dann Sauger für Kinder hergestellt wurden.

Man kann vermuten, daß in Anlehnung an die sich nun häufenden Paradigmen mit einheitlicher Aussprache wie *bẹd'ḷ'n - *bẹd'ḷ'(d) "betteln". *gẹ̄lə "gelten", 1.Sg. *gẹ̄l, 3.Sg. *gẹld, aber auch *valən, *vaḷ - *veld solche wie *hāl(ə)n "halten" - *hāl(ə), *held, aber 2.Pl. *hāld vereinheitlicht wurden und ḷ dann überhaupt nach und nach verschwand. Dies müßte dann noch ausgangs des 12.Jh., anfangs des 13.Jh. geschehen sei. Doch bleibt dies vorläufig hypothetisch.

b) r

I. Erhaltung und Schwund

aa) Der Zustand im 20. Jahrhundert

8.1. Wie allgemein shess. ist r in L durchweg erhalten vor V, z.B. raisə "reißen", rīšə "riechen", brād "breit", grī "grün", bẹgərái "Bäckerei", bōₔrə "Bohrer", máriā. In šoŋg "Schrank" fehlt es von alters her (Kluge *Schrank*).

8.2. Soweit r erhalten ist, wird es unterschiedlich realisiert. L und ein größerer Teil des SHess. kennen nur schwach gerolltes Zungenspitzen-r (B 2.4.6,2). Infolge der Abneigung der städtischen Oberschicht gegen gerolltes r (s.u.) hat sich in den städtischen Zentren und z.T. in ihrem Einzugsbereich meist punktuell mehr oder weniger stark gerolltes Zäpfchen-r (R) durchgesetzt, oder wenigstens das Zungenspitzen-r ist auf eine einfache Berührung der Alveolen reduziert (wie in L).

Einzelheiten: Stärker gerolltes Zungenspitzen-r wird gemeldet aus dem Odw und nRied (Bauer §97), bei Weber (264) in III und dem nöOdw. Letzteres scheint identisch zu sein mit dem von Born (§9) umschriebenen Gebiet mit stark gerolltem r (Di-Gund GZimm), das sich südlich Diebg, Di-GUmst in einem schmalen, von N und S her stark zerrissenen Streifen nach O erstreckt (Freil. §395).

Auch Valentin (345) weist auf stärker gerolltes r in den Land-Mdaa hin.

Zäpfchen-r: stark vertreten im sSt (Bauer §97) in/um Mhm (Bräut. §89) und sNeck (Treiber §20,2; Waibel §51: Vordringen von den Städten aus), ebenso VPf, besonders am Rhein und in den Städten (Bertram §245).

Ausgangspunkt der R-Aussprache ist ganz offensichtlich Mhm selbst, von wo es schon so früh ausstrahlte, daß dort noch *ₔ (< d) statt zu r zu l werden mußte (D 24.5), wohl schon im ausgehenden 18.Jh. (vgl. D 24.7.2.3).

Sonst dürfte [R] jünger sein: nRied (größere Orte am Rhein; Bert. S.7), DSt (Born §9), im O Er-
Erbach (Freil. §13); Rhh: Mainz (jünger auch Land-Mdaa, s.o. und Held §349), Bingen (Held),
Ws (Bescher §72; in Ws aber nicht allgemein!).

8.3.1. Hinter Voll-V ist *r* in L heute im primären und sekundären Ausl. vokalisiert, und zwar
ursprünglich hinter den offenen *a ę, ā ǭ* zu *ạ*, hinter *ē ō, ī ū* zu *ə̣*, s. D 8.3.8.2; C 22.2.4.3,2. Doch
ist *ạ* nur noch hinter den LVV in Spuren vorhanden. Für *ə̣* steht modern *ə*, s. z.B. D 9.1.5.

Beispiele: *na* "Narr", *dę* "dürr, dünn", *ę* "irre", *(iš) šdǫ* "(ich) stochere (`storre´)"; älter *bā̊ạ, gō̊ạ*
"Bär, gar", *dē̊ə̣, dō̊ə̣, bī̊ə̣, fū̊ə̣* "Tür, Tor, Bier, Fuhre", jünger *bę̄, gǭ, dē̊ə, dō̊ə, bī̊ə, fū̊ə* (bzw. mit
Triphthong nach C 25.1.3,1b).

Bei alten Leuten fand ich zuweilen Spuren einer Sonderbehandlung hinter KV. So habe ich *parhaus* "Pfarrhaus", *badę́r* "Parterre" gehört, gewöhnlich *pa-, -dę́*.

In der Bindung lebt verstummtes *r* wieder auf; ganz geläufig in Vb.-Formen, z.B. *šdǫr-iš, fī̊ər-iš*
(*iš fī̊ə* "führe"), *wǭr-iš, -ə̄* "war (*wǭ*) ich, er"; sonst nur resthaft und besonders wieder bei Älteren:
dęr-ō̊š "magerer Mensch" (`Dürrarsch´), † *dęr-ōbsd* "Dürrobst"; *mē̊ə̣: mē̊ər̮ā́* "mir auch", *dęs əs
mē̊ər̮egā́l, siwədš jō̊ər̮ǫld* "70 Jahr alt", *wǫn s segs ū̊ər̮is* "wenn es 6 Uhr (*ū̊ə*) ist", *dę
wǭr̮in̮kęrš* "er war in der Kirche"; *for̮im* "vor (*fǫ*) ihm"; *ę kimd di dē̊ər̮ərǫi* "er kommt zur
Tür herein". Von solchen Fällen aus übertragen: *dęs əs ā́r̮ebəs* "das ist auch (*ā*) etwas", *mę
hewə ā́r̮ə audō* "wir haben auch ein Auto", häufig hinter *ā*, aber auch z.B. *hod də kablō̊r̮ə gūri
breriš ghǫldə?* "hat der Kaplan eine gute Predigt gehalten?" *iš gęi dsu̯ə̣r̮əmə ǫnn dogdə* "ich
gehe zu einem anderen Doktor" (gewöhnlich *dsumə*, s. C 44.1.2g).

8.3.2. *r* im Inl. vor K.

Lab.: *farəb* "Farbe", *kęrəb* "Kirchweih", *kǫrəb* "Korb", *nǫrbəd* "Norbert"; *dǫrf, nęrfə* "Nerven,
šarf, šǫrf "Schorf"; *fədǫrwə* verdorben", *gšdǫrwə*; *šerəm* "Schirm", *wǫrəm/wǭrəm-* "warm(-)",
wermə "wärmer; wärmen", *wǫrəm* "Wurm".

Aber: † *ę̄bḷ* "Erdbeere" (heute eher *ə̄dbē̊ə̣*), *gǭb* "Garbe", *šē̊əb* "Scherbe" (mhd. *schirbe*); *defə*
"dürfen", *wefə* "werfen", Part. *gəwǫfə*, dazu *fō̊əwǫf, wefḷ* "Vorwurf, Würfel", ebenso *-defə*
"-dörfer" (z.B. in PN), *fədē̊wə* "verderben", *šdē̊wə* "sterben", *ę̄wəd* "Arbeit".

Gutt.: *ǭrig* "arg, sehr", Komp. *ę̄rjə, bę̄rig* "Berg(e)", *mǭrig* Markt", † *wē̊ə̣rigə* "(Teig) kneten
(`wirken´)"; *barg* "verschnittener Eber" (mhd. *barc, -g-*), *bęrg* "Birke", *ǫrgḷ* "Orgel", *šdarg*
"stark", Komp. *šdęrgə, šdǫrg* "Storch"; *dǫrš* "durch", *kęrš* "Kirche", älter *-rig, -riš* (C 48.1.1);
bęrjə "Bürge(r)", *(n)ęrjəd* "(n)irgend-", *sǫrjə* "sorgen, Sorgen" (Sg. *sǫrg*).

Aber: *bojəmǫ̊šdə* "Bürgermeister", *ę̄jə(n)* "Ärger, ärgern", *moje* "morgen", *mojəd* "Morgen";
-bejə "-berger" (z.B. *haidḷb.* "Heidelberger"), *-bojə* "-burger" (z.B. *limbojə kēs* "Limburger
Käse"), *ladwęiə* "Latwerge").

<u>Dent.</u>: *ọ̄d* "Art", † *bę̄ᶎšd* "Bürste" (jünger *be̞šd*) und "Be-Bürst" (jünger *be̞šdad*), *dọšd* "Durst", *fọd* "fort", *fọn* "vorn", *fe̞diš* "fertig", † *gę̄ᶎdl̥ (ge̞-)* "Gürtel", *had* "hart", Komp. *he̞da̞, hē̞d* Herde", *kọn* "Korn", † *kę̄ᶎš (ke̞-)* "Kirsche", *lǭᶎš* "Lorsch", *wē̞d* "Wert", Vb.-Formen wie *fəlį̄ᶎn* "verlieren", *fį̄ᶎn (e̞ fį̄ᶎd)* "führen" u. dgl. Auch ehemaliges *rr* schwindet: *fan* "Farren", *kan* "Karren", *šban* "Sparren"; *de̞n* "verdorren", *še̞n* "scharren", *šdọn* "stochern" (`storren´).

Hierher auch *r+l*: *e̞l* "Erle", *kal* "Karl", *ke̞l* "Kerl", *pe̞l* "Perle".

8.3.3.1. Die ältere direkt erreichbare L Mda hatte je nach dem vorhergehenden V eine zwei- bzw. dreifache Abstufung:

1) Hinter *a e̞ ọ* spurloser Schwund vor K, Erhaltung ausl. und vor V;

2) hinter den offenen *ā̞ ọ̄* ausl., bei alten Sprechern bisweilen auch vor K: *V+ᶎ*[37a], sonst vor K: *ē̞ ọ̄*; in engen syntaktischen Verbindungen *V+r⌣*;

3) hinter den engen VV *ē̞ ō̞, ī ū*: ausl., bisweilen vorkonsonantisch (s.o.) *ᶎ̄*, sonst vorkonsonantisch *ᶎ*, Bindung *ᶎr⌣*.

8.3.3.2 Die obige Zusammenstellung läßt folgende Regeln für Erhaltung bzw. Schwund des *r* vor K erkennen:

r ist geschwunden:

1) wo es nie durch Sproß-V vom folgenden K getrennt war, also vor Dent.;

2) bei (früher) Aufgabe eines Sproß-V zwischen *r* + Lab. hinter LV: *gō̞b, ē̞bl̥, ē̞wad, fədē̞wa, šdē̞wa, šē̞ᶎb* < **-rəb* bzw. **-rəwa* (C 48.2.1,4b; 5a). *we̞fa* hat sekundäre Kg. *(*wā̞rəfa:* C 7.2.3,4), von daher *r*-Verlust in der ganzen Sippe;

3) beim Übergang *-rij-* > *-rj-* (D 30.1.3) hinter LV: *ē̞ja(n)*. *ē̞rja* ist an *ō̞rig* angelehnt.

Ausschlaggebend war bei Nr. 2 und 3 das Fehlen einer Wortstruktur *ārK* (s.u.). Bei Kg. des V vor Aufgabe des Sproß-V blieb *r*, z.B. *barg, be̞rg, farb, ke̞rš*, alt **bō̞rⁱg, *bā̞rⁱg, *fō̞rəb, *kē̞ᶎrⁱχ* (s.o.; C 48.2.1,4a).

4) *de̞fa, -de̞fa, bojəmō̞̈šda, ladwe̞ia, moja(d), -be̞ia, -boja* sind häufig oder immer unbet. und haben deshalb ihr *r* früh verloren, vgl. z.B. *moja frī̃*, danach *mojəd*.

8.3.4. Weitergehender *r*-Schwund findet sich in Entlehnungen, ebenfalls meist im Vorton:

[37a] Fecher (1941, 135) transkribiert noch z.B. *ọifọ̈d* "Einfahrt*.

vor Dent.: adig'î "Artikel", badái "Partei", badé "Parterre", węrəbad "Widerpart", gadîn "Gardine", gadrób "Garderobe", ganisṓn "Garnison", gwadọ̈l "Quartal", kadṇā́l "Kardinal", pęsṓn "Person", tǫnišdə "Tornister";

vor Lab., Gutt.: buǫgúndə "Burgunder (Wein)", kabíd "Karbid", magį̂n "markieren; vortäuschen", magî́s "Markise", magridə "Margeriten", magrî́nə "Margarine"[38], sabrigə "Saarbrücken", sęwî́ "(Eß-)Service" (vgl. D 57.1), tęmî́n "Termin". Daneben stehen fęrmədį̂n "(Tabak) fermentieren" gg. fęménd "Ferment", hàrmənį̂n "harmonieren" gg. hamṓnjum "Harmonium", ferner fǫrml̨ā́ "Formular" tęrməmḗdə "Thermometer", in denen r in der älteren Mda unterm Nbt. erhalten ist. Abweichungen beruhen z.T. auf Analogie, so z.B. pafəmį̂n "parfümieren" nach pafî́m "Parfüm", auf einer gewissen Unsicherheit wegen der neueren Tendenzen zu weitergehenden r-Schwund (s.u.), so z.B. armḗ, nǫrmā́l "Armee, normal" für und neben amḗ, nǫmā́l, oder aber auf Unsicherheit in der Beurteilung von š als Dent. (sch) oder Gutt. (ch); àšədę́gd "Architekt" statt aršə-.

Beispiele für den Nachton: hę(r)będ, nǫ(r)będ (und -bəd) "Herbert, Norbert", ęwəhad "Eberhard", gḗəhad "Gerhard" (gg. amdal. lenəd "Leonhard"), modsad "Mozart", rišad "Richard", šbęsad "Spessart".

8.3.5. Bei vielen Jüngeren, etwa einsetzend mit den zwischen den beiden Weltkriegen Geborenen, zeigt sich heute in zunehmendem Maß r-Vokalisierung, begleitet von Änderungen der V-Qualität und -Quantität, ohne daß sich dabei schon ein fester Typus herausgebildet hätte. Die Herkunft aus der überregionalen Umgangsspr. ist unübersehbar. Die Anpassung geschieht in dreifacher Abstufung:

1) LVV: Aufgabe der Sproß-VV und Unterdrückung des r wegen der Unzulässigkeit von ārK (s.o.): wǭm, ǭg, bḗg usw. wie schon älter gǭb, ę̄bl̨ (s.o.);

2) KV (a ę ǫ): junge Ersatz-Dg., dabei hinter a ohne - hinter ǭ ę̄ seltener ohne, öfter mit Gleit-V ə̯, aber auch schon ṇ: šdāg, šāf, dǭf - dǭ̯əf - dǭṇf, kęb - kę̯əb - kę̄ṇb;

3) Aufgabe alter Länge und junger Ersatz-Dg. gemäß der umgangssprl. Norm, a) mit r, b) mit r-Vokalisierung zu ə̯ (außer hinter a): arg, warm, bęrg (-rš) (bzw. āg, wām nach Nr. 2, bę̄g nach Nr.1, bę̄ə̯g, bę̄ṇg nach Nr. 2); dǫf, kęb, šdag, dies aber in L noch selten (außer in Entlehnungen, s.u.).

8.3.6. Lwtt werden möglichst eingelautet, also Schwund des r vor Dent., jedoch ohne Dg., z.B. agód "Akkord", fǫd "Ford", gędā "Gerda", hi̯əd "Hirt" (PN), madī́n "Martin", mas "Mars", maš "Marsch", šbǫd "Sport", šdǫndádə "Standarte", u̯ədail "Urteil", wanə "warnen", wi̯ədsbu̯ǫ(r)š

"Würzburg" u.a. Vor Lab., Gutt.: älter Erhaltung, jünger Unterdrückung gemäß der umgangssprl. Herkunft: *fᵊrᵊm* "Form", *mɔrfjum (ō̜a̜, ō̜ə̜, ǫ)* "Morphium", *rabárwə (ā)* "Rhabarber"; *(ə ǫldi) bu̜a̜(r)š* "ein altes Haus ('Burg')", *ɛrgə (ē̜a̜, ē̜ə̜)* "Erker", *ǫb-mu̜a̜(r)gsə (u̜ə̜)* "abmurksen", *ši̜a̜rú̜a̜(r)š (u̜ə̜)* "Chirurg". M.W nur noch ohne *r* übernommen: *infágd* "Infarkt".

Besonders PN zeigen eine wachsende Tendenz zur "besseren" Aussprache. So muß das *amdal. nǫrbəd* neuerem *nō̜a̜bəd. -bᵊd* (bzw. *ō̜ə̜, ǫ*) weichen. Ebenso *hᵊbᵊd* für *hᵊrbəd*.

8.3.7.1. Die Schichtungen und Umschichtungen der L Mda finden sich im shess. Raum (und darüber hinaus) wieder. Da die meisten Handbücher in den 20er und 30er Jahren des 20.Jh. abgefaßt sind, bieten sie einen guten synchronen Querschnitt der damaligen Verhältnisse, die jedoch heute schon mit Sicherheit teilweise überholt sind. Für das sSt erlauben zudem die Arbeiten von Weber 1908f. und andererseits von Bauer 1957 einen Einblick in die Diachronie. - Angaben über Gleit-VV beziehen sich, wenn nicht anders vermerkt, auf den Fall des *r*-Schwundes. Vor erhaltenem *r* treten sie meist nur hinter geschlossenen VV auf, was in den Handbüchern aber meist nicht berücksichtigt ist.

Seibt 1930: §§24; 30; 136; 138; 140: gleiche Verhältnisse wie in der alten L Mda; Gleit-V hinter geschl. VV; Vokalisierung vor K (Dent.) zu *ə̜*, im Ausl. zu *ə̜* oder *ə̜ʳ* (dürfte L *ə̜* entsprechen); Schwund des Gleit-V nur hinter *ā* (= L *ō̜*), vgl. *wā* gg. *ha̜ə̜d, we̜ə̜d* "Wirt", *šǫ̜ə̜ds* "Schürze", *wä̜ə̜d* "Wert"; Bindungs-*r*.

Weber hat im N (I, II) Vokalisierung in Ausl. und vor allen KK zu *ə̜*, hinter *ä̜* zu ∅, mit junger Ersatz-Dg. vor Lab. (vor Gutt. Di- bzw. Triphthong aus KV + (*ə̜* +) Sproß-V, s. C 48.6.3, Typ II), im S etwa wie in L; Gleit-V überall hinter geschl. VV vor erhaltenem *r*. Einige markante Beispiele: 351ff., I *ä̜š, gā, ām, gāb, ä̜ig* (alte Länge!), II *ō̜ə̜š, gō̜ə̜, ār(ə)m, gār(ə)b, ar(i)g/ārg*, allgemein *fa(r)b, had, na, šarf;* 359f., I/II *fe̜ə̜diš, ē̜ə̜wa, hē̜ə̜bšd, me̜ə̜iga, ē̜ə̜gə* "ärger", III *fe̜ə̜diš, e̜ə̜rwə, he̜ə̜rbšd, me̜ə̜r(i)gə, ē̜ə̜(r)jʋ;* 243 I/II *bē̜ə̜* "Bär", *fē̜ə̜šd* "Ferse", *šdē̜ə̜wa, be̜ə̜ig* "Berg", III *bē̜ə̜, fē̜ə̜šd, šdē̜ə̜rwa, be̜ə̜r(i)g;* 251ff. I/II *bē̜ə̜* "Birne", *gšē̜ə̜* "Geschirr", *šē̜ə̜b, be̜ə̜ig* "Birke", III *bē̜ə̜, gšē̜ə̜, še̜ə̜rb, be̜ə̜rig;* 256f. I/II *dō̜ə̜, bō̜ə̜d, gšdō̜ə̜wa, mǫ̜ə̜jə*, III *dō̜ə̜, bō̜ə̜d, gšdō̜ə̜wa, mǫ̜ə̜rjə;* vgl. ferner 264 I/II *de̜ə̜fə, we̜ə̜fl,* III *-e̜ə̜r-*. Gleit-V vor erhaltenem *r*, s.o., ferner 335 *hō̜ə̜riš*, 337 *wō̜ə̜rəd* "Wahrheit", 338 *šwē̜ə̜rə* "schwerer".

Bauer: 1. (§99; K.15) Ausl. hinter LV Schwund, im S *-ə̜*, im NO *-ə̜* (= Weber I/II), im NW (wBensh - Hp mit L!) *-ö̜*, im äußersten NW am Rhein (nördl.) *-ō̜* und (südl.) *-ə̜* sich überlagernd (s.u.). Aber für L trifft dies so nicht zu: L ersetzt älteres *-ə̜* ggf. eher durch *-ə̜*; *-ö̜* ist hier selten, s. D 8.3.5; 8.4.2.- 2. (§100) Ausl. hinter KV öfter Erhaltung, bes. nach O hin. - 3. (§101) Vor Dent. (nur KV angegeben) Schwund, Gleit-V "meist nicht oder nur ganz schwach". - 4. (§104; K. 21) Vor Lab. Erhaltung im W (mit L an der N-Grenze) und nach (S)O hin (= Weber III), sonst im S und N Vokalisierung; starke Zerrissenheit spricht für jungen *r*-Schwund. - 5. (§102; K.20) Vor Gutt. Erhaltung nur im W (wie vor Lab.) und ganz im (S)O, starke Zerrissenheit wie beim Lab. - Eindringen des jungen *r*-Schwundes fand Bauer auch bei Jüngeren in Hp (§102 Ä.).

Der *r*-Schwund dringt also vor allem von N her auf breiter Front bis vor die Tore von L vor, von S entlang des Neckar und der Bergstraße (Lab. bis Hp!) bzw. durch den mOdw. so daß L (mit dem sRied) eine zusammenschmelzende "Archaitätsinsel" bildet.

Von S, d.h. Mhm her: vgl. Bräut. (1934) §79,2f. (Stadt-Mda z.B. *wǫpšd.* mit Dg. *kẹ̄pš. dǭpf.* aber *maš, māg* "Marsch, Mark"); Rupp 1982, 350f.: *Korn, kann > kǫn: LV–p̦*; 377; Treiber (1931) §48,2f. vor Lab. Gutt. älter *r* (mit Sproß-V), jünger Schwund *(p̦), āš; LV + p̦ –* erhaltenes *r* (Beispiele §§10,4; 12.4); Waibel (1932) §51,3 Schwund im Fluß. Ebenso VPf, vgl. Bertram (1937) §§246ff. (vor Lab., Gutt. Schwund. bes. in den Städten). - Kennzeichen des Mhmer Einflusses ist Vokalisierung zu *p̦.*

Von N, d.h. Dst her: vgl. Bauer §104; Vokalisierung älter zu ̦ɑ, jünger zu ̦ø̈; im einzelnen: Bert. (1935) §§110-114 Erhaltung vor *w*, sonst ̦ɑ außer hinter *ă̆* (*had, na*); geogr. (§233): Erhaltung vor Lab., Gutt. selten, am besten im S(O) im Typ *gestorben*: ̦ō̦ɑ rückt keilförmig von N nach S hin vor; Gleit-V hinter *ā̦ ō̦*, nicht hinter *ā* (im NW, SO: §§195,2ff.; 233,4 A.1), *ă̆* (§233,6ff.); hinter *ę* als ̦ɑ, Schwund bes. im SW (§233,5); es fehlen Beispiele für geschl. *LV+r*, so daß der falsche Eindruck entsteht, als gebe es hier im Gegensatz zu *-ar* keine *p̦*-Insel (vgl. C 8.4.2; 9.1.3; Karte 18). Dies wird aber korrigiert durch die Angaben bei Grund (1935): §§75,4; 76 Erhaltung nur bei KV und vor *w*, sonst Schwund mit Gleit-V *p̦* (!) außer hinter *ă̆* (*had, maš*), vgl. auch §§12,4 (*wā̦p̦*); 21,2 (*dǫpf, kǫpb*); Gleit-V auch vor erhaltenem *r*, z.B. *hẹ̄priŋ, lẹ̄prʋ* (§75,3). - Born (1938) §§105; 110 allgemeine Vokalisierung meist zu ̦ø̈, hinter *ă̆* zu Ø; geogr. (§243f.): Reste von *r* vor *w* in unterschiedlicher Verbreitung, sonst Gleit-V, im O ̦ɑ, sonst ̦ø̈, hinter *ă̆*: Ø; auffallend: Erhaltung von ausl. *r* in Di-Gund GZimm, Of-Götz.

Der Osten:

Freil. (1929) §§190ff.: Erhaltung ausl. hinter KV (*dir, nar*), vor Lab. *r* oder ̦ɑ, sonst Ø (auch vor Gutt); vor erhaltenem *r* keine Gleit-VV notiert; bei Schwund ̦ɑ(ʳ), hinter *a*: ̦ɑ(ʳ) oder Ø (*ka̦ɑl, na̦ɑn, ha̦ɑʳd - had*), vor Gutt. *V+ᵊi, ai* (Triphthonge!); geogr. (§395): vor K im S ̦ɑ (vgl. Er-Zell), im N Ø; kleines Gebiet mit erhaltenem *r* im Ausl. (vgl. Born). - Wenz (1911!), S.48: Ø vor Dent., Gutt., *r* vor Lab. und ausl. hinter KV (*er* "irre"); bei Schwund Gleit-V *p̦* hinter *ē ī ū* (vgl. §§14; 18; 21).

8.3.7.2. Wie nicht anders zu erwarten zeigt Rhh ein stark fortgeschrittenes Stadium der *r*-Vokalisierung: Valentin (1934) §§347-50; 354 in Mainz allgemein *p̦* (nach meiner eigene Beobachtung eher *p̦*̈), Land-Mdaa *-rw* (auch hinter LV: *ā̦rwəd*); Gleit-V hinter *ă̆* gefallen, hinter *ā̦* im Schwinden. Held (1915!) §§225-27; 229 *r* vor K, ausl. *> ʳ* (meint *p̦*, s. §9), *ar+K > a+K (had)*; besonders vor Lab., Gutt. Reste im O, S; Zustand der Gleit-VV unklar.

Im konservativen NW war 1922 der Schwund noch im Fluß: Martin §§191; 194: vor K und ausl. Ø, vor *w j*: *r* oder Ø, ausl. hinter KV erhalten (! *er* "irre"); Gleit-V *p̦*, hiner *a ā̦*: Ø.

8.3.8.1. Der Überblick zeigt folgenden Zustand:

1) Ausl. *r*:

a) hinter LV allgemein Schwund außer einem kleinen Gebiet im öSt; Bindung gut erhalten im Gebiet von 2c;

b) hinter KV Erhaltung im öSt, im übrigen Odw bis ins sRied (L!) Reste, ebenso nwRhh;

2) vor K:

a) vor Dent. überall Schwund;

b) vor Gutt. weitgehend Schwund im Zusammenhang mit der Beseitigung der Sproß-V-Silbe (*i*-Di- bzw. Triphthonge), Erhaltung hauptsächlich sRied, öWo, s. C 48.6.3;

c) vor Lab. relativ gute Erhaltung in Odw, sRied. öWo, nöRhh; um Dst, Mhm, Rhh Reste von -*rw*-, sonst völliger Schwund.

8.3.8.2. Entsprechend dem Grad der *r*-Vokalisierung finden wir (außer z.T. vor Gutt.) zwei Haupttypen von Gleit-VV:

1) mehr oder weniger entsprechend der älteren L Mda (D 8.3.3,1; vgl. Seibt; Weber I/II): geschl. LVV +$_2$, bei *r*-Schwund $\bar{a}_2$ (verschieden transkribiert); offene LVV + $_2$ (L † $_2$) nur bei Schwund; halboffene KVV ϱ ϱ ebenfalls bei *r*-Schwund verbreitet $_2$, teilweise auch schon $_2$ (bzw. Ø, vgl. Bauer; L!); hinter *a* nur noch Reste bei Freil., Seibt. - Verbreitung dieser $_2$/$_2$: sRied (doch von Mhm her stärker geschrumpft als oben 2c), Odw.

Dies läßt deutlich folgende ursprüngliche Regelung erkennen: geschl. LV, z.B. $\bar{e}_2r$-, $\bar{e}_2$; offener LV, z.B. $\bar{a}r$-, $\bar{a}_2$; offener KV ar-, a_2 (falls nicht $\bar{a}r$); geschl. KV (soweit vorhanden) i_2r-, i_2.

2) Moderner (Vordringen z.B. im sRied. L!): hinter geschl. VV, vor erhaltenem *r* meist $_2$, bei Vokalisierung (auch hinter $\bar{e}$ $\bar{o}$) Gleit-V $_2$, im N (Rhein-Main-Gebiet, DSt) $\ddot{a}$ (u.ä.; vgl. Karte 18), hinter offenen VV ($\bar{a}$, $\bar{a}$ $\bar{o}$) Tendenz zum Schwund, hinter $\bar{a}$ schon fast allgemein. Verbreitung dieses Typs: überall dort, wo sich stärkere Tendenzen zur *r*-Vokalisierung (besonders vor Lab.) und Aufgabe der Bindung bemerkbar machen, vgl. oben 1a; 2c.

8.3.9.1. Es gibt demnach einen älteren und einen jüngeren *r*-Schwund. Letzterer vollzieht sich unter unseren Augen und ist verbunden mit der Änderung der Gleit-VV (deren Vorstufe die Verwischung des Unterschiedes zwischen $_2$ und $\bar{a}_2$ ist). Er hat seine Wurzeln in der städtischen Oberschicht (Mainz, Ws; DSt, Mhm) des 19.Jh. als Reaktion auf das als "bäurisch" empfundene gerollte Zungenspitzen-*r*, oftmals verbunden mit Sproß-V.

Schon 1915 (Held!) hatte die Bewegung große Teile auch des inneren Rhh erfaßt, während - wie so oft - das m/ö/sSt zögernder folgte. Das Erhaltungsgebiet in St wird immer stärker von N und S her "angenagt". Nach den Karten bei Bauer liegt L an der N-Grenze eines größeren westlichen *r*-Gebietes, das jedoch entlang der Bergstraße von S her bis Hp reicht: bei Bauer dort heute Typ *mę̄b* "mürbe" gg. Seibt §57 *męrb*. Daraus und aus der vorherrschenden Qualität *ŋ* des Gleit-V in L bei Ersatz von älterem *ŋ̊* (C 8.3.5,2f.) folgt, daß die jüngere L Lautung von S, d.h. Mhm (wo ja viele Lorscher arbeiten) übernommen ist (vgl. C 8.3.8.1), von wo auch die Ersatz-Dg. stammt.

8.3.9.2. Vor dem Aufkommen des neuen *r*-Schwundes, also etwa zu Beginn des 19.Jh., muß im allergrößten Teil des SHess. (abgesehen von gewissen Randzonen, s.u.) ein ziemlich einheitliches System geherrscht haben, das in der älteren L Mda (ebenso z.B. in Hp, vgl. Seibt) noch recht gut erhalten ist:

1) Ausl.: hinter LV Schwund, hinter KV Erhaltung;

2) Inl.,

a) hinter Ton-V: Schwund bei unmittelbarem Kontakt mit K (praktisch nur Dent.), Erhaltung allgemein vor Lab., Gutt. infolge Trennung durch Sproß-V, auch z.B. in (L) **ā̄rəwəd*, **gǭrəb*, **šdā̄rəwə*, **ā̄rijə* "ärger", **kē̱ạrix̠*;

b) in unbet. (vollvokalischen) Silben im Nachton und unmittelbaren Vorton Schwund (auch vor Lab., Gutt.); unterm vorhaupttonigen Nbt. (Lwtt!) Erhaltung.

8.4.1. /ər/ kommt vor im Vor-, Zwischen- und vor allem im Nachton.

Im Vor- und Zwischenton (dies vor allem in Lwtt) stehen *ə+K, ər+V: də* "der (Art. N.Sg. Msk., D.Sg. Fem.)", *də-* "da-" (z.B. *dənē̱wə, dədswišə* "daneben, dazwischen"; zu *də- < *dər-* s. C 40.5.2), *fə-* "ver-", *fə-bai* "vorbei", *ə-bai* "herbei" gg. *ər-ọi* "herein", *bəwāriš* "gewaltig" (`barbarisch´). *ę-*"er-", (z.B. *ęlāwə* "erlauben") ist nicht echtmdal., s. C 40.0 A.296; *aləmī̱ạn* "alarmieren", *drọnsfəmā̱dǭ̱ŋ* "Transformator", *ęgsədsī̱ạn* "exerzieren", *ęgsədsidsjə* "Exerzitien", *fəagədī̱ạn* "eine Arbeit vergeben" (`verakkordieren´), *kunfəmī̱ạn* "konfirmieren", *rẹfəmadsjǭn* "Reformation", *tawənágļ* "Tabernakel" u.a.

Im Nachton findet sich ein Unterschied zwischen Jüngeren und (manchen) Älteren: modern *-ə*, selten *-ər͜*, seltener "feiner" *-ɒ* infolge Übernahme südlicher (Mhm) Sprechgewohnheitem (vgl. D 8.3.7f; Bauer §81; K.15). Im Gegensatz zum Vokalisierungsprodukt hinter (engem) LV ist im Ausl. aber auch zuweilen das nördliche (DSt) *-ȫ* anzutreffen als (Über-)Reaktion auf das auffallende mdal. *-ə*.

Bei alten Leuten ist Bindung weitverbreitet, also *-ə*, *-ər͜*, bei Jüngeren im Schwinden; bei manchen Alten finden sich - wiederum wie hinter geschl. Voll-V (D 8.3.1) - überdies Spuren einer uralten dreifachen Abstufung: ausl. *-ə̄*, *-ər͜*, *-ə+K*. Doch ist dort *ə̄* auch schon öfter auf die Stellung vor flexivischem *-n* übertragen.

Beispiele für die ältere Mda: *brūrə̄* "Bruder", *fadə̄* "Vater", *grẹisə̄* "größer", *lǭ̱ršə̄* "Lorscher", *parə̄* "Pfarrer", *iš gẹb-də̄ (də) s* "ich gebe es dir", *kumd-ə̄?* "kommt ihr?" - *wọn kumd-ə n (-ə̄ n)?* "wann kommt ihr (denn)?"; *haiə̄n, -ən* "heiraten" - *iš haiə̄, fəhaiəd*; isolierte Fälle (nur *ə*!):

gēərəd "Gänserich" (`Gerhard`), *howəd* "Hofreite", *hunəd* "100", *wiŋəd* "Wingert"; Bindung: *haiər-iš* "heirate ich", *faiər-ōwəd* "Feierabend", *gęśdər_ōwəd* "gestern abend" (vgl. *gęšdə̄*), *dęs as ęwər_ā̆ ębəs!* "das ist aber auch etwas!" (*ęwə̄*), *də fadər_ā̆* "Vater auch", *hoš-ə den baẉər_ā̆ gsęiə?* "hast du den Bauern auch gesehen?" *(baŋə̄)*, *du də dęlər_əwęg* "nimm den Teller weg", *gęb-mər_ā̆ dəfū* "gib mir auch davon" *(mə̄)*, *š gęb-dər_ōns* "ich gebe dir eines" *(də̄)*, *hęd-ər_ā̆ poš_grid?* "habt ihr auch Post bekommen?", *haid driŋd-ər_ōns, wal-ər_əlō̧ is* "heute trinkt er einen, weil er allein ist" (2x *ə̄*), ebenso z.B. *kā̆fd-ər_, nimd-ər_;* aber nicht hinter *r: dserə̄ iš* "zittere ich", *hor-ə̄ ōns* "hat er eines", *gęir-ə̄ ā̆ mid?* "geht er auch mit?". Daher auch hinter *orə̄* "oder", *węrə̄* "gegen (`wider`); wegen" keine Bindung. Ein dem zu bindenden *r* folgendes weiteres *r* hat keinen Einfluß, deshalb z.B. *do is-ər_ərǫi-kumə* "da ist er hereingekommen", *do kimd ōnər_əráus* "da kommt einer heraus", *ę kimd fən inər_əraus* "er kommt von innen heraus (*inə* mit "falscher" Bindung). Öfter noch als hinter Voll-V wird die Bindung infolge der lautlichen Nähe auf *-ə* < *-ən* übertragen, z.B. *hinər_əraus* "hinten heraus", *do solšd-ər_əmol sęiə ...* "da sollst du einmal sehen ...", *mę maxər_əmol ębəs náiəs* "wir machen mal etwas Neues"; ferner: *dū-sər_ərǫi* "trage (`tu`) sie herein", *is-sər_əlō̧?* "ist sie allein?", gleichlautend mit *is-ər_əlō̧?* "ist er ...", *gug-sər_əmol ō̆* "schau sie einmal an"; *di hęwər_ōns* "sie haben eines", *š hęb ę̄wər_in ǫldə frǫind gədrofə* "ich habe eben einen alten Freund getroffen", *di wōnər_əlō̧* "sie wohnen alleine"; *gęisdər_əwęg* "gehst du hinweg" - scherzhaft als Sb. "Gehrock"; *madsərāxiš* "schmächtig" (`matzenäugig`[39]), *mędər_ədswā* "mitten entzwei", *siwər-əndswǫ́nsiš* "27".

Die Abstufung *-ə̄/-ə+K/-ər_* entspricht exakt dem (unsilbischen) *-ər* hinter (geschl.) Voll-V, vgl. C 8.3.3.1.3.

8.4.2. Diese Parallele gilt nicht nur für L, sondern auch für das gesamte shess. Gebiet. Dabei ist zu beachten, daß der von uns *ə̄* transkribierte Laut verschieden wiedergegeben wird, aber nach den phonetischen Beschreibungen etwa dasselbe meint, z.B. *ər* bei Seibt (§10), Freil., (Bertram), *ə* bei Bert. (S.6), während Weber auf eine graphische Unterscheidung verzichtet, aber den Unterschied kennt (264 "halboffenes *ə*"). Einzelheiten s. auch Karte 18.

Übersicht: Seibt §§116; 138 *-ər*, 137 *-ərn*, hinter Di. und *r: -ən*; 140 *-ər_*; 110 *fə-*; Weber I/II s.o.; III *-ʋ*; Bauer §§81f.; 99; K. 15: gleiche Verbreitung von *ə ō̆ ʋ* wie hinter (geschl.) LV, im W Schwanken zwischen (amdal.) *-ə*, (nördl.) *-ō̆*, (südl.) *-ʋ* (vgl. D 8.3.7.1; 8.3.8.2,2). Doch sind die Angaben auf K.15 für L so nicht richtig: L gehört nicht zum nördl. *ō̆*-Gebiet, sondern greift, wenn amdal. *-ə* ersetzt werden soll, eher auf das südl. *-ʋ* zurück; *-ō̆* hingegen ist selten zu hören (vgl. C 8.3.5; 8.3.7.1; 8.4.1). - *ver-* ist *fə-*, im S *fʋ-*: §79.

Das *ə*-Gebiet setzt sich nach O hin fort: Freil. §§191 *-ər(n)*; 195 isolierte *ə+K*, z.B. *embədī̧ə̧rn* (*emporter*), ins *węwəs* zum PN *ẉę̄wər* "Weber", ON *biə̆igəd* "Er-Birkt", *bęrwəd* "Er-PBeerf",

---

[39] Der Ansatz *matzer-* des SH ist für L (und weithin sonst) überflüssig.

mōməd "Er-Momt"; *fə*-; geogr.: §395 im SO -*v* (vgl. Wenz S.48 -*v*); in einem - grob gesehen - west-östl. von S und N stark eingeschnürten Gebiet (auf Karte 18 schwarz schraffiert) ist -*ər* erhalten, dann schließt sich ein Übergangsgebiet an (keine genaueren Angaben, daher auf der Karte zum *ə*-Gebiet gerechnet) mit "vor vocalischem Anlaut des folgenden Wertes -*r*, vor consonantischem -*ə*; bei allein stehenden Wörtern überwiegt -*r*", also -*ər* -*ə*−*K* (auch im Satzinl.!)/-*ər‿*; im übrigen Gebiet gilt -*ər*, im N -*ə̄*.

Bert. §§111b; 114c -*ə*; 94 *fə*-; geogr.: §233(,12) Di-GBieb -*ər*, Di-Brensb -*ər* neben -*ən*; sonst -*ə̄* söDa-Ebst und im W, dazwischen -*v* (vgl. Grund §§76; 61,3 *fv*-). Ein Vergleich der Angaben von Bert. und Bauer für den W läßt die Auflösung des westlichen *ə̄*-Gebietes zugunsten des nördlichen -*ȫ* erkennen (bei Bauer nur noch -*ȫ*!); ebenso wird der südlich daran anschließende west-östliche *ə*-Keil von N(W) her durch -*ȫ* überlagert, vgl. die Angaben für Hp bei Seibt mit denen bei Bauer. Aber L übernimmt i.a. nicht nördliches -*ȫ* sondern eher südliches -*v* (s.o. und vgl. Karte 18).

Born §§107 -*e̯ṷ*, -*ȫ*; 106 *fv*-; geogr.: §243 -*ȫ*, im O -*ə*, in Di-Gund usw. -*ər* (vgl. D 8.3.7.1).

Im S: -*v*, *fv*-: Bräut. §§63,3; 79,3; Treiber §48,3f.; Waibel §§44e; 45,4 (im N *ə*-Reste).

Rhh: Valentin §352 -*ȫ*, Land-Mdaa -*ə* hinter -*r*- (*brūrə*); resthaft auch im nwSt: §256; §356 *fə*-; Held §230f. -*v*, aber -*r*+*ə*; §231 *fə*-; Bescher §72 -*v*; vgl. ferner die alte Aussprache von Wo-*Pfedd* als [*perəšəm*] (s. D 5.2.2,2).

VPf: Bertram §248 -*ə̄* bes. nö und w Neustadt: um die *ə*-Gebiete -*ər*, jedoch im NW -*r*+*ər* (= -*rə?* vgl. Rhh).

Am auffälligsten ist sicher die wenigstens überall in Resten vorhandene Vertretung von altem /*ər*/ durch -*ə̄* (-*ər*)/-*ə*+*K*/-*ər‿* im s/m/öSt, gegenüber der die einheitlichen -*v*, -*ȫ* der städtischen Zentren und ihrer Einzugsgebiete einschließlich Rhh wie Neuerungen wirken.

bb) Die Vorgeschichte des überlieferten Zustandes

9.1. /*ər*/.

9.1.1.1. Ausgangspunkt für unsere Untersuchungen ist der älteste erreichbare Zustand, nämlich das System im s/m/öSt -*ə̄*/-*ə*+*K*/-*ər‿*. Spuren einer noch älteren Vorstufe gibt es im Odw (s. D 8.4.2) mit -*ər*/-*ə*+*K* auch im Satzinl./-*ər‿*. Sonst ist in Pausa -*ər* zu -*ə̄* geworden, während -*ə*+*K*, weil nun unmotiviert (vorher -*ə*+*r* gg. -*ə*+*∅*+*K*), auf isolierte Fälle beschränkt (Beispiele s.o., bes. Freil.) und -*ər‿* vorher identisch mit der Pausaform, gleichfalls dezimiert wurde.

9.1.1.2. Alter und einstige Verbreitung von -*ə*+*K* lassen sich an Hand zahlreicher hist. Schrr. erweisen, wozu auch manche ⟨en+K⟩ für /*ər*+*K*/ gehören.

LU 1605 *heimerzu,* 2x *heimenzu;* GRB öfter *Mau(we)rer* u.ä., aber 1679 *Den Mauren,* 1700 *maureßarbeit;* (Zwischenton) 1720 *Veracatirter Maßen;* FIN: *In der Rupperts Dus* = [*rubəds dūs*], meist ⟨Rupert(s)-⟩ u.ä., aber 1655 *bey Ruepen dossen,* nach Fecher (1941, 100f.) zum PN *Rupp* oder *Rupert; Ruppen + d-* und *Ruppert + d-* waren beide [*rubəd-*]; *Taumelsteilung* [*doumļsdāliŋ*], aus *Taub-hart* umgedeutet: *[*dābəd, dā̃məd*], vgl. 1817 *Taumet-,* vorher (ab 1615) *Daumert-* (aaO 100; C 23.5.3.1); (hist.) *Weihenpfad:* 1608/52 *Weyen-,* 1623 *Weihe Pf.,* 1716 *Weyhen-,* aber 1654 *Weyer-* (aaO 102).

Weitere FIN: Be-KHaus *Sallen,* so 1590 u.ö. (D 35.5.1), aber 1626 *Sallern* (Fecher 1942, 13f.); Be-Mörl: 1654 *in der Kitzglauen* = *-klauer-n* (Wagner 1944, 59); *Schlergarten* = *Schlehen-* (aaO 76): *[*šlẹiə-*] kann auf beide Weisen wiedergegeben werden; Be-Mitt: 1613 *auff der Ebeten, Ebert, Ebent* (Metzendorf 1980, 166; PN *Ebert?*), 1613 *Meckesgrund* < *im Eckers-* (aaO 174f.). - Im S: Hd 1720 *Speyemer* (Derwein Nr. 620),

ON: sSt, Be-*Alb,* alt *-enes-,* 1298/1400 *-es-,* später *-ers-;* mSt, *Wasser*biblos bei GG-Crumst, alt *Was(s)en-* (*wasen* "Rasen"), *-er-* zuerst 1444; nSt, Da-*Braunsh* s. C 34.3.3.3; (n)öSt, Di-*Harp,* alt *-er-,* aber 1435 *Harpens-;* Di-*Harr,* alt *-ers-,* z.B. 1383, 1435 *-ens-,* später *-es-;* Di-*Herg,* alt *-er-,* 1405 *-ins-;* Di-*NKling,* alt *Nidern-* (u.ä.), 1459 *Nidden-; Patershausen,* Hof bei Of-Heus, alt *-ens-,* 1435 *-eß-,* 1525 *-ers-.* Gerade das letzte Beispiel bezeugt das ehemalige Vorhandensein des konservativen Systems auch im n/mSt.

Dank der FIN-Arbeit von Ramge gibt es aus Wo viele Beispiele für einstiges /ər+K/ > [ə+K], obwohl heute hier - wie im gesamten Rhh - Einheits-*ʋ* (-*ö*) herrscht. (Chronologisch geordnet:) Westh 1353 *an wißerwege* = *Wiesen-*(R 299); Kriegsh 1374 *leymerdale* D. = *leimen-* (194); DDürkh *auflhinter dem Heyer,* 1440 *hynder der heygen* und ... *Heygern,* 1615 ... *Heyern* (147); Heßl *Fallborn* (vgl. D 31.3), 1499 *Falmern,* 1596 *falmen* (110f.); Osth *Lumpensteig,* 1490/1583 *-er-* (202); vielleicht auch *Back-, Kalkofen* in FIN aus NFlörsh, 17./18.Jh. wiederholt *-er-* (69; 166); Eich 1775 *ottenberg* für *Otter-* (116); ebd. *auf der Aulerde* [*ō̃lʋd*], 1789 *aulerd* = 1777 *anlöhet,* 1783 *anlöht,* wohl *[*ō̃ləd*] (R 62; 65). Undatierbar: Pfiffl *an Kochenberg,* 1304 *kocher-* (181); Heßl *Täubertspfad* [*dauwʋš-*], eig. *Taubhaus-* (281), *[*dauwəs-*] zu /-wərs-/ umgedeutet.

Hierher auch die Schrr. für Wo-*Ibh:* alt *-ers-* (D 5.2.2,2), 1439/1583 *ybenß-*(R 32); die Annahme einer (sonst unbelegten!) Nebenform *Ibînes-,* so Km. 113, erübrigt sich. Entsprechend Az-*Berm:* CL 1046f. *Bermars-,* a. 1494 *Bermeß-* (Km 14, dort als Dissimilation *r - r* gedeutet); Wü. *Lindesheim* (bei Osth): CL 3660 *Landriches-* > CL 1262 *Landris-,* a. 1254 *Lindris-,* 1315 *Linders-,* aber 1266 u.ö. *Lindes-* (nach Km. 134; von diesem ebenfalls fälschlich aus einer Nebenform *Lendrînes-* abgeleitet).

Außer diesen ON habe ich aus dem restlichen Rhh nur eine allerdings bemerkenswerte FIN-Schr.: Az-Udh *Erdbeergarten* 1403 *Erpen garten,* 1429 *erphen-,* aber 1497 *erper,* ursprünglich *Erpen* (G. eines PN, s. Walldorf 1936, 80): *[*ā̃rəbə + g-*] als /-ər + g-/ gedeutet. Sicher ließen sich bei genauerer Durcharbeitung rhh FIN noch mehr einschlägige Beispiele finden.

Nur auf Grund eines Wandels $-\partial r\text{-}K$ > $-\partial\text{+}K$ werden auch die D 4.5; 9.1.4 besprochenen Umdeutungen verständlich.

Die ältesten Belege stammen aus dem sRhh aus der Mitte des 14.Jh., in St sind sie etwas später. Daß sie vornehmlich in festen (Namens-)Fügungen auftreten, nimmt nicht wunder, weil für gewöhnlich $[\partial\text{+}K]$ als $/\partial r\text{+}K/$ mit Nullvariante analysierbar blieb.

Außerdem gibt es einige alte Uk-Schrr., die nicht alle als Schreibfehler weginterpretiert werden können: BII 382: 1365 *des schulmeistes*, 574f.: 1386 *allen unsern pherrern*, aber (575) *unsern pheren, ... und worden die pherre geheiszen ..., den pherern*, 618: 1390 *der elenden schullere bruderschaft*, 657: 1394 *dem erben (= erbern) manne*; PU 65: 1394 *fordent* 3.Pl., 67: 1403 *unsern burgen* "Bürgern": jeweils $/\partial r\text{+}K/$!

9.1.1.3. Solche Schrr. waren erst nach vollendetem *r*-Schwund möglich geworden. Voraus ging eine noch frühere Reduktion $-\partial r K$ > $-\partial^r\text{+}K$, die aber erst um 1250 begonnen haben kann, weil vorher $-\partial r\check{s}\text{-}\ (-\partial r\dot{z}\text{-})$ zu $-\partial r\check{s}\text{-}\ (-\partial r\dot{z}\text{-})$ wurde (D 42.6.4). Um 1300 war im sRhh aber $-\partial\text{+}K$ erreicht, s. D 9.1.6, gebietsweise wohl auch schon früher (D 9.2.1).

Es gibt Gründe zur Annahme, daß *r* im s/öSt erst später geschwunden ist, nämlich 1. die nach O hin zunehmenden Reste, 2. die Verhältnisse bei Voll-V, s.u.

9.1.2. Dieser Zustand (/-∂r/ vor K als $[-\partial]$ realisiert) blieb lange erhalten. Die Gegenden, in denen sich *đ* > *r* noch im 16./17.Jh. durchsetzte, kennen eine Dissimilation $-r\partial r$ > $-r\partial$, an der hauptsächlich *r* < *đ* beteiligt ist (*brūr\partial* gegen *daiv*): große Teile Rhhs, gewisse Striche der nVPf (D 8.4.2). Auch *Kater* mit *r - r* > *l - r* (D 12.3) gehört hierher. Wo *đ* länger blieb, gibt es m.W. diese Dissimlation nicht. Aus dem Ried ist sie wegen des modernen Übergangs $-\bar{\partial}$ > $-\partial$ nur schwer nachzuweisen, doch vgl. Hp *for\partial* usw. (Seibt §137) neben $-r\partial\text{+}\emptyset$ (z.B. *bler\partial^r*, §161); für L das Unterbleiben der Bindung hinter $-r\partial$ (D 8.4.1), vielleicht GRB 1718f. (ds. Hand, mehrfach): *Mauera* (hinter anderen KK stets *-er*), während meine Gewährsleute infolge sekundärer Vermischung $-\bar{\partial}$ auch hinter *r* sprachen.

9.1.3. Es gibt andererseits Anzeichen für eine weitergehende *r*-Vokalisierung aus dem ausgehenden 18., beginnenden 19.Jh.: FIN Wo-Eich *anlöh(e)t* < *aulerd* (ab 1789, s.o.) setzt schon den Ersatz von vorkonsonantischem *\partial* durch *\bar{\partial} (v)* veraus, s.u.; FIN Be-Mörl *im Riemen* u.ä. = $[r\bar{e}m\partial]$, 1815 (und später) *Römer* (Wagner 1944, 74f.): Umdeutung verständlich auf der Basis von $-\bar{\partial}$ (für $-\partial$). Aber die anfangs des 18.Jh. nach Guttenbrunn (Banat) ausgewanderten Odenwälder hatten noch $-\partial r$ (Bauer §223).

Etwa ab dem ausgehenden 17.Jh. macht sich demnach die Tendenz zur weitergehenden *r*-Vokalisierung bemerkbar, zuerst sicher in Rhh, offensichtlich getragen auch von der städtischen Oberschicht (und daher weithin rascher als *đ* > *r*, s.o.). Dabei wird Pausa-∂r zunächst zu $-\bar{\partial}$, das sich noch im 18.Jh. im westlichen Teil des konservativeren s/mSt durchsetzt (Mörl!), also sicher auch in L. Von den Städten aus erfolgt aber alsbald eine Reaktion auf das "farblose" $-\bar{\partial}$, das dem *-ə (< -ən)* gefährlich naherückte. Im S (Mhm) und wohl im N (Mainz, Frankfurt, DSt) tritt dafür *-ɒ* ein, das im S sogar auf die Stellung vor erhaltenem *r* (in Ableitungen) übertragen wird (*-ɒr-*: Bräut. §64,5; Treiber §§33,3; 34,7; neuerdings auch in Ws)[40]. Anscheinend von Frankfurt geht dafür etwa seit dem 19.Jh. ein noch stärker an das Schriftbild ⟨e+r⟩ angelehntes [*-ɐ̯ɒ*] (Born §107, hier *-ö* transkribiert) aus, das heute typisch für die überregionale Umgangssprache (und die Mdaa) des Rhein-Main-Gebietes ist. Daß älter *-ɒ* auch im N heimisch war, zeigt die stehengebliebene *ɒ*-Insel sDSt (Karte 18).

9.1.4. Eine Folge der Vokalisierung von Pausa-*ər* ist die Beseitigung von vorkonsonantischem [*ə*] im Nachton und zwar im Satzinl. anscheinend restlos (spärliche Reste im Odw), Wortinl. nur teilweise im s/m/öSt, besonders im lebenden Paradigma, vollständig jedoch in den Gebieten mit "städtischem" *-ɒ, -ö*. Dabei kam es hier wie dort zu Überbildungen, vgl. FIN *Aulerde*; aus dem s/öSt vgl. z.B. *-ərd* für *-əd* "-icht" (D 30.3), Freil. §417,10; Bauer §173,1; für mhd. *iezunt* > *-əd* (so z.B. Da-Ernst, Hp) ist verbreitet *-ərd, -ɒd* eingetreten in St, Rhh (bes. sRhh), s. SH *jetz(t)*; ebenso VPf (Bertram §260); allgemein *hausmacher (Wurst)*, s. D 32.

9.1.5. Das resthafte *ə̃*-Gebiet im s/m/öSt zeigt neben der Tendenz zur völligen Übernahme von *-ɒ* bzw. *-ö* die innermdal. Entwicklung *-ə̃* > *-ə* ab ca ausgehendem 19.Jh. (D 8.4.1f.; vgl. 8.3.8.2,2). Sie beruht auf der Auseinandersetzung mit der Umgangsspr. und der Schule. Denn das an "hochdeutscher" Lautung geschulte Ohr verliert bald die Fähigkeit zur Wahrnehmung feinerer innermdal. Unterschiede, vgl. auch *-xˀɪ̯̃* > *-gl̩*, D 29.1ff

9.1.6. Am besten ist die alte Regelung (*ər̯ /ə+K*) im Zwischen- und Vorton erhalten. Zum Zwischenton vgl. z.B. SH *ampetieren, exerzieren, verakkordieren*. Zum Vorton: *əbai*, allgemein St. Rhh (SH); verbr. auch *əfōr* "hervor", daneben allgemein *(ə)r̩-* in Adv. "her-". Allgemein auch *də-*, vgl. SH *da-neben, -vor, -zu, -zwischen*; vgl. auch den ON Er-*Beerf* = [*bəfɛlə*] (alt *Burvelden*, z.B. 1290, 1354).

Stärker gestört sind die alten Verhältnisse bei *ver-* und dem Art. *der*. Für *ver-* steht i.a. *fə-* außer um Mhm und DSt mit *fɒ-* bzw. *fö-*. Die vorvokalische Form **fər-* ist frühzeitig untergegangen (C 40.5.4). *der*: allg. *də*, also Verallgemeinerung der vorkonsonantischen Form, Reste von N.Sg. Msk. *d(ə)r* im Odw, s. SH (*der II; die II*), ferner im FIN Wo-Abh *(auf der) Trappengasse*: 1309 *uff der appengazzen*, 1626 *auf der Abben-*, aber 17.Jh. oft *of der drappen-*, 1746 *auf der Oppen-, rappen- (!)*, *Trappen* (R 283). Die vorvokalische Form scheint demnach noch im 18.Jh. verbreitet gewesen zu sein.

---

[40]   Wegen der Nähe von *-ə̃* und *-ə (< -ən)* wurde im Mhmer Einzugsbereich tatsächlich auch dieses durch *-ɒ* ersetzt, s. Bauer §83; K.16; Seibt §117; Waibel §45,2 (bei Bräut. (noch?) nicht vermerkt).

Hier ist der r-Schwund früher belegt als im Nachton: PU 33: 1308 *dabie* und *derbi, der neiben*; BI 343: 1300 *unser herre de bischof*; BII 104: 1320 *von de burgschefte*; später: 119: 1489/1518 *zervor* neben *zuvor*.

9.2. LV+r.

9.2.1. Wegen der weitgehenden Parallele im Ausgangspunkt und der historisch verfolgbaren Weiterentwicklung zwischen $ər$ und geschl. $LVV + ər$ ist man geneigt, auch für die ältere Zeit parallele Entwicklung anzunehmen. Betroffen sind die LVV $\bar{e}$ $\bar{o}$, $\bar{\imath}$ $\bar{u}$ (im folgenden Symbol $\bar{e}$), wie sie etwa um 1200 (s.u.) vorhanden waren (s. C 21.3.4.1). Es ergeben sich dann folgende Entwicklungsstufen:

I. $\bar{e}r > \bar{e}_{ə}r$, eine Folge der "Erschlaffung" des r und, weil auch vor erhaltenem r vorhanden, der Vokalisierung des r vorausgehend;

II. $\bar{e}_{ə}r+K > \bar{e}_{ə}^{r}+K > \bar{e}_{ə}+K$;

IIIa. $\bar{e}_{ə}r+\emptyset$ (Pausa) $> \bar{e}_{ə}^{\tilde{a}}$; später, ausgehend von den Städten, dafür $\bar{e}_{ɒ}$, $\bar{e}_{ö}$;

IIIb. als Folge von IIIa: Übertragung von $\bar{e}_{ə}^{\tilde{a}}$ auf die Stellung vor K, und zwar im Satzinl. restlos (außer in einem kleinen Gebiet im Odw), im Wortinneren teilweise, vor allem im lebenden Paradigma; völlige Verallgemeinerung von $\bar{e}_{ɒ}$, $\bar{e}_{ö}$ in den betroffenen Gebieten, im S auch auf die Stellung vor erhaltenem r übertragen.

Offene LVV müssen sich entsprechend verhalten haben. Für die Zeit um 1200 sind es $\bar{\varepsilon}$ $\bar{a}$ (C 21.3.4.1); über die später daraus hervorgegangenen Lautungen s. C 22.5.2f.; in L waren es $\bar{a}$ $\bar{o}$ ($> \bar{\varepsilon}$ $\bar{o}$. - Symbol im folgenden $\bar{e}$). Ihnen hat sich neueres $\bar{a}$ angeschlossen, ganz gleich welchen Ursprungs. Es ergeben sich folgende Ansätze:

I. entfällt (Gleit-V nur bei r-Schwund: D 8.3.8.2.1);

II. $\bar{e}r+K > \bar{e}_{ə}^{r}+K > \bar{e}_{ə}+K$;

IIIa. $\bar{e}r+\emptyset > \bar{e}_{ə}$;

IIIb. $\bar{e}_{ə} > \bar{e}_{ə}$, $\bar{e}$ (letzteres bes. ausgeprägt bei $\bar{a}$ $\bar{a}$) bzw. Verallgemeinerung von $ɒ$ $ö$ (außer i.a. hinter $\bar{a}$, s. Born §11,2; Bräut. §79 A.1; vgl. Waibel §51,3), im S auch vor erhaltenem r.

Für das sRhh ergeben sich folgende zeitliche Ansätze: I. Um 1200: einerseits nach Beginn der Dig. von $\bar{\imath}_{15f.}$ $_{20}$ $\bar{u}_{17}$ $_{19}$ (C 21.3.2.1), weil diese nicht mehr der Öffnung vor r unterliegen (C 22.5.2.2) und das ursprüngliche Fehlen von Gleit-VV vor heterosyllabischem r hinter diesen Dii. deren Vorhandensein voraussetzt (z.B. $\bar{\imath}r(ə) > \bar{\imath}_{ə}r(ə)$, aber $jir(ə) > ji^{ə}r$ und $jirə$, s. C 22.2.4.2) - andererseits vor II. Allerdings sind klare Zeugnisse für Gleit-V (aus phonologischen Gründen) erst verhältnismäßig spät; hinter Monophthong: BII 349: 1359 2x *jaar*, FIN Wo-Monsh 1497 *an der hoersnoer* "Haarschnur", etwa *$[h\bar{o}_{ə}\text{-}\check{s}n\bar{o}_{ə}r]$ (R 137); hinter Di.: BII 245: 1344 *an* *der burgmůwern.* 281: 1350 *Zygelschůer,* 366: 1361 FlN *Schuerlach,* 413: 1367 *schuer;* St: Er-*Lauerb,* 1290, 1443 *Lur-,* 1419 *Luer-* (Freil. 270); Be-*Auerb,* 1449 *Vir-,* 1466 *Vher-.* Hier ist der Gleit-V durch die Dig. im Lauf des 13.Jh. (C 21.3.4.2; 22.2.4.2) zur vollen (phonologisch gültigen) Silbe ausgebildet worden, während er sonst nur eine Realisation von *r* war.

II. Gegen 1250 (vgl. D 9.1.13). Hist. Schrr. sind schwerer beizubringen als bei /ǝr/, weil im phonemischen Bereich kaum Umdeutungen möglich waren: [ē͜ǝ+K] blieb /ēr+K/ im Gegensatz zu [ǝ+K], das sowohl /ar+K/ als auch /ǝn+K/ sein konnte. Immerhin ist der ON Wo-*HSülz* bemerkenswert: alt (z.B. 1238, 1266) *Hor-* zu mhd. *hor* "Sumpf" (R 31); 1266 auch *Hoe-* = vorkonsonantisches *[hō͜ǝ-]; ab 1466 *Hohen-* mit Umdeutung von *[hō͜ǝ-] zu *[hǫuǝ-] (C 20.4.2.2).

IIIa ab 18.Jh., IIIb ca 19.Jh., noch im Fortschreiten (Ws!); s. D 9.1.3.

9.2.2.1. Nach dem Zeugnis der Art und Intensität der Umformung der LVV vor *r* sowie bis heute erhaltener nachvokalischer *r*-Reste im Odw kann die rhh Chronologie nicht einfachhin auf St übertragen werden. Lediglich die Ausbildung von Gleit-VV (I) scheint ähnlich früh stattgefunden zu haben, vgl. obige ON-Belege. Im übrigen scheint den bei der V-Umfärbung (C 22.5) festgestellten ursprüngliche Großräumen auch eine zeitliche Staffelung der *r*-Vokalisierung zu entsprechen.

9.2.2.2. Abgesehen von Randzonen ergeben sich drei Haupträume: 1. der N (späterer DSter Raum mit sicher erst nachträglicher Festlegung auf die ehemaligen DSter Außengrenzen und Überdeckung älterer lokaler Systeme), 2. der Südteil (später auf die heutige "Archaitätsinsel" zusammengeschrumpft), der aber seinerseits von W nach O gestaffelt war, und 3. das Hebungsgebiet im mOdw.

Der O (3) muß *r* bis in die Neuzeit erhalten haben, s. C 22.4.3.3; 22.5.3.5a und die D 8.3.7 genannten *r*-Reste. Wegen des Zusammenhangs von Hebung und lang erhaltenem (gespanntem) *r* im O scheint ein Schluß aus dem Grad der V-Umfärbung auf den Zustand des *r* erlaubt zu sein, zumal im noch verhältnimäßig urtümlichen Südteil der Übergang vom östlichen Hebungsgebiet nach W hin fließend ist. Es ergibt sich dann folgende Staffelung der *r*-Vokalisierung: 1. der N mit maximaler Öffnung von $\bar{e}_{2\,3}$, geschl. $\bar{e}_{18\,21},\ \bar{o}_{23}$, aber auch $\bar{o}_{10}$ (Rhh $\bar{a}_{10}$!), das auf Einsetzen der *r*-Schwächung erst nach 1200 weist (C 21.3.3); hist. Schrr. sind selten und spät, vgl. DSt 1454 *-madt* "-markt" 2x (Born §275a); 2. Der S: a) im Ried (um L): $\bar{a}_{2\,3}$ und $\bar{e}_{18\,21},\ \bar{o}_{23}$; b) im Odw ursprünglich $\bar{e}_{2\,3}$ und $\bar{\imath}_{18\,21},\ \bar{u}_{23}$; spätere Wandlungen (bes. Hebung!) gehören der Neuzeit an.

Hingegen ist wie bei /ǝr/ die Stufe IIIa ($\bar{e}_{\partial}r+\emptyset\ >\ \bar{e}_{\bar{\partial}}$) im Ried wie anderswo im 18.Jh. durchgedrungen. Sie bildete den Vorläufer einer letzten Modernisierungswelle ab dem 19.Jh. vor allem in den beharrsamen Gebieten Sts, wo -ǭ nicht durch -ǫ, -ǭ verdrängt worden war: (IIIb, für L) $\bar{e}_{\bar{\partial}}\ >\ \bar{e}_{\partial}$ bzw. $\bar{a}_{\bar{\partial}}\ \bar{o}_{\bar{\partial}}\ >\ \bar{a}_{\partial}\ \bar{o}_{\partial}\ >\ \bar{a}\ \bar{o}$, darauf Rückgang der Bindung und zuletzt Beginn der Triphthongierung von geschl. LV vor ǭ (aber auch $\bar{e}$ für $\bar{a}$, C 22.5.3.6).

9.2.2.3 Eine Folge von IIIb war die Möglichkeit einer Umdeutung von *fǫn* "fahren" < *fǫʔn* zu */fǫn/* statt */fǫrn/*. vgl. *ōn* "einer". Daher seit ca. zwei Generationen in L auch *fǫn-ə* und entsprechend *iš fǫn, gɩǫnd*. aber z.B. *du fēǫśd*, weil klar als */fēr-/* analysierbar. Entsprechend gibt es zu */wǭdə/* "warten" < *wǭǫdə* = */wǭr-/ du wēdśd, ę wēd* (vgl. C 16.3,4).

Älter sind falsche Analysen auf Grund der Interpretation von [*ā-K*] als */ar+K/*. s. C 16.2.4; 25.3.3.

9.3. *KV+r*.

9.3.1. Schwieriger ist die Deutung von bet. KV *a ę ǫ + r*. Es besteht ein Widerspruch zwischen dem als ältere Stufe erschlossenen Verhalten des *r*: im Wortinl. vor K immer zu *ǫ* vokalisiert, aber im Satzinl. auch vor K stets erhalten (*parhaus!*). Man sollte eine ältere Regelung *-*ar/-aǫ+K* auch im Satzinl. erwarten. Sie muß aber vor Einsetzen der modernen *r*-Vokalisierung beseitigt worden sein.

r scheint hier folgende Entwicklung genommen zu haben:

I. *ar+K* > *aǫ+K*: Wort- und Satzinl. (vgl. Freil. *nar* - Pl. *naǫn*); Hist. Belege sind auch hier spärlich; vgl. jedoch 1374 *Schonsheim* = Az-*Schornsh* (Km. 191), also ähnlich früh wie hinter LV, s. D 9.2.2.2.

II. Hinter bet. KV bleibt *r* in Pausa bis ins 18.Jh. erhalten (vgl. *n* hinter KV - hinter LV und *ə*, s. D 3.1.1; 4.2.1).

Nach dem Muster der viel häufigeren Sequenzen LV bzw. *ə* + *r* werden aber die vorkonsonantischen Satzinl.-Formen allgemein zugunsten der Pausaform beseitigt nach der Proportion *šēǫ* : *šēǫ* + K = *dęr* : X, X = *dęr*. Der Wortinl. behält im allgemeinen *ǫ* bei; *ǭ* ist logischerweise hinter den offenen VV kaum zu erwarten, höchstens analogisch, *r* gar nicht wegen der Ablehnung von inl. Verbindungen *r+K*.

III. Ab 19.Jh. Eindringen des modernen *r*-Schwundes: *-ar* > *-aǫ* und in L bald *aǫ*, *a* (keine *ə*-Reste mehr!).

9.3.2. Hinter <u>unbet.</u> (kurzem) Voll-V wird *r* grundsätzlich nicht anders behandelt als hinter bet., vgl. die Beispiele aus L. Die spärlichen Angaben in den Handbüchern erlauben zwar keinen Überblick, doch gelten - von geringen Abweichungen abgesehen (s.u.) - die gleichen Verhältnisse wie hinter bet. KV, vgl. z.B. Seibt §§136b *moijə, boijəmǭśdər*; 202 *dęafə* (aber 136a *śarf*); Freil. §192 *gadófəl*; Bräut. §79 A.1 *kadófḷ*; vgl. SH *Kartoffel*; ferner z.B. *Bürgermeister, Garderobe, Parterre, Partei, Partie* u.a. Auch bei den Präp. *für, vor* (unbet. mit KV) fehlen *r*-Reste: L *fę, fǫ*.

Dieser *r*-Schwund muß ebenso alt sein wie unterm Ton, war aber auch noch später möglich. Er führte grundsätzlich zum selben Resultat, doch scheint *ǫ* hinter *a* früher und allgemeiner gefallen zu sein (Freil. *gadófəl - ha₂rd, had*). Dies erweisen auch alte Schrr. aus L, die den frühen Verlust schon für das ausgehende 17.Jh. bezeugen, z.B. GRB 1691 *quattire*.

Das verbreitete Eindringen der Pausaform des Gleit-V (vgl. z.B. Born §210,16b *fóᷠ. feᷠ*) vollzog sich ganz nach dem Vorbild von bet. KV + *r*. Zuweilen scheint aber die ältere vorkonsonantische Form (z.B. *ǫ₂*) die Basis zu Umdeutungen geliefert zu haben: L *bodšēs* "alter Wagen u.ä." (verbr., SH *Port-schäse*) < *bǫ₂d-šēs*, gelegentlich auch *bud-* (SH); *u* auch in L † *kujónə* "Koriander", *kuséd* "Korsett" (verbr., SH), Az-Wöllst † *Budrett* "Porträt" (SH); vgl. C 33.1.3.1.

9.4. Wir haben bisher drei Schichten der *r*-Vokalisierung angesetzt, die je nach Gegend, zeitlich gegeneinander verschoben aufgetreten sind. Z.T. war in verkehrsoffenen Gebieten schon die nächste Stufe erreicht, während in verkehrsfernen (so öSt) noch die vorhergehende nicht völlig durchgedrungen war. L und die umgebenden Orte der "passiven Archaitätsinsel" (vgl. E 1.3) sind heute erst auf dem Weg zur dritten Vokalisierungsstufe.

9.5. Vor diesen drei Stufen liegt indessen noch eine ältere schon spätahd. *r* schwand damals spurlos im Ausl. hinter LV, nach Braune (§120 A.2) schon bei Notker belegt (in Spuren noch älter; vgl. auch Francke §75). Gl5 hat noch *êr-des*, aber der Schwund ist auch bei uns älter als die Dgg. des 12.Jh., weil *r* nur hinter altem LV betroffen ist. Die Zahl der Fälle ist begrenzt. Denn durch innerparadigmatischen Ausgleich wurde *r* wiederhergestellt z.B. in *tier*, L *dī₂* (vgl. D 2.3). In L sind erhalten: *dō* "da" (< *dâr*), *ei* "ehe" (*êr*), *mei*[41] "mehr", *wū* "wo" (*wâr*); *hī* "hier" ist durch *hī₂* ersetzt, doch war es einst allgemein verbreitet, z.B. GRB 1670 *allhie, ihres Hieseins*; ferner SH *hie*.

Neben *do* stand unbet. *dər-* mit in der Bindung erhaltenem *r*, s. D 8.4.1; 9.1.6; C 40.5.2.

cc) Zur Phonologie des *r*-Schwundes

10.1. Phonologisch ist der *r*-Schwund verschieden zu werten. Der spätahd. *r*-Abfall, der, soweit ersichtlich, keine Spuren hinterließ, bedeutete eine Reduzierung des Wortkörpers auf phonetischer und phonologischer Ebene. Nicht so die späteren Vorgänge, insbesondere bei den offenen Voll-VV[42]. Solange dort der Gleit-V *₂* vorhanden war, mußten *[bā₂]* "Bär", *[gō₂n]* "Garn", *[ka₂n]* "Karren" als /bɛr/, /gōrn/, /karn/ gedeutet werden. Erst mit dem Verstummen der Gleit-VV hinter diesen VV war die Möglichkeit von Fehldeutungen gegeben, z.B. [a] = /a/ und /ar/. [ā] = /ār/ kommt zwar nur in Lwtt vor (z.B. *gídā* "Gitarre", Pl. *gidān*), doch konnte [ā] anderen Ursprungs vor K entsprechend als /ār/ verstanden werden, s. C 16.2.4.

---

[41] Über *einda* s. D 31.4,4, über *meinə* C 23.2.2.2, A. 175.

[42] Über die Verhältnisse bei geschlossenen LVV s. D 25.1.5.

10.2. Unter folgenden Bedingungen war die richtige Analyse einigermaßen gewährleistet:

1) Alternanz mit *r*-haltigen Formen, z.B. *na* "Narr" - *nar̃s̃, de̜* "dürr" flektiert *der-*;

2) bestimmte Wortstrukturen:

a) die genannten offenen VV außer *ǫ̃* vor *n*, z.B. *kan, he̜n* "Hirn", *gē̜n* "gern" sind eindeutig als /*karn, he̜rn, gē̜rn*/ bestimmt, weil diese VV vor Nas. nicht zulässig sind; aber *ǭ*, z.B. /*gǭn*/ heute wie /*kǭn*/ "keiner";

b) ausl. bet. KV (vgl. C 11.4), z.B. *de̜, na,* s.o.;

c) Antreten von flexivischem *-n* an bet. V z.B. *de̜n* "vertrocknen, verdorren", *nan*, Pl. zu *na*, *be̜n*, Pl. zu *bē̜, gidān* (s.o.), aber auch *šbǫ̃n* "sparen" zu *iš šbǫ̃*, wo es jedoch zu Unsicherheiten kommt, vgl. /*kǭ*/ "keine" mit /*kǭn*/ und oben D 9.2.2.2 *fǭnə*. Weitere Fehlinterpretationen C 16.2.4; 25.3.3.

Im übrigen wird das Bewußtsein für die richtige Interpretation - abgesehen von der Schrspr. - nur durch die Tradition aufrechterhalten. Es steht nichts dagegen, überall, wo obige Kriterien nicht zutreffen, phonologisch konsequent umzuinterpretieren. So sind nicht nur phonetisch, sondern auch phonologisch zusammengefallen z.B. *bǭd* "Bart" und "Bad" (Pl. *bē̜d* bzw. *bē̜də*), *fe̜diš* "fertig" und "fettig", *ke̜dsl̥* "Kerzchen" und "Kätzchen" (zu *ke̜ds* und *kads*), *-ē̜šd* in *gē̜šd* "Gerste" und *šlē̜šd* "schlecht".

10.3.1. Wo *-ə* mit *-ə̃* wechselte und/oder ein flexivisches *-n* (vgl. obige Regel 2c) anhängen konnte (s.u.), war es eindeutig als /ər/ bestimmt. Bei Fehlen dieser Kriterien war eine Umdeutung möglich, z.B. *hunəd* "100" hat /əd/. Desgleichen konnte nach der Entnasalierung von **[-ə̃] = /ən/* (D 4.2.5; 4.2.7) jenes [-ə] als vorkonsonantisches /ər/ angesehen und ggf. mit der Bindungsvariante [-ər̯] versehen werden (D 8.4.1).

Seit dem Übergang von *-ə̃* in *-ə* verliert sich das Gefühl für [-ə] = /-ər/, daher der Rückgang der Bindung. Dafür wurde es nun möglich, [-ə] jeglichen Ursprungs als /-ər/ mit flexivischem *-n* zu versehen (D 4.2.1; obige Regel 2c). Eindeutig bestimmt sind z.B. Sg. *fadə, modə* "Vater, Mutter" durch Pl. *fadən, modən*, Vbb. wie *iš rāxə* "räuchere", *dserə* "zittere" durch Inf. *rāxən, dserən*, aber nicht mehr z.B. *brūrə* "Bruder", Pl. *brīrə*, Sg./Pl. *parə* "Pfarrer", Sg./Pl. *kuxə* "Kuchen", Sg. *waxə* "Wagen", Pl. *we̜iə*, vgl. *lǭrə* "Laden", Pl. *lē̜rə*.

Entsprechend gilt sinngemäß obige Regel 1, vgl. z.B. *maxə* "machen" - *iš max* mit *maxə* "mager" - *maxər*.

10.3.2. (Anmerkung.) Durch den Wandel *ə̃ > ə* sind außer hinter *-r-* die alten Pl.-Typen auf *-er* und *-en* zusammengefallen, z.B. *kind - kinə, glād* "Kleid" - *glārə, mǫn* "Mann" - *menə* wie *en* "Ende" - *enə, šbads* "Spatz" *šbadsə* (aber *ǫ̃wə* "Ohr" - *ǫ̃wən*). Nur der Umlaut bildet noch ein Unterscheidungsmerkmal.

II. Metathese; Assimilation, Dissimilation: Haplologie

11.1. Metathese ist nicht häufig. Abgesehen von einigen wenigen Lwtt (s.u.), gehören alle Fälle der älteren Zeit an, wo *r* hinter V noch unreduziert war.

Der älteste, oft besprochene Fall ist das *Kirst* des BS (10.Jh.). Es ist "ein frühes Beispiel der später im Nd. und Md. häufigen Metathese" (Braune §120 A.4), deren Ausläufer auch unser Gebiet erreichten. Doch war *Kirst* dank des Einflusses der Kirche nur eine vorübergehende Erscheinung.

Ein weiterer Fall, der der gleichen Bewegung angehörte, ist <u>*Born*</u>, das von N her einheimisches *Brunnen* verdrängte, um dann später wieder nach N zurückzuweichen. Nach Froeßl (50ff.) hat es im Lauf des 12.Jh. Rhh erobert, im 13.Jh. "Hessen". Der Rückzug auf die Taunuslinie (unter Zurücklassung vieler Reste, bes. Namen, s. SH *Born*) erfolgte in Rhh im 15.Jh. St dürfte sich auch hier später angeschlossen haben. SH, WK I,44 zeigt, daß hier die Grenze und viele Reste viel weiter nach S reichen als in Rhh. Außerdem sind heranzuziehen späte FlN-Belege: Fecher (1942, 36) belegt *Born* für Be-KHaus aus der Mitte des 17.Jh., sogar noch 1765 *am bornen* (= *Born + Brunn-en*). Vgl. Maurer 1930, 70f. (mit Abb. 7).

Nur historisch ist belegt die Metathese in *Donnerstag*, L *dunəšdǭg*: BI meist *donrestag* u.ä.; LU 1327 *dunresdage* D.Sg., aber seit dem 14.Jh. in Ws öfter *dorns-*, z.B. BII 348: 1359; 379: 1364; in der kleineren Kanzlei Wo-Pfedd auch *dors-*, z.B. PU 93: 1452/1518 (bes. im Kopialbuch 1518 öfter), 311: 1492; daneben 309: 1492 *donrs-*. Hier ist */donr̥s-/* mit zwei Schallgipfeln zu */dorns-/* mit einem vereinfacht worden. *-n-* ist nach D 5.2.2,2 unterdrückt worden (Wolff 1921, §51). Vielleicht ist so auch die im Odw belegte kontrahierte Form des PN *Leonhard* (L *lenəd*) zu erklären: *lḕərd, līərd* (SH *Leonhard, Johann-L.*): */lḕnr̥d/ > */lḕrnd, lḕrd/*.

Neueren Datums sind L *brofóds* "frech, herausfordernd", verbr. (SH *parforsch*), nach *provozieren*; *frosīdjə* "Forsythien".

12.2. Assimilation ist sehr selten. Lediglich *olwl̥* "Tolpatsch", mhd. *al-wære* hat die Folge *l - r* zu *l - l* angeglichen, Einzelheiten SH *alber*.

12.3. Durch <u>Dissimilation</u> wurde die Folge *r - r* gern beseitigt. So verbreitet in *fordern* (SH), L heute *fǫrən* statt **fo-*, doch vgl. GRB 1724 *fotern*. Ebenso wohl *magrēd, magrídə, magrīnə* "Margarete, Margeriten, Margarine" (vgl. Wolff 1921, 179 und C 39.2.2).

Hierher die in L fehlende Bindung in /-rər/, s. D 8.4.1f.; ferner Rhh usw. *-rər > -rə*, s. D 9.1.2.

Häufiger ist das Ausweichen eines der beiden *r* zu *l*, und zwar wird dabei das der unbet. Silbe ersetzt, wenn es sich nicht um ein als solches empfundenes geläufiges Morphem handelt.

r - r > r - l, jeweils verschieden stark verbreitet (s. SH): †*balwīən* "rasieren" (SH *barbieren*), *brōml̥* "Brombeere" < *brōmər* (SH mit WK I,55), *ēbl̥* "Erdbeere" (verbr., SH mit WK II,18);

bei *brōml̦* und *ębl̦* spielt Anlehnung an *Buchel, Eichel* eine Rolle. - Von **męṣl̦* "Mörser" (SH *Mörsel*) ist *męšl̦ə* "als Liebhaber kochen" abgeleitet: mhd. *morsære* und *morsel* (Anlehnung an Gerätenamen auf *-el*). Nur historisch: *priol(n)* "Prior(in)", z.B. BII 31: 1317, 433: 1371, 622: 1390; LU 1441 (*Priel*); allgemein *merteler* "Märtyrer", z.B. BII 153: 1327.

r - r > *l - r*: *iləriša* "wiederkäuen" (öfter: SH *iterüchen*; vgl. Müller 1931, §20); nicht in L: SH *Hederich, Kater* (s. D 9.1.2), *Neuntöter*: Hier sollten die auch sonst häufigen *-er(ich-)* beibehalten werden.

12.4. Haplologie ist häufig in *ərə* "einer", s. D 4.4.3; üblich in *ərə* "ihr" (D.Sg.Fem.) hinter altem und neuem *r*. Neben *ǫn/uf ərə* "an/auf ihr", *iš gęw̦ərə* "ich gebe ihr", *mę sǫw̦ə rə* "wir sagen ihr" steht *fǫrə* "vor ihr" (**fǫr+ərə*, vgl. *fǫr̦ in* "für ihn"), *mjrə* "mit ihr; mit einer" (vgl. *mjr̦əm* "mit ihm"), *ę dų̦rə* "er tut (*dud, dų̦r̦*) ihr", *ę hǫrə* "er hat ihr", *ę gjrə* "er gibt ihr" (neben neueren *dud, gid, hod (ə)rə*), *iš węrə* "ich werde ihr"; doch *węrə* "wegen" + *ərə* "einer" (D.Sg.Fem.) wird *węrə rə*.

S. ferner C 44.1.2e,g; D 4.4.3.

Die Geräuschlaute

1. Die arf. Überlieferung

a) Bestand

12. Vor der Lautverschiebung gab es folgende Tenues[43]: [ph th kh] mit Geminaten, hinter Rbl. unbeh. (*sp, ft st, cht, sk*): Die Behauchung war phonologisch nicht relevant[44]. An Medien gab es *b d g* (*b g* im Inl. vielleicht noch teilweise Rbl.). Die Tenues haben als die merkmallosen Glieder zu gelten, distinktiv war der Stimmton. An Rbll. gab es *f þ x (h)*, dazu den Zsl. *s*, grundsätzlich in allen Stellungen. An Verbindungen aus Rbl./Vsl. waren nur die oben (in Klammer) angegebenen möglich. *s* hingegen konnte auch hinter *f x* stehen[45].

---

[43] Einzelheiten s. Braune §§82; 84.

[44] Die Behauchung wird von der Lautverschiebung vorausgesetzt. Auch die nicht verschobenen Tenues, z.B. *-pp-, -kk-, -mp, -ŋk* waren ursprünglich behaucht, ebenso wie einfache intervokalische *-p-, -k-*. Hierzu Braune §143 A.3; anders Franck §115,1-3.

[45] Einzelheiten bei Fourquet 1956, 95ff.

Von der Lautverschiebung wurden ausschließlich die stl. Vsll. sowie die sth. (ggf. mit ihren Rbl.-Varianten) erfaßt, jedoch nicht in allen Stellungen[46].

b) Die Lautverschiebung

I. Allgemeines

13.0. Es kann hier nicht der Ort sein, ausführlich auf die Lautverschiebung und ihre Probleme einzugehen. Hier sei lediglich ein kurzer Überblick gegeben, weil ihre Ergebnisse, so wie sie sich im Rf. darstellen, Ausgangspunkt unserer Betrachtungen sein müssen.

13.1. Die Lautverschiebung war eine weiträumige Bewegung, durch die die hdt. und ndd. Mdaa geschieden wurden. Zwischen den Extremen Obd. - Ndd. kam es zu einer Abnahme der Intensität von S nach N, die bekanntlich im "Rheinischen Fächer" einen besonders deutlichen Ausdruck gefunden hat. Das Fränk. hat daher sehr ungleichen Anteil an der Verschiebung. Dabei nimmt das Rf. eine Mittelstellung zwischen dem Ost- und Moselfränk. ein.

13.2. Das Rf. kennt wie alle md. Mdaa nur beim Dent. eine durchgehende Verschiebung. Beim Lab. und Gutt. wurden die Medien i.a. nicht zu Tenues verschoben, und es kam fast durchweg nicht zur Ausbildung von Affrikaten. Die stärkere Verschiebung beim Dent. kann durchaus aus dem jeweiligen Mdaa selbst gedeutet werden und zwar aus dem vom S nach N hin abnehmenden Grad der Artikulationssteigerung, die zur Lautverschiebung führte. Diese ist in unserer Mda bodenständig und nicht einfach vom S her übernommen (höchstens angeregt)[47].

Am schwächsten ist die Verschiebung i.a. bei *k* ausgeprägt. Während dies sonst in unserer Mda nicht in Erscheinung tritt (gleicher Verschiebungsgrad wie *p*), ist diese Abstufung wenigstens in der Stellung hinter Liq. zu beobachten: *t* von Anfang an zu *z*, *p* nur spät und zögernd und *k* überhaupt nicht (s.u.).

13.3. Die Zeit der Durchführung der Verschiebung im Rf. liegt vor dem Auftreten der ersten schriftlichen Zeugnisse. Dennoch läßt sie sich für unsere Gegend m.M. annähernd genau bestimmen. In der Freilaubersheimer Runeninschrift (rf.!) um 600 steht noch *wraet*. Hingegen

---

[46] Die öfter vertretene Meinung (z.B. Eggers 1963, 64ff.), die Artikulationsverstärkung der Medien sei eine von der Tenuesverschiebung unabhängige Erscheinung "eigener Art" (66), ist abzulehnen. Es handelt sich bei der Lautverschiebung um einen einheitlichen Vorgang, der indessen nicht bei allen Vsll. gleich stark durchdrang (vgl. Höfler 1958, 159ff.).

[47] Über diesen Komplex s. Höfler 1958, 118ff. und 162ff.; besonders beachtenswert der Vergleich mit dem modernen Dänischen S.166f.

zeigt der CL, beginnend mit dem Jahre 765, keine Reste unverschobener Formen. Die Weißenburger Ukk (südrf.) setzen 697 ein; hier finden sich noch unverschobene Reste, wenn auch vielleicht nur noch als mitgeschleppte Schreibformen, die zeigen, daß die Lautverschiebung noch nicht weit zurücklag (Braune §83 mit A.3; Schatz §138f.). Jedenfalls darf man daraus schließen, daß im Rf. unserer Gegend die Verschiebung im Lauf des 7.Jh. eingetreten ist[48]. Dies ist ziemlich sicher für die Tenues. Was die germ. Medien angelangt, bei denen das Rf. ohnehin nur eine teilweise Verschiebung kannte, so muß auch sie vor Beginn der Lorscher Überlieferung (CL) abgeschlossen gewesen sein, denn 1. zeigen sich um diese Zeit bereits die ersten Ansätze zur Konsonantenschwächung (s.u.) im Gegensatz zur Konsonantenverstärkung der Lautverschiebung, 2. kennt der CL keinerlei Anwachsen der Verschiebungsfälle mehr. Die Medienverschiebung dürfte somit spätestens in der 1. Hälfte des 8.Jh. abgeschlossen gewesen sein. Ein Nachhinken der Medienverschiebung, wie sie etwa im Bair. zu beobachten ist[49], ist zwar möglich, aber nicht nachweisbar.

II. Die Verschiebung der Tenues

14.1. Germ. *p*.

14.1.1. Hinter V entstand *ff*, daraus *f* hinter LV und ausl. (D 50.3.1f.), z.B. Gl3 *scif man, offono, rîfe, coufman*; LB *doufi, slâfandi, slafheiti, biscoffa* (A.Pl.); Gl5 *stiefsun*. Modern z.B. *šafə, ofə, dāfə, rūfə, raif, šif* "schaffen, offen, taufen, rufen, reif, Schiff".

14.1.2.1. Unsere Mda liegt nördlich der *p/pf*-Linie (heutiger Verlauf s. z.B. Bauer K.41), hat also *p*-, *-pp-*, *mp* bewahrt; z.B. Gl4 *ploccota (:compilat)*; ON, alt meist *P*-, selten *Ph*-, z.B. Wo-*Pfedd*, alt [*perəšəm*], CL 1382f. *Ph*-, sonst *P*- (R45f.); W-*Pfiffl* [*piflkum*], s. R 48; Da-*Pfungst* [*puŋšd*], Belege s. Müller. Die ⟨ph pf⟩ sind reine Schrr. in der Nachbarschaft der *p/pf*-Linie. Daher z.B. auch *Hp* [*hębrəm*] im CL ⟨ph pph⟩, CL Reg., Späteres s. Müller; zum CL s. auch Welz 70. Es sind allesamt Kanzleiformen, die teilweise in der Schr. festgeworden sind, vgl. Paul §87. Ein Anwachsen der ⟨ph pf⟩ läßt sich im Ws beobachten (Hoffmann 177ff.; vgl. Böhme 1893, 68f.)[50]: ursprünglich meist *p* neben *ph*, bemerkenswert 1292 *paffenphade*; PU 50: 1363 *eime phristere* (falsche Umsetzung).

---

[48] Zum selben Ansatz kommt Brinkmann 1931, 132; vgl. Schützeichel 1961, 310f.; abweichend Bruch 1955, 145: um 600.

[49] Schatz 1907, §§56; 63; 69b; dazu die Übersicht bei Kranzmayer 1956, §27a.

[50] Vgl. die ⟨t-⟩ für /d-/ D 20.4.1, A. 106

14.1.2.2. Die gesprochen Mda bewahrt den Vsl. bis heute: *parə* "Pfarrer", *pęfə* "Pfeffer", *blašdə* "Pflaster", *blug* "Pflug", *abl̩* "Apfel", *dsabə* "Zapfen", *dǫmb* "Dampf", *šdumb* "stumpf".

Das Nebeneinander von verschobenen und unverschobenen Formen bestand also jahrhundertelang nur in der Schr., was Froeßl (28f.) zu falschen Schlüssen auf die Aussprache verleitete[51].

14.1.2.3. Wohl aber setzte man sich mit dem südlich angrenzenden *pf* auseinander. So erklären sich mdal. *hǫmbl̩* "Handvoll" (SH mit WK III,22; L †), *mumbl̩* "Bissen" (`Mundvoll'; SH mit WK IV,61; L): *-ntf-* wird im S zu *-mpf-*, nördlich davon zu *-mb-*. Im *p*-Gebiet sollte *-ntf-* > *-nf-*, so im N, s. SH *Handvoll, Muffel I, Mumfel, Mumpel*[52]. Ebenso ist *drumb* "Trumpf" aus *-pf* umgesetzt (s. Kluge).

Ähnliches sollte man auch für Vbb. mit *ent+f-* erwarten (z.B. *empfangen*). Aber heute sind sie schrsprl. beeinflußt, z.B. *emfǫŋə, emfinə* "empfinden". Die Ukk schreiben *enph-, emph-* (Hoffmann 180; BII häufig). Nach Paul (§90) herrscht nördlich des Mains *entf-*. Man sprach /en-f-/, vgl. PU 24: 1501/18 *infenncker* "Empfänger". ⟨emp-⟩ findet sich nicht (s. aber Moser 1951, §149 A.4). Auch PN zeigen ⟨ph pf⟩, selten ⟨f⟩ < *-t+f-*, z.B. CL 967 *Lempfrit* (= *Lantfr.*), 3000 *Liutfrit* = 3755a *Liuphrit*, Titel *Liutphridi*, aber 936 *Liufridi*; BI 55: 1137 *Lufridus*, 57: 1140 *Lûfrit*, 58f.: 1141 *Liufridus* 2x; Hoffmann 180: 1287 *Lupfridus* gg. 1218 *Lutphr.*, 1234 *Luphrido*; PU 16: 1203 *Luphridus*, 31: 1304 *Lupfr.*; vgl. ferner CL *Theotfrit* u.ä. - *T(h)eufrit*. Trotz der Schrr. ist *-tf-* > *-f-* am wahrscheinlichsten, ⟨ph pf⟩ sind südliche Überschichtungen wie in Vbb. mit *ent+f-* und den ON mit germ. *p*.

14.1.2.4. Eine andere Verschiebungsstufe liegt vor in *brofl̩iš* "dick, plump" (zu verbr. *brofə*, L ∅, s. SH *pfropfen I, II*): ahd. *pfropfo* und *pfroffo* "Setzling".

14.1.3. Hinter Liq. ist *p* zu *f* verschoben; die *dorf/dorp*-Linie liegt weit nördlich. Vgl. L *dǫrf*, *węfə* "werfen", *hęlfə*. Die Zwischenstufe *pf* ist als ⟨ph⟩ im 8.Jh. noch belegt (Welz 70; vgl. Franck §85). Unter bisher nicht aufgeklärten Bedingungen hält sich in gewissen Wörtern Liq.+*pf* bis ins Mhd. (Braune §131 A.5). So in *scharf*, heute *šarf*, älter aber mit *b* entsprechend obd. *pf*: *šarb*-Reste z.B. bei Bert. §233,7 A.; Born §251,1; Freil. §§217 A.; 400,1; vgl. Siemon §122. Für L nur hist., PN CL 3405 *Scerphuin*, 2148 *Scherphuin* - 505 *Serpwino*. Ganz unverschoben geblieben ist *p* nach Kaufmann (Km. 106f.) in ON wie Bi-N/O*Hilb*: **Helprîtes-*, s. C 37.2.2.2, vgl. PN CL 2262 *Helpricus*; aus der Pfalz z.B. *Erpolzheim* (Christmann 1968, 144), *Scharfenberg* (Chr. 1964a, 69f.).

---

[51] Da er, wie öfter, die gesprochene Mda nicht kennt

[52] Zum ganzen Komplex s. Wolff 1921, §61,1f.

Angesichts dieser Unregelmäßigkeiten ist zu erwägen, ob das Rf. hinter Liq. nicht ursprünglich *p* lautgesetzlich erhalten hatte. *pf* wäre dann infolge uralter S-N-Bewegung der Lautverschiebung nachträglich ins Rf. gewandert und als mda.-fremde Lautverbindung zu *f* umgesetzt worden. Isidor hat *hilpit, -worpanan*. s. Franck §85; Braune §87 A.1. *šarb* wäre dann einfach als stehengebliebene unverschobene Form zu verstehen genau wie die ON; vgl. auch *L+k,* D 14.2.2.

14.2. Germ. *k.*

14.2.1. Hinter V Verschiebung zum Rbl., im CL sehr häufig, vgl. Welz 96ff.; LB oft, z.B. *brah, gisahane* (über ⟨h⟩ für Geminata s. D 50.3.2), *(gi)sprah, ih, mih, ruoholôso, uuahhandi*; Gl1 *dûchiri, ceichur*; Gl5 *erstechcan* (!). Heute: *maxa, šdęša* "stechen", *dauxa, rīša* "riechen", *bǫx* "Bach", *dux, iš* "ich", auch *pox* "Pocke" (frühnhd. *pfoche*), hist. StAL 1728 *bloch* "Block", ahd. *bloh* (heutiges *blog* ist ndd.).

14.2.2. Viel diskutiert worden ist die Frage nach der Vertretung hinter Liq. Auch *p* wurde ja hier erst spät und nur teilweise über *pf* zu *f* (s.o.). Entsprechend bleibt auch *k* unverschoben (Braune §143). *miliš* "Milch" zählt nicht, weil aus ahd. *miluh*, vgl. got. *miluks*. Sonst aber gilt i.a. Vsl.: *balga* "Balken", *folg* "Volk", *męlga* "melken"; *bęrg* "Birke", *mǫrig* "Markt", *šdarg* "stark", † *wę̣ęrˈiga* "(Teig) kneten (`wirken´)", ebenso völlig regelmäßig *šdǫrg* "Storch" (germ. **storka-,* Kluge), verbreitet so, s. Bauer §150,2f.; Bert. §163; Born §266,3.

Abweichungen: *Arche,* L *aršạ*, ist schrsprl. (Kirche!), daneben *Arke,* s. SH; hist.: BI 342: 1300 *zu der arken. - Kalk* hatte einst *-lch*, s. SH, L *kalg*, alt aber oft *Kalch*, z B. GRB 1679. *Kalch* wie auch *Arche* sind Wörter einer höheren Kultur und daher kaum bodenständig entwickelt[53]. Sie bilden keine Gegenbeispiele gegen die Annahme einer regelmäßigen Erhaltung von *k* hinter Liq.

14.2.3. Unverschoben blieb *k* natürlich auch anl., geminiert und in *nk*, z.B. *kãfa* "kaufen", *kind*; *glọ̄* "klein", *grọŋg* "krank"; *dega* "decken", *šiga* "schicken"; *dęŋga* "denken". LB *ubartrunchi* (neben *gidanco*) hat keine Affrikata; Nebeneinander von ⟨ch c k⟩ auch in CL (Welz 95f.), auch später noch zuweilen (Hoffmann 189), vgl. Franck §115.

Über *sk* s. D 41.

14.3. Germ. *t.*

14.3.1. Grundsätzlich überall verschoben, soweit es beh. war, Ausnahmen s.u.

Hinter V ist es Rbl. *ꝫ* (hinter LV *ȝ*), Schr. ⟨z zz⟩, selten ⟨c cz⟩, im CL vereinzelt ⟨s⟩ (Welz 75f.), Gl3 nur ⟨s⟩. Beispiele: LB z.B. *thaz/daz, ubarâzi, uuizzod, uuizzant-, gibuozanne, forlâzan-*;

---

[53] Nach Paul 1916, §87 A. vom Obd. ausgegangen.

Gl1 *merigrioz*; Gl3 *wassen roste* (ahd. *hwaʒ*[54]), *binissahi*; BS *hûcze, mînaz*; Gl5 *muozzo*. - Modern: *(d)as* "daß", *šlus* "Schluß", *wisə, losə* "lassen".

In allen anderen Stellungen (anl. vor V, hinter Liq., *n*, geminiert) entsteht die Affrikata /ts/ bzw. /tts/; Schr. ⟨z⟩ bzw. ⟨zz⟩, selten ⟨c⟩ (vor *e i*). Zum CL s. Welz 74ff. Beispiele: LB *zît(io), c* in den Lwtt *decemon* "Zehnten", *crûci*; Gl1 *smelzigold*; Gl2 *ceichur*; BS *zi holze, sizi* (3x, Geminata!); Gl5 *zol-*. Modern: *dsaid* "Zeit", *dsimə* "Zimmer", *hęds* "Herz", *kǫds* "kurz", hinter *l n* /s/ = [ḍs] (D 54.3): *gǫns, hols, šmelsə* "ganz, Holz, schmelzen".

Das neue *ʒ ʒ̃* war vom alten *s* phonologisch geschieden, s. D 18.6.

14.3.2. Außer den D 12 genannten Verbindungen aus Rbl. + *t* fehlt die Verschiebung auch in folgenden Fällen:

1) Gemeinahd. vor *r*: anl. *tr-*. (ursprünglich) inl. mit Geminata (Braune §96) und teilweise neuem Zwischen-V (aaO §65) *-tt(a)r-*. LB (über ⟨d-⟩ s. D 20.4.1): *gidrôsda, untriuuono, trâgi; lûtarliha* (Degemination, s. D 50.3.1-3). Der Grund zum Ausbleiben der Affrizierung darf nicht im Fehlen der Behauchung (Penzl 1971, 151f.) sondern muß in der Schwierigkeit der Artikulation von [ts] vor dent. *r* gesucht werden (Wilmanns 1911, §52,3; Lessiak 1933, 14). Auch moderne germ. Dialekte bzw. Sprachen, soweit sie anl. Aspirata kennen, haben sie vor *r*, z.B. das Ndd., das Engl., Dän., Isl. (Kress 1937, §§49; 60; 89; 99). Aber sie muß im Ahd. früh geschwunden sein, noch vor der allgemeinen K-Schwächung, denn 1. zeigt die weitere Entwicklung Zusammenfall dieses *t (tt)* mit der aus germ. *đ* hervorgegangenen (Halb-)Fortis, s. D 20.5; 2. auch die nichtschwächenden obd. Mdaa (sbair., alem.) haben [t], nicht [th][55]. Da dies nach der Lautverschiebung die einzige Stellung mit erhaltenem [th] war, wurde die Behauchung zugunsten des häufigeren [t] aufgegeben: [th] wurde zum Allophon von /ḍ/, [tth] von /tt/.

2) Auch in einigen anderen Wörtern ist die Verschiebung erst im Mittelalter und in der Neuzeit durchgedrungen[56]. In Ukk aus Ws bzw. Wo-Pfedd finden sich ständig *tüschen* u.ä. "zwischen", in Ws bis gegen 1400 (s. D 39.2.3) *bit* "bis", auch in LU 1364 *bither*[57]; *dit* 2x PU 50: 1363; *dat, wat* sind nicht belegt, waren wohl auch nie vorhanden, dafür aber BII 368: 1362 *gesat* "gesetzt"; Hoffmann 200: 1264 *Nuwesat* "Neusatz". Unverschobene Formen, die heute viel weiter nördlich liegen, waren in alter Zeit auch im SHess. üblich. Ihr teilweise seltenes Auftauchen erklärt sich

---

[54]   An sich ist auch die ahd. Nebenform *hwas* möglich, doch vgl. das folgende.

[55]   Kranzmayer 1956, §§34a; 35c1; Jutz 1931, §71.

[56]   Zum nRhh s. Schwitzgebel 1958, 88ff.

[57]   Also weiter östlich als von Schützeichel 1955, 224f. angenommen.

durch südliche Überschichtung (vgl. ⟨pf⟩ für /p/), die schließlich auch ihr Verschwinden in der gesprochenen Sprache bewirkte.

Was *bit, dit* angeht, so scheint *-t* infolge frühen Hauchverlustes in der häufigen Unbetontheit erhalten geblieben zu sein (Franck §100,2; Fourquet 1956, 98ff.; Höfler 1958, 125ff.; Schützeichel 1961, 289f.). - *tüschen* ist unklar trotz Schützeichel. - *gesat* ist lautgesetzlich: *-t ~ t* des Prät. und des Part. (Franck §§100,3; 192[58]). Danach dürfte sich *Nuwesat* gerichtet haben. - Ganz anders hingegen ist das unverschobene †*ban* "nutzen" (verbr., SH *bat(t)en*) zu erklären: ahd. *baʒʒên*. Es wird nach dem Gegenteil, ahd. *scadôn* (Prät., Part., > *schatt-*, s. C 37.1.4f.; 38.1.2) umgeformt sein (L *šan*). Ob dabei ein (nicht belegter) bindevokalloser Prät./Part.-Stamm **batt-* (vgl. Franck §194) gebildet worden ist, sei dahingestellt.

3) Weiteres unverschobenes Wortgut ist offenbar erst später von N eingedrungen, so z.B. *blod* "bloß" (SH *blutt*), *kaud* "Grube", zu ndd. *kûte*. Senkung (*u* > *o*) und Dig. (*û* > *au*) sprechen für hohes Alter. Jünger ist z.B. *šnūd* "Schnute" (hdt. *Schnauze*).

II. Die Verschiebung der Medien

15.1. Entgegen wiederholt geäußerter Ansicht[59] wird hier festgehalten, daß wenigstens der größte Teil des SHess. in ahd. Zeit Vsll. in allen Positionen gekannt hat[60]. Die späteren Rbll. sind allesamt jung. Intervokalischer Vsl. wird für die alte Zeit erwiesen 1. durch Schrr., insbes. auch in LB, BS, Gll; CL; 2. durch den Wechsel intervokalisch *b g* mit ausl./vorkons. *p c*; 3. durch den späteren Wandel zu *r* (über *đ*) von auch im Rf. verschobenem intervok. germ. *đ* (vgl. LB *gibetôn* - L *bḗrǝ*) sowie unverschoben gebliebenem germ. *t* (LB *lûtar-* - L *laurǝ*).

Die Erforschung der ursprünglichen Verhältnisse wird dadurch erschwert, daß zur Zeit der einsetzenden Lorscher Quellen (LB) bereits Schwächungstendenzen zu erkennen sind. Doch hat gerade der von Welz bearbeitete Teil des CL viel Altes bewahrt.

15.2. *b*: Anl., inl. in sth. Nachbarschft ⟨b⟩: LB *ubar* 2x, *uber, selbon*; Gll *curba* (:*anthlia*), *louba*; Gl5 *uolaliben, lieber*. CL: nach Welz (72f.) intervok. ⟨b⟩. Aber *Euerhardi* (CL 702) u.ä. geht zu Lasten des Kopisten des 12.Jh.

---

[58] Vgl. auch Fourquet 1956, 98; entsprechende Formen im As. s. Gallée 1910, §407.

[59] Auch bei Froeßl 124ff.

[60] Nur bei *g* scheint es im nRhh Rbl. gegeben zu haben: Schwitzgebel 1958, 71ff. - Im übrigen vgl. die Angaben für *b*: Franck §77ff.; Braune §§88; 135; für *d*: Franck §88ff.; Braune §163f.; für *g*: Franck §103ff.; Braune §§88; 148.

Vor stl. KK: LB *giloupda, gilaupta*; CL 534 *Alp(h)ger*, sonst z.B. *Liubsuinda, Libger* u.a., s. Welz 73. Hinter stl. KK: besonders in Namen auf *-ber(h)t* im CL *p* neben *b*, s. Welz 71f. Vgl. ferner: CI 167 *Landboldi*, 199 *Rûtbirg* gg. *Ditpirg*, 219 *Rûtperti* 2x gg. *Altberti*, 267 *Ratpreth* gg. *Liutbreth* u.a.

Geminaten: Nach Franck (§80) ist ⟨bb⟩ das Häufigste, anderes sei selten. In L sind Tenues-Schrr. nicht ganz so selten: LB *unsipberon*, im CL (Welz 72) *bb*, seltener *pp*; ferner CL 185 *Abbonis* gg. 361, 428 *Appo*.

Im Ausl. wechseln ebenfalls *p* und *b*: LB *uuîp*. BS *hurolob*; im CL im allgemeinen *-b* (Welz 73).

15.3. *g*: Anl., inl. in sth. Nachbarschaft immer ⟨g⟩. LB z.B. *got-, gisprah, gango; alamahtigen, farligero, heilagun, gisageda, suuîgeda*; Gl1 *gidrogc, -gold, -grioz, glesina*; Gl2 *burgara*; Gl3 *lengen (:protelent), segal gerdun*; Gl4 *builga*; BS *godes, gisunt*; Gl5 *iagonde, grimmer, gedagodingedun, gesuasen, gisellēn, eigan* u.a.

Vor stl. KK: zahlreiche Beispiele für ⟨c⟩ aus dem CL, s. Welz 105f.; ferner Franck §106,1; Braune §148 A.2.

Hinter stl. KK: häufig *c* neben *g* im Namen des Flüßchens *Weschnitz*: *Wiscoʒ* und *-goʒ* (Welz 101ff.; D 44). PN im CL mit zweitem Glied auf *g-* haben meist ⟨g⟩, vgl. Welz 103, doch beachte CL 2691 *Wolfcrim*. Geminata, nur Beispiele aus dem CL: *gg kk cc(h) ck cg gk*: Welz 104f. Die dort bearbeiteten Namen mit *Ecke-* mögen als Beispiele dienen: 6 *gg*, 13 *kk*, 1 *ck*. Vgl. auch Franck §108 und für die spätere Zeit Hoffmann 193f.

Sowohl im inneren wie im äußeren Ausl. steht öfter *c* neben *g*: LB *nintfianc, heilac, unbigihtic, unuuirdic* gg. *sunnundag, gidruog, dag*; Gl1 *gidrogc*; Gl3 *blasbalclichen*; BS *fluic, fluc*; Gl5 *mendelberc*; CL s. Welz 105f.

Es verdient festgehalten zu werden, daß es auch bei der gutt. Media keinerlei Hinweis auf spirantische Aussprache in arf. Zeit (etwa *⟨ch⟩) gibt.

15.4.1. Lab. und Gutt. haben sich im Gegensatz zum Dent. weitgehend parallel entwickelt. Welche Aussprache verbirgt sich hinter dem Schriftbild? Bereits oben wurde auf den durchgehenden Vsl.-Charakter hingewiesen. Dort, wo die Tenues mit Media in gleicher Stellung (z.B. Ausl.) wechselt, galt stl. Vsl. Aber die heutige Mda hat fast überall stl. Media (B 2.4.1,2), soweit der Verschluß überhaupt erhalten ist (D 22f.). Es müssen somit zwei Fragen geklärt werden: 1. Galt im Arf. Stimmlosigkeit in allen Stellungen? 2. Welcher besondere Wert kommt dann den Schrr. mit Tenuis (evtl. im Wechsel mit Media) zu?

15.4.2. Es scheint sicher, daß bereits im Arf. allgemein Stimmlosigkeit gegolten hat[51]. ⟨b⟩ und ⟨g⟩ können durchaus auch stl. KK bezeichnet haben, denn auch ⟨d⟩ ist Zeichen für einen stl. Laut (s.u.). Dazu weitere Gründe:

1) Wo Media mit Tenuis in der Schr. wechselt, ist unbedingt Stimmlosigkeit anzusetzen, also im Ausl., vor/hinter stl. KK und geminiert.

2) Für geschwächtes k begegnet zuweilen ⟨g⟩, s. D 20.1 (Franck §115,6). Ebenso kommt z.B. bei Otfrid *thuesben* vor.

3) In rom. Lwtt dienen ⟨b g⟩ als Ersatz für unbeh. rom. /p k/, sind daher als [b̯ g̯] zu lesen. Beispiele: *Lopodunum* "Ladenburg", im CL allgemein mit -*b*-, vgl. CL Reg. *Lobodin*-; *bredigôn*, allgemein obd., auch aus Mainz (Franck §88); bei Otfrid z.B. *bëh* (Franck §83; noch heute L *bęš*), CL 3818 *Bechoven* (12.Jh.); Weiteres bei Schatz §152. - FIN Wo-Osth *Gohl* < mhd. *gugele* "Kapuze" (lat. *cuculla*; R 129). - Der PN *Jakob* heißt besonders in Rhh verbr. *jāb* (SH) mit Schwund des intervokalischen -*k*- wie -*g*-, also als *[*jagob̯*] eingelautet (vgl. D 23.2.2.2). Wäre die Stimmhaftigkeit noch distinktives Kennzeichen gewesen (wie im Rom.), dann hätten rom. /p k/ nicht mit einheimischen */b̯ g̯/ sondern mit /ph kh/ identifiziert werden müssen (wie in Lwtt aus der Frühzeit, z.B. *Keller, Kaiser; Pfeil, Pfund*).

/b g/ waren folglich in allen Stellungen stl. Vsll.

15.4.3. Eine weitere Frage ist, inwieweit Verschiebung zur (Halb-)Fortis eingetreten war, worauf gelegentliche Schrr. mit *p* und *c (k)* hindeuten könnten. Stl. Lenis galt zweifellos im Anl. und intersonantisch, wo ausschließlich ⟨b g⟩ geschrieben werden. Vor und nach stl. KK, in der Geminata und ausl. müssen die häufigeren Fortisschrr. auf eine stärkere Verschiebung hin interpretiert werden. Volle Fortes waren aber nie vorhanden, weil 1. daneben Lenis-Schrr. nie verschwanden, 2. alte Fortes, soweit sie nicht durch die Lautverschiebung erfaßt worden waren, zur Zeit der LB ohnehin schon Schwächungstendenzen zeigten (D 20).

In diesen Stellungen möchte ich daher etwa Halbfortes vermuten. ⟨pb⟩ ist ebenso wie in L nicht vorhandenes ⟨bp⟩ (Franck §80) und CL ⟨gk cg⟩ als Versuch zu werten, die "mittlere" Aussprache auszudrücken (vgl. Gll *gidrogc!*)[62].

15.5.0. Komplizierter sind die Verhältnisse bei wgerm. *d*, weil hier eine stärkere Verschiebung eintrat, andererseits zur Zeit der ersten L Quellen schon Schwächungstendenzen sichtbar werden.

---

[61] So auch Lessiak 1933, 25.

[62] Wegen ⟨td⟩ ist ⟨pb⟩ nicht als schriftlicher Ausdruck des Gegensatzes germ. *bb* - *pp* (behaucht) anzusehen.

15.5.1. Anl.: im CL bei Welz (77) Belege aus der Zeit zwischen 765 und 843: 14 (16?) *d*-, 7 *t*- (765-818); der ON Hd-*Dossenheim* hat 39 *d*-, 1 *t*- (a. 787). LB: 13 *d*- (darunter 4x *dádi*); aber *ubartrunchi* vor *r*, wo germ. *t* bereite geschwächt war, s. D 20.4.1; *crúcithrahto* mit ⟨th⟩ für Lenisverschluß, s. D 16.3.3f. - Gl1 *gidrogc, dúchiri*; Gl3 *ádeile* (ahd. *áteili*); Gl5 *gedagodingedun*.

CL und LB zeigen einen wichtigen Unterschied: Zwischen 765 und Anfang des 9.Jh. kommen im CL noch viele *t*- vor, in der 2. Hälfte des Jh. hat die LB vor V keine *t*- mehr (außer vor *r* als Kontrast-Schr.). Dieser Zustand wird durch Gl11,3 bestätigt.

15.5.2. Intervok.: im CL nach Welz (77ff.) neben einer Fülle von *d* insgesamt 85 *t* im untersuchten Gebiet, verteilt über den ganzen Zeitraum von 765 bis ins 11.Jh. Außerdem 27 *td* für den einfachen Laut zwischen 765 und 952. Eine Abnahme der Tenues-Schrr. ist hier nicht zu beobachten. - LB: 25 *d*, 22 *t*, auch im selben Wort bzw. Suffix nebeneinander, z.B. *fehota* gg. *uuîsoda*. 1x *th*: *gibennithero* (G.Pl. Part. von *gibennen*), vgl. *crúcithrahto* und D 16.3.3f.: germ. *þ* war bereits Vsl.! - Gl4 *ploccota*; BS 2x *godes* (LB nur *got*-); Gl5 *gedagodingedun* gg. *ungeuuarnoten*.

15.5.3. Hinter Nas. (vor folgendem Sonanten): im CL zahlreiche *nd*, nur 6 *nt*, davon 5 zwischen 778 und 813 (Welz 80ff.). - LB: 5 *d*, 1 *t* (*sunteno* neben *sunda*, A.Pl.), dazu das Wort *und*: 44 *inti*, 2 *indi*, 2 *int*. - Gl1 *giuundan*-, aber *enti* (:*antes*); Gl5 *iagonde, heime undin* (!) *here* (: *domi militiaeque*), *schundan* (: *hârtentur*) gg. *schunta* (: *hortabatur*), also Geminata (-*nd+t*-, s. D 50.3.3). Die Schwächung war hier offensichtlich weiter fortgeschritten als intervokalisch.

Die 46 *int(i)* dürfen nicht einzeln gezählt werden (Welz 116). Der Schreiber hielt hier ebenso wie bei ⟨th⟩ an einer traditionellen Schreibweise fest. Gl5 zeigt den Endzustand des ausgehenden 10.Jh. (?, vgl. A 2).

15.5.4. Hinter Liq.: sehr viele *d*, 7 *t*, davon 4 zwischen 782 und 808; häufiger *td*, etwa gleichmäßig über den ganzen Zeitraum verteilt. - LB: 21 *d*, 5 *t*, typisch z.B. 14 *(ih) scolda* gg. 2 *scolta*, 2 *scoldi* gg. 1 *scolti*. - Gl3 *segal gerdun*; Gl5 *schelda*.

Trotz der weniger zahlreichen Beispiele das gleiche Bild wie hinter Nas.

15.5.5. Vor stl. KK: keine Beispiele. PN sind alle als "innerer Ausl." zu betrachten.

Hinter stl. KK: nur LB *giloupda* und *gilaupta* mit demselben Schwanken wie bei germ. *t* hinter stl. KK (D 20.3).

15.5.6. Geminata: im CL *td, tt* (Welz 79f.; 82ff.), allerdings oft auch für etymologische Kürze (s.o.). Dies geht sicher auf das Konto der Abschreiber der 2. Hälfte des 12.Jh. - LB *bitdiu*. ⟨td⟩ kommt nach Franck (§91) öfter vor und ist Zeichen nachlassender Intensität der Geminata.

15.5.7. Ausl.: im CL vor allem Beispiele für den inneren Ausl. (PN): meist *t*, seltener *d*, gelegentlich *dt* (Welz 30ff.). Von 765 bis 800 ist eine Zunahme der *t* auf Kosten der *d* zu erkennen. - LB: im reinen Ausl. nur *t* (13x, *kind* hat germ. *þ*, s. Braune §163 A.6), ebenso im inneren Ausl. (*nintflanc, muntburt, uuizzantheiti,* aber *unuuizzandi*!); BS: 1 *d,* 4 *t* (*nindrinnes* gg. *nintuuinnest, munt, gisunt, inbôt*); Gl5 *bôsheit,* mit *schalt* gg. *schelda*.

15.5.8. Zur phonetischen Beurteilung ist folgendes zu beachten:

1) Sicher war wegen des wenigstens gelegentlichen Vorkommens von ⟨t⟩ überall stl. Laut gemeint.

2) Die ⟨t⟩ weisen überdies auf stärkere Verschiebung als bei /b g/, andererseits zeigen die ⟨d⟩, daß sie nicht so stark wie im Obd. war.

3) Schwanken in der Schr. kann auf tatsächliches Schwanken in der Aussprache hindeuten. ⟨td⟩ für ⟨d⟩ im CL versucht wohl, die (historische) Fortis-Schr. mit der Lenisaussprache zu vereinbaren, vgl. auch LB *druhtdin* (D 20.3) und für die spätere Zeit Hoffmann 202ff.

15.5.9. Als ursprüngliche Verschiebungsstufe möchte ich vermuten: Halbfortis im Anl., im Inl. zwischen Sonanten (*-ada-, -al/nda-, -arda-*); Fortes hinter stl. KK, geminiert und ausl. Es wird also angenommen, daß die ⟨d⟩ nicht Erhaltung eines alten Zustandes sondern Ergebnis der Schwächung sind (vgl. Mitzka 1954, 69; 71).

Zur Zeit unserer Quellen ist dieser Zustand nur noch teilweise bewahrt. Schwächung findet sich unter folgenden Bedingungen:

1) anl.; stl. Lenis 1.Hälfte 9.Jh. (vor der LB) erreicht;

2) hinter *l/n* Übergang zur stl. Lenis 9.Jh. (vgl. CL - LB/Gl1 - Gl5);

3) hinter stl. KK: Fortis > Halbfortis > Lenis?, s. D 20.3;

4) falls die obige Deutung von ⟨td⟩ stimmt, ist auch hier mit Ansätzen zur Schwächung zu rechnen.

Erhaltung der ursprünglichen Verschiebungsstufe:

1) intervokalisch (*-ada-*) und in *arda,* wie die Weiterentwicklung zeigt (D 20.4.2f.; 20.12.1.2);

2) ausl.

Wann die Schwächung von intervokalisch *d* > *d* eingetreten ist, kann aus den Schrr. nicht abgelesen werden. Da aber noch im 11.Jh ahd. *-t-* und *-d* < *-þ-* geschieden waren und eine Stimmtonkorrelation bei den Vsll. in historischer Zeit nie vorhanden war (D 18.3.1), ist eher mit */d/ - /d/* zu rechnen: (Halb-)Fortis - Lenis.

c) Die germanischen stimmlosen Reibelaute

16.1. Im Vorahd. gab es die stl. Zsl./Rbll. *f þ s x*. Im Wgerm. kamen sie als einfache und geminierte Laute vor. Die Geminaten *ff* und *xx* fielen später mit den aus der 2. Lautverschiebung hervorgegangenen *ff* und *xx* zusammen und teilten (soweit nicht z.B. nach D 16.2.1 beseitigt) deren Schicksal. Bei den Dent. blieben *þþ* und *ss* geschieden und erhielten noch einen dritten Partner, nämlich *ʒʒ*.

Schon früh und unabhängig von späteren Lenierungserscheinungen wurde *x* anl. vor Sonanten und intervokalisch zum Hauchlaut.

f þ s x (h) neigten intersonantisch (inl., später auch anl.) zur Schwächung, die zum Teil bis zur Stimmhaftigkeit führte (und bis zum Schwund). Doch verlief die Entwicklung weder zeitlich noch phonetisch völlig parallel, sicher teilweise aus phonologischen Gründen (vgl. bes. D 18.6.4 zu *þ*), wobei ein Zusammenhang mit der Vsl.-Schwächung bestehen mag, s. Mitzka 1954, 67; 86.

16.2. Germ. *f*.

16.2.1. Es kam vor im Anl. vor V und Liq., im Inl. intersonantisch (zwischen VV und hinter Liq., *m*) und vor *t (s)*, im Ausl. hinter V, Liq., *m*; Beispiele s. Braune §137ff. Das einzige Wort mit Geminata, frühahd. *héffen* "heben", hat schon in ahd. Zeit nach Analogie nichtgeminierter Formen (*hévis, hévit*) -*ff*- aufgegeben, also *héven* (Braune §139 A.4), L *hęiwə*.

16.2.2. Neben ⟨f⟩ findet sich seit ahd. Zeit in zunehmendem Maß ⟨v⟩ (eig. ⟨u⟩), jedoch ohne dieses zu verdrängen:

1) Im Inl. ist ⟨f⟩ intersonantisch nur in der allerältesten Zeit belegt, Braune §139 A.2; Franck §82; für den CL s. Welz 73f.: -*lv*- neben -*lf*-.

2) Anl. vorsonantisch: LB ausschließlich ⟨f⟩ (16 Fälle, darunter 4 im inneren Anl.: *nintfianc* hinter stl. Laut, sonst: *anafanges, erfulta, gifrumita*); die Gll des 9.Jh. haben ⟨v-⟩ und ⟨f-⟩: Gl1 *fadama, frônisci* gg. *vestin*; Gl2 *furihi*; Gl3 *varane*, wohl auch *uorit : discit*, lies *vuorit*; BS: ⟨f⟩ vor Liq.: *fluic, flûc, fridu, frôno*, ⟨v⟩ vor V: *vihu, vilu*; Gl5 *veili*. Der CL hat in den sorgfältig kopierten Teilen fast nur ⟨f-⟩ (Welz 73). Später: Nach Hoffmann (187) bis um 1300 vor *a e i o* in der Regel ⟨v-⟩; vor *u*, den Dii. und Liq. ⟨f-⟩ und ⟨v-⟩. Ähnlich noch im 14.Jh. Danach setzt sich ⟨f-⟩ stärker durch (Moser 1951, §35).

16.2.3.0. Die alte Frage, ob mit ⟨v⟩ ein sth. Laut gemeint sei, kann man nicht allein von der ahd. Schr. her lösen. An sich läßt ⟨v⟩ auch andere Erklärungen zu (z.B. Franck §81). Man muß dabei auch spätere Schrr., die heutige Aussprache, die Sprachgeografie, sowie die eventuelle Parallele der anderen Rbll. (bes. *þ*!) mitberücksichtigen.

16.2.3.1. Intersonantisch. In echtmdal. Wörtern bis heute sth. bil. Rbl. (genauer Sonorlaut: B 2.2.2,1) *w*, z.B. *daiwḷ* "Teufel", *fręwḷ* "Frevel" (ahd. *fravalî*), *gāwə* "Geifer", *hęiwə* "heben" (s.o.), *howəd* "Hofreite" (mhd. *hove-reite*), *ǫuwə* "Ofen"; ON: *howə* "Be-Hofh" (alt *Hoveheim*), *ošdhowə* "Wo-Osth"; FIN Wo-Bechth *im Wolfau* [*wolwā*] (R 301)[33]. Daß hier alte Stimmhaftigkeit fortgesetzt wird, ergibt sich aus der Kontinuität von ⟨v⟩ neben seltenem ⟨f⟩ das ganze Mittelalter hindurch[64] und umgekehrten Schrr. wie *Osthoben* (1344, R 45), BII 137: 1327 *Hubescherer*, die durch den Wandel *-b-* > *-w-* (D 22) ermöglicht wurden. Doch spricht nichts dafür, daß die bilab. Aussprache schon arf. war. Damals ist mit labiodent. Artikulation zu rechnen (Schwarz 1926, 61); die bilab. ist später aufgekommen, s. D 39.2.4.5.

Auffallend ist die durchgehende Erhaltung der stl. Aussprache bei *dürfen*: L *dęfə* statt **dę(r)wə*, ebenso im gesamten shess. Raum (SH) und darüber hinaus (z.B. alem., s. Jutz 1931, 180f.). Schon im Ahd. kannte *durfan* kein ⟨v⟩ (Braune §139 A.2; Franck §82,4), also nie Stimmhaftigkeit. Dies erklärt sich aus ahd. Formen wie *tharf, tharft* u. dgl. (Franck aaO; Braune §373 A.5). Das alte *rf* wurde mit dem neuen (germ. *-rp*) etwa in *wurfum* gleichgesetzt: *warf* : *wurfum* = *darf* : *durfum*.

16.2.3.2. Anl. vor Sonanten. Heute allgemein stl. *f*: *falə* "fallen", *fūs*, *flig ĭ̢* "Flügel", *flījə* "fliegen", *frīᶎn* "frieren", *frǫu* "froh"; ON: *fęlə* "Be-Fehlh". Es gibt aber Gründe für die Annahme einer einstigen Stimmhaftigkeit[65]:

1) Wenn ⟨v⟩ im Inl. Stimmhaftigkeit meint (und daran ist nicht zu zweifeln), dann doch auch im Anl.; ⟨f⟩ wäre sonst näherliegend, zumal hier der Gegensatz /v/ - /f/ neutralisiert war (D 18.6.3).

2) Seit Ende des 12.Jh., also bald nach *u̯-* > *w-* (D 39.2.2), findet man neben ⟨v- (f-)⟩ auch zuweilen ⟨w-⟩ (und umgekehrt), was durch keine Schreibtradition erklärt werden kann. Beispiele aus dem CL: 3664 *Wirnheim* und *V-* "Be-Viernh" ([*fęnə*]; *V-* auch z.B. CL 8, 54, 56; *F-* z.B. 18, 57); FIN Hp *Vordersberg*, CL 3813 *in Vederichberge* gg. 2x *W-*[66]; nach Hoffmann (187): 1255 *Wolzo*[67]; 1260, 1267 *Wolmarus* neben *V-*, ds. Uk; 1283 *Drachenwils* (= "-fels"); BII 51: 1314 *Wolzoni* gg. 2x *V-*, 81: 1317 *wier* "4", 124: 1322 *gerechtwertigt*; PU 65: 1394 *gewerde, gev-*.

---

[63] Die Grenze *-w-/-f-* durchläuft das sSt von W nach O (Bauer §127; K.25f.), während sie in der nVPf weiter südlich liegt (Bertram §189). *-w-* ist demnach in St unter Mhmer Einfluß nach N abgedrängt worden.

[64] Vgl. etwa Hoffmann 187 oder z.B. Wo-*Osth*: Belege bei R 44f.: fast durchweg ⟨v⟩, gelegentlich ⟨w⟩.

[65] Zur Schr. vgl. auch Klappenbach 1944, 185-226.

[66] Koob 1973, 75 mit A.7; Metz 294f. Heute *fęriš-* < **fęrəriᵪ-* (nach Metz aber *Ferresch-*).

[67] Doch ist bei diesem Namen Vorsicht am Platz. Der "magister scholarum" heißt BI stets so, z.B. 45; 351f.; 312ff., also nicht identisch mit *Volzo*.

Nach Moser (1951, §43 A.2) verliert sich w- im Md. erst im 15.Jh., was offenbar mit dem Verlust des Stimmtons zusammenhängt (D 46).

v- für altes w- im CL mehrfach, s. CL Reg. (sub V-), ferner 430ff. *Vinnenheim* für Ma-*Weinheim.*

3) Wo *f* im inneren Anl. hinter einen stl. Laut trat, gibt es kein ⟨v⟩, vgl. *ent+f-,* Braune §138 A.2; Franck §81; für die spätere Zeit Hoffmann 180.

4) Wo mit *f* anlautende zweite Kompositionsglieder nicht mehr als solche empfunden wurden, gilt bis heute *w*: Be-*Biblis* [biwẹs] < Bi-*floz* (C 5.3.2.1); GG-*Erf* [ẹ̯rwələ] < *Erifeldun* (Grund §100), aber Er-*Beerf* [bəfẹlə] (SH), Btg. des zweiten Gliedes bewahrt dieses vor Abschwächung und bewirkt Anpassung an das Grundwort *feld.* - Weiteres: *Armvoll,* St verbr. -wəl (SH: L ǭrəmfol): *barfuß* verbr. -wəs (SH: L bǭfīsis)

5) Die parallele Bewegung anl. þ > đ (ś > ẓ).

6) Die heutige Verbreitung von sth. v- im Anl. im S und NW des Festlandgerm., also in Reliktgebieten[68].

16.2.3.3. Der ständige Wechsel zwischen ⟨f-⟩ und ⟨v-⟩ hat seinen Grund z.T. im Streben nach Deutlichkeit der Schr.[69], z.T. aber auch darin, daß die Stimmhaftigkeit nicht so bedingungslos war wie intersonantisch. Lebende Mdaa. zeigen, daß oft stl. Einsatz vorhanden ist und hinter stl. KK die Stimmhaftigkeit überhaupt fehlt[70]. Dieser Zustand dürfte für unsere Mda vorauszusetzen sein. So läßt sich vielleicht auch die auffallende Tatsache erklären, daß im bestkopierten Teil des CL (Welz!) fast durchweg ⟨f-⟩ steht. Im fremdsprachigen Text bevorzugte man die Form des absoluten Anl.

Stimmhaftigkeit war sicher auch vor Liq. vorhanden. Die ⟨v-⟩ setzen in arf. Zeit zwar später ein (vgl. LB mit BS!), setzen sich aber dann durch das Mrf. fort (Hoffmann 187).

16.2.3.4. Die Frage, wann die Stimmhaftigkeit eingetreten sei, kann nur zum Teil an Hand der L Schrr. beantwortet werden. Nach Schwarz (1926, 53) intervokalisch 2.Hälfte 8.Jh., anl. 9.Jh. In L vollzieht sich der (teilweise) Ersatz von ⟨f-⟩ durch ⟨v-⟩ vor unseren Augen: Während die LB noch durchweg ⟨f-⟩ hat (15 Fälle vor Sonanten!), weisen die Gll des 9.Jh. 3 *f* und 3 *v* auf; ähnlich der BS. *f-* > *v-* fand demnach wohl erst im späteren 9.Jh. statt. Es ist allerdings auch damit zu

---

[68] Grundlegend Schwarz 1920, 44ff. und Lessiak 1933, 55ff.; dazu neben den Handbüchern des Ahd.. und Mhd. Kranzmayer, 1956, §27g.

[69] Z.B. ⟨uuo⟩ konnte = /vuo, wo/ oder gar /uvo/ sein, vgl. Gl3 *uorit*!

[70] Lessiak 1933, 59; dazu beim sth. *z-* Schirmunski 1962 358f. für ndd. Mdaa.

rechnen, daß der Schreiber der LB wieder die ältere Lautung bewußt festzuhalten sucht (vgl. D 16.5.4.5). Ursprünglich war die Stimmhaftigkeit im Anl. nur nach vorausgehenden Sonorlauten (also im Satzinl.) berechtigt und von daher verallgemeinert worden (Lessiak 1933, 66; Braune §137; Schatz §167).

Das Aufkommen der intersonantischen Stimmhaftigkeit ist in unserer Mda. selbst nicht zu beobachten, da Original-Ukk aus der Zeit vor dem 9.Jh. fehlen. Der oben genannte Ansatz von Schwarz dürfte aber auch für unsere Gegend zutreffen, vgl. auch Braune §102a und D 16.3.

16.3 Germ. þ.

16.3.1. Es stand anl. vor V, r und $\underset{\sim}{u}$, inl. zwischen VV, Liq., n + V und ausl. hinter V, Liq., n. Die Geminata war selten, s. Braune §167 A.10 und 11.

16.3.2. Noch in ahd. Zeit geht þ, meist ⟨th⟩, in allen Stellungen in den Vsl. /d/ über, sicher i.a. ebenfalls über die sth. Zwischenstufe đ, die in gelegentlichen ⟨dh⟩ durchscheint (aaO §165ff.). Doch gehört ⟨dh⟩ nicht zur L Schreibtradition. Hier finden wir ⟨th⟩, das später unmittelbar von ⟨d⟩ abgelöst wird. ⟨th⟩ bezeichnet demnach zeitweise auch *[đ]. Es ist unbedingt daran festzuhalten, daß auch in SHess. zunächst der Wandel þ > (đ >) d vollzogen wurde. Dies ergibt sich klar aus den arf. Schrr. Immer wieder taucht die Meinung auf, es bestünde ein unmittelbarer Zusammenhang zwischen arf. intervokalisch -th- und nrf. -r- (< -đ-; etwa L werǝ = LB uuidar, farǝm = Gll fadam-), also þ > đ > r, so schon Christmann 1924/25 (bes. 217f.), später z.B. Schirmunski 1962, 318f.; abgelehnt von Maurer 1925/26, 316. Die Entwicklung war komplizierter: þ > đ > ḍ > d > đ > r! Dies geht auch daraus hervor, daß auch arf. -đ- (D 15.5.9) z.B. in werǝ "Wetter" und unverschobenes t (D 14.3.2,1) z.B. in laurǝ "lauter" erfaßt wurden (vgl. auch D 24.1).

16.3.3. Die L Quellen bieten folgendes Bild: In dem von Welz (87ff.) bearbeiteten Teil des CL anl. sehr häufig ⟨th⟩, daneben öfter ⟨d⟩, das aber nachweislich oft zu Lasten des Kopisten geht[71]. Aus dem CL selbst ist nicht zu entscheiden, ob das Original durchgehend ⟨th⟩ hatte. Im Inl. steht durchweg ⟨d⟩ (gelegentliche ⟨t⟩ und ⟨dd⟩ sind sicher dem Kopisten anzulasten), doch auch 2x ⟨th⟩: a. 765 und 766. Ähnlich im Ausl.: einige Male ⟨th⟩. Dabei ist in den Namen des 8.Jh. sicher noch Rbl. gemeint, später (9.Jh.) kann es Schr. für /d/ sein (vgl. die LB).

LB: anl. 45 th in 14 verschiedenen Wörtern, darunter 15x thaz, neben 12 d, davon 9 daz. Im Inl. steht nur d in 14 Wörtern, 20x, davon 7 uuidar. Ausl. finden sich 2 d (kind, vgl. D 15.2.7; ferner uuizzod) neben 2 t (heit "Eid" 2x).

---

[71] Vgl. z.B. PN mit ahd. thiot: Theot-, -io-, -ie-, aber nur bei D- erscheint auch schon der Monophthong: Dit-, z.B. CL 795 Ditwolfi.

Anl. ist der Unterschied zwischen *th* und *d* mindestens in der Schr. so geregelt, daß ⟨d⟩ 1. in häufig unbet. Wörtern wie *daz* (neben *thaz*) und *desem* (neben *thes* u. dgl.), 2. im inneren Anl. (*gidâhda, gidanco* neben *githancon, ungithulti*) vorkommen darf (aber nicht muß), aber z.B. *thanne, thuruh*. Ein genauerer Unterschied im Gebrauch von *thaz* und *daz* ist nicht festzustellen, vgl. etwa den Satz: *ih gihu thaz ih daz giloubda thaz ...*, mit *ih gihu daz ih mînan decemon ...* Bemerkenswert auch der Schluß der LB: *inther priast ... = int(i) ther ...*, was für Vsl.-Charakter von ⟨th⟩ spricht. In diesen Zusammenhang ist auch auf den D 15.5.2 besprochenen Gebrauch von ⟨th⟩ für wgerm. /d/ in *crûcithrahto* und *gibennithero* hinzuweisen[72].

Gl1 des 9.Jh.: Gl1 *-gold. fadama*; Gl2 *mâridon*, D.Pl. (ahd. *mâritha*). - Der BS: 4 *du*, 1 *dir*. - Gl5: nur *d*, z.B. *meineide, holdun, êrdes (:antehac)*.

16.3.4. Für den Lautwert ergibt sich folgendes: *þ* wurde zunächst inl. und ausl. zum Vsl.; 2.Hälfte des 8.Jh. (CL) wohl noch meist Rbl., hingegen in der 1. Hälfte des 9.Jh. allgemein Übergang zum Vsl. (CL), in der 2. Hälfte kein Rbl. mehr (LB; Gll1,2). Anl. war in der 2. Hälfte des 9.Jh. *þ* > *d* schon ziemlich durchgedrungen, vielleicht noch mit tatsächlichem Schwanken in der Aussprache. Aber ⟨th⟩ kann bereits Vsl. bedeuten (*crûcithrahto, gibennithero!*). Das fortgeschrittene Stadium des Wandels in der LB zeigt, daß er schon in der ersten Hälfte des Jahrhunderts in Gang gekommen sein muß. Der BS kennt nur noch *d*, allerdings in "Formwörtern". Für diese ist aber in L kein Vorsprung (mehr?) festzustellen, vgl. z.B. LB 2 *thir, thero*, 15 *thaz* gg. 9 *daz*, 2 *thes* gg. *desen*, andererseits *gidâhda* (und indirekt *crûcithrahto*).

16.3.5. Nicht aus dem Lorscher Material zu klären ist der Beginn des Übergangs von inl. und ausl. *þ* > *d*. Ein Vergleich mit Weißenburg hilft hier weiter. Bei Otfrid (wohl etwas früher als die LB) steht anl. ⟨th⟩, nur gelegentlich ⟨d⟩, inl. und ausl. ⟨d⟩, gelegentlich ⟨th⟩, besonders inl., also fast wie in der LB. Weißenburg und L stimmen somit im großen und ganzen überein, so daß wir für das 8.Jh. auch den Weißenburger Katechismus (ca 790) zur Erhellung der Lorscher Verhältnisse heranziehen dürfen. Anl. haben wir dort ⟨th⟩, 1x *dhir*, inl. meist Rbl. ⟨dh⟩, daneben 7 *th* und 5 *d*. (Für den Ausl. fehlen Beispiele.) Der Übergang von inl. (und ausl.) *th* > *d* setzte in der 2.Hälfte des 8.Jh. ein, was der CL bestätigt, und war etwa bis Mitte des folgenden Jahrhunderts durchgeführt. Der Inl. und Ausl. haben also gegenüber dem Anl. einen Vorsprung von gut einem halben Jahrhundert.

Ebenfalls kann von L aus nicht der Übergang von *þ* > *d* geklärt werden, weil hier ⟨th⟩ bis zum Schluß festgehalten wird. Sobald ⟨th⟩ mit ⟨d⟩ wechselt, bezeichnet es sicher *d*. Stimmhaftigkeit muß demnach im Inl. spätestens seit Mitte des 8.Jh. aufgekommen sein. ⟨dh⟩ im Weißenburger Katechismus weist auf anl. *d* wenigstens in Formwörtern schon gegen Ausgang des 8.Jh. *d* muß

---

[72] Anders ist *nath* zu beurteilen, s. D 16.5.4.

sich entsprechend dem graphischen Ersatz von ⟨th⟩ durch ⟨d⟩ rasch auf jeden Anl. ausgebreitet haben.

16.3.6.1. Inl. þ > đ wird auch erhellt durch den Vergleich mit *f* x *s*. Nach dem Wandel germ. *z* > *r* konnte altes *s* schon im 6.Jh. stimmhaft werden (D 16.4.3). Aber *ƀ ǥ* gab es im Rf. wahrscheinlich noch bis zur Lautverschiebung (7.Jh.; Braune §§82,3; 84b). Erst nach deren Verschwinden konnte altes *f* an die Stelle von *ƀ* rücken (über *h* s. D 16.1; 16.5.3.2). Dies war frühestens im 8.Jh. möglich, was dem D 16.2.3.4 ermittelten Zeitpunkt entspricht. Geht man also davon aus, daß die Stimmhaftigkeit immer dann eintrat, wenn die betreffende Stelle im System frei geworden war, dann lag sie bei þ früher als bei *f* (und *h*), denn germ. *đ* war schon gemeinwestgerm. zu d geworden[73]. Für sth. *đ* > þ schon vor dem 8.Jh. spricht auch der auffallend frühe Übergang in d im Bair. (aaO §167 mit A.1; auch im Ae. scheint die Stimmhaftigkeit schon sehr alt zu sein, Sievers-Brunner 1942, §200). Berücksichtigt man ferner, daß durch die Lautverschiebung *ƀ* und *ǥ* zu Vsll. wurden, dann könnte man mit intersonantisch þ > đ gegen Ausgang des 7.Jh. rechnen. Das anl. þ folgte dann (wie auch *s*-) erst später (s.o.).

16.3.6.2. Im Anl. fiel germ. þ mit d (< *đ*) zusammen, vgl. *dę̄* "der" (bet.), *dǫn* "dann", *deŋgə* "denken", *drai* "3" (alle þ-) mit *dāfə* "taufen", *dōg* "Tag", *dǫud* "tot", *dū* "tun", *driŋgə* "trinken" (alle *đ*-). Der Zusammenfall ist alt: Germ. *đ*-, früh-arf. *đ̱*-, war zur Zeit von *đ* (< þ) > /d/ bereits zu d geschwächt (D 20.4), so daß der neue (zunächst sth.!) Vsl. infolge ungenügenden "Sicherheitsabstandes" mit dem älteren kollidierte, d.h. seinen Stimmton verlor (zumal dieser bei den Vsll. nicht mehr distinktiv war, vgl. D 18.3.1), vgl. *-thrahto* mit ⟨th⟩ für [d̥] < [đ]! þ (> *đ*) > d ist also hier nicht zu erklären durch Einrücken in eine frei gewordene Stelle des Systems[74]! Eher ist an ein Ausweichen des schwächsten Partners der Dreiheit þ - *ʒ* - *s* zu denken.

16.3.6.3. Hingegen blieb der intersonantische Vsl. nachweislich bis mindestens ins 11.Jh. von germ. *đ* getrennt (D 20.4.3). Dies war möglich, weil die Schwächung des letzteren im Inl. verzögert war und durch das Aufkommen des neuen dent. Vsl. vorerst gebremst wurde. Es standen sich gegenüber Halbfortis *đ̱* (germ. *đ*) - sth. Lenis d, distinktives Kennzeichen war die Intensität, die Stimmhaftigkeit war redundant. Der aus þ zu erwartende sth. Vsl. ist zu erschließen aus der Weiterentwicklung, z.B. Assimilation von -rd- gegen 1100 wie in -ld-, -nd-, -mb-, -ŋg- (D 31.8.1f.; im 10.Jh. wurden außerdem -*ƀ*-, -*ǥ*- sth., s. D 20.12.1.1).

16.3.6.4. Im Ausl. kann man keinen Wandel þ > *đ* > d ansetzen, da hier im Ahd. (Arf.) keine sth. Grll. stehen können. Es muß deswegen mit unmittelbarem Übergang þ > Vsl. gerechnet

---

[73] Dieser Vorgang ist zeitlich nicht festlegbar, doch liegt er vor der 2. Lautverschiebung, also vor rund 600.

[74] Dies kann z.B. auch für das gesamte Ndd. gelten! Zum "Sog" vgl. etwa Penzl 1971, 171ff.; ähnlich schon Wilmanns 1911, §82,2 Anm.

werden. In sth. Umgebung stand *þ* zunächst überall im Wechsel mit *đ*; nach *đ* > *d* mußte auch *-þ* beseitigt werden, weil ein Wechsel inl. Vsl. - ausl. Rbl. isoliert war und sich eine Anpassung an die geläufigere Alternanz inl. Lenis-Vsl. - ausl. (Halb-)Fortis-Vsl. (z.B. *-þ-* gg. *-þ*, *-đ-* gg. *-t*) anbot, z.B. **aiþ/aiþ-* > **eiþ/eid-* > **eiþ eid-*, dann *eid/eid-*. daher im CL bereits *heit* (neben *kind*). Auch sonst sind ausl. ⟨t⟩ für *þ* im Fränk. auffallend früh (Franck §94). Die ⟨-t⟩ im CL (Welz 92ff.) können wenigstens z.T. vom Kopisten stammen.

16.3.6.5. Für die Geminata haben unsere Quellen keine Belege[75]. Aber L hat sich sicher so verhalten wie das Fränk. allgemein. Nach Franck (§95) werden die Schrr. für den stl. Laut (⟨thth tth⟩ usw.) im allgemeinen unmittelbar von *tt* abgelöst. Daraus zieht er mit Recht den Schluß auf das Fehlen einer sth. Zwischenstufe. Dies scheint plausibel angesichts der Abneigung gegen sth. Geminaten im Hdt. Der Übergang *þþ* > *tt* erklärt sich wie im Ausl. als Ersatz der seltenen Rbl.- Geminaten durch das weit häufigere *tt*, nachdem auch in anderen Positionen *þ* aufgegeben wurde. Wörter mit altem *þþ* sind z.B. *ględ* "Klette", *šmid* "Schmiede", *šbodə* "spotten"[76].

Im Schwachton hat sich *orə* "oder" abweichend entwickelt, s. Braune §167 A.11.

16.4. <u>Germ. *s*.</u>

16.4.1. *s* war ein sehr häufiger Laut, der in allen Stellungen vorkam (Braune §169), auch als Geminata, z.B. LB *cosso*, G.Pl. "der Küsse", die ahd. Form des ON *Lorsch*, als *Laurissa* überliefert, arf. **[Lōressa]*, s. C 1.4.5.5.

16.4.2. Die Aussprache wich von der heutigen insofern ab, als der Laut mehr *š*-ähnlich gesprochen worden sein muß[77] und dadurch phonologisch von des aus der Lautverschiebung hervorgegangenen *ȝ (ȝȝ)* geschieden war, das wie unser heutiges *s* gesprochen worden sein muß.

Die Gruppe *sk* nahm eine eigene Entwicklung, s. D 41.

16.4.3. Im Gegensatz zu *f* und *þ* ist Stimmhaftigkeit intersonantisch und anl. vor Sonanten nicht aus der Schr. zu entnehmen. Die heutige Mda. kennt sie nicht (ebensowenig wie bei *f-*, wo sie aber dennoch einst vorhanden war, s.o.). Beispiele: *sau* "Sau, Schwein", *sęi* "See", *sīs* "süß", *sọu* "so", *sọwə* "sagen"; *bęis-* "bös-", *haisə* "Häuser", *lę̄sə* "lesen", *rọusə* "Rosen", *rōsə* "toben" (`rasen`); *ọmšļ* "Amsel" (über *š* s. D 42.2.3), *hilsə* "Hülsen", *pęšiŋ* "Pfirsich" (s. D 42.2.1) u.a. Doch kann Stimmhaftigkeit allein aus der allgemeinen Parallelentwicklung von *f þ* und *s* gefolgert werden. Dazu kommt wie bei *f* die Beobachtung, daß Stimmhaftigkeit noch heute im N des Sprachgebiets

---

[75] Für den CL (Welz 91f.) gilt das oben zum Ausl. Gesagte.

[76] *modə* ist Lwt. s. D 4.2.1.

[77] Schwarz 1926, 7; 11ff.; 16ff.; 19ff.; Braune §168; Lessiak 1933, 77f.; s. auch D 18.6.2.

verbreitet ist[78] und sich andererseits wiederum in südlichen Reliktgebieten findet[79]. Daß sie auch das Wmd. im Anl. gekannt hat, ist hinreichend untersucht und begründet worden besonders von Lessiak 1933, 77ff., bes. 99ff.; 105. Auch in unseren Mdaa findet sich vereinzelt Ersatz von anl. stl. *s-* in Lwtt durch *ts-*, so in *Salat* (z.B. Freil. §231 A.3), *Sibylle* (SH *Maria-S.*, vgl. Lessiak 87ff.). Die Stimmhaftigkeit ist im Inl. schon verhältnismäßig früh eingetreten, nach Schwarz (1926, 9ff.) schon im 6.Jh.: ein gemeinwestgerm. Vorgang. Das *s* rückte auf den durch *z* > *r* frei gewordenen Platz ein (vgl. D 16.3.6.1). Der Anl. folgte erst später, spätestens aber zusammen mit *f* und *þ*, also im ausgehenden 8., anfangenden 9.Jh. Doch war die anl. Stimmhaftigkeit ähnlich wie bei *f-* nicht so ausgeprägt wie im Inl., hinter stl. KK fehlte sie ganz, vgl. D 16.2.3.3.

16.4.4. Einer besonderen Beantwortung bedarf die Frage, ob auch vor *l m n* und *u̯* anl. *s* sth. geworden sei. Die deutschen Mdaa mit *z-* verhalten sich hier verschieden. Im Sbair. ist Stimmhaftigkeit vorhanden (Lessiak 1933, 83f.; 99f.; Kranzmayer 1956, §27a1 und bes. §32), das Omd. kennt (kannte) sie nicht (Schwarz 1926, 14; 36f.; Lessiak 1933, 83f.; 87ff.). Auch im Niederländ. ist sie vor *l m n* nicht üblich, wohl aber vor *w*. Soweit in den ndd. Mdaa anl. Stimmhaftigkeit gilt, ist *s* vor *w l m n* stl. (Lessiak 76f.; Schirmunski 1962, 358ff.). Das Rf. hat demnach sicherlich ebenfalls vor *w l m n* immer die Stimmlosigkeit bewahrt[80]. Für ihre Erhaltung speziell vor *l* sprechen auch die ahd. Schrr. *scl-* für *sl-*, die besonders im Fränk. (allerdings m.W. nicht in L) belegt sind (Franck §102; Braune §169 A.3), ganz gleich wie sie im einzelnen zu deuten sind.

16.5. Germ. *x*.

16.5.1. *x* kommt in allen Stellungen des Wortes vor: im Anl. vor V und *l r n w*. Die Geminata war verhältnismäßig selten (Braune §§150; 154 A.7) und fiel nach der zweiten Lautverschiebung mit ahd. *hh* (germ. *k*) zusammen.

16.5.2.1. Der ursprünglich gutt. Rbl. hatte im gesamten germ. Sprachbereich die Tendenz, allgemein anl. sowie inl. zwischen VV in den Hauchlaut überzugehen. Auch vorkonsonsonantisch dürfte der Rbl. schwach gewesen sein: vorliterarisch Schwund vor *t* (D 16.5.4), später auch vor *s̓* (D 35,4; vor *s̓+K* schon ahd.: Braune §154 A.5; vgl. ferner Franck §114; Schwarz 1926, 70; 66ff.). Ferner ist auf Grund der späteren Entwicklung auch für die inl. Verbindungen Liq. + *h* mit früher Schwächung *x* > *h* zu rechnen (D 35.5); fürs Ahd. z.B. auch Otfrid *bifilu* (Braune §154 A.1).

---

[78] Verbreiteter als bei *f*! S. den Überblick bei Schirmunski 1962, 358f.

[79] AaO 359; Jutz 1931, 197 und bes. Kranzmayer 1956, §27g.

[80] Auch bei *f-* ist sie anscheinend erst relativ spät durchgedrungen, s. D 16.2.3.4.

Teilweise begann die Entwicklung $x > h$ besonders im Anl. schon sehr früh, vgl. lat. Schrr. (Schwarz 1926, 62). Ebenso wird auf dem Helm von Negau ⟨χ⟩ nicht für den stl. sondern für den sth. Rbl. verwendet: *hariχasti*. Die germ. *h*-Rune entstammt dem nordital. *h*-Zeichen und nicht dem dortigen χ (vgl. z.B. Krause 1953, §103 A.6; 1970 §25,1).

16.5.2.2. Wann sich die *h*-Aussprache im Fränk. durchsetzte, ist nicht mehr einwandfrei zu ermitteln. Jedenfalls scheint in der älteren Zeit in Gallien noch ein stärkeres Reibungsgeräusch hörbar gewesen zu sein, weil sich im Wfränk. (und von da aus im Ahd.) ⟨Ch-⟩ besonders in PN bis in historische Zeit so hartnäckig hielt (auch als schon bloßer Hauchlaut üblich geworden war)[81]. Auch der Ersatz von *hl-, hr-* durch afrz. *fl-, fr-* spricht dafür. Reiner Hauchlaut hätte hier ersatzlos wegfallen können. Daß zur Zeit der fränk. Landnahme noch [x-] gesprochen wurde, zeigt ein Name wie *Chlodwig* (466-511), im Afrz. volkstümlich entwickelt zu *Cloevis*. Der Übergang $x > h$ dürfte spätestens im 6.Jh. vollzogen worden sein[82]. Die fränk. Herrschernamen behielten indessen noch lange ihre traditionell gewordene Schr. bei[83]. - Ein ursächlicher Zusammenhang zwischen $x > h$ und der Lenierung der Rbll. *f þ s* scheint aber nicht zu bestehen, weil der Gutt. in allen germ. Sprachen geschwächt wurde[84].

16.5.3.1. Der neue Hauchlaut blieb im Anl. vor V und zunächst auch intervokalisch erhalten, anl. vor Liq., *n u* schwand er im Rf. bis etwa zu Beginn des 9.Jh. (Braune §153 mit A.1; Wilmanns 1911, 119; vgl. Franck §101,1). Während der Weißenburger Katechismus noch *h-* hat, ist es bei Otfrid weggefallen. Ebenso haben alle alten L Quellen aus dem 9.Jh. in diesen Fällen kein *h* mehr: LB *waz, lûtar-* (Weiß. Kat. *hlûttru*), Gl1 *ruoh*, Gl3 *wass-*. In dem von Welz (106ff.) untersuchten Teil des CL ist kein *h* vor K mehr belegt, was aber auch auf das Konto der Kopisten gehen kann.

Wie anderwärts finden sich auch in L Fälle mit falscher Setzung von *h* vor V: LB 2x *heit* "Eid", BS *hûcze, hurolob* dazu einige Namen aus dem CL (Welz 109 o.; zum Ahd.: Braune §152 mit A.1; Franck §109). Gesprochen wurde dieses *h* nie, sondern entsprang nach herkömmlicher Deutung dem Vorbild des Rom., wo man lat. *h* oft schrieb, ohne es zu sprechen. Eine andere mögliche Deutung s.u.

---

[81] Franck §109,2; Braune §151 A.2; auch im CL: Welz 107. Zur Deutung Schwarz 1926, 62f.

[82] Zum Afranz. s. Fouché 1966, 692f.; Pope 1952, §635; Richter 1934, §145. - Für diese Datierung sprechen auch die germ. Lwtt des Slav., s. Schwarz 1926, 64f. und den Wandel *cht* > *t*, der ebenfalls in diese Zeit fällt (s.u.).

[83] Das bei Gallée (1910, §258) belegte *Chathumêri* für jüngeres *Hathumêri* mit dem etwa zu Beginn des 8.Jh. vollzogenen Wandel $\bar{e} > \bar{a}$) weist auf längere Erhaltung des Rbl. auch im As. hin.

[84] Auch im Got., s. Krause 1953, §§47; 49.

16.5.3.2. Intervokalisch hat gerade das Fränk., auch L, frühe Fälle von Schwund: LB 1x *ih giu* neben 12 *gihu*, dazu weitere 6 Fälle mit erhaltenem *-h-*. Mehrfach fehlt *h* auch im von Welz bearbeiteten Teil des CL (S.109). Doch ist hier mit Angleichung an die Sprache des 12.Jh. zu rechnen. Weitere Belege aus dem Fränk. bei Franck §110,1; vgl. Braune §154 A.1. Ein völliger Wegfall ist schon wegen des verhältnismäßig seltenen Fehlens für das 9.Jh. noch nicht anzunehmen (vgl. D 35.3). Ich sehe darin eher Hinweise, daß der Hauchlaut wie *f þ s* intervokalisch zur Stimmhaftigkeit neigte, vgl. gewisse konservative obd. Mdaa (Kranzmayer 1956, §§27a1; g; 33). Diese Stimmhaftigkeit war die Vorstufe zum späteren Schwund. Im Satzinl. hinter Sonanten griff sie vielleicht auch auf den Wortanl. über. So könnte man den Schwund von *h* vor Liq., *n ṷ* erklären, der sich um 800 vollzog[85]. Zeitlich läßt sich das Aufkommen der Stimmhaftigkeit nur aus der Häufung des Fehlens von *h* erschließen: schon bei Isidor und Tatian, später noch häufiger (Franck aaO). Demnach wurde *h* intervokalisch wohl etwa um 750 sth., anl. in der 2.Hälfte des 8.Jh. (*h*-Schwund!), aber nur im Satzinl. Für eine Verallgemeinerung wie bei *f- s- (þ-)* fehlen Hinweise.

16.5.3.3. Ausl., wo sich der Gutt. erhielt, wurde er zunächst gleichfalls ⟨h⟩ geschrieben. So noch durchweg im 9.Jh.: LB *noh, thuruh*; auch im 10.Jh.: BS 2x *noh*. ⟨ch⟩ kommt erst später auf[86]. Noch in der heutigen Mda erhalten: *dọrš* "durch", *nox, họux* "hoch"[87].

16.5.4.1. Eine eigene Geschichte hatte germ. *xt*. Nach Frings (1926/27; vgl. Brinkmann 1931, 187) ist *x* vor *t* schon in der (vorahd.) Merowingerzeit ausgefallen. Man könnte mit Heinrichs (1961, 144f.) an die Zeit gegen 700 denken. Der Ausfall umfaßte das gesamte Westdeutsche, darunter auch das Rf. Auch aus arf. Zeit gibt es dafür Zeugnisse: LB zwar 25x *ht (hd)*, aber 1x *nath*, in den Textausgaben wiederholt fälschlich zu *naht* korrigiert. ⟨th⟩ auch sonst im Ahd. (Braune §154 A.6; Franck §113). Daneben seltener ⟨t⟩, in den Straßburger Eiden ⟨dh⟩ (*madh* neben *reht*-). ⟨th⟩ hat wie ⟨dh⟩ als Zeichen für den einfachen Vsl. mit Länge des vorausgehenden V zu gelten[88]. ⟨th⟩ galt als vornehmer, weil es an die "bessere" Lautung *ht* erinnerte.

Belege für ⟨th⟩ (und ⟨t⟩) gibt es bis ins 14./15.Jh. aus dem ganzen shess. Raum, s. Froeßl 34ff. und im größeren Rahmen Gleißner-Frings 1941, 134ff. Im einzelnen s. Welz 108; Hoffmann §29,5.7; HpU 1327 *knethe* D.Sg., 2x *rethe* D.Sg., *gerethe* D.Sg. "Gericht", *reth, allirslathe*. Dazu noch einige Zahlen über die Verhältnisse im 14.Jh. nach BII: 8 *t*, rund 40 *th*, viele *(c)ht*,

---

[85] Vielleicht war sie auch mit ein Grund für die öfter fälschliche Setzung von anl. *h*- wie z.B. LB *heit* "Eid", BS *hûcze*.

[86] Einzelheiten s. Braune §154 A.4; dazu Welz 109.

[87] Über das weitere Schicksal des gutt. Rbl. s. D 35.4f.; 47; 49.3.2ff.

[88] So Frings 1926, 111f.; bei Froeßl 31ff. Überblick über die älteren Meinungen.

darunter auch 21 falsche (!); Beispiele: BII 81: 1317 *nohtdorftig*, 82: 1317 *goht* "Gott", *gůht*, 383: 1365 *saboht* "Sabbath", 432: 1371 *Elisabeht - reht*, 567: 1385 *mansmaht*, *grůmaht* (wie *gerihte*). Besonders auffällig die Kombinationen in *Lihthenstein* 1269, *rechthet* 1287, *rehthen* 1300 (Hoffmann 197f.). Eine so starke Abnahme der ⟨th⟩ gegen Ende des 14.Jh. wie Froeßl (35) konnte ich nicht feststellen. Noch zwischen 1380 und 1400 fand ich neben *(c)ht*: 1 *t*, 12 *th*, 4 falsche *ht*.

16.5.4.2. Nach Frings (aaO 112f.) ist die Erscheinung schon ahd. im Abklingen. Daher ist die Zahl der ⟨t⟩ auffallend gering. Daß aber die Aussprache dennoch wenigstens in der Unterschicht noch weitgehend am bloßen *t* festhielt und *ht* zunächst reine Schr. war, zeigen die falschen *ht* (fast 5x so häufig wie *t*). Ganz anders in kleinen Kanzleien wie Leiningen, bei Boos mit zwei Ukk vertreten: 4 *t* (dazu 1 *tt*), 5 *th*, dazu *etheliche, -rathe*, was beweist, daß dies nur "vornehmere" Schr. war - hingegen keine falschen *ht*, also viel ursprünglicher.

Das Nebeneinander verschiedener Schrr. illustriert die Unsicherheit der Schreiber. Hier noch einige Beispiele aus BII: 26: 1306 *mothen* "mochten", *wihennathen*, aber auch einerseits *-luthe* "Leute", andererseits z.B. *unreht*; 110ff.: 1321 neben 2x *riether* "Richter", *dother - gelieth* "Glied"; 348f.: 1359 *baht* "bat" - *iht, mohte - nit, gelat* "gelegt" (md. *gelaht*); 399: 1366 *rýther* "Richter", *gerîthes - rýchter, gerichtes*; 441: 1373 *mansmahat - mansmaht* (3x) - *mansmaden* (D.Pl.), dazu *riehtere* (N.Pl.), *ahte, ahczehen*; 499: 1380 PN *Margreht*; besonders originell ist PU 232: 1376 *ahchzehen*. Aus dem Bild, das die Ukk bieten, folgt, daß die gesprochene Sprache damals noch weit mehr als die geschriebene einfaches (nach D 18.3.2,2 geschwächtes) *t* sprach. Die Tendenz, *ht* zu schreiben, wuchs mit der Größe der Kanzlei. Von daher ist es sicher falsch, wenn Froeßl (34f.) meint, in Mainz sei der Ersatz von *t* durch *cht* bereits vor der Überlieferung durchgeführt worden. Vielmehr hatte die Mainzer Kanzlei geschultere Kräfte, die eher Grobmundartliches vermeiden konnten. Man müßte sonst annehmen, daß zur Zeit der Abfassung der LB *cht* schon überall eingeführt worden wäre, was den späteren Belegen widerspricht.

16.5.4.3. Wie nun sah es in der gesprochenen Sprache aus? Im 13.Jh. muß der Rbl. nach Ausweis der Schrr. noch weitgehend gefehlt haben. Heute ist er fast überall vorhanden, Beispiele s. C 12,1, ferner die Handbücher und das SH. *ch* muß also in der Zwischenzeit erneuert worden sein. Doch kann man aus den dargelegten Gründen nicht mit Froeßl (34ff.) allein der schriftlichen Überlieferung trauen. Darauf weist außer den mittelalterlichen Schrr. auch die überall wenigstens resthaft erhaltene Ersatz-Dg. hin, vgl. z.B. LB *-reht - reith* (u.ä., Hoffmann 197: 1283) - L *rēšd*, oder LB *mohda mothe* (aaO. 1300 u.ö.) - L *mēgd* [89], LB 3x *al(a)mahtig* - Straßburger Eide *madh*. Gerade dieses Beispiel zeigt den Weg zur Lösung: Nicht erst in den mittelalterlichen Kanzleien war der *ch*-Verlust verpönt, sondern bereits in arf. Zeit. Der Verfasser der LB war ein Mönch; in der Sprache der Gebildeten, zumal im religiösen Wortschatz (*al(a)mahtig* gegenüber

---

[89] Über die Konj.-Formen *brēgd, grēgd, mēgd* s. D 27.6.

dem "weltlichen" *madh. bigiht* 2x - *unbigihtig, crûcithrahto*[90], *reht* - *unreht*) der Mönche wurde einfaches *t* gemieden. Nur in dem Alltagswort *nath* entschlüpfte dem Schreiber ein *th*. Es kann daher als sicher gelten, daß von arf. Zeit ab bis in die Neuzeit hinein der Gebrauch von *(c)ht* als vornehmer galt. Die sprachliche Oberschicht trachtete, wenn auch nicht immer konsequent, früh nach Wiederherstellung des Rbl., und zwar nunmehr mit demselben Rbl., wie er auch in *sprah* *[sprax]* vorkam (Schwarz 1926, 69). Die Unterschicht behielt noch lange *t* (bzw. dessen Fortsetzungen, s.u.) bei. Die Auseinandersetzung zwischen *cht* und *t* war nicht eine sprachgeografische (Gebiete mit Erhaltung gg. solche mit Verlust, s. Brinkmann 1931, 187), sondern eine soziale, wie bereits Frings[91] mit Recht vermutete. Dabei muß man aber mit Frings und Brinkmann annehmen, daß *cht* bereits in ahd. Zeit in die "Grundschicht" vordrang, gerade im religiösen Wortschatz (*bigiht*!).

16.5.4.4. Da die Schr. der Aussprache weit vorauseilte, ist die Zeit der Wiederherstellung des Rbl. nicht leicht zu ermitteln. Indessen gibt es Indizien, daß der Prozeß in Rhh hauptsächlich im 14.Jh. verlief. Bei Froeßl (38) sind Fälle mit -*ch* < -*cht* belegt (14.Jh., n/mRhh), die unbedingt Rbl. voraussetzen. Außerdem ist die rhh Überbildung *ōxdǝm* "Atem" (s.u.) leichter auf der Basis *ōdǝm* als modern *ōrǝm* verständlich. Aber *d* > *r* gehört in die frühe Neuzeit (D 24.7.2). In St hingegen gibt es nur *ōrǝm* (so L). Außerdem zeigt z.B. HpU 1327 nur ∅-Formen gegenüber LU 1441 mit *cht* (*recht, acht, mochten*). Dort ist also *ch* zögernder wiederhergestellt worden, etwa im 15.Jh.

Dabei hielten sich isolierte Restformen lange, z.T. bis heute, z.B. der FIN Wo-Pfiffl *Knechtelsgraben*: noch 1595 *Knittels*- (R 180); *Acht*, L *ǭxd*, Az-Schornsh *ǭd* (SH). Häufig unbet. *nid* (*ned*; Froeßl 37; s. D 17). Keine Wiederherstellung auch im Adj.-Suffix mhd. -*echt*, s. C 30.3; 37.4.7.

16.5.4.5. Die meisten der oben genannten umgekehrten Schrr. sind rein graphisch zu werten, doch konnten auch in der gesprochenen Sprache überkorrekte Formen entstehen und sich z.T. halten. Am verbreitetsten ist das genannte *ōxdǝm*: Rhh (SH) und Pfalz (Christmann 1935); St † *gescheicht* (SH *gescheit*): Di-FCrumb, Be-Raid Fürth, früher anscheinend verbreiteter.

16.5.4.6. Eine Schwierigkeit ist m.W. in der Literatur nirgends beachtet worden, nämlich die Qualität des V vor der (ehemaligen) Gruppe *cht*: Wie C 12,1 gezeigt, schwand *ch* unter Ersatz-Dg. des vorhergehenden V. Die Länge muß so alt sein wie der *ch*-Schwund. Dennoch werden die so gedehnten VV nicht so entwickelt wie die (vor-)ahd. Längen sondern wie die erst im 12.Jh. gedehnten KVV (vgl. C 21.2ff.). Es heißt L *nōxd* wie *dōg*, nicht wie *nōd* "Naht" (ahd. *nât*), *rēšd*

---

[90] Vgl. demgegenüber L *drǫxd* "Tracht (Prügel z.B.)" < *drōd*.

[91] 1926/27, 113; 118. Stärker betont wird dieser soziale Gegensatz noch von Heinrichs 1961, 142ff. Vgl. auch den Gegensatz Ws - Leiningen!

wie *brēd* "Brett", nicht wie *gēid (gêt). gīšdə* (D 48.2.2) für zu erschließendes älteres **gēχdə* wie *šbēl* "Spiel" und nicht wie *laišd* "leicht" (*līhti*) oder *baišdə* > *bigiht, laid* "liegt" < *ligit* mit ebenfalls erst sekundär entstandenem *í* (D 23.2.1; 23.2.2.12), *froxd* "Getreide" ('Frucht') für **frōxd* (C 12.1) wie *sō* "Sohn" (*sunu*) und nicht wie *haud (hût)*. Dagegen mit alter Länge z.B. *gəbrōxd* "gebracht", † *dōxd* "Docht" (ahd. *brâht, tâht*). Eine Datierung des *ch*-Schwundes auf Grund der relativen Chronologie müßte hier zu völlig falschen Ansätzen kommen.

Nun steht verbreitet neben den Wörtern mit Auseinanderhaltung der V-Quantitäten das eigenartige *pōxd* "Pacht", mhd. *pfaht,* ahd. **pfahta,* arf. **⟨patha⟩. pōxd* weicht heute nach N zurück, L hat *pǫxd*. Aber *ō* war einst allgemein üblich, vgl. Gef. 1632: oft *pfocht,* ferner SH. Das erwartete *pǭxd* (wie *nǭxd*) kommt zwar vor (SH), ist aber ebenfalls jung. Eine Erklärung hierfür ist nicht im (vulgär-)lat. *pācta* sondern im Gegensatz zwischen Ober- und Unterschicht zu suchen. Jene war nicht nur bestrebt, *ch,* sondern auch die alten V-Qualitäten (und -Quantitäten) wiederherzustellen. Es standen nebeneinander **nǭd* und **nǭxd, *näxd*. Dies entsprach gegen Ende des 12.Jh. dem ähnlich strukturierten Nebeneinander von volkstümlichen **ǭšd, *ġrǭfd* (C 8.3.3) und oberschichtlichem *ǎ,* besonders aber von **wǭšən* < **wahšən,* in dem die Oberschicht gleichfalls zeitig bestrebt war, *ch* wieder zu erneuern, also **wǭxš-, *wǭgš-,* s. D 35.4. Dadurch geriet *(ch)t* in den Sog der Gruppen *(ch)s, ft, st,* was zur Umbildung der VV führte. Dabei blieb der eine oder andere Rest stehen. Allein *pōxd* hat sich als Wort der Bauernsprache (vgl. SH) mit älterer V-Qualität erhalten können.

16.5.4.7. Durch die um sich greifende Unsicherheit in der Setzung bzw. Nichtsetzung des /χ/ vor *t* erhielt das (später untergegangene) Prät. und das Part. von *machen* nach Verlust des Binde-V[92] auf analogischem Wege entsprechende LV-Formen. Vgl. zunächst L *maxə: gəmōxd,* verbr., SH; hist.: BI 343: 1300 *methe* (Konj. Prät. `mächte´), BIII 312ff.: 1427 *gemaicht* 2x, 3.Pl. *maichten;* ferner rip. *jemāt* sowie BII 348f.: 1359 *gelat* "gelegt" neben *gelaicht* (BIII 312ff.: 1427).

16.6. Das Ergebnis der Schwächung alter Rbll. waren sth. (oder stl.) Lenes. Als Fortes waren sich zunächst noch in folgenden Stellungen vorhanden:

1) geminiert;

2) vor (und hinter) K: *fs, ft, sp, sk, st, cht,* soweit vorhanden aber geschwächt in *hs* und wohl auch schon *-lh-, -rh-;*

3) ausl. (vgl. Moulton 1954, 36f.).

---

[92] Nach Krüer (1914, 289) schon früh bezeugt: analogisch? Vgl. auch C 37.3.2.1.

<u>Exkurs</u>: *nicht, nichts - etwas*

17.1. Die drei Wörtchen lauten heute verbreitet *nid*, jünger *ned* (C 19.13), *nigs, ebэs* mit lokalen Varianten (SH). Daneben leben Reste älterer Formen weiter: verbr. shess. *eist* "irgend(wie), einigermaßen" mit Varianten, L *aišd*, ältere Bedeutung *"etwas" (s.u.). Wenigstens in Rhh gab es darüber hinaus *aud* "etwas", noch in der Wendung *haud orэ naud* "entweder - oder" (SH *aut*[93]), eig. "etwas oder nichts", worin in *naud* gleichzeitig ein altes Wort für "nichts" weiterlebt[94]. Ein weiteres Wort für "nichts", nämlich das dem *aišd* entsprechende *naišd*, ist noch belegt in SH *nichts-gutzig*: Be-Nordh, Bi-Horrw *naiš-*, ferner hist. z.B. BII 575: 1386 *nůst*, BIII 314: 1426 *nust*; später: Tischz II,71 *neutzt*[95]. Sie gehen zurück auf noch ältere zweisilbige Vorformen, z.B. BII 620: 1390 *nuschit* (vgl. D 42.5.1), BIII 292: 1424 *mustnit, nushit* mit verschiedenen Varianten. Dagegen heißt "nicht" in Wser Ukk stets *nit(h)*, gelegentlich *ni(c)ht*. Für "etwas" steht dort im allgemeinen *iht*, das aber heute völlig ausgestorben ist.

17.2. Diese Vielfalt bedarf einer Deutung. Die zuerst von Lenz (1888) vorgetragene Deutung von *eist* (*ihtes* + *iht* > *ihsit* > *ihst* > *īst* > *eist*), im SH wiederholt, ist abzulehnen, weil sie auch für *naišd* gelten müßte. Aber hier schreiben die Vorformen durchweg ⟨u⟩ = *[ū][96]. Lediglich die zweite, später weggefallene Silbe weist *i* auf. Außerdem wird *ī* < *ie (ieht)* nie diphthongiert (C 20.5).

17.3. Die Entwicklung scheint mir etwa so verlaufen zu sein:

Das Ahd.[97] besaß für "nichts" zwei Wörter: *niwiht* = *ni* + *wiht* "keine Sache" und *neowiht*, jünger *nio-*, = *ni* + *eo* + *wiht* "keine Sache immer" = "überhaupt, gar nichts", also verstärkt. Davon war *niwiht* das ältere Wort, wie das Got. zeigt. Wörter der Verneinung bedürfen häufig der Verstärkung, weil sich ihr ursprünglicher Sinn abschwächt. (Vgl. das Franz.: *non* > *ne(n)*, verstärkt durch *pas*, dann übernimmt *pas* in der Umgangssprache allein die Verneinungsfunktion).

---

[93] Nur aus Az-Vend belegt; ich kenne es auch aus der Wser Gegend (z.B. Wo-Gundersh). *h-* nach *Haut*.

[94] Haster 1908, 63f. kannte noch *(h)aut* und *naut* in der ursprünglichen Bedeutung aus der S- und WPfalz.

[95] Weiteres, auch über die Verbreitung solcher Formen, s. Ostersp. 3f.

[96] Das SH müßte dann *eust* statt *eist* schreiben.

[97] Einzelheiten zum folgenden s. Braune §299; Schatz §428; für das Mhd. Paul §151,7.8; Weinhold §494; dazu Kienle 1969, §187; Louis 1917.

Neben *niwiht* erscheint früh *niuwiht* als Angleichung von *-iwi-* an die geläufige Gruppe *-iuwi-*[98], wobei gleichzeitig auch die sonst übliche Alternanz *iu/io (niowiht!)* eine Rolle spielte (vgl. Schatz §46). Wegen der Vereinfachung von *cht* sind für das Arf. **niuwit* und **niowit* anzusetzen. Nach C 13.3.2ff. wurde *iuw* zu *ūw*, dann wurden beide nach C 25.3.3 zu, **[nūd̯, nī̯d̯]* kontrahiert, den unmittelbaren Vorläufern von späteren *naud* und *nid*.

Das ausdrucksstärkere **niet* wurde schon spätahd. herangezogen zur Verstärkung anderer Verneinungen: 1. von ahd. *ni > ne*, z.B. für *ih ni weiʒ* tritt *ih ne weiʒ (en weiʒ) nit* und später (ab 13.Jh.) *ih weiʒ nit* ein (vgl. C 41.2,5); 2. auch *nūt* wird verstärkt: **nūtes-nī̯t* "nichts von nichts" ('nicht das Geringste') und mit Umlaut und Synkope **nṻtsnit*. Über die Stufen **nṻtsit* (Dissimilation) und **nṻtst* wird dann im 14.Jh. *nṻst*, d.h. **[naišd]*, erreicht.

Durch den Fortfall der schwachen Negation *ne (en)* wurde *nit* auf die Bedeutung "nicht" eingeengt, was eine semantische Abschwächung bedeutete, die ihrerseits wiederum die Verwendung in der Unbetontheit und die Kg. des V (C 19.13) zur Folge hatte. *nūt* und besonders das stärkere *nṻst* übernahmen die Bedeutung "nichts". Aber auch *nūt* wurde früh seltener und erhielt sich nur in der Wendung *haud orə naud*, während *nṻst > naišd* durch das umgangssprl. (und daher wieder ausdrucksstärkere) *nigs* verdrängt wurde, also ein ständiger Prozeß der Abschleifung und Erneuerung.

17.4. Das ahd. *eo-, iowiht* "etwas" entwickelte nach dem Muster der Verneinung zunächst ein *iuwiht*[99]; entsprechend wurden beide zu **ī̯t* bzw. **ūt*. Das erstere ist in Wser Ukk als *iht (ith)* gut belegt, verlor aber parallel zum Bedeutungswandel von *nūt* "nichts" > "nicht" an Bedeutung. An seine Stelle trat *ūt (> aud)* und ein nach **nūtes-nīt* geschaffenes **ūtes-ī̯t > ūst > aišd. ūt* selbst trat dann gegenüber dem stärkeren *ūst* zurück. Doch mußte auch dieses später vor dem konkreteren und daher stärkeren *ɛbəs* weichen und konnte sich nur in abgeschwächter Bedeutung erhalten. Wir können also eine mehrfache Staffelung von wiederholter Neuschöpfung und allmählichem Verfall beobachten: *ī̯t - ūt - ūst - ɛbəs, nūt - nīt - nṻst - nigs*.

d) Das arf. Geräuschlautsystem (phonologisch)[100]

18.0. Im Rahmen dieser Arbeit kann nur das Wichtigste besprochen werden.

18.1. Vor der 2. Lautverschiebung war in der Reihe *p - b, k - g, t - d* die Stimmhaftigkeit distinktives Kennzeichen. Redundant war bei den Tenues eventuell auftretende Behauchung (die

---

[98] Eine Paralle ist *geluwen*, s. C 1.3.3.2.

[99] Hier erscheinen die *iu*-Formen später als in *niuwiht!*

[100] Wichtige Literatur: Moulton 1954; Fourquet 1956, 79ff.; ds. 1958; Valentin 1962.

in gewissen Verbindungen fehlte, s. D 12), bei den Medien *b g* der Rbl.-Charakter in gewissen Stellungen (so wohl intervokalisch). Daneben standen jeweils entsprechende Geminatenphoneme.

18.2. Unmittelbar nach der Tenuesverschiebung hatte sich die Zahl der Allophone vergrößert: /ph+p/, /kh+k/ > ph+*pf+p/, /kh+*kx+k/. *[pf+kx] standen hinter V (Liq.? s. D 14.1.3; 14.2.2) und wurden vorhistorisch zu *ff xx*. Aus /th+t/ entstand gleichfalls *th. tʒ—t*. aber in anderer Verteilung: [th] nur noch anl. vor *r* (D 14.3.2,1), [tʒ] anl. vor V, inl./ausl. hinter V, Liq., *n*. Intervokalisch wurde *[tʒ] wie *[pf kx] zu [ʒʒ].

Die neuen *ff xx* fielen mit den (seltenen) alten Geminaten *ff xx/* zusammen, während ʒʒ in Opposition zu /śś þþ/ trat. Damit war eine Spaltung der alten Tenues in /Vsll./ und /Rbll./ vollzogen.

18.3.1. Einen weiteren Einschnitt bedeutete die Medienverschiebung. Durch den Verlust der Stimmhaftigkeit ging das distinktive Kennzeichen verloren. Ferner wurde infolge der Ausbildung von (Halb-) Fortis-Allophonen ([ḇ g̣ ḏ - t]) der Lenis - Fortis-Unterschied verwischt. Damit konstituierte sich als entscheidender Unterschied die Behauchung (Lab., Gutt.) bzw. der Affrikatencharakter (Dent.)[101], d.h. Aspiraten bzw. Affrikaten waren nunmehr merkmalhaltig, also die Umkehrung der vor der Lautverschiebung herrschenden Verhältnisse.

18.3.2. Die Konsequenzen daraus waren einschneidend:

1) Die seltenen [th-, -tth-], die vor *r* unverschoben geblieben waren, verloren ihre nun als redundant empfundene Behauchung ("innerer Lautersatz") und mußten dann als Allophone von /ḏ-/, /-tt-/ (= wgerm. d-, -dd-) gedeutet werden.

Desgleichen wurden vereinzelten hinter *l* stehengebliebene /ph/ ins /b/-Phonem integriert, z.B. ON Bi-O/NHilb, s. C 37.2.2.2.

2) Da es einen Gegensatz */tr-/ - /ḏr-/ nicht gab, verlor jenes seine unmotivierte Fortisaussprache. Dies hat nichts mit der späteren K-Schwächung zu tun, sondern hat allein phonologische Gründe. Als unmittelbare Folge der Lautverschiebung gehört dieser Vorgang sicher noch ins frühe 8.Jh.

Ebenso gab es in einzelnen Wörtern intervokalische [t], die auf demselben Weg durch [d] ersetzt werden mußten. Beide wurden später über *đ* zu *r*. Folgende Fälle sind zu nennen: 1. *-t-* < *-cht-* nach D 16.5.4, vgl. die Adoptivform rhh (pfälz.) *ōxdəm* für *ōrəm* (aaO); 2. alte Entlehnungen, die sich aus verschiedenen Gründen nicht der Lautverschiebung anschlossen, so z.B. *Kater*, ahd. *kataro* (s. Kluge), L *karə* (vgl. SH); *Peter*, L *peidə* mit hdt. *d*, verbr. aber *-r-* (SH); ferner mit Assimilation nach D 31.1 der ON Er-*König* [kiniχ] (Freil. 270).

---

[101] Wir betrachten [tʒ] als Phonem, vgl. B 2.4.3,1 und die Parallele /-pph-, -kkh-/ - /-ttʒ-/ !

3) Ähnlich wie die [*t*] unter 1, 2 wurden auch die alten unbeh. Tenues-Allophone [*p k t*] (hinter Rbl.) zu Fortis-Allophonen von /*b+b̲*/, /*g̈+g̅*/, /*d̲+t*/ umgedeutet. Da sie in ihrer Umgebung immer eindeutig vorhersagbar waren, bestand zunächst keine Notwendigkeit einer Beseitigung (im Gegensatz zu /*ph*/ von Nr. 1).

18.4. Die bisherigen Vorgänge lassen sich schematisch etwa so darstellen (die Entwicklung beim Gutt. entspricht der beim Lab.; vorahd. Vsl.-Geminaten sind zur besseren Übersicht weggelassen):

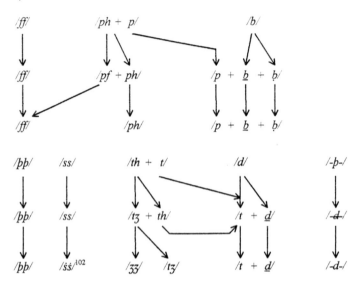

18.5. Die verbliebenen *ph kh t*ʒ kamen nun, zunächst noch ohne erkennbare Allophone, im Anl., Inl. (intersonantisch, *ph kh* auch vorkonsonantisch) und im Ausl. vor, intervokalisch hinter KV immer als Geminaten, während hinter LV /*tt*ʒ/ sicher gekürzt worden war. Für LV + /*pph*/ haben sich keine Beispiele erhalten, /*kkh*/ kam nur noch in der (unbelegten) Vorform von L *fəšāigə* "verscheuchen" (mhd. *-*schöucken*) vor[103]. Die Weiterentwicklung läßt auf Beibehaltung der als expressiv empfundenen Länge schließen (D 50.3.4). Wahrscheinlich haben sich solche isolierten Fälle früh dem etwas häufigeren Typ LV + /*g̅g̅*/ angeschlossen. Jedenfalls war im Arf. der Geminatencharakter bei /*kh*/ nicht mehr relevant.

18.6.1. Auch das System der Rbll. wurde umgestaltet. Vor der Lautverschiebung gab es: /*fl* - *ff*/, /*b̲* - *b̲b̲*/, /*s*/ - /*ss*/, /*x*/ - /*xx*/ > /h *x*/ - /*xx*/. Intersonantisch, z.T. auch anl., wurden /*fl* /*b̲*/ /*s*/ /[h]/

---

[102] Übergang *s* > *š* nach D 18.6.2.

[103] *šnēgə* ist nicht einheimisch, s. C 2.3.2.7.

später sth. [h] gehörte damals noch ins Rbl.-System: Der Gegensatz anl. und inl. /[h]/ - x/ entsprach in etwa dem von anl. und intersonantisch /[v]/ - /f/. Der Geminatencharakter war phonologisch relevant, nicht jedoch die später aufkommende Stimmhaftigkeit in gewissen Stellungen (s.u.).

18.6.2. Bei der Lautverschiebung verschmolzen die neuen mit den alten /ff/ /xx/. Das neue /ȝȝ/ hingegen trat in Opposition zu /þþ/ und /ss/. Dabei mußte dieses wegen des ungenügenden "Sicherheitsabstandes" ausweichen. Nach Schwarz (1926, 18) hatte es eine ś-artige Aussprache angenommen. Es fällt auf, daß diese vornehmlich in jenen Gebieten anzutreffen ist (war), wo durch den Wandel */tȝ/ > /ȝȝ/ ein neuer dent. Rbl. entstanden war (aaO 16ff.; 20ff.). Zwar kam /ȝ/ z.B. nie im Anl. vor, aber zunächst trafen /ȝȝ/ und /ss/ aufeinander, dann nach der Kg. von /ȝȝ/ hinter LV auch /ȝ/ mit /s/. Nicht von ungefähr fällt der mutmaßliche Beginn der ś-Aussprache etwa mit der Tendenz zur Kg. von /ȝȝ/ hinter LV zusammen: 8./9.Jh. (Braune §160). Die beiden Phoneme wurden auseinandergehalten, indem das ältere von seinem Platz verdrängt wurde.

18.6.3. Es gab nun folgendes System:

/ff/   /þþ/ —— /śś/ —— /ȝȝ/   /xx/

/f/   /þ/   /ś/   /h+x/, s. D 47.1.

Vgl. etwa frühahd. *slâffan - slaff-*.

Nun wurden die Geminaten früh hinter LV gekürzt (D 50.3.1). Dadurch wird die Opposition Geminata - Kurz-K umgewandelt in eine solche aus Fortis - Lenis (wie bei den Vsll.!) mit vorhersagbarer (!) Geminata der Fortes hinter KV, also z.B.

/ăva/[104] _____ /ăffa/ >

/āva/ _____ /āfa/   und   /ăva/ _____ /ăfa/ = [affa];

     ebenso:

/ăha/ _____ /ăxxa/ >

/āha/ _____ /āxa/   und   /ăha/ _____ /axa/ = [axxa].

Sowohl anl. wie auch ausl. bzw. vorkonsonantisch war der Gegensatz Lenis Fortis neutralisiert: anl. kam nur die Lenis vor, ausl./vorkons. die (nicht geminierte) Fortis, z.B. /va-, vLa-/ gg. /af, afK/.

---

[104] *v ż d* dienen im folgenden einfach zur Bezeichnung von Lenes, unbhängig von der Diskussion, ob sth. oder stl.!

18.6.4. Abweichend verhielten sich die Dent., insofern hier nicht alle Möglichkeiten ausgenutzt waren. Bei *þ ṡ* fehlten die Kombinationen LV + (Fortis-) *þ ṡ* (*/āþa/, */āṡa/), bei *þ* der Lenis-Partner:

/ăđa/   -   /ăþþa/   und   /đa-/ , /ăþ-K/

/ăża/   -   /ăṡṡa/   und   /ż(L)a-/, /ăṡ-K/ ,   /ăK-ṡ(-)/

Ø   -   /ăʒʒa/   und   Ø   , /ăʒ-K/   >   /āʒa/   -   /ăʒa/   usw.

Es stehen in direkter Opposition:

/aþa/   -   /aṡa/   -   /aʒa/, /aþ-K/   -   /aṡ-K/   -   /aʒ(+K)/.

Nicht zuletzt der Vereinfachung des Systems scheint der frühe und durchgreifende Ersatz von /þ/ durch Vsl. gedient zu haben. Nach dem Verschwinden von /þ/ und der Schwächung vom intervokalischem /ʒ/ (D 34) gab es ähnlich wie bei den Lab. und Gutt. bei *ṡ* einen Gegensatz Lenis Fortis:

ż(L)a-, ăża, aNża, aLża, aber *aṡṡa, aṡ(+K), ăK-ṡ(-),* bei *ʒ* jedoch nicht: *ăʒa* = [āʒa] - [ăʒʒa]. Dieser Unterschied war aber phonologisch irrelevant, weil vorhersagbar.

18.6.5. Was die <u>Affrikata /tʒ/</u> angeht, so kann sie nicht mehr mit den Aspiraten /ph kh/ parallelgesetzt werden, weil sie sich anders verhält: Während diese früh vorkonsonantisch und ausl. ihr Merkmal Behauchung verloren (D 20.1f.; Neutralisierung zugunsten der unbeh. Lenes), gab es bei /tʒ/ keine Entsprechung. Unmittelbar nach der Lautverschiebung war dies anders, solange [t] Allophon von /th/ war, vgl. auch den Fall *satte - gesat* mit Neutralisierung vor K (D 14.3.2,2). /tʒ/ steht den Rbll. näher als den Vsll.

18.7. Vor Beginn der K-Schwächung (d.h. gegen 800) möchte ich folgendes System rekonstruieren (stellungsbedingte Allophone in []):

Labiale:	Dentale:	Gutturale:
/b̦ [b̦ p]/ - /bb/	/d̦ [t]/ - /tt/	/ġ [ḡ k]/ - /gg/
|	|	|
/ph/	/tʒ/	/kh/
|	|	|
/f/	/þ/ - /ʒ/ - /ṡ/	/x/
|	| |	|
/v/	/đ/ /ż/	/h/

Hinter KV wurden die Fortes /ph kh; tʒ. þ ʒ ś. x/ als Geminaten realisiert. Nach dem Wandel von intersonantisch /đ/ > /d/ trat letzteres in Opposition zu d', distinktiv war aber nicht der Stimmton sondern die Intensität.

2. Die spätere Entwicklung

a) Die Konsonantenschwächung

I. Einführung

19.1. Die Entwicklung des rf. Grl.-Systems ist seit Beginn der Überlieferung bis heute gekennzeichnet durch eine anhaltende Tendenz zur Schwächung (die "Binnenhochdeutsche Konsonantenschwächung"). Sie erstreckt sich nicht nur auf Vsll., sondern erfaßt auch Rbll. (s. D 34).

19.2. Ansätze zur Schwächung sind in ahd. Zeit zuerst im Rf. zu erkennen (Lessiak 1933, 13ff.; 25; Braune §102b)[105] und zwar gegen Ausgang des 8.Jh., nach Mitzka (1954, 86) ab ca 750.

19.3. Da sich die Schwächung (wie die Dig. von ē ō > ia uo und die Schwächung unbet. Voll-VV) zuerst im Rf. bemerkbar macht, hat man an einen Zusammenhang mit der Lenierung im Galloromanischen gedacht (Bruch 1954, 30ff.). Doch setzt diese dort schon etwa im 4.Jh. ein (Richter 1934, §§108; 118ff.), außerdem hat das westl. Moselfränk. keine (so extreme) Schwächung wie das Rf. (vgl. Lessiak; Mitzka 1954, 71). Aus den zeitlichen und geografischen Gründen ist mir daher eine Übertragung der Schwächung durch die zweisprachige Oberschicht der Merowingerzeit wenig wahrscheinlich. Die Schwächung kann auch einfacher innermdal. erklärt werden: durch fortschreitende Tendenz zur Konzentration auf den Hptt.-V unter Vernachlässigung der umgebenden KK und der nichthptt. Silben.

19.4. Die alte L Quellen enthalten allesamt bereits einschlägige Schrr., bes. die LB, während der CL nur mit Vorbehalt herangezogen werden darf (A 2). Vor allem die Anfänge sind gut zu erkennen, ab dem 10.Jh. fließt das Material spärlicher. Außerdem ist mit Schreibtraditionen zu rechnen, die die eigentliche Aussprache überdecken. Typisch hierfür ist das Vordringen von ⟨t⟩ in der Wser Kanzlei (Hoffmann 205ff.), als man schon längst nicht mehr [-đ-] sondern [-đ-] sprach. Wichtige Kriterien neben den Schrr. ist gerade hier die Analyse der heutigen Mda zusammen mit phonologischen Erwägungen. Daß trotzdem vieles (vorläufig) unklar und unsicher bleibt, dürfte keiner Begründung bedürfen.

---

[105] Nach Mitzka 1954 besteht aber ein Zusammenhang mit entsprechenden ndd. und dän. Phänomenen.

19.5. Den Ausgangspunkt unserer Betrachtung bildet das D 18 erschlossene System, das gewisse Schwächen hatte: 1. Es enthielt eine Reihe von Redundanzen, nämlich die (Halb-)Fortis-Allophone; 2. während intersonantisch bei allen Rbll. und bei den dent. Vsll. die Intensität distinktiv war, war bei den lab. und gutt. Vsll. die Behauchung unterscheidend. Beides konnte geändert werden, ohne das System zu beeinträchtigen.

An gewissen "Schwachstellen" kommt es indessen schon verhältnismäßig früh zur Überschreitung der kritischen Distanz und damit zu Phonemverschmelzungen, wenn sich auch die Sprachgemeinschaft auf verschiedene Weisen dagegen wehrte.

19.6. Der heutige Endzustand ist B 2.1ff. dargestellt. Sieht man vom absoluten Ausl. mit fakultativen (Halb-)Fortes ab, so gibt es nur noch sth. bzw. stl. Lenes:

1) ursprünglich beh. Fortes > anl. vor V beh. Lenes, vor K unbeh. stl. Lenes, intersonantisch stl. bis halbsth. Lenes; hinter homorganem Nas. (/g/ auch hinter *l*) häufig voll sth.;

2) unbeh. Vsll. > stl. Lenes im Anl.; intervokalisch > Rbll. (bzw. Ø), hinter homorganem Nas. bzw. Liq. (außer in der Verbindung *r* + /*d*/) assimiliert;

3) alle stl. Rbll. sind anl. stl., intersonantisch stl. bis halbsth. Lenes, u.U. auch voll sth. (s. D 36);

4) alle Geminaten sind zu den entsprechenden Lenes gekürzt, ggf. mit (halb-)sth. Allophonen.

II. Die Verschlußlaute

aa) Schwächung

20.1. Eine der ältesten Erscheinungen ist der <u>Verlust der Behauchung von /ph kh/ vor K und im Ausl.</u> Zwar bieten die vergleichsweise spärlichen L Quellen kein Material, doch finden sich anderwärts Schrr.: anl.: alem. Gll haben schon um 800 *gl-, gr-, gn-* (Schatz §220); aus dem Fränk. z.B. *glagon,* 9.Jh., Frankfurt (Franck §115,6); inl.: vor K häufig bei Otfrid ⟨g⟩, z.B. *thagta* neben *thakta* (zu *theken* = *-kk-*; Braune §143 A.4; Franck §115,3); - ausl.: bei Otfrid öfter *-ng, -lg, -rg* (Braune §143 A.4), Tatian hat *trang* (Franck §115,4), im Isidor wechseln *-ch-*: *-c* (Braune §143 A.3).

⟨g⟩ erweist mit Sicherheit Aufgabe des distinktiven Merkmals Behauchung; d.h. in den besagten Stellungen erfolgt Neutralisierung zugunsten von /ğ/.

Für den Lab. fehlen entsprechende ⟨b⟩, doch ist wegen der weitgehenden Parallele von Gutt. und Lab. im Fränk. mit gleicher Entwicklung zu rechnen.

Ob die ⟨g⟩ bereits auf weitere Schwächung hindeuten, kann aus ihnen allein nicht entnommen werden, doch legt die Entwicklung anderer alter vorkonsonantischer (Halb-)Fortes dies nahe, s. D 20.2; 20.8. Jedenfalls sind die hauchlos gewordenen Tenues im Ausl. sicher früh mit den Ergebnissen der verschobenen Medien zusammengeflossen und teilten in der Folge deren Schicksal.

Die gleiche Entwicklung ist übrigens für *qu-* vorauszusetzen (heute *gw-*, z.B. L *gwẹilə* "quälen"): Die oben zitierten alem. Gll haben *-guemunt*.

20.2. Vorkonsonantische (Halb-)Fortes > stl. Lenes.

Betroffen sind die nach D 20.1 neu entstandenen unbeh. Fortes, ferner [ƀ ḡ] < /ƀ ġ/ vor K, sicher auch [ţ] im inneren Ausl. z.B. von PN (ahd. *Ruotbrëht*).

Die L Quellen bieten Weniges: LB *giloubda*, *gilaupta* sind nicht repräsentativ, weil sie konventionell sein könnten (vgl. das *au*, C 1.3.2.1). Noch stärker der Tradition verhaftet sind die Namens-Schrr. des CL, zumal in der Wortfuge später meist Assimilation eintrat (*Rupert*, *-b-*, s. D 52.2, bes. Nr.1, 3).

Vor *t* hat das Fränk. meist ⟨b⟩ (Braune §135 A.2), Otfrid öfter auch ⟨p⟩; ähnlich bei /g/: selten ⟨c⟩, bei Otfrid überhaupt nicht (aaO §148,2), aber 2x in der Mainzer Beichte (10.Jh.).

Für die ursprünglich beh. Fortes kommen die oben zitierten ⟨g⟩ in Frage. Aber gerade hier ist zu berücksichtigen, daß die Schr. der neuen Lautung nur in den Anfängen folgte. Später wurden entgegen der Aussprache ⟨p k⟩ fest, bei /ph/ sogar teilweise ⟨pf ph⟩ (D 14.1.2.1). Heute gelten überall ƀ ġ, z.B. *ƀlǫnsə* "pflanzen", *ƀluġ* "Pflug", *ġlǭxə* "klagen", *ġrǫnġ* "krank", *ġwẹilə* "quälen"; *ġšeƀḏ* "geschöpft", *ġəḏeġḏ* "gedeckt".

Mir scheint, daß die stl. Lenis am frühesten im Anl. erreicht wurde. Nach dem Hauchverlust gab es nämlich dort nur z.B. [pl-] und [ƀl-]. Der Abstand war zu gering, um bestehen zu können, [p k] konnten zu Fortis-Allophonen von /ƀ ġ/ umgedeutet und, weil unmotiviert, aufgegeben werden. Anders im Inl., wo [-kt-] < [-kht-] zunächst mit [ḡţ] zusammenfließen konnte. Die Schwächung ist aber auch im Inl. sicher noch im ausgehenden 9., beginnenden 10.Jh. vollzogen worden.

20.3. Auch hinter KK werden unbeh. (Halb-)Fortes geschwächt. Betroffen sind *sp st sk, ft cht*, ferner [ƀ ḡ] + /ḏ/, besonders im Prät. bzw. Part. gewisser Vbb. Für geschwächtes *sp* fehlen Beispiele aus L: LB *bisprâha*, sprah. Hier auch nur ⟨sc⟩: 16 *scolda (-t-)*, 3 *scoldi (-t-)*. Auch in CL fehlt ⟨sb⟩ ganz, ⟨sg⟩ ist äußerst selten (vgl. Welz 69f.; 101), doch 532 *frisginga* (10.Jh.), sonst *frisk-*, z.B. 3652. Ein klares Zeugnis ist der Name der *Weschnitz* (vgl. D 44). Neben häufigerem *Wis(s)coz* gelegentlich *-goz* (Welz 101ff.), nach Bach (1953a, §197) zu ahd. *gôʒ*. ⟨sg⟩ war in L ungewöhnlich, daher Ersatz durch ⟨sc⟩. Dieses /š+ġ/ hat infolge frühen Verblassens der Grundbedeutung die gleiche Entwicklung wie /šk/ genommen. ⟨sc⟩ meint daher wohl lenierte Aussprache.

Beim Dent. gibt es gleichfalls Schwächung: LB hat neben 10 *st* in allen Stellungen 2 *sd* im Inl., nämlich *gidrôsda, priesda*; neben 10 *ht* (1 *th* in *nath*) 6 *hd*, 1 *hdt* (*druhdtin*; Kombination beider Schrr.!), für *;t/fd* fehlen Beispiele. Man beachte ferner das Prät. *gilaupta* und *giloubda*. Keine Beispiele im BS, den Gll und dem von Welz behandelten Teil des CL (aaO 74ff.).

Entsprechende Schrr. findet man auch außerhalb von L: Isidor 4x *hd*, sonst *ht* (Franck §101); Otfrid hat kein *sd*, wohl aber *sb* (aaO §86 A.2), ferner im Inl., Ausl. fast nur *sg*, ähnlich Tatian (aaO §116); auch das Keron. Glossar (b, Anfang 9.Jh.) hat *d* hinter *h f s* (Schatz §185).

Die Schwächung ist somit für das Fränk. ab Anfang 9.Jh. gut bezeugt. Nach der LB zu urteilen, ist sie in der 2. Hälfte des Jahrhunderts ziemlich weit fortgeschritten, ähnlich wie die Schwächung von (Halb-)Fortes im Anl. vor K (s.o.). Typisch auch der Gegensatz *gilaupta* mit konservativem V (C 1.3.2.1) und K - *giloubda* mit neuerem Lautstand.

Im 10.Jh. muß die Schwächung überall vorhanden gewesen sein, vgl. den Zustand der Mainzer Beichte: 8 *hd*, 2 *sg* - 6 *ht*, 2 *st*, 1 *pht*, also 10:9.

20.4. /ḏ/, meist aus wgerm. /d/ (anderes s. D 18.3.2,2).

20.4.1. *ḏ* wird im 9.Jh. im Anl. zu [d] geschwächt. Nachweis für /ḏ/ < /d/ s. D 15.5.1; zu **ḏr-* < *tr-* : LB hat *tr-* und *dr-*: *trâgi, untriuuuono* aber *gidrôsda*; auch Otfrid hat *dr-*, seltener *tr-* (Franck §97). Die LB hat aber auch einmal *tr-* für /ḏr-/: *ubar-trunchi* neben *druhdtin*. Es ist möglich, daß die Schwächung vor *r* etwas langsamer als vor V vollzogen wurde, etwa in Parallele zu [kr-] (< [khr-], s. D 20.1) > [ġr-], also um 900 (D 20.2)[106].

20.4.2. Intervokalisch und in der Folge /arḏa/ hingegen blieb die Halbfortis nachweislich bis um 1100 erhalten, während sie in /alḏa/, /anḏa/ geschwächt wurde, s. D 20.6.

Beweise für die Erhaltung: 1. die nie verschwindenden ⟨t⟩ (Hoffmann 202f.; 206ff.[107]); 2. die verschiedene Behandlung von o₆ vor wgerm. *d* und *þ* bei der Dg. des 11./12.Jh. (C 4.1.5); 3. das verschiedene Verhalten von wgerm. -*rd*- und -*rþ*- bei der Assimilation des ausgehenden 11.Jh. (D 31.8.2); 4. das verschiedene Verhalten von primärem *anḏa* (> *anda* > *anna*, s. D 20.6; 31.1) und sekundärem *anḏa* < *anəḏa* mit Synkope des ausgehenden 10.Jh. (C 37.1.2.3), ohne Assimilation, s. D 31.4.1-3; 5. keine Teilnahme von *ḏ* < *ḏ* an der Kontraktion nach D 23.3 zu Beginn des 12.Jh.

---

[106] In Ws wird daher zunächst stets ⟨d-⟩ geschrieben, s. Hoffmann 201f.; erst später dringen langsam obd. ⟨t-⟩ ein, aaO 206, vgl. ⟨pf (ph)⟩ für /p/, D 14.1.2.1.

[107] Zwar nehmen durch die Übernahme obd. Schrr. die ⟨t⟩ im Lauf der Zeit sogar zu, doch besteht gegenüber ⟨pf (ph)⟩ für /p/ ein charakteristischer Unterschied: Diese sind ahd. äußerst selten und werden von vornherein auch falsch gesetzt (D 14.1.2.1), während jene "durchlaufen".

20.4.3. Die Schwächung hatte im frühen 9.Jh. im Anl. eingesetzt (D 15.5.9,1): *d̦-* > *d̦-*; in der gleichen Stellung gab es damals bereits *d* < *þ* (D 16.3.4) mit zunehmender Tendenz zur Verschlußbildung: /d̦-/ und /þ-/ bewegten sich aufeinander zu. Dadurch wurde die kritische Distanz zwischen beiden Dent. überschritten, und *d* (> *d*) fiel mit /d̦/ zusammen (D 16.3.6.2).

Im Inl. - außer hinter *l n* - begann die Schwächung von *d̦* später, *d* > *d* hingegen früher. Dadurch bleiben beide auf Distanz als /d̦/ - /d/, es sei denn stärkere Kräfte wirken dagegen, so hinter *l n*, wo die Neutralisierung zugunsten der sth. Lenis in der 1. Hälfte des 10.Jh. erfolgt sein muß, denn die ältesten Synkopen des ausgehenden 10.Jh. setzen sie schon voraus (s.o. 20.4.2,4); vgl. auch Franck §89,2f.; Braune §163 A.5 (Notker).

20.5. Im 9.Jh. kam in einigen Wörtern erneut ein intervokalisches *t* auf (vgl. D 18.3.2,2) infolge der Kg. von -tt- hinter LV: LB *lûtarlih-* < *hlûttar-* (D 14.3.2; 50.3.1), dazu der Name des Flüßchens *Lauter* (bei Bensh): CL *Liutra*[108]. Auch dieses *t* mußte alsbald zu /d̦/ umgedeutet werden und dessen Schicksal teilen, vgl. L *laurǝ* "lauter" (= "nichts als").

Wenn *Eiter*, ahd. *eittar* > *eitar*, heute allgemein *-d-* statt *-r-* hat (SH) - sofern überhaupt mdal. Lautungen vorhanden sind (L *aidǝ*!) - dann unter hochdeutschem Einfluß (SH: vgl. C 20.3.1.2).

20.6. Intersonantische /b̦ g̦/ werden sth. Dies folgt 1. aus ihrer späteren Spirantisierung, wobei als älteste Erscheinungen die frühe Kontraktion nach D 23 2.1.5f. um 1000, *b* > *w* bald danach anzusetzen sind (D 22.6[109]); 2. aus der Assimilation -mb- -ŋg- (D 31.5) gegen 1100.

Die Sonorisierung von -mb̦-, -ng̦- hat ihre Parallele bei den Dent. und ist wie bei diesen in der 1. Hälfte des 10.Jh. eingetreten. Intervokalisch ist sie spätestens in der 2. Hälfte des 10.Jh. erfolgt.

Das gleiche Schicksal hat arf. /d/ hinter *l n* (Assimilation! Vgl. D 20.1.2.2), während es sonst zunächst erhalten bleibt (D 20.4; 20.12). Hier sind also germ. /d/ und /þ/ zusammengefallen, vgl. ahd. *bintan, suntea* > *binǝ, sin, haltan, gëlte* > *hōlǝ* (D 31.7.1), *gel* mit germ. **anþar*, **finþan, *u̯ilþija-* > *onǝ, finǝ, wil*. Die sonorisierende Wirkung von *l n* war hier stärker als das phonologische Bewußtsein.

20.7. Betrachtet man die bisherigen Schwächungen (D 20.1-6) unter phonologischem Aspekt, so kann man feststellen, daß die allermeisten Erscheinungen als Aufgabe redundanter (Halb-) Fortisartikulation unterhalb der Phonemschwelle bleiben. Abgesehen von der Uminterpretierung von /t/ mit entsprechenden Folgen (D 20.5) sind relevant vor allem 1. der Hauchverlust von *p k* vor K (Zusammenfall z.B. von /pl-/ und /b̦l-/), 2. die Schwächung von /d̦/ hinter *l n*

---

[108] Zum *iu* s. C 1.3.3.2.

[109] Stimmhaftigkeit als Voraussetzung der Verschlußlösung wird auch von Kranzmayer (1956, §27e) für das Bair. postuliert, ist außerdem phonetisch naheliegend.

(Zusammenfall mit *d*). D.h. die Konsonantenschwächung hat bis um etwa 1000 das System weitgehend intakt gelassen.

20.8. Was den Ausl. betrifft, so ist davon auszugehen, daß noch die heutige Mda im absoluten Ausl. fakultative Verwendung von Halbfortis kennt (B 2.4.1, bes. 2b). Dies ist offenbar uralt: Ausl. Fortes (*-t; -k, -p* nach Hauchverlust) müssen im Zusammenhang mit der allgemeinen Fortisschwächung des 9.(10.)Jh. zur Halbfortis geworden sein. Vor folgendem K, aber auch vor anl. V (eig. *?* +*V,* also *K–V,* s. B 2.7,1) mußte Schwächung zur stl. Lenis eingetreten sein wie inl. vor K. Folglich gab es Halbfortes nur noch im absoluten Ausl. Im Lauf der Zeit drang die stl. Lenis (fakultativ) auch in den absoluten Ausl.

Das Fortleben alter Halbfortes ist auch durch Fortis-Schrr. z.B. der Wser Kanzlei immer wieder bezeugt, s. Hoffmann 185 (*b*); 194f. (*g*); 205f. (germ. *đ*); 210 (germ. *þ*: meist ⟨-t⟩).

Von einer "Auslautverhärtung" im Sinne des klassischen Mhd. kann jedoch nicht die Rede sein. Es ist lediglich ein älterer Zustand bewahrt worden.

20.9. Die Geminaten /bb g͞g tt/ werden zu modernen /b g̍ d/, z.B. *riþə* "Rippen" (ahd. Sg. *rippi*), *rigə* "Rücken" (*rucki*), *bidə* "bitten" (*bitten*) und "bitter" (*bittar* mit *tt* nach D 14.3.2,1).

Für das Arf. in L waren /bb g͞g/ - /tt/ rekonstruiert worden (D 15.4.3; 15.S.9).

Beim Lab. und Gutt. muß die Halbfortisaussprache lang erhalten geblieben sein, da Fortis-Schrr. nie erlöschen, vgl. für den Lab. Braune §135 A.1; Franck §80 (meist *bb,* aber auch *bp pb pp*); Welz 72 (*bb* und *pp*); später: Hoffmann 184 (*bb b pp,* letzteres gewinnt die Oberhand); für den Gutt.: Franck §108 (*gg cc ck cg gk*); Welz 104f. (*gg kk ck cc cg gk*); später: Hoffmann 193f. (Übergang von *gg* zu *ck*). Es handelt sich hierbei m.M. nach nicht allein um die Beibehaltung von Schreibtraditionen. Nach Hoffmann setzen sich die Fortis-Schrr. nach und nach endgültig durch, beim Gutt. ziemlich genau ab ca 1200, was aber (ähnlich wie beim verschobenen *t,* D 20.4.2 mit Anm. 107) einen Anschluß der Schr. an das Obd. bedeutet. Dieser war u.a. auch ermöglicht worden durch das nun stärker gewordene Auseinanderklaffen von Sprache und Schreibe. Im 12.Jh. waren die Geminaten vereinfacht worden (D 50.5), und der Halbfortischarakter verlor sich (D 20.12.1.1).

Ähnlich sind die Verhältnisse beim Dent.: ⟨tt⟩, vereinzelte ⟨td⟩ im Rf., Braune §§163; 164 A.1; Franck §91; Welz 79f.: vgl. D 15.5.6; später: Hoffmann 204. Auffallend ist, daß hier *⟨dt⟩ völlig ausfällt. Mir scheint, daß ⟨td⟩ tatsächlich das schon im 9.Jh. einsetzende Nachlassen der Intensität der Geminaten ausdrücken soll (Franck aaO). Dann ist für das 10.Jh. etwa eine Aussprache [dd] anzunehmen, die sich parallel zu /bb g͞g/ weiterentwickelt hatte (D 20.12.1.1).

20.10. Die beh. Fortes

20.10.1. *ph- kh-* > *ḅh- g̊h-* brauchte sich nicht in der Schr. zu spiegeln, da sich auf phonologischer Ebene nichts änderte. Dennoch finden sich im 10.Jh. fränk. Schrr. wie *gibfun*, *sulzgar* für *kipfun, -kar* (Franck §115,6), die als Versuch der Wiedergabe einer (im Vergleich zum Obd.) geschwächten Aussprache gedeutet werden können. Dann ist diese Schwächung etwa ins frühe 10.Jh. zu setzen, wie ja auch unbeh. anl. *d̥-* früh geschwächt wurde (D 20.4.3).

20.10.2. Hinter Liq./homorganem Nas.: Typen *ampha; aŋkha, alkha, arkha*, heute /b g̊/ (s. B 2.4.1,2d), z.B. *demba* "dämpfen", *deŋga* "denken", *balga* "Balken", *šd̥erga* "stärker; stärken". Der erste sichere Beleg ist CL 265 *Ruotfolgi* (zu *-folc*, vgl. 371, 415 *Ruotfolchi*); im 13.Jh. bietet Ws einiges: 1241 *Crazzewingel* (1283 *Cratzwinckel-*), 1261 *-wergere* (Hoffmann 189); ferner: ON 1252, *Frangenstein* (bei Da-NBeerb). In der 2.Hälfte des 12.Jh. (CL!) ist die Schwächung vollzogen und wohl [b g̊] erreicht. Beim Lab. fallen jedoch direkte Zeugnisse wegen der gegenläufigen Tendenz zum Ersatz von ⟨p⟩ durch obd. ⟨ph pf⟩ aus. Hingegen gibt es einen indirekten Hinweis: Die ON auf *-en+bach* haben *-n+b̥-* über *-mb-* zu *-m-* assimiliert (D 31.3). [-*m+b̥-*] muß demnach im 11.Jh. noch mit */-mb-/* und nicht mit altem */-mph-/* identifizert worden sein. Dieses war also im 11.Jh. noch nicht [mb̥] sondern eher [mḅ].

Als erste Stufe der Schwächung scheint mir der Hauchverlust gelten zu müssen. Dafür gibt es folgende Gründe: 1. die Entwicklung im Ausl. und vor K (D 20.1); 2. die Verbreitung des Typs anl. Aspirata - inl. unbeh. Fortis im deutschen Sprachgebiet (ndd.: Schirmunski 1962, 275f.; bair.: Kranzmayer 1956, §38a; alem.: Jutz 1931, 206ff.); 3. ein phonologischer Gesichtspunkt: da die Behauchung im Inl. nur bei */ph kh/* distinktiv war, konnte der Gegensatz z.B. */aŋga/* gg. */ankha/* als Intensitätskorrelation umgedeutet werden und der Hauch als redundant wegfallen.

Der Beginn der Entwicklung scheint die Schwächung von arf. /ḅ g̊/ hinter Nas., Liq. vorauszusetzen, denn [-ŋg̊-] und [-ŋk-] hätten in einer Zeit der allgemeinen Schwächungstendenz leichter zusammenfallen können als [-ŋg-] und [-ŋk-], so wie es bei den Geminaten der Fall war. Daher möchte ich folgenden Verlauf rekonstruieren: 1. Hauchverlust Ende 9., Anfang 10.Jh. und damit Beschränkung des distinktiven Kennzeichens "Behauchung" auf den Anl. vor V (also bereits der heutige Zustand, s. B 2.4.1); 2. 10.Jh. [p k] > [b̥ g̊]; 3. /ḅ g̊/ 1. Hälfte des 12.Jh. nach der Assimilation von *-mb-, -ŋg-* (Beibehaltung der kritischen Distanz). Erst nach Erreichen des Lautwertes [g̊] war ⟨g⟩ möglich. Es blieb aber selten, weil ⟨g⟩ für /g/ = [j̊ j g] (D 28.2.4; 28.7.3; 28.9) und ⟨K⟩ für [g g̊] reserviert werden mußten.

20.10.3. Die Geminaten sind mit den alten Mediengeminaten zusammengeflossen, vgl. z.B. *ab̥l* "Apfel", *šd̥oba* "stopfen", *aga* "Acker", *b̥aga* "backen" mit den Beispielen D 20.9. Den Zusammenfall konnte sich die Mda "leisten", weil es praktisch nicht zu Homonymen führte. Schrr.: Az-GHepp im CL 3660 *Ebbenheim* und *Epp-*; die verschiedenen *Heppenheim* im CL sonst meist mit ⟨pph⟩, z.B. 860ff.; vgl. auch 1280 *Hepfen-* (Km. 103; zu germ. *Happo*, aaO 77).

Hoffmann 190: 1270 PN *Waggerpil* (1191, 1260 -ck-), 1293 *Husaggere*; FIN Wo-Pfedd *uffe den striegen* ('Stricken'), 1286 (R 277).

Der Beginn des Hauchverlustes ist um dieselbe Zeit wie in D 20.10.2 eingetreten, also um 900. Darauf standen sich /pp kk/ und *bb gg* (Mediengeminaten) gegenüber, die wohl bald zusammenflossen, weil hier eine kritische Distanz nicht bewahrt werden konnte.

20.11. Die Affrikata *ts*: Im Anl. *ts* > *ds* parallel zu *ph- kh- +V* > *bh-, ġh-*, s. D 20.10.1. Geminiert im Inl. (*attsa*), vgl. *gibfün* (aaO): Schwächung im 10.Jh., etwa *-dds-*, das dann nach der Degemination über *-ds-* zum heutigen *-ds-* wurde (vgl. D 20.12.1.1) Hinter Liq., *n*: Schwächung wie geminiert, jedoch Erreichung des Endpunktes *ds* schon früher, etwa im 11.Jh. Jedenfalls setzt die bereits im CL belegte Entwicklung von ⟨lz nz⟩ zu [l^ds n^ds] (D 54,3) [*ds*] und nicht [*ds*] voraus.

20.12. Die spätere Zeit

20.12.0. Hier soll die weitere Entwicklung nur in groben Zügen skizziert werden, weil wichtige Erscheinungen in eigenen Kapiteln behandelt werden müssen.

20.12.1.1. Der einschneidendste Vorgang war die Degemination ab ca 1150 (D 50.5). Dadurch entstanden aus *bb gg dd* einfache *b ḡ d*. Da schon seit der Jahrtausendwende intersonantisches *b* spirantisiert worden war (D 22.6), konnte *b* problemlos zu *b* geschwächt werden: /awa/ - /aba/ > /awa/ - /aba/.

Beim Gutt. bewirkte das Bestreben, im Inl. einfache (Halb-)Fortis zu vermeiden, eine Verschiebung: /aḡa/ - /aga/ > /aġa/ - /aga/, d.h. die Intensitätskorrelation bleibt erhalten, die Realisierung wird verschoben. So erklärt es sich, weshalb die allgemeine Spirantisierung von *g* etwa in der 2. Hälfte des 12.Jh. einsetzt: die Zeit der Degemination.

Beim Dent. gab es intervokalisch eine Dreiheit: dd_1 - d_2 (germ. *d*) - d_3 (germ. *þ*). Bei der Degemination übt dd_1 > d_1 einen Druck auf d_2 aus: Dieses weicht nach d_3 aus und fällt mit diesem schließlich zusammen: dd_1 → d_2-d_3 > d_1 - d_2 ₃. Aber ein Gegensatz d_1 - d_2 ₃ ist ebensowenig stabil wie *ḡ* - *g* (s.o.), so daß eine entsprechende Verschiebung eintritt: d_1 > d_1, d_2 ₃ > d_2 ₃ (D 24). Die Umstrukturierung im Dentalbereich muß, weil komplizierter, länger gebraucht haben als bei den Gutt. Von daher versteht man, daß *d* > *d* später, am ehesten in der 1.Hälfte des 13.Jh. eingetreten sein wird, s. D 24.8.

20.12.1.2. Im Typ *arda* und hinter nichthaupttonigem V blieb die Entwicklung beim stl. *d* stecken, vgl. L *wōḏə* "warten", *ġroŋġəḏə* "Krankheiten" (also nicht mit *r* < *d*). Die Sonorisierung unterblieb aus den gleichen phonologischen Gründen: ein *ardda* gab es nur per accidens im schwachen Prät. bzw. Part., z.B. **wārddə*. Von der Lautung her ist also die starke Vertretung von ⟨-rt-⟩ in Ws verständlich, s. Hoffmann 206; Böhme 1893, 19ff.

20.12.2. Eine Parallele zur intervokalischen Verschlußlösung als unmittelbare Folge der K-Schwächung ist die Assimilation alter *mb, nd, ld, rd, ŋg* (aber nicht *ld, rd*!) gegen 1100. Dadurch konnten *mb̥ ŋḡ* (D 20.10.2) in deren Stellung einrücken, zunächst über *mb ŋg*. Die heute vorherrschende Stimmhaftigkeit wurde zögernder erreicht; denn einerseits unterlag ab ca 1150 neu entstandenes -*mb*- in *vrēmede* (D 31.3) noch der Assimilation, andererseits blieben die *mb̥ ŋḡ* sowie art. *ntt* (*winttar*. Prät. Gl5 *schunta*, s. D 50.3.3) wie auch durch Assimilation bzw. Entlehnung ab der 2. Hälfte des 12.Jh. neu hinzugekommene -*ld*- (z.B. *keldǝ* "Kelter" < *kelg-dǝr, s. D 52.2,2; *koldǝ* "Wolldecke" < afrz. *coltre*) erhalten. Die neue Stimmhaftigkeit ist somit frühestens im 13.Jh. entstanden, wenn nicht noch später.

Erst in der Neuzeit wurde auch die Gruppe -*l-g*- nach Ausfall des Sproß-V mit einbezogen: alt [-*lıġ*-] > [-*lġ*-] > [-*lg*-].

bb) Verschlußlösung

Überblick

21.1. Die ab dem 10.Jh. sth. gewordenen Lenes werden in konsequenter Weiterführung der Schwächungstendenzen zunächst zu Rbll. gelöst und schwinden teilweise. Es lassen sich dafür zwei Gründe angeben: 1. die allgemeine Schwächungstendenz im Nachton, die sich zur selben Zeit bei den VV als Syn-/Apokope bemerkbar macht, 2. besonders beim Gutt. und Dent. Veränderungen im phonologischen Bereich (D 20.12). Entgegen wiederholt geäußerter Meinung[110] läßt sich wenigstens für unsere Mda ein Zusammenhang der Spirantisierungen (und deren Folgen) mit den vorhergehenden Schwächungen nicht bestreiten. Sowohl logisch als auch chronologisch bilden sie die Fortsetzung. Lessiaks Bedenken, daß auch Rbl. > Vsl. eine Schwächung sein könne, gelten für das Rf. nicht. Die Ergebnisse sind (waren) hier eig. keine sth. Rbll. sondern Sonorlaute: *w, đ > r, ǰ > j > Ø* bzw. *g (> Ø)*, also Laute. die schwächer sind als sth. Vsl.[111] Auch das Argument, die Spirantisierung sei bei den einzelnen Lauten verschieden weit verbreitet (am weitesten bei *b*, weniger bei *g*, am geringsten bei *d* (vgl. Anm. 110)) "zieht" nicht; niemand wird auch bei der Lautverschiebung einen Zusammenhang zwischen den Vorgängen *d > t, b > p, g > k*, oder *tt > zz, pp > pf, kk > kx* bezweifeln. Dennoch ist die geografische Verbreitung ganz verschieden. Der Grund dafür liegt, abgesehen von phonologischen Gegebenheiten, in der Qualität der Laute selbst, genauer in der größeren

---

[110] Z.B. Lessiak 1933, 23f.; Paul §66.

[111] Man vergleiche auch z.B. das Span., wo niemand bezweifelt, daß *b > w, d > đ* (*lobo < lupu*, *cada < cata*) eine Schwächung bedeutet.

Festigkeit der Verschlüsse, die in der Reihenfolge *b* - *g* - *d* zunimmt. Auch im Romanischen ist nur der Wandel *b* > *w* über die gesamte Romania verbreitet (weil am frühesten durchgeführt). Der verschieden starken geografischen Verbreitung der Spirantisierung entspricht auch eine zeitliche Staffelung in der gleichen Reihenfolge.

21.2. Bei der Rekonstruktion der einzelnen Zwischenstufen ergeben sich gewisse Schwierigkeiten: 1. durch die teilweise Wiederherstellung der Vsll. im sekundären Ausl. bzw. vorkonsonantisch, beim Dent. auch sonst, beim Gutt. durch Überlagerung der ursprünglichen Verhältnisse durch nicht bodenständige Entwicklungen; 2. - sieht man vom Lab. ab - durch den nur mangelhaften (und beim Dent. praktisch völlig fehlenden) schriftlichen Ausdruck. Die entstehenden Rbll. (Sonoranten) waren ja zunächst nur Allophone der Vsll., die sich unter bestimmten Bedingungen einstellten, und bedurften so keiner schriftlichen Darstellung. Lediglich beim Lab. ergab sich Zusammenfall mit /w/ < /v/ (D 39.2.4.5), was entsprechende Schrr. für das neue [w] zur Folge hatte. Für *d* war überhaupt kein Zeichen vorhanden, während für *g* notfalls ⟨ch⟩ einspringen konnte. Aber ⟨ch⟩ kann immer auch einen wirklich gesprochenen stl. Rbl. meinen (D 27). 3. Wegen der "Verschlußerneuerung" (D 25) ist auch die relative Chronologie nur sehr behutsam zu gebrauchen.

Intersonantisches /b/

22.1. Für arf. *b* erscheint intersonantisch *w*: intervokalisch und zwischen Liq. und V: *ewə-* "ober-", *glāwə* "glauben" (LB *gilouben*), *lẹ̄wə* "Leben, l-" (Gl5 *-liben*), *līwə* "lieber" (Gl5 *lieber*), *ōwəd* "Abend"; *halwə* "halb" (*halb+er*), *kolwə* "Kolben" (ahd. *kolbo*), *ęrwə* "erben" (*érben*), *ę̄wəd* "Arbeit" (*arabeit*), *šdẹ̄wə* "sterben" (*stẹ̈rban*); ON, z.B. *ōwərəm* "Wo-Abh", *ęwɒšd* "Da-Ebst" (SH); *hilwɒšəm* "Bi-O/NHilb" s. D 14.1.3.

Weitere Belege zur Verbreitung im SHess. erübrigen sich; ein Blick auf die angegeben Stichwörter im SH bezeugt die Allgemeinheit dieser Aussprache.

Der neu entstandene Laut ist phonetisch eher ein Sonor- als ein Reibelaut, s. B 2.4.4,1.

22.2. Durch die Spirantisierung entstand ein Wechsel ausl./vorkons. *b* *(b̦)* - intersonantisch *w*, der noch allgemein lebendig ist, z.B. *dāb* "taub": *dāw-*, *grọ̄b* "Grab": Pl. *grẹ̄wə*, Vb. *grọ̄wə* gg. *iš grọ̄b*, *ę grẹ̄bd*, grob: *grow-*, *līb*, *s lībšd* "am liebsten": *līw-*.

Auch im engen Satzinl. gilt *b* > *w*, besonders bei Vb.-Formen, z.B. *iš hęb* "ich habe": *hęw-iš*, *iš hęw‿in* "ich habe ihn", *iš hęw‿ā* ... "... auch" usw.; ebenso z.B. bei *gęwə*, *glāwə*, *hęiwə* "heben". Vom historischen Standpunkt aus ist hier -w- das Ältere: *iš hęb* nach D 25 aus *hęwə* < *hábe*. Das gleiche gilt für *ob*, z.B. *iš wās nid, ow-ə kimd* "ich weiß nicht, ob er kommt" (mhd. *obe*).

22.3. *b* > *w* auch in nicht mehr verstandenen Zsstzg., so ON auf *-bach* im Odw, z.B. Er-*Wallb* [*walwiχ*] (Freil. §212), verbr. Formen von *Hagebutte* (SH; L *ọ̄š-kidsl̦*).

22.4. Auch Entlehnungen schließen sich an, z.B. *fawərig* "Fabrik", PN *hūwā* "Huba" (im 18.Jh.
in Kirchenbüchern auch ⟨Huwa⟩), *mēwl̥* "Möbel", *owaxd* "Obacht", *bəŏwaxdə* "beobachten",
tawənägl̥ "Tabernakel" u.a. Da hdt. -*p* als /*b*/ gewertet wird, wird es ebenfalls in [*w*] umgesetzt,
z.B. *drōwə* "Tropen", *hāwən* "hapern" (verbr., SH), *tīwiš* "typisch". In neuerer Zeit sind auch
ältere einheimische Wörter in den Sog dieser Umsetzung geraten, vgl. z.B. SH *Krapen* (Rhh),
kröpeln I. II. Kröpert. kröpig I, Krüppel: alle mit -*w*- neben -*b*-. Verbindungen aus Liq. + lab.
Vsl. + V fehlen der Mda seit der Lautverschiebung und dem Wandel *b* > *w*. Daher erfolgt auch
hier Umsetzung von /*b*/ in *w*, z.B. *alwə* "Alpen", *kẹrwə* "Körper" (s. SH), *šdilwə* "stülpen",
šdulwə "Stulpen".

Auch die Alternanz -*b* -*w*- wurde auf Entlehnungen übertragen: *gŋaib* "Kneipe", *raub* "Raupe"
(vgl. SH), *tīb* "Typ", *tūb* "Tube", *tulb* "Tulpe", alle mit Pl. -*w*-, ferner *polīwə* "Polypen".

Im Vorton unterbleibt die Umsetzung heute meist, weil die Mda Strukturen des Typs *abá* kennt
(*gə-bẹ̄d* "Gebet", *fə-bódə* "verboten"). Daher z.B. *abərǟd* "Apparat", *babī̧* "Papier", *miẓrabẹ̄l*
"Mirabelle", *rabárwə* "Rhabarber", *rabúšd* "robust", *šdabī̧l*, älter aber *fawərig*, s.o., *rawúšd* und
noch allgemein *rẹwẹ̄liš* "aufsässig" ('rebellisch').

22.5. Da ausl. -*b* sowohl altem /*b*/ als auch /*bb*/ (D 50.3.1) entsprechen kann, ist gelegentlich
Unsicherheit entstanden. Zwar heißt es in L regelmäßig *hēb* "schmales Beil, bes. für
Waldarbeiten", Pl. *hēbə* (ahd. *hâpp(i)a*), aber das SH (*Hāpe*) belegt auch -*w*-. Umgekehrt hat L
hābəša "(Kohl-, Salat-)Kopf" falsches *b* als Diminutivum eines nicht mehr verstandenen Pl.
**hābə̄* "Häupter" zu *hāb (D 51.2.5.4; -*b*- verbr., SH). Zu *rẹbə* "fest reiben" ('räppen') gehört
rẹw-aisə "Reibeisen", zu *grob* bildet man jünger *grob*- statt -*w*- (s.o.), zum Lwt *gadrób*
"Garderobe" den Pl. *gadróbə*, also hinter KV, wo -*b* am häufigsten alter Geminata entspricht.

22.6. *b* > *w* ist seit dem 11.Jh. belegt, zunächst in Mz: 1069 *Everbach*, 1108 *Sovernheim*
(Froeßl §125); ferner 1026 *Evernesheim* "Mz-Ebh" (Km. 45). Später aus Ws (Hoffmann 185f.):
1106 *Bǔuo, Neǔelunchus* (neben *Bubo* in einer anderen Uk desselben Jahres); 1141 *Alvesheim*
(1190 *Albes*-) "Albisheim"; PU 12: 1154 *Everardus*. Auch im CL finden sich Spuren, z.B. 3745e
Everhart = 2957 *Eber*-, 3716a *Liwicho* gg. 3715b -*b*-, 3086 *Liwicho* = 3716 *Libico*. In BIIf.
setzen sich ⟨v w⟩ für germ /*b*/ fort (bzw. umgekehrt, ⟨b⟩ für germ. /*f ṷ*/, s. D 16.2.3.1; 39.2.4.5).

Im nRhh ist der Wandel sicher bald nach 1000 eingetreten. Aber das spätere Einsetzen der Schrr.
in Ws läßt sich nicht für eine langsame N-S-Bewegung in Anspruch nehmen. Denn daneben gibt
es für Ma-*Ladenburg* eindeutige Zeugnisse: ahd. *Lobotun*- (CL 38 *Lobotenburc*), aber 1061
Loveten-, 1073 *Lovenden*-. Diese sowie die frühe Kontraktion -*owəd*- > -*oud*- (D 23.4)
beweisen den Übergang *b* > *w* im gesamten shess. Gebiet etwa um die Jahrtausendwende. Keine
Schlüsse hingegen können aus dem Vorkommen von *b* sekundär ausl./vorkons. gezogen werden,
s. D 25.

22.7. Wie gezeigt wirkt die Tendenz *b* > *w* bis heute weiter. In älterer Zeit erfaßte sie auch gewisse Namen, besonders ON auf *-bach* (s.o.), ohne daß man jeweils ihre Gründung für die Zeit vor 1000 ansetzen müßte. Außer Er-*Wallb* vgl. [*bę̄ŋwiš*] "Da-N/OBeerb" (Grund §64,2; zuerst 1318 *Berbach*), [*rāwiχ*] "Er-Raibach" (Freil. 271, schon 8./9.Jh. *Reginbach*), auch Er-*Wallb* zuerst 1450 *Walbach*. Andere ON haben *-box*, besonders im W (Bauer §74). *b* > *w* geht immer mit V-Schwächung einher; s. aber auch C 34.3.5.1.

Völliger Schwund von *-b-* in unbet. Wörtern s. D 37.2.1.

Frühe Kontraktionen

23.1. Zeitlich ordnet sich zwischen die Spirantisierung von *b* und die von *g d* die im hdt. Sprachgebiet mehr oder weniger weit verbreitete Kontraktion in *V* + *g d w* (< *b*) + *ə* + *K(-)* ein. Sie tritt am deutlichsten beim *g* in Erscheinung, findet aber auch ihre Parallele bei mittlerem *h* (C 25.3.1), *u̯* (C 25.3.3).

23.2. *g*:

23.2.1.1. Die älteste Kontraktion betraf ahd. *ęgi, igi* vor stl. Grl. (oft *s t*), vor sth. nur, wenn noch eine weitere Silbe folgte (vgl. Paul §69)[112]. Sie ist auch in obd. Mdaa. vorhanden, die *-g-* erhalten haben, und daher von den späteren Spirantisierungen zu trennen (Kranzmayer §§20o; 27f.; Jutz S.222; vgl. Schirmunski 314).

23.2.1.2. Der Bestand ist heute stark dezimiert. L kennt für *ęgi* nur noch † *ādęgs* "Eidechse" (jünger *ai-*), ahd. *ęgidęhsa*, † *āšdəliš* "schrecklich", Umformung von mhd. *eislîch* (< *ęgi-*, s. D 53.2.5.3); für *igi*: *du laišd*, *ę laid* < *ligi(s)t*. Diese Kontraktion ist verbreitet, s. SH *Eidechse*, *eis(ter)lich* (St), *liegen*. Ferner der ON [*rāwiχ*] "Er-Raibach" (Freil 271) < CL 3458 *Reginbach*.

Das meiste ist verlorengegangen. So ist mhd. *eide* "Egge" ersetzt durch die Neubildung *ęig* vom Vb. *ęi̯ə* aus; *Getreide* ist kein Mda-Wort, dafür *froxd*; der Pl. *meide* zu *maget* ist früh aufgegeben zugunsten einer regelmäßigen Bildung: *mǭd* "Magd" - *mę̄d* (vgl. BII 322: 1355 u.ö. *mede*); *gein* < *gęgin* hat sich lang gehalten: das Mittelalter hindurch in Ws nur so, ebenso HpU 1327 *geynwortheg-*, LU 1441 *gein*, WL 1423 öfter *gein-*, LU 1548 *ghein*, Zinsb Bensh 1550,9 *gehn* - 11 *gegen*. Vereinzelte Reste s. SH (z.T. lautlich unklar), sonst Ersatz durch das ahd. Adv. *gagani* > mhd. *gägen*, daher L *gęi̯ə* (Formen s. SH), wohl gerade wegen des Auseinandertretens der Formen von Präp. und Adv.

---

[112] Zu dieser Bedingung vgl. etwa PN ahd. *Egil-* > *Eil-* mit *ęgil* "Egel" ohne Kontraktion: mhd. *gein* < *gęgin* bildet mit folgendem Art. usw. eine Einheit.

23.2.1.3. Auch zu den Vbb. *legen, tragen, sagen* gehörten ursprünglich kontrahierte Formen[113]: 2.3.Sg. (mhd. z.B. *leit, treit, seit*), ferner bei *legen, sagen* das Prät. (*leite, seite*) und das Part. Solche Formen sind in Ws bis in die Neuzeit belegt, z.B. BII 298: 1351 u.ö. *geleit*[114], 577: 1386 *man ... seite* neben 3.Pl. *sageten* und schon 298: 1351 1.Pl. *saden*; BIII 313ff.: 1426 3.Pl. *seyten(t) - sagten, gesagt*. 3.Sg. *seit(e)*; BII 333: 1356 *dreit*; noch Tischz II,72 *-leyt*. Heute lauten die betreffenden Formen: *(lēə) iš leg, du legšd, ę legd, gəlegd; (drọ̈ə)* 2.3.Sg. *dreśd* (2.Sg. † *dregšd*); *(sọ̈ə) seśd*[115]; alles umgangssprachliche Neuerungen für **dregd, *seg(š)d* (D 27.1), so u.ä. überall im SHess. (SH *tragen, legen*; zu *sagen* vgl. Bauer K. 29; Bert. §§200,2; 245,2,3; Born §§205,4; 265,2; Freil. §§318,2; 409,1). Öfter belegte langvokalische Formen (Typ *drẹigd*) zeigen, daß *e₄* zugrunde liegt, also **trẹget*. Die ungewöhnlichen V-Wechsel sind überall beseitigt worden, und anschließend wurde der Konsonantismus angepaßt: *tragen/treit*. (13.Jh.) **drāg-/drẹd (ē₂₄)*, dann Umformung nach dem geläufigeren Wechsel **ā* (Primärumlaut) *ī₄* (> *ọ̄* - *ẹi*. vgl. C 20.4.5f.). Beim ehemaligen Prät. von *sagen* wirkte außerdem das Vorbild des Part. **ĝsạ̄d* mit Kontraktion nach D 23.2.2 mit (*saden!*). Noch ungewöhnlicher war **lī₄g-/lē₂₄d*.

Der Zeitpunkt des Untergangs der kontrahierten Vb.-Formen ist aus den Ukk nicht zu erheben, weil sie als "feinere" Kanzleiformen noch lange weiterlebten, vgl. *saden* neben *seyten*. Der Anstoß zur Umbildung muß von den Umwälzungen der V-Quantitäten Anfang des 12.Jh. und der -Qualitäten im weiteren Verlauf dieses Jahrunderts ausgegangen sein: **dragən/drẹd* > **drāgn̥/drẹd*. Der V-Wechsel war nun undurchsichtig geworden und verschwand so wohl noch im 13.Jh. Im 14.Jh. jedenfalls sind die neuen Formen bereits da.

23.2.1.4. Eine Ausnahme bildet *liegen* mit Verallgemeinerung von *ī* > *ai* (s. D 23.2.2.10). Belegt ist meist die 3.Sg., z.B. BII 154: 1327 *lit*; bezeichnend 322: 1355 *lit* und *liget*. Aber schon 1375 Inf. *lyen*: PU 231; später z.B. Tischz I,8 *leien* (heute *laiə*). Mhd. *ligen* fiel durch sein *i* ohnehin aus dem Rahmen der V. starken Klasse, dafür konnten sich *lī(s)t* an die I. Klasse anlehnen[116], speziell an *stīgen* mit ebenfalls früher Kontraktion: **stī(s)t*, s. D 23.2.2.10.

23.2.1.5. Die ältesten Belege für die Kontraktion von *ēgi* treten Mitte des 12.Jh. auf: PU 11: 1154 *Menardus*; Hoffmann 192: 1173 *Mainardus, Mengotus*, meist aber *ei*, z.B. 1190 *Meingotus*; vgl.

---

[113] Bei *sagen* auf der Basis von ahd. *ēgi*-Formen, s. Braune §368 A.2; Franck §197. Weniger wahrscheinlich wäre die Deutung dieser ⟨ei⟩ nach D 24.3.3 als reine Schrr. für /ā/.

[114] Daneben *gelacht*, Neubildung von ahd. *lĕggen* aus (vor Beseitigung der Geminata, etwa im 10./11.Jh.: Braune §358 A.1; Franck §191) in Anlehnung an Wörter wie *dĕcken - dahta, gidaht* nach dem spätahd. Zusammenfließen von -kk- und -gg- (D 20.9; 20.10.3).

[115] Genau wie *šlọ̈ə* "schlagen": *šleśd*.

[116] Vgl. *bidə - gəbid, sidsə - gsodsə*.

ferner Froeßl 119[117]. Unkontrahierte Formen wurden daneben noch lange weitergeschleppt (Franck §105; Froeßl 119), vor allem in Namen, die nicht mehr recht volkstümlich waren.

igi: 1. Beleg bei Hoffmann (193) 1141 *Symunt*; später häufen sich die Beispiele (1179 *Sibodo*, 1190 *Sifridus* usw.). Auch hier bleiben unkontrahierte Reste stehen (aaO 192: "bis ans Ende des 12. Jahrh.").

23.2.1.6. Als Ergebnisse entstehen *ei* und *ī*, die mit *ei₂₄* und *ī₁₅* zusammenfallen und deren Weiterentwicklung teilen. Da *ei* schon im 11.Jh. über *ęi* zu *ę̄* wurde (C 2.3.2.2ff.) und *i* > *j* (C 2.1.1), was bei einer Dg. einen *ē*-Laut ergeben hätte (vgl. C 19.1.2), muß die Kontraktion schon um die Jahrtausendwende eingetreten sein. Nach Braune (§149 A.5a) ist sie alem. im 10./11.Jh., nach den Beispielen von Franck (S.134) im Fränk. nach 1000 greifbar, was unseren Ansatz bestätigt.

Gegen Froeßl (121f.) sind diese Kontraktionen von den erst viel später einsetzenden Spirantisierungen von intersonantischem *g* zu trennen, denn 1. haben jene im Gegensatz zu diesen auch das Obd. erfaßt, 2. bleiben im sSt bei *ęgi, igi* keinerlei *g-(g-)* Reste stehen (vgl. D 28.4.4).

23.2.2.1. Nach Schwarz (1914) ist *g* im Fränk. auch in der Sequenz *V + g (+ ə) + s/t* oder *+ N/L + ə* früh unter Kontraktion ausgefallen[118], Typen *maget > māt, agene > āne*. Das Bair. kennt (außer in seinen konservativen Mdaa) ähnliche Kontraktionen (sogar in noch weiterem Umfang auch bei *-b-, -d-*, Kranzmayer §27f) das Alem. jedoch nicht (vgl. Jutz 221f.). Da die shess. Mdaa auch sonst eine Mittelstellung zwischen Alem. (Obd.) und Md. einnehmen, ist nach ihrem Anteil an solchen Kontraktionen zu fragen.

23.2.2.2. Eindeutig nachweisbar ist die Kontraktion in *age*. Sie zeigt sich in St am spurlosen Verschwinden des *g*, während es nach D 28.5.1 hier sonst vor K als *g*, im m/s/öSt intervokalisch als Rbl. erscheint. Im einzelnen: L hat *mǭd* "Magd" (mhd. *maget*), *gsǭd*, 2.Pl. *sǭd, drǭd; ōnə* "Spreu" < *agene*; FIN L *họu-, hō-lẹbə* "Hohnleppen", nach Fecher (1941, 14; 21; 59ff.; 122 A.229) den Namen des ehemaligen Lorscher Nonnenklosters *zum Hagene* enthaltend: 1165 *Hagene* (CL), 1423 *Hane*, 1613 *Han* usw. (vgl. Wagner 1873, 504ff.).

Bauer §76 *gsǭd* verbr., aber meist *sǭgə* §143,5; K. 31; §145,8 *mǭd*, am Neckar auch *-gd. -* Seibt §173 *gsǭd, mǭd*, 2.Pl. *sǭd*, 1.3.Pl. *sǭn*, Inf. *sǭ*, ebenso *drǭ*; §211 *ōnə. -* Weber 349 *sǭgə - gsǭd*

---

[117] Die ⟨ei⟩ für *ęgi* im CL können für die Datierung nicht herangezogen werden, weil sie von den Kopisten stammen dürften. Diesen unterliefen dabei manchmal Fehler, wenn sie z.B. *Egil-* mit jüngerem *Eil-* zu *Eigil-* kontaminierten, s. die Formen CL Reg. Ein Lautgesetz (*e* vor Pal. zu *ei*, so Kaufmann, öfter, z.B. 1976, 54 zu *Elsheim*) steckt nicht dahinter.

[118] Über diese Kontraktionsbedingungen s. Schwarz 1914, bes. 25f.

(ā), mǭd (ā); 350 ōnə *(ǭ).* - Bert. §153 *mǭd, gsǭd;* verbr. §196,5f.; ähnlich Born §§199,8 und 165,11; Grund §94,4; Freil. §§18 *(gsǭd);* 19 *(ōnə);* 238 *(mǭd);* ferner 310,4f. - Wenz 35 *(mǭd, gsǭd - sǭgə).*

Rhh: (Bescher §87 ist zu ungenau) Held §233 *wǭ* "Wagen" neben §173 *wā̰ə,* §25 *wǭnv* "Wagner", Pl. *drō̰n* "tragen", *iχ sō̰n, ō̰nə* (vgl. §173 Inf. *drā̰ə);* §348,1; Martin §28 *wā̰n, nā̰l* "Nagel" (aber *hā̰əl), mā̰d, sā̰n* (§176 *gəsā̰d), drā̰n, šlā̰n (*slagen), mā̰r* "mager" (aber z.B. *glā̰ə, jā̰ə).* Vgl. auch Christmann §46.

Vgl. ferner SH *Agen I:* St und Rhh Kontr.; *tragen: drā̰* nBi; wahrscheinlich rhh *jā̰b* "Jakob" (SH); *mager, -isch, -n:* Kontr. verbreitet in Rhh; über *Jagd* (L *jǫxd)* s. D 27.2.

Namen: mit mhd. *hagen* die Wser *Hagenstraße,* 1226 *in vico Hagenonis* - 1241 *Hanegazze* (Hoffmann 193); ON, FIN aus St: SH *Hain;* dazu Mz-*Hahnh* [*hōnəm*]: CL und später *Hagen-,* 1311 *Hain-,* 1331 *Ha(y)n-* (Km. 92). - Wü *Nalsbach* bei Di-Lengf 1282 *Nals-,* 1454 *Nagels-* (daneben ⟨ei ey⟩, z.B. 1451, 1475). Wo-*Dalsh* [*dā̰ls*-]: 1198 *Dagolves-,* 1297 *Dals-* (R 17f.). - FIN Wo-Osth *Hagelkreuz:* 1293 u.ö. *hal-,* 1492 *hayl, heyl,* 1609 *hal-,* 1705 *Hahl-* (R 138f.)

Bemerkenswert der FIN Hp *Schwalbenzahl,* zu mhd. *zagel* "Schwanz" (Metz 240) mit aus dem D.Sg. verallgemeinerter Kontraktion *(am, im -zagele); zagel* wäre zu **[dsagĺ]* geworden.

23.2.2.3. Das Ergebnis der Kontraktion war überall ein *ā* und kein Di. ⟨ay ei⟩ u.ä., die sich immer wieder finden, widersprechen nicht. ⟨ay⟩ hat Dgs.-*y,* ⟨ei⟩ erscheint erst seit dem Ersatz von *ē₂₄* (mhd. *ei*) durch *ā* (C 20.3).

23.2.2.4. Zwischen St und Rhh gibt es Unterschiede: Hier hat man wiederholt Kontraktion auch vor *-ən, -əL: wǭ, drā̰, sā̰, nā̰l,* z.T. auch *mā̰r* (immer in den Ableitungen *-isch, -n*)[119].

Über *nā̰l* s. C 25.4.2.1f. Entsprechend kann auch *mā̰r* erklärt werden.

Bei den anderen Wörtern gilt folgendes: Während in Rhh auch der Pl. *(*wegənə)* zu **wẹnə* kontrahiert wurde (C 23.2.2.7), war dies in St nicht der Fall (D 23.2.2.9). Daher konnte die Kontraktion in Teilen Rhhs verallgemeinert werden: **wāgən/wānəš/wẹnə > * wā̰n* usw., während man in St **wāgən/wānəš/wegənə* zugunsten der unkontrahierten Formen ausglich. Daß der Pl. (und ggf. das Dim.) dabei den Ausschlag gab, ersieht man auch am verallgemeinerten KV des Pl.: L *waxə/wẹiə* (Dim. *wẹg'j̊*). Im nSt (mit frühem g-Schwund, D 28.7.2.1-3) mußten **wāgən* und **wagən* zum gleichen Ergebnis führen, da im Hiat nur LV stehen darf. Daher dort *wǫuə* (u.ä.) *< wǭə < *wā̰ə,* aber ohne Kontraktion.

---

[119] Über Hp *sǭ* usw. s. D 28.7.4.2.

Was die Inf. im n/wRhh *drā̃, sā̃* angeht, so liegt auch hier Übertragung der Kontraktion aus gewissen Vb.-Formen vor (wie in *grĩ̄* s.u.). Solche Vb.-Formen sind: 1.Sg. und 1.2.Pl. auf *-ən* mit nachgestelltem Pron.: *sagen-ich, sagemer, sagen-er,* s. Held §§251; 354 (1.Sg. auf *-ə(n)*: *drǭ, sǭ* nur in diesem Gebiet); 252; 356f. (Einheits-Pl.). In anderen Fällen ist in Rhh kein Rest mehr der Kontraktion vorhanden, so z.B. in *klagen* (SH). Erhaltung bzw. Verallgemeinerung oder aber Untergang hing auch von der Häufigkeit und dem sozialen Prestige eines Wortes ab.

23.2.2.5. Die Zeit des Eintritts dieser Kontraktion bestimmt sich durch ihre Beziehung zur *"gabel(e)*-Apokope" (C 38.4.1). Jene setzt noch *-e* voraus, das einige Zeit vor Abfassung des CL gefallen ist. Somit liegt die Kontraktion noch etwas früher. Dies weist am ehesten auf etwa den Anfang des 12. Jh. (vgl. D 28.3), so daß das neue *ā* mit *ā₁* zusammenfallen konnte. Infolge der traditionellen Schrr. tritt sie im CL im allgemeinen nicht zutage. Indessen steht 3481 *Jagesfelden, Jagesgowe,* im (moderneren!) Titel aber *Jasenveld-!*

23.2.2.6. Nach Schwarz (1914, 84ff.) ist die Kontraktion nicht auf *-age-* beschränkt. Dies wird wenigstens für Rhh bestätigt. Zwar fehlt es infolge frühen Ausgleichs zugunsten unkontrahierter Formen für manche VV an Beispielen, doch ist dies kein Gegenargument. Da auch bei späterem *g*-Schwund *LV+əL* gebietsweise kontrahiert wurde (C 25.4.1f.), sind hier die einzelnen Schichten nicht mehr mit der gebührenden Klarheit voneinander abzuheben.

23.2.2.7. Einzelheiten aus Rhh: Held §173 *rē̃* "Regen" (Bescher ist ungenau, SH: nöRhh); *rēnə* ist in Rhh verbreitet, SH; ferner: Valentin §326f. *rē̃, rēnə*; Martin §46 *rēn, rēnə, bəgēnə* (aber *gēə*); Christmann hat ebenfalls *rḕ, rḕnə, bəgḕnə* (§46). Ursprünglich also **rḕgən/rḕgənəś/rḕgənən* > **rḕgən/rḕnəś/rḕnən* und danach auch **rḕn* (wie oben **wā̃n*). - Zu begegnen s. SH: *bəgēnə, -ḕ-* allgemein in Rhh; *gesegenen*: Bi-Zotz, Az-Bech *gəsān* "Zaubersegen", kommt nicht von mhd. *geseinen* (so SH; das wäre der einzige Beleg für *-ēge-* > *-ei-!*) sondern steht für **gəsēn* nach *sā̃(n)* "sagen" (***"besprechen").

Weiteres: rhh *mē̃rə* "Mädchen", mhd. *mägedîn*[120], *sens* "Sense": *sēgense* (**žḕnžə*); *Wagner* mit Umlaut: FIN Bingen † *hinder den wenern* 1471 (Altenkirch 1936, 43); rhh *līno* "Lügner", SH; FIN Wo-Osth *Gohl,* 1558, 1622, 1652 *Gogel(l),* 1705 *gohl:* mhd. *gugele* (R 129). LV: SH *kriegen,* rhh *grĩ̄* neben *grī(j)ə,* 1.Sg. *grĩ̄, grīn* verbreitet; vgl. auch Erdmann §170 *dsīl* "Ziegel", aber §69b *rīəl.* ON: Wo-Weinsh [*wọinsəm*], 897 *Wîgînes-,* 804 (Abschrift des 12.Jh.) *Wînes-,* 1223 *Winis-* (R 51; Km. 221).

Das Material macht deutlich, daß die Erscheinung einst in ganz Rhh vorhanden war, auch im Wser Raum (*Gohl, Weinh;* Ws *bəgēnə, rḕnə* gg. *gēə, rēə*). Durch Ausgleich, später durch Sprachbewegung, ist vieles verlorengegangen. Als allgemeine Regel kann gelten, daß Kontraktion

---

[120] Die Rückführung auf mhd. *meidîn* im SH (*Mädchen*) ist unzutreffend.

hinter jedem *V*, vor *s* *t*, *L*-, *n*- eintrat. Das Ergebnis in den bisher besprochenen Fällen waren gedehnte Monophthonge. Dabei fiel *-ĕge-* mit *ē₃* zusammen.

23.2.2.8. Abweichend verhält sich *Vogt*, mhd. *voget*. Belegt sind allgemein *faut*, *v-* in mittelalterlichen Wser Ukk, s. auch R 112; SH *Vogt* und vgl. den verbreiteten rhh. Fam.-Namen *Faut(h)*. Die Kontraktion reicht nach Gleißner-Frings (1941, 90) vom Mittelrhein (Köln) bis nach Österreich. Ergebnis ist meist *fōt* oder *foit* (mit wirklichem Di.! Vgl. z.B. Kranzmayer 1956, §27f). Daneben ist gebietsweise *au* belegt, so im "Hessischen" (Moser 1929, §73). Sowohl *oi* als auch *au* (< *ou*) enthalten *i̯* bzw. *u̯* als Rest des *g*. S. auch E 3.2.2.

23.2.2.9. In St gibt es keine Spur einer allgemeinen Kontraktion hinter allen VV. Die im DSter Raum ursprünglich vorhandenen Typen *fōl*, *līnö* stehen damit in keinem Zusammenhang sondern sind (schon wegen ihrer geografischen Lagerung) jünger gemäß C 25.5.3.5ff.

Im s/m/(ö)St zeigen die rhh Kontraktionswörter jeweils das Ergebnis der <u>späteren</u> *g*-Spirantisierung bzw. -Vokalisierung (einzelnes s. D 28): L (Beispiele wie oben) *bəgei̯ən*, *gei̯ənə* "Gegner" (wie *gei̯ə*), *rei̯ə*, *rei̯ən* (vgl. D 4.5,1), *wei̯ənə*, *līənə*, *grīə*; auch in Wörtern auf *-gel* gab es nachweislich in keinen Fall *g*-Schwund (s.D 29). Seibt §§27 *wegənə'*; 33; 173 A.1 *rei̯(j)ə* *rei̯(j)ənə* (jünger *rei̯nə*); 58 *lī(g)ənər*, 100 *grīə*; aber 173 *šdaid* neben 69 *šdai̯gə*. - Bauer §141,3 *grī(g)ə* (vgl. SH *kriegen*); ,7 *dsigəl*, *-g-* u.ä.; ,9 meist *šdai̯ə*, ,10 meist *līənʋ*, auch *-g-*, im S *-gn-*; 145,7 meist *wei̯nʋ*, auch *wegən-*, *-i̯-*, *-gn-*. - Weber 358 *gei̯nd*; 245 *rei̯ə* - *rei̯ən*; 262 *līənə*, *li̯nʋ* (< *-gn-*!); 340 *šdai̯ə*; 350 *grīə*. Wenz §1,III *wei̯n*. Für den S vgl. z.B. Bräut. §93 A.3 (Dorf-Mdaa) *rei̯ə*, *gri̯ə*; Treiber §62 A.3 *rē̆ə*, *rē̆prə*; Waibel §60 B1a *rē̆(j)ərə*.

Nur eine scheinbare Ausnahme ist *sens* "Sense", denn es ist zu bedenken, daß z.B. in L (und weithin im Odw) die "kleinen" Bauern meist mit der Sichel mähten und Sense als Wort des Handels überregionale Lautung haben kann.

23.2.2.10. Der einzige V außer *a*, hinter dem auch im sSt bodenständige Kontraktion sicher ist, ist *ī₁₅* [121], vgl. z.B. Hp *šdai̯gə* aber *šdai(š)d* (Seibt §§172b; 173), L *šdai̯ə* - *šdai(š)d*, verbr. sSt (Bauer §141,9). *šdaid* auch bei Grund (§94,4). Regelmäßig wäre nach D 28 *šdai̯gd* - sSt *šdai̯gə*, n/mSt *šdai̯(j)ə*. Das Fehlen von *g* in *šdaid* auch im sSt deutet auf frühe Kontraktion hin (vgl. Seibt!) [122]. Infolge des Reimes *lī(s)t* - *štī(s)t* und der semantischen Nähe (vgl. L *lai̯ə* "liegen" - *ufšdai̯ə* "aufstehen") haben beide Vbb. einander beeinflußt: *lai̯d* - *lē₄gə* gg. *šdai̯d* - *šdai̯gə*

---

[121] Wenn z.B. auch in L (so noch GRB 1716) *faudt* belegt ist, so möchte ich bei einem verkehrssprl. beeinflußten Wort eher an die Übernahme fremder Lautung als an bodenständige Entwicklung denken, s. auch E 3.2.2.

[122] Aber z.B. L *gai̯* "Geige" gehört nicht hierher, s. D 28.7.2.2.

führte zu *laid laigə* (resthaft im sSt: Bauer §141,1), später *lai+d - lai+ə* (D 23.2.1.4) und danach verbreitet *šdai−d - šdai−ə*.

St nimmt somit eine Übergangsstellung zwischen den allgemein kontrahierenden fränk. Mdaa und dem Alem. ohne Kontraktion ein.

Nur noch hinter dem offensten V *a* und dem palatalsten $\bar{\imath}_{15}$ (für $\bar{u}_{16}$ fehlen Beispiele) drang sie auch in St ein.

23.2.2.11. Zeitlich gehört die Kontraktion hinter den übrigen VV in den gleichen Zusammenhang wie die hinter *a* (s.o.): Az-*GWeinh* = 772 *Wîhin-*, aber CL *Wîgin-* (Km. 80f.); Az-*Weinh* = 772 *Wîhin-*, 1140, 1191 *Win-*, 1194-1198 *Wigen-* (aaO 220); Bi-*FWeinh* = 1112 *Win-*, 1194-98 *Wigen-* (aaO 70): Das Schwanken zwischen -*g*-, -*h*-, ∅ schon im 12.Jh. zeigt den Verlust des *g* (und des *h*, s. D 35.3.2)[123]. Späteres: Wo-*Kriegsh* [*grīsəm*][124]: 1137 *Criges-* (Km. 128), 1276 *Crigis-* (R 33) - 1306 *Cris-* (aaO). PU 244: 1401 *rene* "regne".

23.2.2.12. Gegen Schwarz (1914, 26) ist der Verlauf der Kontraktion nicht so zu sehen: **wagənəš* > **wagnəš* > **wānəš*, weil -*gn*-, -*gd* im SHess. als -*ŋn*-, -*gd* erhalten bleiben. Vielmehr muß mit folgendem Verlauf gerechnet werden: Unter den Kontraktionsbedingungen wird -*gə*- flüchtiger gesprochen, *g* wird spirantisiert und geht nach völligem Schwund des *ə* spurlos im V auf, ggf. unter dessen Dg., nur hinter *o* erhält es sich als *u̯*, während es mit *u* zusammenfließen mußte (**gu̯gələ* > **gu̯u̯lə* > **gūlə*). Auf eine vorhergehende Spirantisierung weisen auch die andernorts vorkommenden Dii. wie *ai* < *age* (z.B. bair.: Kranzmayer 1956, §27f).

Genauso ist die spätahd. Kontraktion von *ègi igi* zu verstehen[125] (125): über **ej^i*, **ij^i* werden *ei ī* erreicht. Auf der Stufe **ij^i* schloß sich arf. (LB) *bigiht* an: L *baišd*.

23.3. *d̠*:

Hier sind nur wenige Beispiele vorhanden. Wegen C 37.1.4,2; 38.1.2 fällt die ursprünglich häufige Folge *V+də+t* aus. In Vb.-Formen wie *schadest* konnte sich eine Kontraktion (**schāst*) wohl nicht lange halten[126].

---

[123] PN *Wîgo* oder *Wîho*, aaO. 112 *Wîen-* deutet eher auf verlorenes -*h*- hin.

[124] Mit unklarer Etymologie trotz der Bemühungen Kaufmanns (S. 128). /ī/ scheint am ehesten $\bar{\imath}_{21}$ (ahd. *ia*) zu sein.

[125] Überblick über die verschiedenen Deutungsversuche bei Froeßl 119.

[126] Anders zu erklären sind wohl *dēšd*, *hēšd*, s. D 37.2.1.2.

In einigen PN ist die Kontraktion aber sicher belegt. Der CL zeigt bereits sichere Fälle. Neben *Adalbertus* u.ä. steht wiederholt *Al-*, auch von derselben Person, vgl. z.B. 3535 *Adel-* = 3275 *Al-*, ebenso 596 *Adel-* = 3733 *Al-*; etwas anders 3053 *Adelradus* = 3702 *Ald-*; 492 *Habertus* ist von Glöckner unnötig in *Hade-* korrigiert (*Hade-* z.B. 616, 670, 671).

BI: bis zur 2.Hälfte des 12.Jh. nur *Adal-*, *Uodal-* u.ä.; aber Hoffmann zitiert (§5.2) *Ulricus* 1197, (§6,2) 1233 *Hauwardus* für *Hade-*; 73: 1183 *Ulricus* (Mz!), 78: 1194 *Albertus*, 79: 1196 ds., 80: 1196 ebenso und *Ulricus*; noch Zorn 182 *Alheit*. PU: ältester Kontraktionsbeleg 159: 1152 *Albert-*, 14, 1183 *Ulricus*; später z.B. 34: 1316 *Alheydis*.

Auch hier wird man an folgende Entwicklung denken: **adəl-* > **aᵈəl-* > **āl-*. Die Belege weisen auf die gleiche Zeit wie bei *-g-*, den Anfang des 12.Jh. Daher wird altes *-d̦-* erhalten geblieben sein.

23.4. b̦:

Die Situation war hier anders als bei *-g-*, *-d̦-*, weil zu Beginn des 12.Jh. bereits *-w-* gesprochen wurde. Dennoch gibt es spärliche Hinweise auf eine ähnliche Erscheinung. Mir sind nur bekannt: Ma-*Ladenburg*, L [lārəbęrg], CL Reg. viele Spielarten, besondere *Lobodun-*, *-en-*, selten *Lobden-*, so 274, das auf Kontraktion hindeuten könnte. Erste Di.-Schr. 1253 *Lauten-*. Also: **lowəd-* > **lowd̦-* > **loud̦-* (> **lād̦-*, C 20.7.3.3, vgl. D 22.6). Ein weiterer Beleg scheint PU 313: 1495 *gelouten* "gelobten". Schwieriger ist die Beurteilung von Di-*Hab* = [hǭdsəm]: 1262 *Habuthis-*, 1321 *Habots-*, aber 1339 *Hatzhem*; Kontraktionsformen (nach Müller) erst wieder im 15.Jh.: 1442 *Heytzheym*, 1454 *Hatzen* usw. Man sollte erwarten, daß *[hawəds-]* über *[hauds-]* zu *[hāds-]* geworden wäre; diese Aussprache scheint auch dem *Heytz-* von 1442 zugrunde zu liegen (wegen [ā] für [ē₂₄] = ⟨ei, ey⟩). ǭ könnte spätere Umdeutung sein, etwa nach *hǭds* "Harz".

Weitere Beispiele kenne ich nicht. Dabei fällt vor allem das Fehlen hinter anderen VV als *o* auf, vgl. L *hawišd* "Habicht", ahd. *habuh*, *grębs* (krēbaȝ), † *ōbsd* (obaȝ), aber auch *owə* "ober, oben" (*obaro*, *obana*). Nicht hierher gehören aber die Fälle von D 37.2.1.1.

Da der Lab. *-w-* im allgemeinen nicht zum Schwund neigt, ist hier offensichtlich die Kontraktionstendenz nur durchgedrungen, wenn *-w-* mit dem vorhergehenden V zu einem (in der Mda bereits vorhandenen) Di. verschmelzen konnte: *o+w* > *ou, ǫu*. In den anderen Fällen erfolgte alsbald Rückbildung. *owə* können sich nach *owə* "über" < **ovar* gerichtet haben.

Diese Kontraktion ist nicht später als die anderen, weil damals *ǫu₂₆* noch nicht zu *au* weiterentwickelt gewesen sein kann (vgl. C 20.7.2.2).

Intervokalisches /d/

24.1. Das nach D 20.12.1.1 im ausgehenden 12.Jh. aus /d̠/ und /d/ entstandene /d/ erscheint intervokalisch in L und verbreitet shess.[127] als *r*, während /d/ aus alter Geminata unverändert bleibt. Beispiele für letzteres s. D 20.6; für *r* < /d/ (in Klammer die germ. Lautung): *brād/brār*-"breit" (*d*), Komp. *brērə*; *brōrə* "Braten" (*d*), *brūrə* "Bruder" (*þ*), *fẹrə* "Feder" (*þ*), *gūd/gūr*- "gut" (*d*), *karə* "Kater" (*t*, s. D 18.3.2,2), *laurə* "lauter" (*t*, aaO), *līd* "Lied", Pl. *līrə* (*þ*), *ōrəm* "Atem" (*d*), *sīrə* "sieden" (*þ*), Part. *gsorə* (*d*), *šịrə*- "schütten" (mhd. *schüten*: *d*), *šnairə* "schneiden" (*þ*), Part. *gšnerə* (*d*), Weiteres s. D 24.3.2. Über vereinzelte *l* statt *r* s. D 12.2.

Wie beim Lab. gibt es den Wandel auch im engen Satzinl. Beispiele: *ẹ gid* "er gibt" - *gịr-ə, dẹs gịr͜ən gūrə brōrə* "das gibt einen guten Braten"; *ẹ grid* "er kriegt" - *grịr-ə, dẹ grịr͜ā̊ ẹbəs* "er kriegt auch etwas"; *iš/ẹ hēd* "ich/er hätte" - *hēr-iš, -ə, iš hēr͜ǭns* "...eines"; *iš dēd - dēr-iš* "täte (würde) ich"; *ẹ hod* "er hat" - *hor-ə, ẹ hor͜ẹbəs* "... etwas"; *s gẹid* "es geht" - *s gẹir͜ẹbəs fǭ̊* "es geht etwas vor", *dẹs gẹir͜ẹwə ned* "das g. aber nicht"; *ẹ laid* "er liegt" - *lair-ə, si lair͜im bed* "sie liegt im Bett"; *iš šid* "ich schütte" - *iš šịr͜ən fọd* "ich sch. ihn fort". Vor -*ə* "ihr" bleibt -*d* (*grid-ə, hēd-ə, dēd-ə*), weil älteres *də, bet. **dẹ̄* zugrunde liegt (SH *ihr III*). - *mid*: *mer͜əm* "mit ihm, dem", *mer͜əmə* "mit einem", *merə* "mit einer, mit ihr", s. D 12.4. Der Unterschied zwischen *ẹ gịr͜əm* "er gibt ihm" und *ẹ gid ərə* erklärt sich aus der Beseitigung eines älteren *gịrə*, s. aaO.

24.2. In einigen Fällen ist völliger Schwund eingetreten:

1) *brīə* "brüten", *haiən* "heiraten", nSt *ẹ̄rwən* "arbeiten" (SH): falsche Rückbildungen von der fast ausschließlich gebrauchten 3.Sg. bzw. dem Part. aus: 3.Sg. *brīd*, Part. *gəbrīd*, eig. *brīd+d*, als *brī+d* analysiert. Ein Ansatz *brühen* (SH) ist daher unnötig (vgl. WK I,59). Ähnliche Entwicklung in *haiən*; schon Luther hat *heiern*, s. Kluge; vgl. D 31.8.3, ferner 24.9.6f.

2) *r* kann in einigen Wörtern in nichthptt. Stellung ausfallen: *dēr-iš, hēr-iš* (s.o.) > *dē-iš, hē-iš* (*dē̄-š, hē̄-š*); *endwẹrə, wịrə* "entweder, wieder" > -*wẹ̄ə, wī̄ə* s, C 45.1,3.

24.3.1. Nicht zuletzt wegen seiner geringeren Verbreitung im deutschen Sprachgebiet (s.u.) ist heute der Wandel *d* > *r* im Gegensatz zu *b* > *w* stärker eingeschränkt und gilt als vulgär. Man kann in der Halb-Mda zwar *awᵊ, līwᵊ* "aber, lieber" sagen, aber nicht *brūrə, fẹrə*. Typisch hierfür ist auch das Rhein-Main-Gebiet (vgl. Debus 1963, 26f. mit K.2). Auch von Mhm her, wo ja viele Lorscher arbeiten, sickern ständig *d* ein[128]. In zunehmendem Maß werden die *r* durch Schule und Massenmedien beeinträchtigt. Schrspr.-nahe Wörter haben darum die Tendenz, *d*

---

[127] Einzelheiten s. D 24.4.

[128] Man vergleiche den nach N gerichteten *Bruder*-Keil bei Ws, s. Bauer K.41.

wiederherzustellen. Typisch hierfür ist *frīdə* "Friede", verbr. noch *r* (SH), in L *frīrə* (mit *ī*) noch im FIN (Fecher 1941,104f.), dazu *sə-frērə* "zufrieden"; vgl. auch *grīs* "Krieg" D 27.2.1.

24.3.2. Von der Halb-Mda und jüngeren Eindringlingen abgesehen, zeigt sich diese Beschränkung in L vornehmlich im Falle alter Alternanzen *-d/-r-*, seltener aber auch sonst.

1) Im Pl. der Sbb. sollte einem *-d*: *-r-* entsprechen, außer wo *-d* auf Geminata zurückgeht. Diese Regelung ist in einer Reihe von Sbb. erhalten: *blọ̄d* "Blatt" - *blerə*, *brẹd* "Brett" - *brerə*, *glād* "Kleid" - *glārə*, *glīd* "Glied" - *gljrə*, *jud* "Jude" - *jụrə*, *kaud* "Grube" (`Kaute´) - *kaurə*, *līd* "Lied" - *līrə*, *rọ̄d* "Rad" - *rerə*, *dsaid* "Zeit" - *dsairə* u.a. Aber *bed(ə)* "Bett(en)" (mhd. *bëtte*), *glẹd(ə)* "Klette(n)" (*klëtte*), *lad(ə)* "Latte(n)" (*latte*), vielleicht auch *dsod* "Ausguß am Topf" (`Zotte´), Pl. *dsodə* (etymologisch unklar, Kluge *Zotte 2*) u.a. Nach ihnen haben sich zunächst Sbb. mit KV, darunter Lwtt, gerichtet (für die das SH oft noch anderwärts *-r-* belegt), z.B. *dud(ə)* "Tüte(n)" (SH *Tute II*), *ked(ə)* "Kette(n)" (SH), *jesəwid(ə)* "Jesuit(en)", *minúd(ə)* "Minute", *regrúd(ə)* "Rekrut(en)". Von da aus wird *d* nun auch auf Wörter mit LV ausgedehnt, einheimische und entlehnte: *abərǎd(ə)* "Apparat(e)", *būd(ə)* "Bude(n)", *mīd(ə)* "Miete(n)" (= "Mietzins"), *nọ̄d(ə)* "Note(n)" (SH: öfter noch *r*), *pọud(ə)* "Pfote(n)" (SH: öfter noch *r*), *saldọ̆d(ə)* "Soldat(en)", *šnūd(ə)* "Schnute(n)" u.a.

Über *grọngədə* "Krankheiten", *ẹ̄wədə*, "Arbeiten" u.a. s. D 20.12.1.2.

2) Adj.: Noch ausgeprägter als beim Sb. ist *r* auf häufig gebrauchte mit LV eingeschränkt, z.B. *brād* "breit", *dọud* "tot", *gšaid* "gescheit", *gūd* "gut", *mīd* "müde", *rọud* "rot", *šbēd* "spät": flektiert (z.B. *rọur-*) und im Komp. (z.B. *rẹirə*). Hinter KV bleibt *d* nach Analogie der Fälle mit ehemaliger Geminata allgemein: *blod* "bloß, nackt" (ndd. *blutt*: Kluge *bloß*), *fẹd* "fett" (vgl. auch *fẹdiš* "fettig"), *mad* "matt". Typisch *glọd* "glatt" mit festem *d*, gekürzt aus **glọ̄d* (C 4.1.2.2,4).

3) Dieselbe Tendenz zur Wiederherstellung des Vsl. hinter KV haben wir ansatzweise auch beim Lab. angetroffen, s. D 20.5. Besonders deutlich zeigt sie sich beim Vb. *-bīrə* "-bieten": Part. *-gəbodə* mit *d* auch bei alten Leuten, während sonst *r* hier noch verbreitet ist in St: SH *verbieten*; Seibt §161 (dagegen *sīrə* "sieden" - *gsorə*); s. auch E 3.2.2.

4) *r*-Formen in der 3.Sg. von Vbb. sind gleichfalls nur noch bei einigen häufiger gebrauchten üblich, vgl. die oben zitierten *gẹid, gid, grid, hod, laid, šid, iš/ẹ dēd, iš/ẹ hēd*. Ferner z.B. *drīr-ə* "tritt er", *dụr-ə* "tut er", *sīr-ə* "sieht er" (älter *sišd-ə*), *šdair-ə* "steigt er", *šdẹir-ə* "steht er"[129]; aber z.B. *baud-ə* "baut er", *dād-ə uf* "taut er auf", *gaid-ə* "geigt er", *glaud-ə* "klaut er", *rūd-ə* "ruht er", *šdrād-ə* "streut er" u.a. Zuweilen noch *r* bei Älteren (z.B. *hīr-ə* "hütet er", gewöhnlich *hīd*, Inf. *hīrə*), was auf verhältnismäßig junge Beschränkung hinweist. Nur *d* aus *-dəd* hätte nach

---

[129] Von hier aus Übertragung des *r* auf *wī*, *wū* "wie, wo": *wīr-ə*, *wūr-ə* "wie, wo er" (zugleich Anlehnung an *wọr-ə* "war er", s. D 8.3.1).

D 24.6 erhalten bleiben müssen: *blūd-ə, šad-ə* "schadet er", doch weist † *hīr-ə* auf frühe Verwirrung der ursprünglichen Verhältnisse hin.

5) Daß das Überleben der *r*-Formen eine Frage der Häufigkeit des Gebrauchs ist, zeigen ganz klar adj. gebrauchte Part. wie *ausgərūd-, gəbaud-, gəkaud-, gšdrād-* "gestreut", z.B. *ə ausgərūdi frā* "eine ausgeruhte Frau", *imə nai gəbaudə haus* "in einem neu gebauten Haus". Da solche flektierten Formen in der Mda nicht häufig sind, bleibt hier das *d* immer erhalten (im Gegensatz zu *gšaid*, das Adj. geworden ist, s. Nr.2).

6) Weitere Fälle mit Vsl. (von eindeutigen Lwtt abgesehen, s.u.): *redə* "reden, Reden" unter umgangssprl. Einfluß (in L weitgehend durch *blaurən* verdrängt; SH verbr. *-r-*); *gadiŋ-* "passend", nach dem SH (*gatting*) allgemein mit *d*. Auszugehen ist von mhd. **gatec* ('gattig'), das als Wort des Handels (vgl. SH 1b) zu einer "feineren" Form tendierte, vgl. D 4.3.4.3.

24.3.3. Hochsprl. Einflüssen ist sicher auch das *d* in einer Reihe von Wörtern auf *-er* zu verdanken, da sich fast durchweg anderswo *r*-Reste nachweisen lassen. Beispiele: *budə* "Butter" (*r* z.B. wRhh; SH); *fadə, modə* "Vater, Mutter" (spärliche *r*, SH; s. auch s.v. *Mutterkalb*); *fūdə* "Futter" (*r*: Rhh, Reste in St; SH mit WK II,64), dazu *fīdən* "füttern" (*r*-Reste); († *gə-)gidə* "Gitter" (ahd. *gétiri*); *gəwidə* "Gewitter" (meist *r*); *jēdə* "jeder" (*r*-Reste, SH; vgl. C 2.3.1.2; 5.3.1.4,4); *kōdən* "lallen" (Ammensprache! *r*, SH); *lādə* "Leiter" (viele *r*-Reste, SH); *nēdən* "Näherin" (mhd. *næterin*; *r* z.B. Bertram §222); *pȩidə* "Peter" (älter *r*), s. D 18.3.2,2 und SH; *raidə* "Stehsieb" (*r* verbr., SH *Reiter II*); *raidən* s. D 24.3.4; *rediš* "Rettich", s. C 5.2.3; *sādən* "Speichel fließen lassen" (**seitern*).

Daneben steht eine große Zahl von Wörtern mit *r* für mhd. *d t* vor *-er*, z.B. *blaurən* "plaudern", *brūrə* "Bruder", *dorə* "Dotter" (mhd. *toter*), *fȩrə* "Feder", *flarən* "flattern" (spätmhd. *flatern*), *flȩrə-maus* "Fleder-" (*vlëder-*), *laurə* "lauter", *lịrəriš* "liederlich" (s. C 5.2.4 mit A.46), *lorə* "locker" (*loter*), *ōrə* "Ader" (jünger *ōdə*), *šlorən* "schlottern" (*slotern*), *šorən* "(er-) beben" (< **schutern*, s. C 19.1.1), *wȩrə* "Wetter" (*wēter*), *wȩrə* "wider, gegen".

Es ist schon angesichts der erhaltenen *r*-Reste klar, daß *r* überall das Ältere war. Außerdem stehen die *d*-Wörter allesamt unter besonderen (hochsprl., überregionalen) Bedingungen. (Müller 1931, §10,2 weiß keine Erklärung.) *modə, fadə* sind die gegenüber den Behörden gebrauchten Bezeichnungen, familiär früher *mọmā, dādə*, heute eher *mọmā, mudī* bzw. *babā, fādī* (vgl. *brūrə*!); zu *kōdən* s.o. und C 20. 4.1.1,2; ebenso ist *sādən* zu beurteilen; *pȩidə* ist PN; *budə* ist Wort des Marktes, vielleicht auch *Futter*; *lādə* ist Handelswort (fliegende Händler, die Leitern verkaufen!); *gidə* gehört der Sprache des Handwerks an, ebenso *nēdən*; *jēdə* verrät schon durch seinen V seine hochsprl. Herkunft (s. C 2.3.1.2; 5.3.1.7,4).

24.3.4. Gemäß der Tendenz zur Beschränkung des Übergangs *d* > *r* ist es nicht verwunderlich, wenn Lwtt meist ihren Vsl. beibehalten. Doch findet sich in einigen meist älteren Fällen auch *r*, z.B. † *ȩrəm* "Adam", *mōrə* "Mode" (dazu *ọld-, nai-mōriš*; 17.Jh. franz.), *mērə* "Meter", selten,

meist *-d-*; *morə* "Moder", *fəmorən* "vermodern", *morəriš*; *sairə* "Seide" (mit *-ə* wie *mōrə*), †
šdụrĩạn, † *šdụrénd* "studieren, Student", *šblịrə* "Splitter" (und *-d-*; ndd., s. Kluge). Nur historisch
in *verakkordieren* "(Arbeit) vergeben", heute *fəagədĩən*, bei Fecher (1941, 114, Anm. 165) 1711
veraccorirt.

Sonst steht *d*, z.B. *audō*, *brofədĩạn* "profitieren", *dišbədĩạn* "disputieren, streiten", *fodō*, † *idum*
"Warenposten, den man kaufen will", *ladén* "Laterne", *lidə* "Liter", *medál*, *milədẹ̃ạ* "Militär",
modǫ̃ạ "Motor", *pādə* "Pater", *pūdə* "Puder", † *raidən* "rauben, plündern" (zu *Reuter*,
"Freibeuter", Lwt des 15.Jh., Kluge), *(paifə-)sūdə* "(Pfeifen-)Sutter" (Kluge), s. C 5.5.3,1, *šǫudə*
"Narr" (hebr. *šōteh*) u.a.

24.4. Die Lösung des dent. Verschlusses ist innerhalb der hdt. Mdaa am wenigsten verbreitet.
Nach Müller (1931, §6f.) herrscht sie etwa in folgendem Raum: in St etwa bis zum Neckar, in
Rhh, der Pfalz, im Hunsrück, in Oberhessen mit Teilen des Westerwaldes, im N bis zur hdt./ndd.
Sprachgrenze, wo sie sich mit verwandten ndd. Phänomenen berührt (vgl. Schirmunski 1962,
318; Mitzka 1954, 65; 84ff.).

Im einzelnen: Bauer §133 mit K. 27f.; 41; zur Grenze im S ferner Waibel §54,IIIa; Bert. §§138;
240,1-3; Born §§133,b2.d; 253; Freil. §§222 (Vsl.); 224; 403, bes. Nr.5-13; Rhh: Valentin
§§243f.; 254ff.; 435; 439; Held §§156f.; 207f.; 211 A.1; 341f.; Bescher §§83,3.5-7; 85,2-6. -
VPf: Bertram §§225; 231ff. mit K.2 (Angaben zur Vsl.-Grenze); SH WK I,57 *(Bruder)*; II,64
(Futter).

24.5. Im gesamten Wmd. ist heute *r* das Ergebnis. Doch findet sich vereinzelt an den Rändern *l*
(Müller 1931, §16ff.), so auch im sSt (Vorfeld von Mhm, Hd: Bauer aaO; Bräut. §§91 A.4f.; 92
A.3f.); öfter, auch im Inneren des Gebietes *d* (Müller §12f.; Pfalz: Haster 1908, 53; Bertram
§225; Christmann §115), das heute rasch in *r* (seltener andere Laute, s. Bertram) übergeht, vgl.
hierzu besonders Christmann (aaO).

d neben *r* kommt (kam) auch in verschiedenen im 18.Jh. gegründeten rf. Kolonien vor, s. Müller
§8. Dies und die heutigen Reste erweisen *d* überall als das Ältere (Müller §11ff.), und
(alveolares!) *r* bzw. gewisse seltenere Vertretungen (VPf) sind erst nachträglich daraus
entstanden. Wo die Mda gutt. *r* spricht, mußte dafür *l* eintreten (Müller §16ff.; Bauer aaO).

24.6. Gewöhnlich wird ehemalige Geminata bewahrt, s. z.B. Seibt §160; Bert. §137d; Born
§133,2d (s.u.); Valentin §156; Held §§160; 210; Bescher §85,10, außerdem Müller §§10,1; 5.

Wiederholt findet man falsche Angaben, indem auf Grund erst nhd. rein graphischer Geminata
Übergang von *tt* in *r* angesetzt wird, so z.B. Born §133,2d *(Wetter*: mhd. *wēter)*; Bertram
(Schlitten). Öfter ist aber tatsächlich *r* auch für alte Geminata eingetreten.

Hier die wichtigsten Wörter. Angaben nach dem SH (falls nicht anders vermerkt): *Bett*, ahd. *bётti*,
L Sg. *bed*, Pl. *bedə*, *r* im Pl. und in *Kindbetterin* vereinzelt St, Rhh. - *bitten*, ahd. *-tt-*, 2.3.Sg.

bitis, -it, L *bidə; r* Da-Wieb, GG-Bütt, Be-Fehlh, Er-Beerf, Az-Weinh. - *bitter*, ahd. *bittar*, L *bidə; r* Az-Spiesh Wöllst Daut; vgl. Bertram §225. - *dritt-*, ahd. *drittio*, allgemein *d*, L *drid*. - *Fittich*, zu ahd. *fёttah*, L Ø, allgemein Vsl. - *Hütte*, ahd. *huttea*, L *hid*, Pl. *hidə;* meist Vsl., *hirə* Di-GUmst, Er-Zell (Freil. §60); *r* auch in *Hüttenwagen* Az-Fram; ON Er-*Hüttenth* mit *r* (Freil. 270); FIN Da-Hähnl *Hüttenäcker* (Reeg 1935, 32). - *Klette*, ahd: *klёtto*, L *ględ*, Pl. *ględə; r* verbr., bes. Az, seltener n/öSt und sonst. - *klettern*, zum vorigen, L *ględən*, *r* bes. Be, Er. - *Kutte I*, mhd. *kutte*, L *kud*, Pl. *kudə*, Pl. *r* bes. Da. - *Latte*, ahd. *latta*, L *lad*, Pl. *ladə;* allgemein Vsl. - *mitten*, zu ahd. *mitta*, L *mędə; r* (neben *d*) z.B. Er-Zell (Freil. §38 A.), Hp (Seibt §36). - *Petter* "Pate", mhd. *pfёtter*, L *pedə; r* Di-Reinh, Az-Armsh; Freil. §224. - *retten*, ahd. *rёtten*, L *redə*, allgemein *d*. - *Schmiede*, ahd. *smitta*, L *šmid*, Pl. *šmidə; r* bei Freil. §38. - *schütten*, ahd. *scutten*, 2.3.Sg. *scutis, -it*, L *šịrə*, allgemein *r*, s. SH *aus-schütten*. - *spotten*, ahd. *spottôn*, L *šbodə*, *r* s.v. *aus-, ver-sp.*: Of, Di usw.; Be-Hochst Raid Bensh. - *wetten*, mhd. *wёtten*, L *wedə; d* z.B. auch Bert. §137d. - *zittern*, ahd. *zittarôn*, mhd. *zit(t)ern*, L *dserən; r* auch Seibt §37 A.; Weber 249; Held §43, m.W. verbreitet.

Sieht man von *schütten, zittern* ab, so steht in L und weit verbreitet nur Vsl. *r* tritt gehäuft auf im wRhh, ö/nöSt, also gegen die *r/d*-Grenze hin (vgl. Zell in typischer Randlage, Freil.), außerdem in Städten (z.B. Hp) und deren Einzugsbereich (z.B. Of!), d.h. besonders dort, wo infolge ständiger Auseinandersetzung zwischen mdal. *r* und fremdem *d* Unsicherheit entstand[130]. Dies war umso leichter, als intervokalisches (neues) *r* und *d* im Ausl bzw. vorkonsonantisch zu *d* neutralisiert werden: *ked : ker- = bed : X, X = ber-*. Auch *Retter* mit *r* in verhältnismäßig konservativen Orten (vgl. SH) widerspricht als Wort der Oberschicht (z.B. Kirche) nicht.

Anders hingegen sind *schütten* und *zittern* zu beurteilen. Bei ersterem ist von mhd. *-t-* (auf der Basis der 2.3.Sg.) auszugehen, über letzteres s. D 50.3.5.

24.7.1. Die *r*-Aussprache und älteres *d* müssen wie heute schon in alter Zeit als grobmdal. empfunden worden sein und haben deswegen praktisch kaum Spuren in Handschriften und Ukk hinterlassen (Moser 1951, §§142 A.18; 143 A.35). Außerdem war [*d*] ja = /*d*/! Im Gegenteil, intervokalisch setzte sich z.B. in Ws (und anderswo) immer stärker ⟨t⟩ statt älterem ⟨d⟩ durch (Hoffmann 206; vgl. D 20.4.2a). Für die Rekonstruktion sind wir daher weitgehend auf den inneren Vergleich angewiesen.

24.7.2.1. Der Übergang *d* > *r*, der sich besonders in Teilen der Pfalz noch vor unseren Augen abspielt(e), ist phonetisch unproblematisch: Schwaches *d*[131] mit reduziertem Reibungsgeräusch

---

[130] Nicht von ungefähr hat z.B. das nöSt auch in Wörtern wie *Eiter* ein *r* (*Eirer*) gegenüber sonstigem *d*: SH (vgl. D 20.5); zu Hp vgl. D 20.5.2; 28.7.4.2; 31.8.3.

[131] Zu dieser Aussprache s. Christmann §115.

geht in ungerolltes (!) Zungenspitzen-*r* über. Phonologisch bedeutet er eine Neutralisierung der Opposition /d/ - /r/, s. B 2.6,2.

24.7.2.2. Für den zeitlichen Ablauf von *đ* > *r* gibt es folgende Zeugnisse und Überlegungen:

1) *r* taucht schon 1269 am NO-Rand des wmd. Spirantisierungsgebietes auf: 1269 *Wolvolderode* (*Wolfterode*/Eschwege), 1282 *Norfelde* (*Nothfelden* ü. Wolfshagen/Kassel) (Weinhold §214; Arnold 1875, 354; 461; 633).

2) Im Ried herrscht Anfang des 18.Jh. schon *r*: L 1711 *veraccoriert* (D 24.3.3); FIN Be-Schwanh 1710 *Weyrich* "Weidicht" (Herrmann 1924, 21).

3) Im sOdw wurde im 18.Jh. noch *đ* gesprochen. Die im 18.Jh. von dort ausgegangene (ehemalige) Banater Kolonial-Mda in Guttenbrunn hatte *đ* (Bauer §§133; 223). Schon zur Zeit der DSA-Aufnahmen scheint St keine *đ*-Reste mehr gekannt zu haben.

4) Die Pfalz hat *r* erst spät eingeführt, daher viele *đ*-Reste, s.o. Die von dort im 18.Jh. gegründeten Kolonien in Ungarn hatten *đ* (Schirmunski 1962, 318).

Dazu kommen noch folgende indirekte Hinweise und Überlegungen:

5) Während infolge früher *ə*-Apokope und verhältnismäßig späten Übergangs *đ* > *r* im sekundären Ausl. *d* steht (D 25.1.2), ist dies bei späten Rückbildungen nicht der Fall, vgl. z.B. Kroh §§143 A.1; 145. So läßt der D 25.4 behandelte FIN Wo-Osth *Rudelswey* auf -*r*- für das 16.Jh. schließen.

6) Da DSt seit dem ausgehenden 16.Jh. nördliche Einflüsse abweist bzw. umformt (s. z.B. C 22.5.3.4; D 25.5.3), *r* aber im DSter Raum bis in unsere Tage solide eingenistet war und sich sogar noch weiter nach S ausgebreitet hat, muß *đ* > *r* im n/mSt schon einige Zeit vor der Erhebung DSts zur Hauptstadt eingetreten sein, also spätestens im frühen 16.Jh.

7) Nach D 8.2 ist gutt. *r* in Mhm (und Umgebung) etwa im späteren 18.Jh. aufgekommen. Dort muß also *đ* erst etwa zu Beginn des 19.Jh. aufgegeben worden sein (zugunsten von *l*, D 24.5).

24.7.2.3. Aus alledem möchte ich folgenden Verlauf rekonstruieren:

r dringt seit ca dem 16.Jh. ins öRhh und nSt ein und pflanzt sich teilweise auch punktuell fort, im m/wRhh kommt es nur langsam voran, doch hat es spätestens zu Beginn des 18.Jh. schon Teile der Pfalz erfaßt, vgl. Christmann 1953a, 341: schon 1719 *Korn-* für *Kotten-*; anderwärts ist *đ* > *r* erst im 19.(20.)Jh. eingedrungen (s.o.).

Auch im s/öSt übernimmt man den Wandel nur zögernd. Während er im Ried bereits ab 1700 nachweisbar ist, haben der Odw und das Vorfeld von Mhm *đ* erst im ausgehenden 18. bzw. frühen 19.Jh. aufgegeben.

Der Vorsprung des Rieds mit L scheint den gleichen Grund wie das Eindringen der Hiat-Dig. und des Schwundes von *g* hinter Vel.-V zu haben (C 25.5.5.2,3; D 28.7.4.1): zunehmender Anschluß an den als vorbildlich empfundenen DSter Raum. Dann wäre *r* in L zusammen mit jenen Veränderungen, also etwa im frühen 17.Jh. eingedrungen.

24.8. Leider gibt es keine ähnlichen Indizien für den Wandel *d* > *đ*, der ja nur die phonetische Oberflächenstruktur änderte. Für *đ* gab es kein Zeichen, s. D 21.2.

Doch weisen phonologische Überlegungen auf etwa die 1.Hälfte des 13.Jh. im n/mSt, s. D 20.12.1.1, im konservativen sSt (wie beim Gutt.) aber sicher nicht vor 1250. Für diesen frühen Ansatz spricht auch die Parallele des Gutt., bei dem die allgemeine Spirantisierung ebenfalls als Folge der Verschiebung $\overline{gg}$ > $\overline{g}$ > *ġ* auftrat (aaO). Ferner ist auch die Sonderentwicklung der Folge [d'ḷ'] mit Sicherheit in jene Zeit zu datieren (s.u.).

24.9.1. Eine besondere Entwicklung haben mhd. *d/t+el,* unter bestimmen Bedingungen auch *+en* (mrf. *[d'ḷ', dn̥]*: C 39.5.1; D 49.6.1) genommen[132].

Statt [d'ḷ'] = /dǝl/ erscheint in vielen Wörtern einfaches *l.* Beispiele aus L: *bęlǝ* "betteln" (mhd. *bëteln*), *brolǝ* "brodeln", † *hālǝbēǝ* "Heidelbeere" (Anlehnung an *hālǝ* "heilen"), *huldǝruldul* "flatterhafte, schusselige Person", Streckform zu *hulǝ* "hudeln", † *nulšǝ*, s. D 7.2 (zu *Nuddel,* Kehrein, und hdt. *Nudel); pulǝ* "im Wasser herumplantschen", zu *Pudel* "Pfütze" (Kluge; SH *puddeln); rilǝ* "erwähnen", wohl aus *rütteln,* mhd. *-t-; šilǝ* "schütteln" (mhd. *-t-); šnulǝ* "(Flüssigkeit) verschütten, oberflächlich arbeiten" (SH *ver-schnuddeln*), zu mhd. *snudel* "Nasenschleim" (Kluge *schneuzen); dsel* "Zettel" (gegen 1300 entlehnt, Kluge); † *dselǝ* "(aus-) streuen", mhd. **zételn,* zu *zët(t)en,* u.a. Dazu der L FIN *Reilingsteilung* [rāliŋdāliŋ] < *reitel* (Fecher 1941, 117; A.181).

Daneben viele Wörter mit [d'ḷ']: *baidḷ* "Beutel"; *(fǝ-)drodḷǝ* "verschütten (Speiseteilchen, Wasser)", zu *trudeln; gēǝdḷ* "Gürtel", *gnodḷ* "runder Kot (Pferd, Ziege); Kosewort für kleine Mädchen", zu *Knödel, Knoten;* dazu *gnodlǝ, gnoudlǝ* "Tüftelarbeit machen"; *kidḷ* "Kittel" (mhd. *-t-); kudḷ,* meist noch in Wendungen wie *ę hor_ǝ gūri k.* "er hat eine gute Natur", zu mhd. *kutel* "Kaldaune"; *nōdḷ* "Nadel", *nūdḷ* "Nudel" (vgl. oben *nulšǝ*), *rādḷ* "Knüttel" (`Reitel´), *sadḷ* "Sattel" (mhd. *-t-*) u.a.

d ist hier fast überall nachträglich wiederhergestellt, vgl. zunächst *rādḷ* mit *rāliŋdāliŋ,* die dasselbe Wort enthalten. Außerdem ist *l* im shess. Bereich vielfach belegt, auch in Wörtern, wo L nur noch *dḷ* kennt:

---

[132] Die Sonderentwicklung von -*d/ten* wird m.W. in keinem der Handbücher eigens erwähnt.

St: Bauer §134,2f. 10. 12f. 15; Seibt §162; Bert. §§139; 240,9; Born §235,13. 23; Grund §92,1; Freil. §§226; 403,9. - SNeck nur vereinzelt (zusammen mit *d* > *r*!): Waibel §54,IIIb.

Rhh: Held §§159; 208; 341f.; Bescher §§84; 85,9. - VPf: Bertram §§226; 234 (im W *rl*, vgl. Christmann §§110,2; 116); Heeger §§2; 38 A.

SH, z.B. *betteln, Beutel I, (ver-)druddeln, Edelmann, Endkeutel, Kittel,* ON *(Maria-)Einsiedel* (bei GG-Gernsh), *knodeln* und *-dd-, Muddel, Nudel, Odel, Reitel, reiteln*; zu *Sattel* vgl. z.B. Bescher §84,1.2; ferner im SH: *versuddeln, verzetteln, Gezoddel(s), verzoddeln, Hosenlottel* u.a.

Weitere ON: GG-*Godd* [golə], 834 *Gotaloh-*; Be-*Sied* [silsbrún], 1012 *Sidilines Brunnon*.

Auch bei sekundärer Ableitung gab es einst den Wandel, vgl. SH *blätteln* (Wo!), ferner die Diminutivformen von Wörtern wie *Blatt, Gote, Pfad* (L *blę̄dšə, gedšə, pę̄dḷ*, ebenso *rę̄dḷ* zu *rǭd* "Rad").

Man kann also sagen, daß im gesamten shess. Gebiet alle [*d'ḷ'*] vereinfacht worden waren. Ein Unterschied zwischem altem /*d̲*/ und /d/ ist nicht feststellbar außer hinter *r* (vgl. D 31.8), daher fehlt der Dent. in *Gürtel* nie.

24.9.2. Das Ergebnis ist in L [*l*], das sich auch bei alten Leuten meist nicht vom sonstigen [*l*] unterscheidet[133], also *bęlə* "betteln" wie *bęlə* "bellen" (dafür dann L *gaudsə*). Früher war aber ein Unterschied vorhanden. Die Handbücher machen aber hierzu entweder keine oder öfter ungenaue Angaben. Ihr Fehlen kann indessen auf Verschwinden der Unterscheidung beider *l* beruhen. Folgende Autoren erwähnen den Unterschied: 1. Haster (1908, §93): "Dieses *l* ... kommt in der Klangfarbe dem aus *t, d* entstandenen *ḍ* sehr nahe", dann zitiert er (2.) Heeger, der (§2) dieses *l* als "dorsal-palatal" (gegenüber sonstigem *l*, das "coronal-alveolar" sei) definiert. 3. Seibt (§102): "*d* unter Längung von *l* geschwunden" (ähnlich Rupp 1982, 353: "Nebenbetonung des *l*"); etwas anders §10: "mehr dorso-palatales *l*"; 4. Bertram (226): "Meist erinnert eine leichte Berührung der Zunge mit den Alveolen vor der Formung des *l* an das *ḍ*". 5. Waibel (§54,IIIb): "... nicht an den Alveolen, sondern in einer Enge zwischen der aufwärtsgerollten Zunge und dem Gaumen gebildet". Hier könnte dasselbe gemeint sein wie bei (2) Heeger. 6. Lenz (1892, IV) und Mang (§37): "dorsal-palatal" (sonstiges *l*: "koronal-alveolar").

Die letztere Angabe trifft am ehesten zu. Eine Geminata liegt sicher nicht vor, vielmehr wird die Hebung des Zungenrückens (stärkerer Verschluß des Pal.!) leicht als solche mißdeutet. Diese Aussprache ist auch vereinzelt bei alten Leuten in L vorhanden und ist identisch mit [*l'*] hinter Dent. (s. B 2.4.1,4b). Infolge des Wandels [*d'ḷ'*] > [*l'*] wurde der Unterschied zwischen beiden *l*

---

[133] Auch das SH macht keinen Unterschied in der Transkription.

phonemisiert: /bɛlə/ "bellen" - /bɛl'ə/ "betteln", eine Feinheit, die unter stärkerem umgangssprl. Einfluß abklingen muß.

24.9.3. Als Zwischenstufen der Entwicklung möchte ich annehmen 1. [dəl] > 2. [d'l̦] (C 39.5.1; D 49.6.1) > 3. [l'l']¹³⁴ > 4. [l']. Was Seibt u.a. als "Längung" betrachten, ist kaum ein Rest von Stufe 4, weil auch sonst keine Geminaten mehr vorhanden sind (s. auch oben).

24.9.4. Da [d'l̦] > [l'] sich auch geografisch in etwa mit d > đ deckt, ist ein zeitlicher Zusammenhang anzunehmen, d.h. Stufe 3 fällt zusammen mit d > đ (Angleichung von d an seine Umgebung), 4 folgt bald nach. Genaueres s. D 24.9.7f.

24.9.5.1. Tendenzen zur Aufhebung dieser Vereinfachung machten sich früh bemerkbar. Die älteste Reaktion durch Lautersatz findet man in ON: *Einsiedel* (s.o.) heißt in L ǭsig l̂ gegenüber verbreitetem *-sil*; *Sidelsbrunn* (s.o.): 1444 *Siegelsbronn* (sonst mit Dent., z.B. 1437 *Syddelß-*, 1443 *Sydelß-*, 1468 *Siddels-*, 1488 *Sydelß-*). Hier wurde das ungewöhnlich gewordene dl̦ der Oberschicht durch g'l̂ ersetzt (vgl. Paul §106 A.1 und E 3.2.3).

24.9.5.2. Später drang dann sowohl vom S (Rhein-Neckar-Gebiet) als auch vom N (Rhein-Main-Gebiet) her dl̦ zunächst am Rhein entlang, dann nach O und W hin immer stärker durch, unterstützt durch die allmählich allgegenwärtige Schule und heute durch die Massenmedien. Typisch für die Zurückdrängung solcher Formen nach O und W sind etwa *schütteln* (vgl. Bauer §134,2; Bescher §84,3): noch schmaler dl̦-Korridor am Rhein entlang, und *Nadel*¹³⁵ (Bauer §134,6; Bescher §85,9): starkes Zurückweichen des *l*-Gebietes auf die W-Grenze von Wo bzw. in den Odw (mit *l*-Resten im W). Im Falle von *Räuel* (afranz. *ruel*) kam es dabei wiederholt sogar zu falscher Rückbildung (*raidəl*), SH.

24.9.6. Auch die Gruppe *d/t+en* erscheint in einigen Fällen zu *n* vereinfacht. Die Zahl der Wörter ist nicht groß, weil diese Gruppe praktisch nur im Ausl. vorkam. Daher ist diese Vereinfachung in der Literatur kaum erwähnt.

L kennt folgende Fälle: *(mešd) brān* "(Mist) ausstreuen" < *breiten* (s. D 3.1.2.2,4b); † *ban* "schaden", *šan* "schaden"; die Konjunktivformen 1.3.Pl. *dēn, hēn* "täten, hätten".

Entsprechendes findet sich in mehr oder weniger großer Dichte überall in St: SH *batten* (St), SH *breiten, haben, tun*; zu *schaden* s. z.B. Grund §92,1; Freil. §226. Außer den Lorscher Fällen kommt diese Vereinfachung noch vor in *(wir, sie) hatten* (bes. Da), *spreiten* (SH, Prof. Mulch briefl.). Aus Rhh belegt das SH nur 1.3.Pl. Konj. *hęn*, ferner Mz-Dolg *dēn*.

---

¹³⁴ Wo *rl* erscheint (s.o.), ist als dritte Stufe *đl̦ anzusetzen, das blieb bzw. regelmäßig zu *rl* wurde.

¹³⁵ Der Ansatz einer (mhd.) Vorform *nâlde* (so z.B. Seibt §163) ist für unsere Mdaa völlig überflüssig. Über Rhh *nǭəl* (Held) s. C 25.4.2.2.

24.9.7. Sonst gibt es keine weiteren Spuren. Es heißt *bīrə* "bieten", *lōrə* "laden", *šnairə* "schneiden" usw. Die Vereinfachung von [-dn̥] war also nicht allgemein. Außerdem lassen sich *ban, šan; brān, šbrān* als analogische Umbildungen erklären. *ban, šan* kommen nur in der 3. Sg. und im Part. vor. [-ad] konnte zu /ard/ umgedeutet werden (vgl. C 16.2.4; 25.3.3) und danach ein Inf. */šarn/ = [šan]* wie /karn/ - [kan] geschaffen werden. Ähnlich wurde von einer 3.Sg., 2.Pl. *brād* bzw. dem Part. *gəbrād* in Anlehnung an das bedeutungsverwandte *šdrān* (= /šdrārn/, aaO) ein Stamm /brār-/ (mit altem *r*!) abstrahiert und danach die restlichen Formen umgebildet (*iš brā, du brāšd*).

Anders hingegen *dēn, hēn (han)*. Hier ist wirklich Vereinfachung von [-dn̥] anzunehmen. Neben *dēn, hēn* stehen die übrigen Formen mit *d* (*iš dēd, hēd*; über *dēšd, hēšd* s. D 37.2.1.2); außerdem kann ein Stamm *dē-* nicht zu */dēr-/* umgedeutet werden (*ēr* > *ē₂*!). Aber [-dn̥] stand hier unter besonderen Bedingungen, nämlich im häufigen Zwischenton vor unmittelbar folgendem Vb. (Inf., Part.).

24.9.8. [d'l̥'] > [l̥'] und [-dn̥] > [-n̥] sind parallele Erscheinungen[136]. Daher ist auch hier [-dn̥] > [-nn] > [-n] anzunehmen[137]. Da ausl. -*n* schon bald gegen 1200 zu schwinden anfing und der sicher etwa gleichzeitige Wandel *d* > *đ* gleichfalls gegen 1250 angesetzt werden kann (s.o.), wird die Assimilation in [d'l̥'] und [-dn̥] bald nach 1200 eingesetzt haben. S. auch D 4.2.7.

/b d/ auslautend und sekundär vorkonsonantisch

25.1.1. Im primären Ausl. erscheinen Lab. und Dent. gemäß D 20.8 als Lenis- oder Halbfortisverschlüsse, ggf. im Wechsel mit inl. *w, r*. Beispiele mit mhd. -*b*-, ausl. -*p*: *dāb, -w-* "taub", *grōb*, Pl. *grēwə* "Grab", *halb, -w-, kalb*, Pl. *kelwə, kᴐrəb* "Korb", *lāb* "Laib; Laub", *līb, -w-* "lieb", *šdāb* "Staub", Adj. *šdāwiš*. Mhd. -*d*- oder -*t*-, ausl. -*t*, Beispiele s. D 24.1; 24.3.2,1ff.

25.1.2. Auch im sekundären Ausl. steht für /b d/ im allgemeinen die Verschlußlenis (bzw. -halbfortis), sekundär vorkonsonantisch Lenis.

Beispiele: *daub*, Pl. *dauwə* "Taube", *ēbš(d)* "verkehrt" (zu ahd. *abuh*), *drīb* "trübe"; *gēwə* "geben": *iš gēb; grēbs* "Krebs" (ahd. *krēbaʒ*) *hō* "haben": *iš hēb; kᴐrəb* "Körbe", *ᴐb* "ab" (mhd. *abe*), *obsd* (mhd. *obeʒ*), *šaib*, Pl. *šaiwə* "Scheibe", *šđēwə* "sterben": Präs. Sing. *šdēb, šdiₐrb(š)d*, 2 Pl. *šdēbd; šraiwə* "schreiben": *šraib, šraib(š)d; šdob*, Pl. *šdowə* "Stube". - *bod* "Bote"; *blūrə* "bluten": 1.Sg. *blūd*, 2.3. *blūd(šd)*; *gōd* "Patin" ('Gote'), *haid* "heute" und Pl. zu *haud* "Haut";

---

[136] Auch mittel- und nbair. Mdaa kennen sie (mit dort "postdentalem" *l*!), Kranzmayer 1956, §34c6. Ob ein geografischer Zusammenhang mit dem Rf. besteht, kann ich nicht sagen.

[137] Ein *-đn* > *-rn* scheidet wegen des Fehlens von *r*-Resten aus.

jud "Jude", Pl. *jųrə*; *kaud* "Grube", mhd. *kûte*; *mīd* "Miete" (vgl. *mīrə* "mieten" - *iš mīd*) und "müde"; *said* "Seite", Pl. *sairə*; *šnairə* "schneiden", Sg. Präs. *šnaid(šd)*.

25.2. Solche Fälle sind insofern auffällig, als /b/ mit Sicherheit, /d/ mit hoher Wahrscheinlichkeit zur Zeit des ə-Schwundes hier überall zu [w *đ] spirantisiert waren (vgl. D 38.7.4; D 22.6; 24.8). Aber [w đ] waren lediglich Allophone von /b d/, die ausl. und vorkonsonantisch nicht geduldet wurden. Daher wurde der Verschluß erneuert ("Verschlußerneuerung", VErn).

25.3.1. Es versteht sich, daß auch *w* < germ. *ų* in diesen Prozeß hineingezogen werden mußte (vgl. C 39.2.4.5; 39.2.5), sobald es in entsprechende Stellungen gelangte[138], z.B. *farəb* "Farbe", Pl. *farwə* (mhd. *varwe*), dazu das Vb. *ferwə*, Präs. *iš ferəb* usw., Part. *gferbd*; *lēb* († *lęib*) "Löwe", Pl. *lēwə* (mhd. *lêwe*); *merəb/-rw-* "mürbe" (*mürwe*); *šwalb*, Pl. *-wə* "Schwalbe" (*swalwe*). Mit sekundärem *w* nach C 20.7.4 *hāwə* "hauen": *iš hāb* (vgl. D 28.8), FIN Da-Hähnl *āb* < *ouwe* (s. C 20.7.4.2). Zu † *ęib* "Eva" s. D 57.5.1.

25.3.2. Neben dem Wechsel *-w-/-b* (< germ. *b ų*) gab es einen selteneren *-w-/-f* < (ahd.) *-v-/-f*. Nach dem Übergang *-v-* > *-w-* wurde die seltenere Alternanz durch die häufigere ersetzt (vgl. D 39.3), ein Vorgang der indessen weitgehend zurückgebildet ist. Daran scheinen in der Hauptsache S-N-Sprachströmungen schuld zu sein, da die *-w-/-f*-Grenze (z.B. *hawə/hafə*) nicht sehr weit südlich von L verläuft (Bauer §127; K.25f.).

Beispiele: L hat nur noch *ęibšə* "Öfchen" zu *ǫuwə*, mhd. *oven*; außerhalb von L: SH *Eva - ęib* u.ä. (L heute *ēf*); *Hafen* I: Dim. *-bšə* u.ä. (L *hęwļ*); *Hefe*: *-b* besonders in Rhh (L † *hęiwə*, jünger *hēf*); *Hof*: allgemein *-f* (L *hǫuf*, Pl. *hęif*), vereinzelte Reste SH *Kirchhof*, ferner FIN Da-Hähnl *Bauschhof* = [-ob] (Reeg 1935, 23), *Misthof*: n/mRhh (SH); hist. ⟨b⟩ SH *Hofstatt*. Nur historisch sind ⟨b⟩ in *Brief* (L *brīf*), z.B. BII 317: 1354 *brieb*, ferner SH (*Brief*). Heutiges *-b* noch nördlich des Mains, z.B. Schnellbacher §215 (vgl. Schirmunski 1962, 356), dort auch *Hof* mit *-b*, §§194; 254; K.26. - Keine Belege kenne ich für *Huf*.

25.4. Eine VErn konnte nur auf der Basis von [w *đ] erfolgen. Sobald der Rbl. "degenerierte", unterblieb sie, es sei denn, unmittelbare Anlehnung an verwandte Wortformen erzeugte den geforderten Vsl.[139].

w blieb i.a. unverändert, daher war VErn auch noch in verhältnismäßig später Zeit möglich, z.B. in *kęrəb* (Vgl. C 34.2.4.1b).

---

[138] Jüngeren Datums und wahrscheinlich umgangssprl. Herkunft ist der Ersatz durch *f*: *mēfšə* "Möwchen", meist übertragen auf leichte Mädchen.

[139] Die gleiche Erscheinung, nämlich VErn nur auf der Basis echter Rbll., haben wir beim /g/, vgl. etwa D 28.6; 28.7.2.3; 28.9.1.

[đ] war eindeutig Allophon von /d/. Erst nach *đ* > *r* konnte es zu Entgleisungen kommen[140]. L kennt keine Beispiele. Aus dem SH: *Gemahde* "Schwaden gemähten Grases", verbr. Sg., Pl. *gəmō̲rə* (so L) u.ä., davon öfter ein sekundärer Sg. auf *-r* (bes. Rhh): [*gəmōrə*] kann /-də/ oder /-rə/ sein. *Heide I* "Nichtchrist; Zigeuner" (L *haidə - dsiǫinə*), alt Pl. *hārə*, dazu zuweilen neuer Sg. /hār/. - Der FlN WoOsth *Rudelswey* = *-weide*: 1325, 1448/1583, 1483 *-widen*, aber 1625 *-weige* (⟨g⟩ graphisch), 1659 *-wey* (R 248): *-wey* < */-wair/* als späte Rückbildung auf Grund des Pl. /wairə/.

25.5. Durch VErn entstandene *b d* sind in einzelnen Wörtern völlig weggefallen. Dabei war offensichtlich jeweils Dissimilation im Spiel, in einigen Fällen unterstützt durch häufigen nichthptt. Gebrauch (s. D 37.2.1; 37.2.2.1); unterm Hptt.: *bū* "Junge", Pl. *būwə* (*buobe*, *-n*), fast allgemein, SH; L † *bōǫšd* "Be-Bobst" < **bōbšd* (s. C 20.1.2), V nach † *bēǫšd* "Be-Bürst" umgestaltet.

/g/ in- und auslautend

Heutiger Zustand in Lorsch

26.1. Im Vergleich mit der Entwicklung des Lab. und des Dent. ist die des Gutt. weitaus unübersichtlicher: Kein Laut, weder V noch K, hat eine kompliziertere Geschichte. Dies hat vor allem folgende Gründe: 1. die lautgesetzliche Entwicklung war stark abhängig von den umgebenden Lauten; im sekundären Ausl. und vor K ist *g* nur unter ganz bestimmten Bedingungen wiederhergestellt worden und auch dann nicht konsequent; 3. anstelle des *g* treten vielfach Übergangs-VV auf; sind sie nachträglich entstanden oder unmittelbare Reflexe des Vsl.? 4. Da die Entwicklung weithin zur Vokalisierung bzw. zum Schwund führte, wurde der Gutt. schon früh - von der Oberschicht her - wiederhergestellt, aber nicht als Vsl. sondern als (sth. oder stl.) Rbl.; 5. unter anderen Bedingungen ist derselbe Rbl. aber wiederum als lautgesetzliches Ergebnis zu betrachten; 6. innerhalb des SHess. kam es zu unterschiedlichen, oft kleinräumig eingegrenzten Ergebnissen, die auch zu unterschiedlichen Zeiten erreicht wurden; 7. gebietsweise sind besonders in St durch Sprachbewegung sekundäre Überschichtungen eingetreten; 8. da neu entstandene Rbll. zunächst nur Realisationen des /g/ waren, fehlen oft für die ältere Zeit aufschlußreiche Schrr. Daß von daher auch die Bestimmung der zeitlichen Abläufe der Ereignisse Schwierigleiten macht, braucht nicht mehr eigens betont zu werden.

26.2. Am einfachsten sind die Verhältnisse im primären Ausl. Hier war der Vsl. das Ursprüngliche und ist auch besonders bei Älteren in echtmdal. Wörtern noch sehr gut erhalten,

---

[140] Vgl. auch Müller 1931, §21ff.; im N trat vielfach *r* in den Ausl. oder es schwand völlig.

während vor allem bei Jüngeren von der Oberschicht her heute immer stärker stl. Rbl. (*š* < *χ, x*) eindringt[141], besonders hinter Vel.-V. Beispiele für die verschieden Stellungstypen: hinter mhd. Pal.-V: *wē̌g* "Weg" (*wëc*), *dāig* "Teig" (*teic*), *dsaig* "Zeug" (*ziuc*); hinter mhd. Vel.-V: *dǭg* "Tag" (daneben bei Älteren schon häufig *dǭx*. Mhd. *tac*), *šlǭg* "Schlag" (und *šlǭx*; mhd. *slac*), *drǭg* "Trog" (*troc*), *grug* "Krug" (*kruoc*), *ōdsug* "Anzug" (zu *zuc*; aber "(Eisenbahn-)Zug" meist *dsūx*, s. D 27); in der Gruppe -*rg* mit Sproß-V: *ǭrig* "arg, sehr" (*arc*), *bē̯rig* "Berg" (*bëerc*).

26.3. Inl. sind folgende Vertretungen vorhanden:

1) Völliger Schwund, s. C 23.2; ferner z.B. *āiə* "eigen", *šwīə̯-* "Schwieger-";

2) Vertretung durch (konsonantisches) *ǰ*: *rẹiǰə* "regen", *frēǰə* "fragen";

3) Vertretung durch *i̯/j, u̯ (w̯)*, wobei zu klären ist, ob diese Fortsetzer des *g* oder durch Hiat-Dig. entstanden sind (zu dieser s. C 25.5.3.3; 25.5.4,3; 25.5.5.2); Beispiele: *mēǰə* "Mägen", *wẹiə* "Wagen" (Pl.), *sēǰə* "sägen", *sẹiə* "Segen"; *sọw̯ə, šlọw̯ə* "sagen, schlagen";

4) ausschließlich Vertretung durch /*ch*/ = [*š*][142] und [*x*], z.B. in -*ig* (D 30.2), oder z.B. *mǭxə* "Magen", *waxə* "Wagen";

5) /*ch*/ neben Vertretung nach 1-3, s. D 27;

6) /*ch*/ = [*x*] (Ältere) neben [*g*] (Jüngere) in Wörtern auf -*ă̄x̣l*, z.B. *naxḷ* "Nagel" und *nag̣l* (D 29);

7) ausschließlich *g* (jünger) bzw. lateral-palatales *g′* (älter) vor /*əl*/, z.B. *big⁀l̯ə* - *biglə* "bügeln", *dsig⁀l̯* - *dsigl̯* "Ziegel" (D 29).

26.4. Sekundär ausl./vorkons. kommen nur drei Typen vor:

1) völliger Schwund: *gai* "Geige", *iš drǭ, sǭ* "ich trage, sage";

2) /*ch*/: *ę dręšd, sešd* "er trägt, sagt", *iš glǭx, ę glǭxd* "ich klage, er klagt";

3) *g*, z.B. *iš glǭg, ę glǭgd* (vgl. Nr.2), *dēg* "Tage", *sēg* "Säge", *iš rẹig, ę rẹigd* "ich rege, er regt" (zu *rẹiǰə*); *iš frēg, ę frēgd, zu frēǰə*, s.o., dazu *frōg* "Frage" (neben *frōx*); *mǭgsōmə* "Mohn", (zu mhd. *mage*), *āg* "Auge" (neben *āx*).

26.5.1. Aus der Kombination der inl. mit den (primär und sekundär) ausl. und sekundär vorkons. Vertretungen ergeben sich folgende Alternanzen[143]:

---

[141] S. bes. D 27. - Ausnahme mit altem Rbl. ist -*ig*, s. D 30.2.

[142] Aus *[*χ*] nach D 49.5.

1) *-j-/-g: rẹijʔ - rẹig(d). frējʔ - frēg(d)*; häufig, s. D 28.2.1,IIa-d;

2) *-j-/-g: sējʔ - sēg(d), wējʔ* "Wege", Sg. *wēg*; häufig, aaO III;

nur sehr beschränkt Geltung haben:

3) *-∅-/* vorkons. *š* in Vbb. wie *sọwʔ* "sagen", 3.Sg. *sešd*;

4) *-∅-/-g*; nur in *āiʔ* "Eier" - Sg. *āig* (D 28.2.1,IId; 28.2.4; 48.1); *grīʔ* "kriegen" - *du grigšd* und *lēʔ* "legen" - *leg, leg(š)d* (D 28.2.4).

5) *-x-/-g*: nur in *āxʔ* "Augen" - Sg. *āg*. Wegen der Seltenheit dieser Alternanz heißt es heute meist *āx - āxʔ* (vgl. B 2.6,II, 3c; D 28.5.2).

26.5.2. Im Inl. ergeben sich außerdem bei Sbb. mit Umlaut-Pl. noch folgende Wechsel:

1) *x/j (i̯): waxʔ* "Wagen", Pl. *wẹiʔ, grōxʔ* "Kragen", Pl. *grējʔ*;

2) *xḷ/g'î̦*: nur noch bei Älteren in *naxḷ* "Nagel", Pl. *nẹg'î̦* (s. D 29.1,2; 29.5);

3) *x/g'+î̦* in mehreren Diminutivbildungen, z.B. *grōxʔ - grēg'î̦, waxʔ - wẹg'î̦*.

26.6. Wie beim Lab. und Dent. gilt beim Vb. im engen Satzinl. im allgemeinen die Form des Wortinl. Beispiele: *iš frēg* "ich frage" - *iš frēi̯‿ʔmōl* "... einmal", *iš rẹig miš úf* "ich rege mich auf"! - *do rẹi-iš miš úf* (ohne *j*, s. D 28.2.2), *sǭ s im* "sage es ihm" - *sọw‿ʔmōl* "sag einmal", *flīg* "fliege" *flīi̯‿ʔmōl* "flieg einmal", u.a.

Die Vertretung durch /ch/[144]

27.1. Wie die Übersicht D 26 wiederholt ergab, ist die Vertretung durch /ch/ großenteils sekundär, z.B. älter *dǭg* "Tag", Pl. *dēg*, jünger *dǭx* (gg. *dēg*!), *glǭxʔ* "klagen" für † *glọwʔ*, gelegentlich "vornehmeres" *sǭxʔ* "sagen" für gewöhnliches *sọwʔ*, festgeworden in *du/ẹ sešd* "sag(s)t" (ebenso *drešd, šlešd* zu *drọwʔ, šlọwʔ* "tragen, schlagen"), umgangssprl., s. D 28.7.4.1[145]; *ōdsug* "Anzug" gg. *dsūx* "(Eisenbahn-)Zug". Sie lassen klar das Vordringen des *ch* erkennen (vgl. auch Bauer §146,1). Es gilt allgemein als vornehmer (Schirmunski 1962, 315f.)

---

[143] Man vergleiche die Mannigfaltigkeit mit der Einfachheit beim Lab. und Dent.!

[144] Ausgeklammert werden hier zunächst das Suffix *-ig* (D 30.2) sowie /ch/ im Typ *naxḷ* "Nagel" (D 29).

[145] Die Stadt-Mdaa sind hier natürlich viel "fortschrittlicher", so z.B. Ws: Hier wurde /ch/ auch nach Pal.-V eingesetzt (Beispiele D 27.7.1), nachdem hier *j* < *g* in Fällen wie *wēʔ* < *weiʔ* "wegen" geschwächt worden war (daher heute meist *wēšʔ*).

und findet sich daher im gesamten shess. Bereich (und darüber hinaus). Besonders im (primären und sekundären) Ausl. wird es immer häufiger. Aus dem Gegensatz *dǭx - dḛg*, oder auch *bōə* "Bogen", jünger *bōxə*, Pl. *bē(j)ə*, ersieht man zweierlei: 1. der Einbruch erfolgt bei schrspr.-nahen Wörtern und Wortformen, 2. die Tendenz zum *ch* ist vor allem hinter Velar-V ausgeprägt, wobei es für inl. Ø eintreten (*bōxə, glǭxə, sǭxə*) oder älteres *g* ersetzen konnte (D 28.5.2).

ch-Aussprache galt (und gilt) nicht nur "de facto" als feiner, sie wurde auch der älteren Generation (noch bis nach der Jahrhundertwende[146]) in der Schule als mustergültig gelehrt. Der Buchstabe *g* hieß damals [*šē*] < *[χē] (verbr., SH *g*). Man betete "korrekt" im Vaterunser *tḛ̄šliš brōd, unsṿn šuldišṿn.* man liest (las) *aišṇtum, fḛbǫišuŋ* "Verbeugung", *līšṇ* "liegen". Bekannt sind übrigens die (reinen!) Reime Goethes *"neige - Schmerzensreiche"*. Die Oberschicht, dabei zunächst besonders die Kirche und später (ab 19.Jh.) die Schule, haben diese Aussprache verbreitet. Die zu beobachtende Zunahme der *ch* ist die Auswirkung der Schulbildung.

27.2. Es ist verständlich, daß *ch* die Aussprache ist, mit der in L meist inl. und ausl. *g* in Lwtt erscheint, da diese ja "von oben nach unten" weitergegeben werden. Zu diesen gehören vom Standpunkt der Mda auch alle echt deutschen Wörter, die der Mda ursprünglich fremd waren. Nach und nach setzt sich jedoch unter dem Einfluß der neueren Schulaussprache in manchen neueren Lwtt wenigstens im Inl. [g] fest, während im Ausl. entsprechend der nordd. Umgangsspr. -*ch* festgehalten wird; Beispiele:

1) Deutsche Wörter, die der Mda fremd waren oder einheimische ersetzt haben (in Klammer die zu erwartende mdal. Lautung zum Vergleich): *bədrūx* "Betrug" (*-drug*), *bəwēšə* "bewegen" (*-wḛijə*;[147]), *fəgŋīšə* "Vergnügen" (*-gŋījə*), *fəsāxə* "versagen", *siš fīšə* "sich fügen" (*fījə*), *flīšə* "Flieger" (zu *flījə*), jünger dafür *flūxdsaiš* "Flugzeug", *gəndáx* "guten Tag", *grīš* "Krieg" (*grḭg*; vgl. *Friede*, D 24.3.1), *jūxənd* "Jugend", *lāx* "Lage", *lăxə* "Lager" (s. D 28.3.1,Ia), *mēšliš* "möglich", *nēšə* "Neger", *sīš* "Sieg" (*sēg*), *tāxəššau* "Tagesschau", *ūfūx* "Unfug" (*-fug*), *dsaišə* "(Uhr-)Zeiger", *dsūx* "(Eisenbahn-)Zug" (*dsug* z.B. in *ōdsug* "Anzug") u.a.

2) Lwtt älteren Datums mit *ch* (daneben öfter jüngeres *g*): *aišēn* "Eugen", *axénd* "Agent" (-*g*-), *auxúšd* (-*g*- oder -*h*-, s.u.) "August" (Monat) und *áu*-, PN, *belšjə(n)* "Belgien", *diərašīən* "dirigieren", *gḛfŋšēliš* "evangelisch", *enḛšī* "Energie", † *ešibdə* "Ägypten" (Erinnerungsform, heute *ḛgibdŋ*), *fḛšədīən* "vegetieren", *fišū̢* "Figur", *hūxō* "Hugo", *pḛdagőx* "Pädagoge" und *pḛdagőxiš*, *raxū̃* "Ragout", *rḛləšőn* "Religion", *rḛšəménd* "Regiment" (neben *rḛiə*-, s.u.), *rḛšīən* (-*g*-) "regieren", *rešīnə* "Regine" (PN), *sinaxőx* (-*gőx*) "Synagoge", *tēloxī̃* (-*gī̃*) "Theologie", *tīšə* "Tiger".

---

[146] Seit wann es anders ist, kann ich nicht angeben.

[147] Nicht besonders volkstümlich, vgl. SH: dafür eher *sich regen, s. rühren* (*siš rḛijə, siš rī̢ŋn*).

Auch einst ortsfremde Familiennamen gehören hierher, z.B. *delšə* "Dölger", *grīšə* "Krieger", *dsīślə* "Ziegler".

Sehr alt ist auch *ch* in *Jagd*. Die Formen des SH weisen auf *Jacht* (L *jǫxd*. vgl. C 12,1), doch ist der Ansatz einer solchen Vorform (so SH) überflüssig. Jagd war nie eine Sache der einfachen Bauern. Sie wurde von den "Großen" ausgeübt, aus deren "feinerer" Sprache das Wort übernommen ist (vgl. *rẹi*, D 47.4), vgl. GRB 1719 (Nr.36): *...alß ihre Chûrfürstliche genathen zu meintz die Jacht gehalten hat.*

27.3. In einigen wenigen Lwtt finden sich Ansätze zu einer ähnlichen Behandlung von intervokalischem *k*, wie wir sie auch bei *-p-* fanden. So wie dieses zunächst als /b/ übernommen und dann in *w* umgesetzt wurde (D 32.4), so auch beim Gutt. Doch ist dies hier seltener, so L †*raxẽd* "Rakete" (verbr., SH), Ws *šdaxẽdədsaun* "Latten- (`Staketen-´) Zaun"; vgl. ferner SH *pauken, Haken,*

27.4. Wie angedeutet, beginnt die neuere Schulaussprache auch bereits bei älteren Lwtt ihre Früchte zu tragen. Der Ersatz von *ch* durch *g* hatte offenbar bei vortonigem *ch* begonnen, das der Mda sonst fremd ist[148]. So heißt es zwar bei Älteren noch *sinaxõx* "Synagoge", bei Jüngeren aber schon *sinagõx*; neben *sāxə* "Sage" steht *legéndə*. Bei erst in neuerer Zeit bekannt gewordenen Wörtern kennt man in dieser Stellung überhaupt nur noch *g*, z.B. *brobagóndā* "Propaganda", *pẹdagõx(iš)* u.a. Aber gut erhalten ist das volkstümliche *enẹšī* "Energie" gg. *enérgiš* (und *-érš-*). In älterer Zeit wurde in diesen Fällen wenigstens in häufig gebrauchten Wörtern *ch* auf anderem Wege beseitigt, vgl. älteres *auhúsd* für jüngeres *-x-*, genau wie *Achát* "Klickerkugel" in Rhh und St verbreitet als *Ahād, Hād* u.ä. (SH *Achat*; L *kuxĺ*) und *Agáthe* gebietsweise als *Hād(e)* (SH) auftreten (L † *ágədə*). Hinter Pal.-V konnte es einfach unterdrückt werden (nach dem Vorbild von *g* in echtmdal. Entwicklung, D 28.2): L *dsiǫinə* "Zigeuner" (ältere Bezeichnung war *Heide,* SH), Ws *reál* "Regal" (L *-g-*); L *dẹjə* "Degen" (Waffe; PN; vgl. C 5.5.3,1), *rẹiəménd* "Regiment" (s.o.; öfter, SH)[149].

Neben den oben genannten Lwtt, die entweder *g* wiederhergestellt haben oder sogleich mit *g* vor dem Hptt. übernommen worden sind, kennen viele jüngere überwiegend oder ausschließlich *g*, z.T. sogar im Ausl., wo sich *ch* sonst heute noch ausbreitet (vgl. *dǫx*), z.B. *drogarī* "Dogerie", *grog, humbug, jogų̄d* (und *jox-*) "Joghurt", *nugad* "Nougat", *sāgō* "Sago".

---

[148] Vgl. die ähnliche Erscheinung beim Lab., D 22.4, ferner D 57,4.4.

[149] Als falsche Einlautung möchte ich das bes. in Rhh verbreitete *dsājə* "Zeichen" (z.B. Bescher §91,2, SH *Leim-z.*) deuten: "Umgangssprl." χ wird in mdal. $\emptyset$ ($<$ *g*) umgesetzt.

27.5.1. Die *ch*-Aussprache ist uralt. Sie findet sich bereits in mittelalterlichen Ukk und zwar auch in Stellungen, wo die Mda bis in unsere Zeit Vsl. erhalten hat oder völligen Schwund kennt[150].

Vereinzelte Verwechslungen von *ch* und *g* kommen schon im CL vor, z.B. *Baldrig, Bertrig* für *-rich, Garawich* für *-wig, Hildelauch* neben *-loug*, 202 *Heriloch* und (G.) *-loge*; ON, z.B. 3462 *Wachalingen* u.ä. - 3478 *Wage*- ("Wächlingen").

Auch in Ws setzen die ⟨ch⟩ im 12.Jh. ein: 1106 *Neŭelunchus*, 1152 *Lobtenburch*, 1174 *Stralinberch* (Froeßl 117); 1203 *Mittelhouch*, 1213 *Hierzpech* (für *-perch*, ds. Uk *Hirzberc*), 1218 *Heidelberch*, 1226 *Hoenberch*, 1241 *Fridach*, 1283 *Libenberch, weh* "Weg", 1287 (alle Uk Nr. 429:) 1x *burchfriden* - 11x *burg*-, *ewechliche, ichliche*, aber auch *dinch* (!), 1293 *Stralinberch*, aber auch *Fleminch, Rinch*, 1295 *Hachgengasse* (*ch* + *g!*); ⟨ch⟩ für sicher gesprochenen Vsl. in den genannten *Fleminch, Rinch, dinch*, ebenso 1223 *dinch*. Auch ⟨g c⟩ für */ch/* kommen vor, z.B. 1141, 1161 *Hanthoc* neben *-hoch* (1161, dieselbe Hand!), 1161 *Gerlac*, 1223 *Hogheim* (R 30), 1282 *Rodenkirgin*, 1283 *Rigelmannus* (für *Rich*-).

Diese Verhältnisse dauern das ganze Mittelalter hindurch an, wie die Durchsicht von BII, III und PU ergibt, und kehren auch in späteren Lorscher Belegen wieder, z.B. StAL 1705 *dach* "Tag", 1708 *ab schlach* (neben 1717 *bloß balck*).

Aus den angeführten Belegen folgt zweierlei: 1. Die ⟨ch⟩ entsprachen anfänglich sicherlich nicht der Aussprache, wie die falsche Setzung in *Fleminch, Rinch, dinch* und dem frühen *Neŭelunchus* nahelegt; 2. ⟨ch⟩ drang erst im Ausl. ein, in Ws allgemeiner erst seit ca 1150 (vgl. auch CL *Heriloch* gg. *-loge*); der Inl. folgte in der Schr. später, etwa um 1200. Im N, besonders in Mainz, ist ⟨ch⟩ auch im Inl. schon wesentlich älter (Froeßl aaO).

27.5.2. Die Entwicklung ist demnach etwa so zu denken: Von vereinzelten "Vorläufern" abgesehen, drang ⟨ch⟩ im 12.Jh. zunächst als "vornehmere" Schr. ein, und zwar vom N her kommend (Mainz, Frankfurt[151]) aus md. Gegenden, in denen im Ausl. von alters her Rbl. gesprochen wurde. Ein solcher zunächst typisch kanzlei- und hochsprl. Vorgang hat sich sicher auch z.T. punktuell ausgebreitet, wohl von den städtischen Zentren aus, wie Froeßl (aaO) klar gezeigt hat. Die Aussprache gebildeter Kreise mag bald gefolgt sein, vielleicht noch im 12.Jh.

---

[150] Die ⟨ch⟩ können daher nur mit großer Vorsicht gebraucht werden, um die amdal. Verhältnisse zu rekonstruieren. ⟨ch⟩ für */g/* (und umgekehrt) sind Zeugnisse für die Sprache der Oberschicht. Dies ist in der Arbeit von Froeßl (117f.) nicht beachtet worden. Der Schluß, den er (118f.) aus dem Nebeneinander von ⟨g⟩ und ⟨ch⟩ auf ein "Nebeneinander von Verschluß und Reiber für längere Zeiträume" zieht, ist daher in dieser Form nicht haltbar. Man muß unbedingt die lebende Mda und ihre soziale Schichtung mitberücksichtigen.

[151] Zur N-S-Richtung s. Froeßl 131f.; Paul §95 A.1.

Begünstigt wurde *-ch* durch die Spirantisierung des inl. *g,* so daß dann inl. und ausl. Rbl. herrschte. Das inl. ⟨ch⟩ beruht auf Übertragung aus dem Ausl., zunächst sicher wieder rein graphisch, allerdings von nördlichen (östlichen?) Vorbildern (auf dem Weg über Mainz, Frankfurt) angeregt und dann als Reaktion auf den teilweise völligen Schwund des *g* in der gesprochenen Mda in der Oberschicht selbständig entwickelt und zwar etwa folgendermaßen: z.B. rhh. *dāg,* "besser" *dāx,* flektiert *dāg-* > *dā-,* danach *dāx-* wie z.B. *būx* und *bīx-.* Von da aus konnte dann z.B. auch statt *sāə: sāxə* gebildet werden.

27.6. Durch das jahrhundertelange Neben- und Gegeneinander von mdal. *-g* und "feinerem" *-ch* kam es gelegentlich zu falscher Umsetzung von altem *-ch* in *-g,* z.B. *brōg* "brach", Be-Gadh (SH); *šbrōg* "Sprache", nahe der allgemeinen *-g/-ch*-Grenze, s. Freil. §412,7; *šmōg* "Schabernack" (´Schmach´) Held §190.

Anders zu erklären sind wRhh *hōg,* L und verbr. *flǫug, šug* "Floh, Schuh", s. D 47.5; ferner die verbreiteten Konjunktive L *brēgd* "brächte" zu *briŋə, grēgd* zu *grīə* "kriegen", *mēgd* "möchte" zu *mējə.* Seibt (§186) hat *brēχd, grēgd, mēgd, -χd;* Weber 338: *brēšd;* Bauer §161,8 meist *mēgd; grēgd, mēgd* sind in St verbreitet (SH *kriegen, mögen*). Da die wenigen erhaltenen Konjunktivformen weitgehender Schematisierung unterliegen[152], ist gegenseitige Beeinflussung anzunehmen. Nach D 16.5.4 liegen **brēd, *mēd* voraus. Nach *mēj-ə* bildete man gemäß D 28.2.1 zuerst *mēg-d* (statt *mēχd*), *brēgd* schloß sich an (vgl. Hp!), ebenso *grēgd,* letzteres mit *g,* das auch dem Präs. **grīj-ə* (D 28.2.4) entsprach.

27.7.1. Der Ersatz von *g* bzw. seinen Fortsetzern durch *ch* ist im ganzen shess. Raum, aber auch in der Pfalz mehr oder weniger stark verbreitet, naturgemäß aber vornehmlich in den Städten und ihrem Einzugsbereich. Beispiele für die Wser Mda (in Klammer, soweit vorhanden, die ältere echtmdal. Lautung, dann zum Vergleich die Lorscher Aussprache): *āriš* "arg, sehr" (L *ǭrig*), *āx(ə)* "Auge(n)" (L *āg - āxə*), *dāx* "Tag", Pl. † *dēš* (*dā(g)*; L *dǭg - dēg*), *daiš* "Teig" (*daig*; L *dāig*), *flīšə* "fliegen" (*flī(ə)*; L *flījə*), *gaiš* "Geige" (*gai*; L *gai*); *lišə* "liegen", *iš liš* (*laiə, iš lai*; ebenso L); *niŋšŋs* "nirgends" (*nejəns*; L *nęrjəds*), *rēšnə* "regnen" (*rēnə*; L *ręiən*), *sāxə* "sagen" (*sā*; L *sǫu̯ə*) usw. Öfter haben sich die *ch*-Formen bereits durchgesetzt (z.B. *dāx, daiš*).

Übersicht; St: Bauer §§140-146; Bert. §151b A.; §§243-245 (nicht viele *ch,* keine größeren Städte!); Born §§147-151; 261-265 (viele *ch* wegen DSt; dazu S.141ff.); Grund §§93 A.; 94,3. Bemerkenswert sind die Beobachtungen von Bräutigam (§93), daß in Mhm heute schon hochsprl. *g* (für *ch*) im Vordringen ist, während sich *ch* (als "gesunkenes Kulturgut") in den Land-Mdaa ausbreitet. - Rhh: für Mainz und Umgebung s. Valentin §§323-335; 400-403; 448-451

---

[152] So die Verallgemeinerung von *ē* und *-d,* vgl. L *gēŋd* "ginge", *kēmd* "käme", *dēd* "täte", *hēd* "hätte". Nur *wę̄ə* "wäre" bleibt ohne *-d.*

(Unterschied zwischen städtischem *ch* und ländlicher Aussprache[153]); im S für Ws und Umgebung Bescher §87 (sehr deutlich das Wser *ch* und seine Ausstrahlung in die Umgebung, besonders entlang des Rheins). - VPf: Bertram §§201-211 (Vordringen des *ch.* besonders von den Städten aus, bes. §201). - Anders zu beurteilen sind die Verhältnisse im hinteren Odw, wo nach Freil. (§§236f. und 407-411, Übergangsstufen zwischen Vsl. und Rbl., vgl. noch §12) und Wenz (§25,2) allgemein stl. Rbl. herrscht, vielleicht lautgesetzlich[154].

27.7.2. Die Angaben über sth. oder stl. Aussprache dieser *ch* in intersonantischer Stellung (also z.B. *āxə* "Augen" oder *āgə*) schwanken. Aus der obigen Literatur ergibt sich folgendes: 1) nur stl. Aussprache (d.h. *x* bzw. *š* < *χ*) gilt - grob gesehen - im n/mSt und N-Teil des sRied mit L (Bauer). Dieses Gebiet setzt sich linksrheinisch fort und begreift Wo mit ein (Bescher). Außerdem findet sich dieser Typ in der Mhmer Stadt-Mda und in der VPf[155]. Aber solche Angaben sind mit Vorsicht zu behandeln, vgl. das unten über die Wser Mda Gesagte!

2) *g/š* (in dieser Kombination!) gilt für Mz (und Vororte), nach eigener Beobachtung auch für Frankfurt, im Hauptgebiet des sRied, sOdw, sodann in der nVPf.

3) Bei Bauer wird allerdings nur *g* bzw. *x* erwähnt, nach Pal.-V wäre *š* zu erwarten; doch fehlen hier die Angaben, weil die Autorin nicht die Halb-Mda untersucht hat.

Aus folgenden Gründen kann die Stimmhaftigkeit im Hauptgebiet nicht als ursprünglich gelten:

1) L (und Umgebung) haben *x* (*āxə*); sie sind auch sonst eher Rückzugsgebiete und bewahren also Älteres; außerdem ist *x* in L erst in neuerer Zeit für *g* eingedrungen, s. D 28.5.2;

2) die teilweise vorhandene "Mischung" *g/š (χ)*; bei Erhaltung alter Stimmhaftigkeit müßte auch für *š* ein sth. Laut eintreten;

3) eine Erscheinung, die offenbar von den Autoren der Mda-Monographien aus "etymologischer Blindheit" übersehen worden ist: wo man *āgə, sāgə, saugə* "saugen" sagt, heißt es auch *rāgə, braugə* "rauchen, brauchen" u. dgl. nach D 36.1;

4) in Ws, meiner eigenen Mda, haben *āxə, sauxə* wie *rāxə, brauxə* entweder schwaches stl. *x*, aber mit Tendenz zu mehr oder weniger starker Stimmhaftigkeit. Dies gilt aber dann auch für die anderen stl. Rbll, also neben *rīsə* "riechen", *flīsə* "fliegen" *šmaisə* "schmeißen" *lāfə* "laufen" auch

---

[153] Nur die Deutung des /ch/ als "Bewahrung" des alten Zustandes, die hier (z.B. §326) wie auch sonst in der Literatur immer wieder auftaucht, kann nicht aufrechterhalten werden. Die Städte haben vielmehr geneuert.

[154] Dafür könnten die von Freiling zitierten Übergangsstufen sprechen.

[155] Auch Saarbrücken kennt diese Vertretung, s. Kuntze §207 mit A.

rī̄ṣə, flī̄ṣə, šmaiṣə, lāfə. M.a.W.: *g* ist weithin erst aus *x* entstanden. Wenn neben *g: š* angegeben wird, dann steht auch dahinter eine (halb-)sth. Aussprache.

Anders ist die Situation im sSt (Bauer), Vorfeld von Mhm (Bräut.) und sNeck (Waibel §60): Da hier <u>altes</u> *g* nie geschwunden (bzw. in Mhm wiederhergestellt: D 28.7.4.3) war, konnte dieses die gleichen Dienste wie *x* leisten, so z.B. im verbreiteten *hāgə*[156]. Daneben hatte aber die stl. Aussprache das größere Prestige:

1) L (und Umgebung) hat für resthaftes *-g-: x* eingesetzt (*āxə* für † *āgə*, D 28.5.2);

2) im großen *wagə-* ("Wagen") Gebiet erscheint punktuell immer auch *-x-*, Bauer K.31;

3) Bräut. (§93 A.3) berichtet, daß die Dorf-Mdaa *āRə (āgə)* allmählich durch *āxə* ersetzen. Vgl. auch die Übersicht bei Waibel §79.

Die echtmundartliche Entwicklung von /g/ nach den Kontraktionen

28.1. Inl. *g*, das nicht den frühen Kontraktionen anheimfiel bzw. sekundär wiederhergestellt worden war, ist gleichfalls spirantisiert worden und teilweise völlig ausgefallen. Gebietsweise erscheint es aber sekundär vorkons./ausl. als Vsl. Gerade dieser Schub der Verschlußlösung zeigt bemerkenswerte regionale Unterschiede sowie Überschichtungen.

Zunächst der Zustand der heutigen Lorscher Mda[157] und dessen unmittelbar erschließbare Vorgeschichte.

28.2. *g* hinter Pal.-V:

28.2.1. I. *ai* (mhd. *î iu*): völliger Schwund in allen Positionen; *gai* "Geige", Pl. und Vb. *gaiə*, Präs. Sg. *iš gai, du gaišd, ę gaid; dsaiə* "Zeuge" (mhd. *-ziuge*). Über *šdaiə* s. D 23.2.2.10.

II. Mhd./mrf. VV mittlerer Palatalität: sekundär ausl./vorkons. *g*, intervok. *j̑*, wenn die Erinnerung an den Rbl. durch Wechsel mit *g* oder *x* (dies hinter Vel.-V) aufrechterhalten ist, andernfalls Ø:

a) *ī* (mhd. *i ü, ie üe*): z.B. *flī̄jə* "fliegen", *iš flī̄g; lī̄jə* "lügen", *du lī̄gšd, lī̄g* "Lüge", Pl. *lī̄jə*, aber *lī̄ənə* "Lügner"; ebenso *bī̄jə* "biegen", *wī̄jə* "wiegen", *dsī̄jə* "ziehen" mit früher Verschleppung des *-g-* vom Pl. Prät. und Part. aus (Freil. §96d; vgl. Zorn 25 *zeugt*, 3 Sg.). - Aber: *grī̄ə* "kriegen", *iš*

---

[156] Vgl. D 28.8. Ebenso in *rū̄gə* "ruhen" sNeck: Treiber §64 A.4; Waibel §49,2c.

[157] Wir klammern zunächst sowohl die Stellung vor /-əl/ als auch L+*g*, *-ig-* aus.

grī, ę̄ grid (3.Sg., 2.Pl.), Part. *grid - du grigšd; šwī̜-* "Schwieger-" , PN *wī̜ǫnd* "Wiegand", *dsiǫ́inə* "Zigeuner".

b) *ē* (mhd. *i, ė, æ*): *frējə* "fragen" (vgl. C 1.4.4.2), *iš frēg, ę̄ frēgd;* † *mējə* "mögen", *fəmējə* "Vermögen": *iš/ę̄ mōg; šwējə*, Pl. zu *šwōxə* "Schwager", dazu *šwējən* "Schwägerin" (vgl. *šwī̜-!*). Hierher die Umlautformen zu *jǭxə* "jagen": *du jēgšd, ę̄ jēgd* sowie die erschlossenen **drēǧ(š)d, *sēǧ(š)d, *šlēǧ(š)d* zu *drǭwə, sǭwə, šlǭwə*, s. C 8.2.1; D 23.2.1.3; 27.1. - Aber: *gšdēə* [158], Part. zu *šdaiə; bōə* "Bogen", jünger *bōxə*, Pl. entspr. *bē(j)ə*; auffällig ist *lēə* "legen" trotz *iš leg, du legšd, ę̄ legd,* Part. *gəlegd;*

c) *ę̄i* (mhd. *ė*): nur *ę̄ijə* "eggen" (*egen*) - *ę̄ig, ę̄ig(š)d;* Sb. *ę̄ig,* Pl. *ę̄ijə; hę̄ijə* "fördern" (`hegen´) - *hę̄ig, rę̄ijə* "regen" - *rę̄ig; lēə* s.b.

d) *āi* (mhd. *ei öü*): † *bāijə* "beugen" (*böügen*) - *bāig, šdāijə* "ersteigern" (*steigen*) - *šdāig.* - Aber: *āiə* "eigen", *lāiə* "Laie", *rāiə* "Reiher" (*reiger*). Dieser Gruppe haben sich auch Wörter mit mhd. -*eii*- angeschlossen: zu *āiə* "Eier" gehört der Sg. *āig,* zu *rāijə* "begatten" (Hühner, mhd.. *reien*): *ę̄ rāigd.*

III. *ę̄̆* (mhd. *ë ä*): intervok. *j* (auch bei fehlender *g*-Entsprechung), das mit *ę̄̆* einen Di. bildet; hinter LV sek. ausl./vorkons. *g*; häufig. Beispiele: *fę̄jə* "fegen" (mhd. *vëgen*) - *fę̄g, sę̄jə* "sägen" (*sëgen*) - *sę̄g,* Sb. *sę̄g* "Säge", Pl. *sę̄jə, šdę̄g* "Stiege" (*stëge*), Pl. *šdę̄jə, wę̄g* "Weg", (schw.) Pl. *wę̄jə*; nur intervok.: *gę̄iə* "gegen" (*gägen*: D 23.2.1.2), dazu *bəgę̄iən* "begegnen", *gę̄iənə* "Gegner"; *lę̄iə* "Lager", s. D 28.3.1,I; *rę̄iə* "Regen", *rę̄iən* "regnen", *sę̄iə* "Segen" (*sëgen*); *mę̄jə,* Pl. zu *mǭxə* "Magen", ebenso *grǭxə* "Kragen" - *grę̄jə, waxə* "Wagen" - *wę̄iə.* Auffällig ist *wę̄rə* "wegen" (mhd. D.Pl. *wëgen*) neben *dǫndwę̄iə* "deswegen".

28.2.2. Die Inl.-Formen gelten grundsätzlich auch für den Satz-Inl., z.B. *iš frēg - iš frēj‿əmōl, rę̄ij‿ən ned úf* "rege ihn nicht auf", *iš sēj‿ən ǫ́b* "ich säge ihn ab". Vor folgendem -*iš* ist *j* aufgegeben: *iš frēg - frē-iš, iš rę̄ig rei-iš; j* ist erhalten: *iš sę̄g - sēj‿iš.*

28.2.3. Bei Jüngeren wird das *j* hinter *ę̄i āi* (IIc d) allgemeiner aufgegeben, z.B. *rę̄iə, šdāiə.* Dabei spielen umgangssprl. Einflüsse eine Rolle[159]. Von daher wird das Fehlen von *j* z.B. in *ufrę̄iuŋ* "Aufregung" auch bei Älteren verständlich.

28.2.4. Die Stufen der Spirantisierung lassen sich am Material ablesen: *g > ǰ > j (į̯) > ∅.* Jedes dieser Stadien ist unter bestimmten Bedingungen erhalten.

---

[158] -*ēə > -ei̯ə* ist moderne Hiat-Dig., s. C 25.1.3,1b. Sie wird hier (wie auch sonst meistens) in der Transkription nicht berücksichtigt.

[159] Feinheiten wurden dann nicht mehr wahrgenommen und verlieren sich, vgl. auch die Entwicklung von /g ch/ vor -*el*, D 29.3ff.

/g/ bildete intervok. zunächst das spirantische Allophon j aus, das schon früh eine Tendenz zur weiteren Öffnung zu j zeigte. Im einzelnen:

Zu I: Hinter dem früh vorhandenen engen Di.-Abglitt von mhd. $\hat{\imath}$ *iu* (C 21.3.2.1,2) wird die Engebildung früh vernachlässigt, es kommt zum völligen Verlust des K, daher keine VErn (*gai!*), die [j] voraussetzt.

Zu II: Hinter geschl. und halboffenen mrf. LVV $\bar{e}_{7\ 8}$ $\bar{\imath}_{4\ 11\ 18\ 22}$ sowie dem offener artikulierten Abglitt von $e_{i_{24f.}}$ (phonetisch etwa *[ei]*) bleibt j, wenn das Bewußtsein der Zugehörigkeit zu /g/ durch das Vorhandensein entweder von (primär bzw. sekundär ausl., sekundär vorkons.) Vsl.- oder vel. Rbl.-Allophonen (*šwōxə* - *šwējə*) gewahrt bleibt. Andernfalls geht j über j im pal. V auf (z.B. **gšdejə* > **-ejə* > *-ēə*, vgl. C 5.3.1.4). So erklärt sich die scheinbare Ausnahme *grīə*: 3.Sg., Part. **grigd* > *grid* durch Dissimilation g - g (+ *d*) im häufig gebrauchten Wort (evtl. im Vorton, s. D 37.2.1.3), danach *iš grī* und *grīə*. Etwas anders *lēə*: Das Paradigma baut sich heute auf zwei Stämme auf: I KV *leg-*, Präs. Sg., 2. Pl., Imperativ, Part.; II LV *lē-*, Inf., 1.3.Pl. Stamm I war nach C 8.2.1 in der 2.3.Sg. 2.Pl. und im Part. entstanden, hatte sich im oft gebrauchten Vb. erhalten und sogar auf die 1.Sg. und den Imp. ausbreiten können[160]. Der Ausgleich zwischen beiden Stämmen konnte aus strukturellen Gründen nur die V-Qualität (*lē-* statt **lei(j)-* nach C 20.4.1.1,2), nicht die -Quantität erfassen: **lĕ+ə* ist unmöglich. Die Verschiedenheit der VV ermöglichte die unabhängige Entwicklung von *lēə*.

Auf der Stufe **eij-* wurden die wenigen Wörter mit mrf. **-eij-* absorbiert (vgl. D 48.1): *reien* und *eier* (vgl. mhd ⟨eiger⟩, Paul §79). Zu **eijər* wurde ein Sg. **eig* "wiederhergestellt". Auch später dominierte hier der häufig gebrauchte Pl., indem er eine eigenständige Entwicklung **āijə* > *āiə* einschlug. Dabei ist allerdings auch an überregionale Einflüsse im Wort des Handels zu denken (*-āij-* > *-āi-* weithin, vgl. z.B. D 28.7.4.1 Schluß).

Zu III: Hinter offenen $\breve{e}$ erhielt sich j < j und bildete seit der Dig. von mhd. *e ö*, *ê œ* mit kurz gebliebenem $\breve{e}$ einen Di. (vgl. D 28.9.2.3,2): *reiə* < *regən* wie *dseiə* < **zehən* (C 20.4.1.1,1); *zĕhen* "Zehen". Phonologische Analyse also: ursprünglich */r-e-j-/* wie */f-ē-j-/* neben **/ds-ī_{4}-/*, später */ds-ei-/* und danach */r-ei-/*, aber nach wie vor */f-ē-j-/*. Außerdem alterniert j nur hinter LV mit g, s. die Beispiele oben.

Unklar bleibt *weə*. Einen Deutungsversuch s. C 45.2.

Aus dem Vorstehenden lassen sich Schlüsse auf den zeitlichen Ablauf ziehen: Völliger Schwund in I (*gai*) weist auf Spirantisierung vor der Apokope. Die VErn erfolgte noch auf der Stufe j, weil diese unter bestimmten Bedingungen noch erhalten ist (II) und keine falsche VErn von mhd. *-j-* (*dræjen*) vorliegt.

---

[160] Ganz jung sind unter dem Einfluß der Schrspr. auch 1.3.Pl., Inf. *legə* zu beobachten.

Dies ergibt folgende Abfolge:

1) -g- > -ǰ-;

2) ǰ- > -j- hinter mhd. *î iu*;

3) allgemeiner ə-Schwund und VErn sekundär ausl./vorkons. auf der Grundlage von ǰ;

4) ǰ > j allgemein außer hinter engen VV und *āi* (< *ei öü*) im lebenden Wechsel mit g (*ǧ);

5) j > ∅ außer hinter ĕ̆.

28.3. g hinter Vel.-V:

28.3.1. I. Mhd. *a*: hinter *a* nur *x* (a), hinter *ǭ* entweder *x*, sekundär ausl./vorkons. älter g, jünger oft *x* (b), oder aber ∅ in allen Stellungen (c):

a) *maxər-* "mager-", *waxə* "Wagen" (Pl. *węiə*); *laxə* "Lager" ist nachträglich eingepaßt als Ersatz für altes *lęiə* (mhd. *lëger*), noch im FIN (*Lagerfeld*, s. Fecher 1941, 130f. mit A. 296);

b) *grǭxə* "Kragen" (Pl. *grējə*), *mǭxə* "Magen" (*mējə*); *glǭxə, jǭxə, nǭxə* "klagen, jagen, nagen"; modern auch *drǭxə, sǭxə, šlǭxə*, s. c. - Sekundär ausl./vorkons.: *glǭg* "Klage", † *mǭgsōmə* "Mohn" (mhd. *mage-sâme*); *iš glǭg, du glǭgšd, ę glǭgd, gəglǭgd* usw. bzw. *glǭx, glǭx(š)d* usw.;

c) *ǭ+ə* > *ǫu̯ə*: Hiat-Dig. nach D 25.1.2b, nur *drǫu̯ə, sǫu̯ə, šlǫu̯ə* "tragen, sagen, schlagen"[161], veraltet *glǫu̯ə, jǫu̯ə* (s. b). - Sekundär ausl./vorkons.: *iš drǭ, sǭ, šlǭ*, 2.3.Sg. s. D 28.2.1,IIb, 2.Pl., Part. s. D 23.2.2.

II. Mhd. *o*; ∅: *bōə* "Bogen" (Pl. *bēə*), *bədrōə* "betrogen", *gəbōə* "gebogen", *gflōə* "geflogen", *gəwōə* "gewogen", *gədsōə* "gezogen"; *x*: *fəwōxə* "verwegen", jünger in *bōxə* (Pl. *bējə*). Keine Beispiele für sekundär ausl./vorkons.

III. Mhd. *u*: keine echtmdal. Beispiele mehr vorhanden; über *Bug* s. E 3.2.7.

IV. Mhd. *â*; *x*: *šwōxə* "Schwager", (Pl. *šwējə*); † *wōxə* "wagen"; ∅, jünger *x* in *blō(x)ə* "plagen". Sekundär ausl./vorkons.: *frōg* "Frage", *iš blōg, du blōgšd* usw., jünger auch mit *x*; bemerkenswert *wōg* "Waage", aber *wōxə-(haisḷ)* "Waagen-(häuschen)", also Wechsel -g: -x-.

V. Mhd. *ô* kommt vor g nicht vor.

VI. Mhd *û*: nur *sauxə* "saugen", flektiert ebenfalls *saux-*.

---

[161] Mit analogischem -g- wie in *ziehen* (D 28.2.1,IIa); mhd. *slahen - geslagen*, vgl. W Wo-Ibh 1486 *slagen*.

VII. Mhd. *ou*; nur *x*: *āxə* "Augen", *-āxiš* "-äugig", † *dāxə* "taugen", † *lāxə* "Lauge" (*louge*+*n*), sekundär ausl. *āg*, jünger *āx*.

VIII. Mhd. *uo*: keine echtmdal. Beispiele mehr; *fūx* "Fuge" ist hochsprl. beeinflußt.

28.3.2. Sieht man von der jungen Ausbreitung von *x* im Ausl. und vorkons. ab, dann fällt das Nebeneinander von (häufigerem) *x* und (seltenerem) Ø auf. Dabei macht das Nebeneinander von z.B. *glōxə* - *glōgd*, *wōxə*- - *wōg* einen ursprünglichen Eindruck, vergleichbar etwa *flīję* - *flīgd* (D 28.2.1, IIa). Besonders in *maxər*-, *waxə* ist *x* wegen der V-Qualität und -Quantität nicht als Ersatz für Ø erklärbar. So wie *sōxə* für *sǫyə* eintreten kann, so sollten für **mǫyər*-, **wǫyə*: **mōxər*-, **wōxə* (mit V-Dg. in offener Silbe, vgl. C 5.3.1.7,2) eingetreten sein. Außerdem kann man bei ganz alten Leuten noch zuweilen *g* statt *-x*- hören (vgl. D 27.7.2).

28.3.3. Die Lorscher Verhältnisse legen somit nahe, Rbl. (und nicht Schwund) als ursprünglicher anzusetzen. Dann ist allerdings mit einer Abfolge Rbl. teilweiser Schwund - erneutes Vordringen des Rbl. unter verkehrssprl. Einflüssen zu rechnen.

Das Fehlen der VErn in *iš drǭ* usw. kann als Neuerung infolge Verallgemeinerung des Wortstammes /drǭ/ z.B. des Inf. gedeutet werden, läßt also keine weiteren Schlüsse zu, vgl. *drǭg*, z.B. Be-Lind (SH). Ebenso drängt der Stamm /glǭx/ (seit dem Ersatz von *g* durch *x*) zur Verallgemeinerung nach Mustern wie *rāxə* - *rāx* "rauchen - Rauch".

28.4.1. Eine weitere Klärung kann nur die Sprachgeografie bringen, wozu jeweils Karten 19-24 heranzuziehen sind.

Rhh: intervok. *-g-* ist meist spurlos geschwunden: Beispiele (nach Held, s.u.): *līə* "lügen", *šdę̄* "Stiege", *frōə* "fragen", 3.Sg. *frēd*, *lēəl* "Tragbütte" (ahd. *lāgila*), *dǭ* "Tage", *ǭpfai* "Ohrfeige"; *bǟiə* "beugen", *šdǟiə* "(er-)steigern". VErn ist verbreitet, außer im W, N in mhd. *-eig*-, *-öüg*- und *-eii*-, z.B. *bǟigd*, *šdǟigd*, *rǟigd*. Nur im NO (um Mainz) und resthaft am Rhein entlang ist sie allgemeiner. Hier finden sich falsche VErn z.B. in Mz-Sörg *grēgd* "kräht" (SH). Doch fehlt sie in Mainz selbst und Ws (soweit nicht *x/š* eingedrungen ist, s.o.), vgl. Karte 20; im einzelnen: Held §§76; 137f.; 344; Bescher §§87,1-6; 16ff; 20; Valentin §§326f.; 330f.; 400ff.; Martin §176; ferner SH *reihen III* (mhd. *reien*). - VErn findet man ferner in der VPf: nVPf Bertram §§208-210, sVPf Heeger §41 (gg. Christmann ohne VErn: §100).

28.4.2. Viel uneinheitlicher ist St. Klar grenzt sich im N der DSter Raum ab. Hier ist *g* intervok. völlig gefallen, sekundär ausl./vorkons. steht im allgemeinen *g*. Nachweis für intervok. *g* s. C 25.5.3, ferner Valentin aaO für den NW; für VErn s. Born §§147,2; 148,2 (-*g* hinter Vel.-V weitgehend durch *x* verdrängt, vgl. L); 262,12. Ausnahmen in DSt: §151 *gai*, *iš flī*, *grī*, *šlē* "Schläge", 2.Pl. *lī(g)d* "lügt" (SH); ich selbst kenne aus DSt außerdem noch: *du grīsd*, *šrē* "schräge", *šwai!* "schweige"; geogr.: §262,13ff. meist *ē*, *wō* "Egge, Waage", -*g* nur im SO; verbr. *gai*; 265,1-5: *fragt*, *sagt*, *klagst*, *kriegst*, *fliegst*: *g*, im NO Ø; 265,12 *Sägbock*: im W *sē*-, im O *sēg*-. Dasselbe Bild bei Grund §§94,2 A.1; 95 mit A.2: ohne -*g gai*, *ǭpfai*, *šrē*, *šlē*, *wī* "Wiege";

94 A.2 analogisch *sę̄g* "sehe" zu *sę̄jə*; analogisch auch *-g(s)d* in *bauen*: GG-Bauschh (SH), *blühen*: GG-Bisch (SH), *mähen*: GG-Bauschh Bisch Ginsh (SH). - Nicht wesentlich anders Bert. §§151a-c, auch *gai*; 243,3f.; 245,1-5; nach 243,5 *gaig* grob im O/SO, starke Zerrissenheit als Zeichen sekundären Vordringens (Karte 20!). - Bemerkenswert außerdem im großen Umkreis um DSt (dieses selbst auslassend) mhd. *ougen* > *ā̧u̧ə* (Sg. *ā̧g*), s. Karte 22, ferner Grund §94,2; Bert. §§83 mit A.2; *ā̧g-ā̧u̧ə*, aber *lāə* "Lauge+n" in Da-Rohrb; 243,3 (*ā̧g*); 244,3 (S-Grenze von *ā̧u̧ə*); Born §262,2 (*ā̧g*). Der NW hat Schwund bzw. neuer *g*: Valentin §326.

28.4.3. Nach O hin folgt zunächst ein N-S-Streifen mit Schwund in von Fall zu Fall verschieden starker Ausdehnung, die auf neuere Sprachströmung weist. Es handelt sich im wesentlichen um das nach N hin offene Gersprenztal. Weiter östlich folgen Inseln mit verschiedenen Übergangsformen vom Rbl. zum Vsl., aber hinter *ę̆* nur Rbl. (*ęi ęj*); östlich davon allgemein /*ch*/, auch sekundär ausl./vorkons. Er-Zell selbst hat wiederholt nach Pal. auch Ø oder *j*, weil an der Grenze zum /*ch*/-Gebiet gelegen: Freil. §§236f.; 239; 330,II,3 (-*ę̆g*-); 407,8f.; 408,2-4.6; 409,1-8; 410,1-3.5; 419,IV,4 (*węrə* "wegen").

28.4.4. Recht uneinheitlich ist auch das s/öSt.

28.4.4.1. Hinter Pal.-V: nach Bauer §141,2-5 (*fliegen, kriegen, lügen, ziehen*) meist *-Ø-*, *-g-* in Nordh, versprengt sEr; *-g-* 1. sEr (wiederholt auch *-g-*!); 2. in und östlich um die "Sachsen-Orte" (Hohen-, Groß-, Lützel-S.) als *R*[162]; vgl. auch §141,10 (*Lügner*); §§34,1; 141,6: *gelegen* meist *-ęi-*, Sachsen-Orte *-įR-* (dort auch *gšdįRə* "gestiegen", s. K.6), sEr *-ē-* + *g* bzw. *g*; §§34,2; 86,3: *regnen*: nur *ęi, ę̄j, ę̄j*. *g* ist stark im Rückgang, Be-Watt hat dafür *-x-* (*flīxə*); 3. Hp hat(te) folgenden Zustand: hinter LV *g*, also *fę̄gə* (Seibt §32a), *ję̄gəʳ* (26a), *ęigə* "eggen" (26a), *līgə - lī(g)ənəʳ* (58), *dsīgə* (100), aber *grīə* (100); auch *šdaigə* (172b) gg. *šdaid* (173); hinter KV sowie mhd. *ei öü*: *j į*, z.B. *gęi(j)ə, gəlęi(j)ə, ręi(j)ə(nə)* (26a; 33); *šdāiə, āiədum* (86). Ausnahmen: einerseits *lęigə* (26a) mit *g* aus der vorkons./ausl. Stellung, *flīgə* und *flīə* (Bauer §141,2 A.), andererseits *węgə*, Pl. zu *wagə* und *węgənəʳ* (neben *węi-*: Bauer §145,7), Dim. *węgļ* (27). *flīə, węiənəʳ* lassen Zurückweichen von *g* erkennen. 4. *g* ist noch belegt in den benachbarten Orten Be-Erb Kirschh: *węgənəʳ* (Bauer §145,7), Ma-Laudb *līgə* (aaO §141,4). Resthaft war *g* auch noch zur Zeit der Aufnahmen Webers (Anfang 20.Jh.) im Weschnitztal vorhanden, hinter *ę* in *węgə* (vgl. Hp), hinter *ę̄*: *ję̄gə* "Jäger" (S.241), *grę̄gə, mę̄gə*, Pl. zu *grō̧gə, mō̧gə* (aaO), *fę̄gə* (242), *sę̄gə* (243), z.T. hinter *ē*: *frēgə* (335), aber *šwē(j)ən* (338), *gšdēə* "gestiegen" (250), nicht jedoch hinter *āi*: *āiə(dum), dāiə* "kneten" (zu *dāig* "Teig"; 345), ebensowenig hinter *ī ai*, z.B. *līənə* (262), *grījə, līĵə* u.a. (350); *gaiə* "geigen", *šdaiə* (340). Aber Wagner (1944, 66) kennt aus Be-Mörl noch *līgəbrig* "Lügenbrücke". Diese *g* scheinen bei der Aufnahme E. Bauers alle verschwunden gewesen zu sein. - Für den SO: Wenz hat *g* überall außer hinter *ę̆*, vgl. *dəgęijə* (§1,III); Beispiele: *bəwēgə, sēgə* "Segen" (§3,III1), *fę̄gə* (§29), *jēgɒ* (34), *bīgə, flīgə* (18) u.a.;

---

[162] Identifizierung mit dem dortigen Zäpfchen-*r*, s. D 8.2.

lẹigə (2,IV), *rẹigə* (25,2); *gaigə* "Geige" (11); *g* auch hinter *ẹ̄₂₄ ₂₅: ẹ̄gə* "eigen" (17), *sẹ̄gə* "säugen" (20); sekundäre Übertragung auf die Stellung hinter Di. aus KV + *rj* (nach C 48.6.3,II), z.B. *nẹigəds* "nirgends " (18), *gọigḷ, sọigə, bọigə* (25,2) neben *bọimẽ̄šdʋ* (S.48).

Ein Blick auf Karte 19 lehrt, daß alle *g*-Gebiete einst zusammengehangen haben müssen: Von Be-Nordh über die Insel um Hp, die Reste im Weschnitztal, in den Sachsen-Orten bis sEr war *g* das ursprüngliche Ergebnis der Spirantisierung hinter pal. LV.

Nur hinter mhd. *ei öü* (soweit sie nicht monophthongiert wurden, vgl. C 2.3.2.8,2) gibt es keine *g*-Reste. Hier war *j (j)* alt.

Aus dem Kartenbild ergibt sich ferner, daß die N-Grenze dieses *g*-Gebietes im W einst etwa auf einer Linie Be-Watt - Schwanh/Fehlh - Glattb/Lind gelegen haben muß (über den O, d.h. Er, s. D 28.7.3; 28.9.2). Folglich hatte auch L einst innerhalb des *g*-Gebietes gelegen. Dann ist aber die schöne Regelmäßigkeit des heutigen Lorscher Systems ein Blender, und es muß untersucht werden, woher es stammt, zumal es in dieser Form nirgends mehr wiederzukehren scheint, s.u.

Hinter KV muß man unterscheiden: Hinter *ẹ₃* gibt es keine *g*-Reste, wohl aber hinter *i* in den Sachsen-Orten, sonst allgemein *gšdē̄ə*, im O *-ī-* (Bauer §39,2; K.6; Weber 250): *-ē̄ə < *-ē̄jə* (vgl. C 5.3.1.7,2), aber *-ī(j)ə* im O mit alter Länge (C 5.3.1.4).

28.4.4.2. Vel.-V (Bauer §141): *g*-Reste in Be-Nordh (Watt) sowie im sEr wie hinter Pal.-V, sonst war *g* (bzw. *R x,* nicht Ø!) das Ältere; so noch fast ausnahmslos in *Augen, geflogen, Wagen;* Schwund hingegen verbreitet im Ried (vgl. C 25.5.5.2,2), ferner in von Wort zu Wort unterschiedlicher Ausdehnung im sOdw; w Be-Waldm, um O/UAbtst, O/USchönm *-ọ̄gə > -ọ̄ə.* Vgl. ferner Seibt §172b (*g*), aber §173 *drọ̄, sọ̄,* s. C 25.5.4,2; Wenz §25,3 (*g;* Bsp. auch §§1,II; 5,IV); viele Beispiele für *g* bei Weber (z.B. 249 *wagə;* 349f.; 336 u.ö.), beachte (341) *rūgə* "ruhen" (neben *rūə*), dieses auch bei Lenz. Der O hat ähnlich wie hinter Pal.-V im Gersprenztal einen N-S-Streifen mit Schwund, jedoch ausgedehnter, östlich davon *x, g*-Reste wie hinter Pal.-V: Freil. §410; Karten 21; 23.

28.4.4.3 Sekundär ausl./vorkons. ist *g* allgemein das Ältere: Bauer §145f.; bemerkenswert §146,8 *Geige:* meist *gaig,* aber *gai* in L, Be-GRohr Schwanh, beides in Fehlh; s. Bert. §§243,3-5; 245,1-5; Born §§262,12ff.; 265; Freil. §409.

28.4.5. Der S: Bräut. §§93,2: Mhm Pal. + *š,* Vel. + *x;* A.3 Dorf-Mdaa: Pal. + *j* (schwach), Vel. + *R;* 93,3: VErn; 94 A.5 *gərūgd* zu *rūgə,* s.o. - Treiber §62,2 Pal. + *j,* hinter *ẹ̄* Ø (A.3), Vel. + *R;* VErn (vgl. auch §62,3); §46 A.8 *rūRə;* A.9 *(gə)drạ̄igd* zu *drạ̄ijə* "drohen". - Waibel §60,B1 Pal. + *j,* im N Ø, bes. hinter *ẹ̄,* Vel. + *g* bzw. *R;* §60,B2b; C:VErn; 49,2c *rūgə, -R-.*

28.4.6. Einiges aus dem Material des SH; *Beuge: bāi* GG-Godd Bieb; *beugen: bājə* (1932): GG, Da, nBe, sRied, Part. *gəbāigd,* Rhh meist *-bāid; Egge: ē* Da, weithin GG, Be-GRohr, sonst *ēg* u.ä. (bzw. Inlautformen des Typs *Egge-n*); *eigen:* St meist *ājə* (im O *-χ-, -š-*), Beerf *ẹ̄gə* (s.o.);

Geige: *gai* Rhh, nwSt, -*g* swSt (öSt *gaiə* u.ä.); *(ich) kriege*: St *grig* weithin, *grī* nwBe, als Zweitform verbr, St; Inf. St meist *grī(j)ə*, sEr *grīgə*; *Ei*: -*g* wSt, *āχ* (-*š*) öDi; Rhh nie -*g*!; *heien I* ("hegen, pflegen"): sOdw *hājə* verbr., -*gd* Be-Mörl OAbtst; *reihen III*: 3.Sg. verbr. -*gd*; *tragen*: (Inf.) -*g*- verbr. sEr, -*g*- nOdw, söEr; *drọ̄(ə)* verbr. swSt, *drā* sRied; *Tage* (Pl.): nSt *dọ̄(g)*, *dā(g)* söSt, swSt; *Auge*: Rhh Sg. und Pl. meist *ā̯* (öWo Sg. *āg*); St: *āg*, *āx*, Pl. Di *āə*, nEr, sRied *āxə*, Odw *āgə*, *āgə* Da-Frank, Be-Nordh u.a.; *āu̯ə* s. D 28.4.2.

28.5.1. Das Material läßt deutlich vier Haupttypen erkennen, von denen der zweite in zwei Varianten auftritt:

	Hinter Pal-V.	Hinter Vel.-V	sek. ausl./vorkons.
I. w/mRhh	Ø (j)	Ø	Ø; hinter *ei öü* bes. mRhh *g*
II. a) öRhh	Ø	Ø	*g*
b) DSter Raum	Ø ‿ Hiat-Dig.	Ø	*g* (Ø-Reste)
III. sSt (Westen, Mitte)	LV: KV; *ei öü*: *g* *j* (Ø)	*g (x)*	*g*
IV. Mhm. sNeck	*j* (Ø)	*g (R)*	*g*

Weitere kleinräumige Varianten (z.B. teilweise Erhaltung des Vsl. in gewissen Reliktgebieten in St) sind dabei nicht berücksichtigt.

28.5.2. Mit Sicherheit kann man sagen, daß die *x* hinter Vel.-V im sSt immer auf jungem Ersatz für *g* beruhen, vgl. D 27.1; 28.3.1,I sowie Karte 22 und die Verhältnisse in Ma; ferner in Hp: bei Seibt nur -*g*-, aber nach Bauer §141,10 A. neben *gədsogə* schon -*oxə*; vgl. außerdem die verstreuten *waxə*-Punkte bei Bauer, K.31. Der Prozeß ist in L praktisch abgeschlossen. *x* hat sich hier gemäß der älteren umgangssprl. Norm durchgesetzt, was die Beseitigung der Alternanz -*x*-/-*g* (< -*g*-/-*g*) zugunsten von -*x*-/-*x* zur Folge hat (vgl. D 26.5.1,5; 28.3.3).

Im übrigen läßt sich folgende Reihenfolge der Zunahme der Intensität der *g*-Vokalisierung aufstellen: III - IV - IIa - IIb - I. Dabei ist Rhh, wie nicht anders zu erwarten, einheitlicher als St.

28.6. Zunächst Rhh[163]. Die ursprüngliche Zweiteilung: öRhh VErn - w/mRhh allgemeiner *g*-Verlust wird durch eine W-O-Bewegung langsam zugunsten der *g*-losen Formen aufgelöst, also auch hier eine Tendenz zur Vereinheitlichung.

Die zunächst aus *g* hervorgegangen Rbll. *j̑/g* müssen im größeren Teil Rhhs bereits um 1200 außer hinter *ei öü* soweit verflüchtigt gewesen sein, daß sie in der durch den allgemeinen ə-Schwund (13.Jh., C 38.7.4) herbeigeführten Stellung im sekundären Ausl./sek. vorkons. nicht mehr als Allophone von /*g*/ angesehen und zum hier geforderten Vsl. zurückgebildet werden konnten. Um 1200 waren also *j̑/∅* erreicht, wobei [j̑] mit /*j*/ etwa in mhd. *müejen* identifiziert wurde und mit diesem zusammen später schwand (D 48.3.1,1).

Im öRhh ist der Vorgang *j̑/g* > *j̑/∅* verzögert worden, so daß es hier zur VErn kam. Allgemein übliches *gai* ohne VErn erklärt sich durch Übernahme der städtischen Lautungen (Mainz, Ws, vgl. St, D 28.7.2.2).

Auffällig sind Mainz und Ws, deren ältere Mda keine VErn kennt. Dies scheint mir durch frühen Anschluß der städtischen Oberschicht an die zeitweilig (bis zum Eindringen von /*ch*/, s. D 27) als vorbildlich angesehen Aussprache etwa von Frankfurt erklärt werden zu müssen, wobei sich Ws nach Mainz gerichtet haben müßte.

Dennoch ist *g* im öRhh noch im 13.Jh., also bald nach der VErn verlorengegangen (und sicher auch *j̑* > *j*); vgl. FlN Wo-Herrnsh *Hausmühle,* 1287 *Huges-,* 1282 *Hus-* (R 145). Zeugnisse für *g*-Schwund in Ws: BI 140: 1241 *Hentschugisheim,* 267: 1283 *aweste* D. "August"; BII 572: 1386 *umbfrahe;* für *j̑* < *j* die Wser *Remeyerhofstraße* (ehemaliges "Remigierkloster", zu *Remigius*): BII 277: 1350 *Remies,* 381: 1364 *Remeyes* (!), sonst ⟨g⟩, z.B. 407: 1366 *Remigen,* 477: 1367 *-igien.*

Hinter dem pal. Abglitt von *ẹi* hielt sich *j̑* weithin länger, so daß dieses *ẹij̑* mit altem *ẹi+j* zusammenfiel und VErn entstehen konnte; vgl. Schrr. wie BII 166: 1331 *meige,* 174: 1331 *die heinerleige;* FlN Wo-Monz *in der Haiergewann,* 1286 *heugir,* 1302 *hoyger-* u.a., zu mhd. *heien* (R 147f.; SH *Heier*). Der Übergang *aij̑-* > *āi-* hängt vielleicht mit der Dg. *ai* > *āi* in der 2.Hälfte des 13.Jh. (C 21.3.4.2,2) zusammen.

Die Anfänge der Spirantisierung sind aus der i.a. phonologisch orientierten Schr. nicht zu erheben. Berücksichtigt man aber, daß einerseits die Kontraktion des Typs *maget* > *māt* etwa bald nach 1100 liegt (D 23.2.2.5), andererseits die neuen Rbll. im w/mRhh im 13.Jh. bereits weitergeschwächt worden sein müssen, dann kommt man dort auf die Mitte des 12.Jh., also noch vor der beginnenden Synkope nach C 37.3. Im öRhh ist mit einer Verzögerung um etwa ein

---

[163] Zur Rekonstruktion der historischen Abläufe im folgenden sind jeweils die vier hist. Kartenskizzen, Karten 25-28, heranzuziehen, wo besonders die Situation hinter LV veranschaulicht ist.

halbes Jahrhundert zu rechnen (vgl. Da!). Dies setzt eine NW-SO- bzw. O-Bewegung der *g*-Spirantisierung voraus, was durch das Kartenbild, etwa bei Bruch 1953, Karte 13, und die Verhältnisse in St bestätigt wird.

28.7.1. <u>St</u>. Bereits die Übersicht D 28.5.1 zeigt die größere Vielfalt Sts. Sie verstärkt sich noch bei genauer Betrachtung kleinräumiger Entwicklungen. Außerdem gibt es wiederholt Hinweise, die den heutigen Zustand als sekundär erweisen. Als Hauptunterschied zu Rhh ist fast allgemein *g* sekundär ausl./vorkons. vorhanden. Solche Systeme setzen grundsätzlich für die Zeit des allgemeinen *ə*-Schwundes (13.Jh.) wenigstens noch Rbl.-Allophone oder gar intakten Vsl. voraus. Es ist dort also mit einer verzögerten Entwicklung zu rechnen.

28.7.2.1. Hier hebt sich heute der <u>DSter Raum</u> als relative Einheit heraus. Der heutige Zustand ist aber offensichtlich nicht ursprünglich. Einzelne Wörter ohne VErn (*bāi, ē̆, wī̆, wō̆* u.a.) erfüllen, vom NW abgesehen, einen mehr oder weniger großen Teil des DSter Raums, DSt selbst z.T. mit einbegreifend, so daß hier mit dem einstigen Vorhandensein eines ähnlichen Systems wie im w/mRhh zu rechnen ist. Dies entspricht in etwa der bei der Behandlung des Hiats gemachten Feststellung (C 25.5.3, Typ *īl* < *īəl*). Hier wie dort setzte von der DSter Oberschicht aus eine Reaktion ein: Man übernahm in der Neuzeit aus dem S (vgl. Karte 28)[164] die "besseren" Formen mit VErn, und nach DSter Vorbild breiteten sie sich in dessen Einflußbereich aus. DSt selbst muß, nach seinen *g*-losen Relikten und der Lage der *g*-losen Formen ursprünglich zum Schwundgebiet gehört haben.

Doch auch der Umfang des ehemaligen *g*-losen Gebietes kann nicht ursprünglich sein. Das ergibt sich 1. aus den Resten von VErn im NW, 2. aus der isolierten Lage des schon früh (ab ca 1368) an Katzenelnbogen gefallen Be-GRohr, das ebenso wie GG-Gernsh (1465 dieselbe Herrschaft) im Gegensatz zum Mainzischen (aus ehemals Lorscher Besitz stammenden) GG-KRohr wenigstens teilweise zum *g*-losen Gebiet gehört (vgl. Karten 19ff.!). Hier hat offensichtlich eine nachträgliche Ausweitung des *ē/wō*-Typs in die Ebene stattgefunden und den südlichen Übergangstyp (Typ II, D 28.7.2.3) zum unmittelbar ansetzenden *flīgə*-Typ abgedrängt. Zeitlich muß dies vor der Ausformung des späteren DSter Raumes (mit *ēg, wōg*) liegen, etwa im ausgehenden 15.Jh. (vgl. oben zu Gernsh: 1465!). Die später von DSt begünstigte VErn hat erst nach 1567 (vgl. C 25.5.3.6f.) das Gebiet erobert; s.u.

28.7.2.2. Wie im öRhh hat *gai* einen eigenen Weg genommen. Es hat sich im Lauf der Zeit nicht nur im W und S vorgeschoben (bis nach L, vgl. D 28.7.4.1; Karte 20), weil hier die DSter Oberschicht offenbar die (alteinheimische) Aussprache der Spielleute begünstigte und ihr zum

---

[164] Von woher sicher ein Gutteil der DSter Neubürger kamen (aaO). Über das dortige System s. D 28.7.2.3,II.

Sieg verhalf (*gaiš* ist jung: Born §262,15). Für den NW belegt das SH aus GG-Bauschh *du gaigsd* mit VErn!

28.7.2.3. Fehlende VErn im nwSt läßt auf Spirantisierung vor dem allgemeinen *ə*-Schwund, ähnlich wie im m/wRhh schließen, vermutlich jedoch etwas später, d.h. nach dem Wandel $\bar{a}_1$ > $\bar{a}$ (C 21.3.2.2), weil zwar in Rhh ein **nāəl* noch zu *nāl* kontrahiert werden konnte, im nSt aber **nā̯əl* (> **nō̯əl*, C 25.3.3f.) stehenblieb.

Dieses Ergebnis wird bestätigt durch *āu̯ə* "Augen" (D 28.4.2; 28.4.5). Seine typische Lagerung im Umkreis von DSt sowie das Nebeneinander in Da-Rohrb von *āu̯ə* und *lāə* (s. Bert.) erweist DSt als Strahlungszentrum wenigstens nach S und SO: *lāə* als Wort der Bauernsprache entzieht sich genau so wie im nwSt *ē, wō* u.a. *āu̯ə* scheint wegen seiner Lagerung im Gegensatz zu *ēg/wōg* eine echt DSter Lautung zu sein. Es beweist, daß der *g*-Schwund älter als die Monophthongierung von *āu* ist (**āug-* > *āu̯-* mit Hiatform des Di., vgl. C 20.7.4.2), also vor 1300. Andererseits sind chronologische Schlüsse aus dem Gegensatz N/NW *āə* gg. DSt usw. *āu̯ə* unzulässig. *āu̯ə* ist die Vorform von *āə* (aaO), die dort wie in Rhh nachträglich beseitigt worden ist, also ein Abebben der vor NW eindringenden Sprachströmungen.

Schwieriger ist die Erklärung des "fortschrittlicheren" *lāə* söDSt. Geht man vom genannten Abebben nördlicher bzw. nordwestlicher Einflüsse in St aus und berücksichtigt gleichzeitig die *āgə*-Insel söDSt (Karte 22), dann ergibt sich, daß sDSt älteres **lāgə* zugrundeliegt, also mit *g*-Schwund erst nach der Monophthongierung, d.h. nach rund 1300, aber noch vor dem Eindringen der typischen DSter (Hiat-Di.-) Form (um 1600); vgl. die C 25.5.3.4ff. nachgewiesenen "rhh" Lautungen!

28.7.2.4. Zieht man nun 1. die ältere Ausbreitung VErn-loser Formen durch DSt besonders nach W und SW, 2. die verzögerte N-S-Wanderung von Spirantisierung und Schwund in Betracht, dann legt das für das nSt folgende ursprüngliche, d.h. etwa nach 1200 herrschende (Karte 25) Typen nahe: spätere Spirantisierung und VErn wDa, ebenso unmittelbar sDSt (Karten 25, 26); im N von Frankfurt her früherer Einbruch der *g*-Auflösung, etwa entlang der Straßen Frankfurt - DSt, Frankfurt - Groß-Gerau (vgl. Maurer 1930, Abb.1) und damit Anschluß eines größeren Gebietes im nSt an den N. Unmittelbar sDSt scheint die Bewegung zunächst vor dem Gebirge Halt gemacht zu haben, um dann erst zögernder weiterzulaufen (System I mit VErn, s.u. und Karte 25).

Jenes System in und um DSt mit frühem *ǰ/g*-Verlust bezeichnen wir als System I, das südlich und ursprünglich auch westlich daran angrenzende als System II. Beide sind mit Leitbeispielen und späterer Verlagerung auf Karten 25-27 dargestellt.

Dabei ist die Verwandtschaft von System II mit dem späteren Lorscher System (D 28.7.3) nicht zu übersehen.

28.7.2.5. Fragt man nach den treibenden Kräften, die das System II weitgehend aufgelöst haben (jedoch ohne die dort bodenständige VErn beseitigen zu können), so scheint auch hierbei DSt eine Rolle gespielt zu haben. Aber die vorgetragenen Lautungen (*ǰ/g* > *∅*, aber Beibehaltung der VErn) entsprechen nicht dem, was sich seit 1567 ereignete (vgl. C 25.5.3.7). Man wird eher an die Funktion DSts als Hauptstadt der Obergrafschaft Katzenelnbogen 1330-1479 erinnert (Ausgreifen nach SW, D 28.7.2.1). Damals scheint DSts Aussprache zum ersten Mal einen gewissen Vorbildcharakter für sein Umland gewonnen zu haben; entsprechend der geringeren Bedeutung aber nur im beschränkteren Umfang als Tendenz zum Schwund von intervok. *ǰ/g*. Die allmähliche Auflösung von System II hätte dann im ausgehenden 14. und im 15. Jh. stattgefunden. Es wurde (vom W abgesehen, s. D 28.7.4.1) gleichsam am System III zerdrückt.

28.7.2.6. Zusammenfassend kann man also den Einfluß DSts so darstellen:

1) DSt breitet gegen 1500 seine bodenständigen Lautungen aus:

   a) Formen ohne VErn nach W und SW: D 28.7.2.1;

   b) Formen ohne *j(ǰ)/g* nach W, SW, aber auch nach S (Gebiet von System II): D 28.7.2.5;

2) DSt übernimmt die südlich angrenzende VErn und breitet sie in seinem Umland aus: ab Ende des 16. Jh.: D 28.7.2.1 (gleichzeitig mit Hiat-Dig., C 25.5.3.6f.).

Weiteres s. im folgenden.

28.7.3. Unter System III verstehen wir das ursprünglich im Hauptteil des m/sSt herrschende System mit VErn, *g* hinter Vel.-, aber auch hinter Pal.-V (D 28.4.4), zu dem auch L gehört haben muß (Karte 26).

Für L sind demnach für die Zeit vor der Übernahme des nördlichen Systems folgende Lautungen anzusetzen (Beispiele nach D 28.2.1; 28.3.1; moderner Vokalismus):

A) I. *gaig, gaigə; dsaigə; iχ gaig* usw.; *šdaigə - šdaid*;

II. a) *flīgə - flīg*; Sb. *līg - līgə*; fraglich *līənər, šwīr-*, s. D 28.9.2.2;

   b) *frēgə - frēg; mēgə; šwēgər (: šwōgər)*; aber: *gšdejə; bēgə (: bōgə); lẹigə* (?) - *leg(š)d*;

   c) *ẹigə* usw.;

   d) *bāijə - bāig* usw. (keine *g*-Reste!), *rāijə - rāigd*;

III. *fẹ̄gə - fẹ̄gd* usw.; aber *gẹiə* usw., *mẹ̄gə (: mọ̄gə)*; wahrscheinlich *wẹgə(nər)* statt *-ẹi-* wie verbreitet in Anlehnung an *wagə*.

B) I. a) *magər-, wagə*;

   b), c) *grọ̄gə (: grẹ̄gə), glọ̄gə, jọ̄gə, drọ̄gə, sọ̄gə, šlọ̄gə*, dazu z.B. Präs. Sg. *glọ̄g, glẹig(š)d, sọ̄g, seg(š)d (ẹi)*;

II, IV, VI-VIII: *bōgə; bədröḡə* usw. (KV, s. C 5.3.1.4); *šwōgər, blōḡə; saugə; āḡə, dāḡə - dāḡ(š)d; fūg - fūgə*.

Abweichend verhielten sich zunächst gewisse Orte im W (z.B. Be-Watt) und der O (Er), wo heute noch resthaft, früher aber offensichtlich viel verbreiteter intervok. *g* intakt geblieben war. Außerdem hatte der S nach dem Zeugnis der Sachsen-Orte *g* auch (wenigstens teilweise) hinter kurzem Pal.-V außer *ę*.

28.7.4.0. Es sind nun die Kräfte zu untersuchen, die zur Auflösung des einst umfangreichen Gebietes mit System III beigetragen haben.

28.7.4.1. Hier ist zunächst das <u>Ried</u>. Als verkehrsoffene Landschaft ist es hier wie auch sonst stärkeren umgestaltenden Kräften ausgesetzt als andere Landschaften im S; Einzelheiten s. C 25.5.5. Das heutige Lorscher System kann nur aus dem N stammen, ist also in der Tat fast mit System II identisch. Lediglich *gai, sǫwə* usw. und Part. des Typs *gflōə* statt *gaig, sǭgə, gflöḡə* sowie einzelne Wörter wie *bōə, blōə* weichen ab, indem sie dem späteren (d.h. mit Hiat-Dig. versehenen) System I entsprechen. Während sich *gai, sǫwə* usw. schon durch ihre Lagerung, ggf. verbunden mit Hiat-Dig. (vgl. Karten 20, 21, 23), als verhältnismäßig junge Eindringlinge aus dem N erweisen[165], muß das Eindringen von Typ II älter sein. Wir haben folglich mit zwei Schichten zu rechnen: 1. Übernahme des ganzen Systems II (was sich nur hinter Pal.-VV auswirken konnte als Beseitigung von *g* zugunsten von *ȷ̌ ȷ ∅*), 2. Einsickern einzelner nördlicher Formen des (erneuerten) Systems II. Letzteres steht klar im zeitlichen Zusammenhang mit dem Eindringen der Hiat-Dig., liegt also etwa anfangs des 17.Jh. (C 25.5.3.7). Belege habe ich erst für 1720 (GRB): 2x *beschlahe*n = [*bšlǫ̣ə*]; ferner Herrmann 1924,22 *Weyger* (ca 1710). Nicht viel jünger ist wohl *gai* für *gaig* (vgl. D 28.7.2.2).

Die Übernahme von System II ist in einer Zeit erfolgt, als es noch intakt war, andererseits der N Vorbildcharakter für den S erhalten hatte. Dies dürfte dieselbe Zeit sein, in der auch sonst im Ried nördliche Formen begannen, nach S zu wandern: das 15.Jh., s. D 28.7.2.1/5. Es ist kein Widerspruch, wenn die gleichen Kräfte, die von N her das System II zersetzten, es indirekt nach S vorschoben: Wenn allgemein der "N" als vorbildlich angesehen wird, richtet sich zu einer Zeit geringerer Mobilität der Blick zuerst auf das Näherliegende, und das war für L System II (vgl. Karte 27).

So kommt es, daß dieses heute in seinem ursprünglichen Geltungsbereich fast verschwunden ist, sich aber auf neu erworbenem Boden (L!) in einer archaischen Form erhalten konnte, die sich anscheinend nirgends mehr findet (z.B. Feinheiten wie *bāijə - āiə* "eigen")!

---

[165] Auf überregionalem Einfluß beruhen auch die 2.3.Sg. *du, ę šlešd* usw. statt *-g(š)d*, s. D 27.1.

28.7.4.2. Die <u>Riedorte w/s L</u> haben hinter Pal. *Ø* (*flīə*); Hp geht heute anscheinend vom *flīgə*- zum *flīə*-Typ über; hinter Vel. hat man *Ø* mit Kontraktion (*sā, sǭ*, s. C 25.5.4,2; 25.5.5.1,2a), aber *āgə (-x-)*; ähnlich, aber noch ohne Kontraktion, im sOdw (Karten 19, 21-23). Der Schwund im sRied kann nicht aus Rhh stammen, weil der Wser Einfluß nie bis Hp reichte, schon gar nicht in den sOdw. Auch sNeck gibt es dafür keine Fortsetzung. An autochthone Entwicklung ist besonders im sOdw mit Schwund allgemein hinter Pal.-V, hinter Vel. nur in -*ǭgə* und auch hier in sehr unterschiedlicher Ausdehnung ebensowenig zu denken wie in L bei *sǫwə̣*. Ich möchte daher annehmen, daß die *Ø*-Formen von Mhm über Hd ausgestrahlt wurden. Zu Hd vgl. z.B. Derwein Nr. 873: 1398 *stey* "Steige", 502: 1721 *Mauger* "Mauer", 1064 *Ziegelgasse* = [*dsīl*]. Tatsächlich deckt sich das *Ø*-Gebiet im sOdw wenigstens teilweise mit der ehemaligen Kurpfälzer Zent Be-Waldm, wie sie schon seit dem (15.?) 16.Jh. bestand (Bauer §187). Dann muß das heutige Mhmer System (*j/g* bzw. *R*) unursprünglich sein. Die Grenze zwischen Pal. + *j/Ø* verläuft heute in der VPf von SW nach NO, etwas südlicher Vel. + *g/Ø*, beide in Richtung auf den Rhein, den sie nördlich von Mhm erreichen (Bertram §201ff.; K.2). Zunächst muß Ma zum westlichen *Ø*-Gebiet gehört haben, später schloß es sich dem S an; offenbar als Reaktion auf die drohende Kontraktion bezog man aus dem S "bessere" Formen ohne *g*-Schwund, ähnlich wie sich DSt seine VErn aus dem südlichen Umland "besorgte" (s.o.; vgl. auch C 25.5.3.7). Als Folge davon scheint die Grenze zwischen *j/g* und *Ø* weiter nach N gerückt zu sein. Reste mit *Ø* südlich davon lassen darauf schließen (Bertram §§203; 206).

28.7.4.3. Für Ma ist danach mit der Abfolge dreier Systeme zu rechnen (s. Karte 28): A *j* (oder schon *Ø*)/*Ø* - B *j/g* - C *š/x*. Der Ersatz von A durch B brachte Überbildungen hervor: *rūgə* für *rūə*; *hāgə* s. D 28.8.

Die sekundäre Ausbreitung der einzelnen Systeme erfolgte konzentrisch in folgenden Phasen:

1) System A erobert in einigen Wörtern den sOdw, allgemein das sRied, hier mit - dort (infolge stärkeren Widerstandes) ohne Kontraktion. Mutmaßlicher Zeitpunkt: sOdw nicht genauer festzulegen, aber nicht zu früh wegen der nur zögernden Zunahme der westlichen Lautungen; sRied mit Hp: Wegen der Lagerung von Mhm ausgehend, also nach 1720, aber vor der Einführung von System B, also etwa im Verlauf des 18.Jh.

2) System B: Mhm (heute nicht mehr, s.u.) und unmittelbares Umland, auch Hd-Handsch, sRied. Nur vereinzelte Wörter dringen weiter vor, so *rūgə*; Übernahme im frühen 19.Jh., als Reaktion auf die "unfeinen" Schwundformen.

3) System C: späteres 19.Jh., von der Oberschicht her (über die Schule: D 27.1).

28.7.4.4. Was den Rest des sSt anbelangt, so ist *g* hinter Vel. im allgemeinen bewahrt, während *g* hinter Pal.-V heute schnell im Schwinden begriffen ist, s. D 28.4.4. Z.T. tritt dafür (wohl schwaches) *j* ein, s. C 25.5.4,6. Mir scheint, daß man hierfür weniger Strahlungen von einem der alten Zentren (z.B. DSt) verantwortlich machen kann. Vielmehr fällt die ungewöhnliche Lautung aus dem Rahmen und wird deswegen, sicher auch punktuell, von Tourismuszentren (z.B. Be-Lind) ausstrahlend, rasch zugunsten verbreiteter Formen aufgegeben.

28.7.4.5. Zu einer endgültigen Beurteilung der Verhältnisse im O reicht mein Material nicht aus. Es fällt jedenfalls auf, daß auf der Grenze zwischen einem N-S-wärts verlaufenden Streifen mit vollem g-Schwund in stark unterschiedlicher Ausbreitung (Karten 19, 21-24) und einem östlich daran anschließenden ch-Gebiet wiederholt g-Reste stehengeblieben sind. Dies bestätigt die Annahme, daß von N und NW (also DSt) her zu einer bestimmten Zeit g-Schwund entlang der Gersprenz nachträglich ausgebreitet worden ist (1.Phase, s. D 28.7.2.6; Karte 27), unabhängig von der später einsetzenden, aber nicht soweit nach O vordringenden Hiat-Dig. (2.Phase, aaO; Karte 28). Vermutlich sind der ersten Expansion Übergangsformen zwischen Vsl. und Rbl. zum Opfer gefallen, wie sie östlich davon noch vorkommen. In späterer Zeit scheint der Schwund (bzw. nachfolgender Ersatz (?) durch /ch/) aber eher von N und O, teilweise auch von W her vorgerückt zu sein (Karte 28) und hat so ein einheitliches g-Gebiet nahezu aufgelöst.

Exkurs: Das Verb hauen (s. Karte 7)

28.8. Es zeigt verbreitet Formen, die auf mhd. *hougen zurückzugehen scheinen. Trotzdem ist dieser Ansatz (so z.B. Freil. §411; Waibel §60 A.4) überflüssig. Vielmehr ist von mhd. houwen auszugehen, das nachträglich in den Sog der Entwicklung von -oug- geraten ist.

In St liegen folgende vier Formentypen vor:

1) hāwə/hāb, mit L, Hp, Bensh usw. im mOdw;

2) hāu̯ə (-w-)/hāg: vornehmlich Streifen von Da-Pfungst an nach N und NO um DSt herum;

3) hā(ə)/hā: besonders mSt, drei größere Gebiete; dazu einige kleinere Inseln;

4) hāgə (-x-)/hāg (-x): Rest des Gebietes.

Belege: Bauer §§92; 93,4; 71,3; 145,6; Seibt §§93; 127c (hāwə neben hāgə); 128; Bert. §§83 A.3; 175; 231,2; 229,4; Born §§81; 84; 239,2; 265,10; Grund §§94,2 A.2; 160 (hāxə dringt als "bessere" Form für hāu̯ə ein[166]); Freil. §§110; 411; Wenz §30. - Der S: Bräut. §§94 A.3 (hāRə in den Dorf-Mdaa); A.5 (hēgd); Lenz: hāgə - hāg, 3.Sg. hęi̯χd; Treiber §46 (hāRə - hēgd); Waibel §49,2c (-g-, -R-, -gd; Part auch kāu̯ə). - VPf: Bertram §194; Heeger §46 (-x-). x (g) setzt sich nach N hin fort, vgl. z.B, Alles §426; Schnellbacher §236; Kroh §§88; 111 (hāgə wie šdrāgə "streuen"); Friebertshäuser §277,1 (mit K.40: x im S); Hasselbach §115.

---

[166] Vgl. SH hauen.

Es muß sich also um eine großräumige Bewegung gehandelt haben. Ausgegangen ist sie offenbar von einem Gebiet, wo die Hiatform *$h\bar{a}\underset{\frown}{u}ə$ (neben $h\bar{a}$) frühzeitig verlorengegangen war, so daß die Form $h\bar{a}ə$ aussah wie Wörter, die -g- verloren hatten, etwa *Augen.* Dazu kam ein Synonym mit (ehemaligem) -g-: *schlagen.* Als Strahlungszentrum kann man etwa Frankfurt ansehen.

Für St ist folgende Entwicklung anzunehmen: Ausgangspunkt ist *$h\bar{a}\underset{\frown}{u}ə/h\bar{a}$ (C 20.7.3.3; 20.7.4). Dieses ist nirgends mehr erhalten. Modernisierungen erfolgten auf drei (vier) Weisen:

I.   a) *$h\bar{a}\underset{\frown}{u}ə/h\bar{a}$ > $h\bar{a}ə/h\bar{a}$;
       b) $h\bar{a}ə/h\bar{a}$ > $h\bar{a}gə/*h\bar{a}$[167]; dann nach $\bar{a}gə/\bar{a}g$ auch $h\bar{a}g$.

II.   *$h\bar{a}\underset{\frown}{u}ə/h\bar{a}$ > $h\bar{a}\underset{\frown}{u}ə/h\bar{a}g$ nach $\bar{a}\underset{\frown}{u}ə/\bar{a}g$ (vgl. D 28.4.2); später teilweise $h\bar{a}\underset{\frown}{u}ə$ > $h\bar{a}wə$ wie in III (aber $h\bar{a}g$ bleibt).

III. *$h\bar{a}\underset{\frown}{u}ə/h\bar{a}$ > $h\bar{a}wə/*h\bar{a}$ (s. C 20.7.4.1), und nach der Alternanz -w-/-b: $h\bar{a}wə/h\bar{a}b$, so in L.

Die Reihenfolge Ib - Ia - II - III spiegelt den abnehmenden Grad der Modernisierung.

Die $\bar{a}u/\bar{a}w$-Inseln und -Reste vor V vom nSt bis Be-Hirschh lassen ein ursprünglich zusammenhängendes Gebiet erschließen. Ia entsteht zunächst im N, II im anschließenden $\bar{a}\underset{\frown}{u}ə/\bar{a}g$-Gebiet. Ib tritt dann im N an die Stelle von Ia, wird von DSt übernommen und stößt von dort aus nach S vor (entsprechend $\bar{a}g/\bar{a}gə$). Hier wird es entweder unverändert übernommen, oder es bildet sich aus *$h\bar{a}\underset{\frown}{u}ə(-w-)/h\bar{a}$ und $h\bar{a}gə/h\bar{a}g$ ein Kompromiß, der identisch ist mit Ia. So erklärt sich das wiederholte Vorkommen von Ia an der Grenze zu Ib und (II)/III.

Der "Prestige-Typ" Ib ist dann offenbar auch punktuell nach S gesprungen, so nach Ma, von wo er dann nach S, NO/O (sSt) und sNeck ausstrahlte. Bodenständig kann er nicht sein, weil auch hier die Hiatform das Ältere war ($k\bar{a}\underset{\frown}{u}ə$! s.o.; vgl. auch Derwein Nr. 164: 1572 *gehawen*)[168].

Die $h\bar{a}wə$-Insel um L, Hp erhielt sich im toten Winkel zwischen der N-S- und der S-N-Bewegung.

28.9.0. Es bleibt noch die Frage nach <u>der Zeit der Spirantisierung im Bereich von System II und III</u> (vgl. jeweils Karten 25-28). Da mit Schrr. nicht zu rechnen ist, ist man auf die innere Rekonstruktion mit Hilfe der relativen Chronologie verwiesen mit allen ihren Unsicherheitsfaktoren.

28.9.1. Am klarsten ist System II. Die eingetretene VErn erweist für die Zeit des ə-Schwundes noch spirantische Aussprache *$\bar{j}/g$. Dies läßt (im Zusammenhang mit dem unten über System II Gesagten) vermuten, daß die Verschlußlösung hier mit Verzögerung eingetreten ist, wohl erst um

---

[167] Wir betrachten also im Gegensatz zum SH Ia als Vorstufe von Ib und nicht umgekehrt.

[168] Bemerkenswert auch $\bar{a}gə$ "Aue" Be-Sied (SH), das in denselben Sog geraten ist.

1200. Dies entspricht der wiederholt für St gemachten Beobachtung, daß sich gewisse Lautbewegungen nur langsam von N nach S (und O) hin vorschieben und hier schließlich erlahmen (z.B. C 2.3.2.8; 20.7.3.3; D 24.7.2f.).

28.9.2.1. Noch schwieriger ist die Beurteilung von System III. Hier sind die Verschlüsse noch später gelöst worden. Das kann man mit Sicherheit aus den im W und besonders im O bis heute vorhandenen *g*-Resten (bzw. Zwischenstufen, s. Freil.) schließen, die außerdem auf ein Vordringen der Spirantisierung etwa durch das Ried, entlang der Bergstraße und von da aus in den Odw hindeuten (Karte 26), während sich der W und der O z.T. bis heute entziehen konnten. Im S lassen überdies *-gn- (-ŋn-)* in *Lügner*, *Wagner* (D 23.2.2.9) auf zur Zeit der Synkope noch intaktes *g* schließen (vgl. D 37.3.1).

Ein weiteres Kriterium ist das auffallende *g* hinter pal. LV, ganz im S auch hinter gewissen pal. KVV. (*g (x)* und nicht *j* ist auch im wRied bzw. sEr der Ersatz für relikthaftes *g*). Die sonst verbreitete Entwicklung: *g* hinter pal. LV > **j (j ø)* setzt offenbar eine pal. Affizierung gutt. Vsll. hinter Pal.-V voraus[169]. Bei (erhaltenem) Vsl. ist sie heute verschwunden.

Dies legt die Vermutung nahe, daß sie auch zur Zeit der Spirantisierung von *-g-* im Bereich des Systems III hinter LV bereits weitgehend verloren war, nicht jedoch hinter altem Di. *ei oü.*

28.9.2.2. Wie kam es zur Entpalatalisierung? Es ist nach einem einschneidenden Ereignis jener Zeit zu suchen, durch das pal. Allophone verlorengehen konnten. Als solches bietet sich der *ə*-Schwund an, der schon in der 2. Hälfte des 12.Jh. zum Kontakt von *g′* mit dent. KK führte (C 37.3.1), wo *g′* seine Palatalität verlieren mußte[170]: **vēg′ən*, Präs. Sg. *vēg′ə, vēg′əśd, vēg′əd*; Prät. *vēg′əd-*, also Stamm *vēg′-*; daraus: *vēg′n̥; vēg′ə*, aber *du vēg′əśd/vēgśdə-*, ęr *vēg′əd/vēgdər*; Prät. *vēgd-*. Es überwogen Formen ohne pal. Aussprache und setzten sich, vom Vb. ausgehend, nach und nach durch, unterstützt durch die weiter fortschreitende Ausstoßung von *ə*, auch z.B. 1.Sg. Präs. *vēg*, 2.Sg. allgemein *vēgśd* usw. Das anfangs des 13.Jh. entstandene System II hat noch Pal., System III nicht mehr. Somit liegt die Spirantisierung im alten *g*-Gebiet noch später.

Damals gab es *g′* nur noch hinter den alten *i̯*-Dii. *ei öü (bāi̯ə!)* und dort, wo keine sekundär vorkons./ausl. Formen daneben standen, die die Aufgabe der pal. Aussprache veranlassen konnten. So könnte man die auffallend geringen *g*-Reste in *Lügner* (Nordteil von System III, vgl. Bauer §141,10; Seibt §172,3) deuten, ebenso *śwīə-* "Schwieger-" ohne *g*.

---

[169] Zu den folgenden Ausführungen s. auch D 49.3.2,2b.

[170] Auch z.B. das Afranz. hat sek. ausl. bzw. vorkons. entpalatalisiert, vgl. Rheinfelder 1953, §§502; 510; 516; 519; 523; 530; 597; 796f.; 804ff.

28.9.2.3. Aus dem Vorstehenden läßt sich die Spirantisierung im Hauptteil von System III (Bergstraße, Ried mit L, wOdw) zeitlich in etwa einordnen. Nach dem Grad der Entpalatalisierung zu urteilen, kann sie auch im Ried nicht vor rund 1250 eingesetzt haben, jedoch nicht zu spät, weil *g'* hinter mhd. *ei öü* noch erhalten war (D 28.7.3, AIId)[171], also in der 2. Hälfte des 13.Jh.; weiter im O (und S, SO) sicher noch später, bis die Bewegung im O schließlich erlahmte (*g*-Reste!).

28.9.2.4. Hinter pal. KVV konnte *g* hingegen aus Gründen der Wortstruktur in keinem Fall durch ə-Schwund mit Grl. zusammentreffen (vgl. die Beispiele D 28.2.1,IIf.). Daher bestand zunächst kein Grund zur Entpalatalisierung, so daß *g* zu einem bestimmten Zeitpunkt zwar hinter LVV und vel. KV, aber nicht hinter pal. KV zu *g*, sondern zu *j* werden mußte. Daher kennt auch das sSt nur *ei (ej)* z.B. in *Regen, regnen* (SH), *gelegen* (Bauer §141,6; -*ejə* wurde zu -*ēə*, s. D 28.2.4, zu II; 28.4.4). Entpalatalisierung war nur möglich in Anlehnung an danebenstehende Formen mit Vel.-V oder LV+*g*. Letzteres ist der Grund für *gəljRə* "gelegen" in den Sachsen-Orten, angelehnt an das dortige *ljRə, laiRə* "liegen" (Bauer §141,1 mit A.; dieses nach *šdaiRə*, aaO 9; D 23.2.2.10).

Einfluß eines Vel.-V haben wir im Pl. *wegə* zu *wagə* "Wagen", dazu *wegənər*, die wiederholt belegt sind in Orten, die dem Gebiet mit (ehemaligem) *g* hinter pal. LV angehör(t)en (z.B. Hp, Seibt §27). Der Odw hat Formen mit -*ŋn*-, das Ried mit L *wei*- (Bauer §145,7), was aber wenigstens teilweise (so in L) auf Ersatz für *weg*- durch Übernahme nördlicher Formen (s. D 28.7.4.1) beruhen wird.

weg- < *weg*- für *weg'*- ist an *wagən* angelehnt (genau wie *vēg*-+*V* statt *vēg'*- nach *vēg*-+*K*). Nun ist aber L (usw.) *waxə* seinerseits nach D 23.2.2.4 durch einen Ausgleichsprozeß nach der Kontraktion des Anfangs des 12.Jh. (D 23.2.2.5) unter Einfluß des Pl. mit intaktem Vsl. neu gebildet worden. Diese gegenseitigen Beeinflussungen haben sicher eine gewisse Zeit in Anspruch genommen, so daß man vor 1200 kaum mit Spirantisierung zu rechnen braucht. Andererseits dürfte ihre größere Intensität hinter pal. KV (keine *g*- oder unbeeinflußten *g*-Reste!) auf frühere Durchführung als hinter LVV und vel. KVV hindeuten.

Das entstandene *ej* fiel indessen nicht mit *ei* < mhd. *î iu* zusammen, das ca 1250 erreicht war (C 21.3.4.2), war also um die Jahrhundertmitte noch nicht weiterentwickelt. Von daher verbietet sich ein früher Ansatz der Spirantisierung. Sie wird am ehesten in der 1.Hälfte des 13.Jh. liegen. *ej* > *ej* ist nicht näher zu bestimmen, aber wegen der VErn erst nach den Synkopen des 13.Jh. anzusetzen; *ej* > *ei*, d.h. Einordnung in das Di.-System, steht im Zusammenhang mit dem Aufkommen eines neuen Di. /*ei*/, s. D 28.2.4, zu III.

---

[171] Auf Grund dieser zeitlichen Ansätze sollte man übrigens im System III nicht von "VErn" sprechen. Hier blieb der gutt. Vsl. von vornherein sekundär vorkons. bzw. ausl. erhalten.

28.9.3. <u>Ma und sNeck</u> können ihre "moderneren" *j*/*g* nicht aus dem N bezogen haben. Die N-S-Strömung der Spirantisierung ist wohl, wie auf den Karten 26, 27 dargestellt, nach S (und O, SO) hin abgeebbt. Vielmehr waren am Neckar entlang und sNeck westliche Einflüsse am Werk (Speyer, vgl. Waibel §§109ff.), später auch von Mhm aus.

/g/ vor */əl/*

29.1. In L hat *g* vor */əl/* eine abweichende Entwicklung genommen:

1) Hinter Pal.-V steht älter [g´*l̩*] mit pal.-lateraler Verschlußlösung und stets silbischem *l̩*, jünger auch mit Verlust der Palatalisierung und [-g*l̩*] neben [-g*l*+*V*] (s. C 39.4.1). Beispiele (ältere Aussprache), Vbb.: *big´l̩ə* "bügeln", *keg´l̩ə* "kegeln", *rig´l̩ə* "riegeln", dazu die Sbb. *big´l̩*, *keg´l̩*, *rig´l̩*, ferner z.B. *brig´l̩* "Prügel", *fleg´l̩* "Flegel", *flig´l̩* "Flügel", *ig´l̩* "Igel", *šbig´l̩* "Spiegel", *dsig´l̩* "Ziegel" u.a.; außerdem Diminutiva wie z.B. *bēg´l̩* zu *bō(x)ə* "Bogen", *grēg´l̩* zu *grōxə* "Kragen", *mēg´l̩* zu *mōxə* "Magen", *sēg´l̩* zu *sēg* "Säge", *wēg´l̩* zu *waxə* "Wagen", *dsīg´l̩* zu *dsūx* "(Eisenbahn-)Zug" (s. D 27.1f.).

2) Hinter Vel.-V älter meist [-*xl̩*], daneben [-g´*l̩*] (vgl. B 2.4.1,4b); *axl̩* "Granne" (´Agel´)[172], *daxl̩ō* "Tagelohn", dazu *daxl̩ēnə* "Tagelöhner", † *lāxl̩ə* "leugnen", *kuxl̩* "Kugel"; † *naxl̩* "Nagel" (Pl. *nɛgl̩*), † *foxl̩* (Pl. *fegl̩*), beide schon bei Alten meist mit [-g´*l̩*]: bei Jüngeren alle meistens mit *g*. Hierher auch *-r+g+/əl/* (ehemaliger Sproß-V): † *jerg´l̩´* "Jörgel" (PN), *gorg´l̩´* "Gurgel", *org´l̩´* "Orgel", *šbarg´l̩´* "Spargel" u.a.

29.2. Solche Sonderformen in der Verbindung */gəl/* gibt es weder in Rhh[173] noch im n/mSt, Beispiele s. C 25.4.2; 25.5.3.2. Lediglich im sSt, also im ehemaligen *flīgə*-Gebiet, sind sie vorhanden, desgleichen sNeck, nVPf, s. Karten 19, 24.

Seibt hat fast nur *gl̩*: §172b *nagl̩, dsigl̩, fogl̩*, ferner §§27 *wɛgl̩, negl̩*; 40 *igl̩, šdrigl̩*; 49 *fegl̩*; 55 *kugl̩*; 59 *bigələ*; *g* in *dag(ə)lō* (17 A.1), teilweise hinter *r*: 72 *gorgl̩*, 172a *šmɛrgl̩, orgl̩*. Ebenso Weber: 268 *nagl̩*, 239 *negl̩, wɛgl̩*; 357 *flegl̩(ə), kegl̩(ə), šlegl̩(ə)*; 241 *fogl̩*; 255 *feglšə*; 256

---

[172] Semantisch differenziert von *ōnə* "Spreu" < *agene*, s. D 23.2.2.2.

[173] Wenn es z.B. in Ws heute allgemein *flišl̩, dsišl̩, naxl̩, kuxl̩* "Flügel, Ziegel, Nagel, Kugel" heißt, so ist dies nach D 27.1f. zu erklären. Ältere **flijəl, *dsijəl, *nā(ə)l, *kū(ə)l* sind hier durch oberschichtliche Formen ersetzt, und zwar ist dieser Ersatz vor *-el* im Gegensatz zu sonstigem intervokalischem *g* ausnahmslos durchgeführt. Der Grund dafür liegt im Bestreben, der gerade in Rhh verstärkt auftretenden Tendenz zur Kontraktion des Typs *flīl, kūl* (C 25.4.2) entgegenzuwirken. Auch sonst findet sich dieser Ersatz, z.B. für Mainz, s. Valentin §326, für Mhm Bräut. §93,2, für die VPf Bertram §201, dazu das SH z.B. s.v. *Flügel*.

(drōg-) drēgl̦; 259 kugl̦ u.a.; 248 šdrišl̦ ist hochsprl.; 263f. gǫn̦rgl̦, gen̦rgl̦ə u.a.; vgl. ferner Be-Mörl -mē̦gl̦, dsigl̦-, Wagner 1944, 75 bzw. 88. - Lenz, z.B. agl̦, bigl̦, fligl̦, fogl̦, lāigl̦n. - Wenz §§18 dsigl̦, šbigl̦; 20 lē̦gl̦ "leugnen"; 28 kegl̦; 40 nagl̦; S.54 kugl̦, rigl̦; hinter r: §25,2 gǫigl̦, ǫigl̦. - SNeck: Treiber §62,2 dsigl̦, fogl̦, kugl̦; A.6 lā̦išlə, sicher hochsprl.- Waibel §60,B2a: hinter e i "zu palatalvelarem j" (unser g'!), sonst g.

29.3. Pal. + g'l̦, Vel. + gl̦ sind eindeutig überall das Ältere, wenn auch außer Waibel anscheinend niemand (mehr?) den Unterschied in der Aussprache zwischen g' und g bemerkt hat. g ist im Vordringen, von Wort zu Wort verschieden stark. Daher die zwangsläufig unübersichtlichen Angaben bei Bauer und im SH. Bauer §141,7 *Ziegel*: g und g'; ,8 *Spiegel*: g und g; 143,11 *Vogel*: meist g, g im SW (d.h. in Ma), zuweilen x (§140,7f.). Für das SH vgl. Stichwörter wie *bügeln*, *Prügel* ("g wt Be-Odw"), *Flegel* ("g verbr Be-Odw"), *Flügel* (g verbreitet sOdw, g verbr. Odw, sRied), *Igel* (g verbreitet sBe, g Be weithin).

29.4. Hinter Pal. (wozu ursprünglich auch r+ *Sproß-V + g'l̦ gehörte) steht der verbreitete Ersatz von g'l̦ durch g°l̦ (gl̦) zweifellos in Zusammenhang mit dem allgemeinen Ersatz des flīgə-Typs durch flīə (D 28.7.4.4). Wo flīgə ungewöhnlich wird, ereilt auch flig'l̦ dasselbe Schicksal. Nur tritt hier eine lautlich ähnliche Verbindung an die Stelle, weil in den gebenden Mdaa (und der Schrspr.) kein Äquivalent vorhanden war (vgl. die Entwicklung von x'l̦, s.u.). In L mußte entsprechend unserem Ansatz D 28.7.4.1 der -g'l̦-Typ früh eingedrungen sein. Dies wird bestätigt durch die Schrr. des 17.Jh. *Stückhel* für *Stiegel* (FIN; Fecher 1941, 107).

29.5. Hinter Vel. hätte gl̦ überall im sǭgə-Gebiet (sSt) bleiben können. In der Tat ist hier Ersatz durchweg jünger, auch in L. Allerdings mußte hier xl̦ an die Stelle von gl̦ treten wie z.B. mǭxə für *mǭgə (D 28.3.2). gl̦ ist überall neueren Datums. Dabei ist zu unterscheiden zwischen Wörtern mit Alternanz -gl̦/-g'l̦, z.B. fogl̦/feg'l̦, nagl̦/neg'l̦, und solche ohne, z.B. daglōū, kugl̦. Die erstere führte gebietsweise früh zu fogl̦/feg'l̦, nagl̦/neg'l̦ und danach auch fogl̦, nagl̦ (außer in Ma, vgl. Bauer zu *Vogel,* §143,11; g nach D 28.7.4.3,2). So hat sich im sSt ein mehr oder weniger einheitliches fogl̦/nagl̦-Gebiet herausgebildet (s. Maurer §38 mit Abb.11), das sich heute noch nach N bewegt und das ehemalige fogl̦/nagl̦(-x-)-Gebiet erdrückt. L ist durch seinen stärkeren Anschluß an den S zur Zeit dabei, den Vsl. zu übernehmen, daher das heutige Schwanken. Die Entstehung des Vsl.-Gebietes ist verhältnismäßig alt. Es ist nämlich wahrscheinlich, daß ursprünglich ein Zusammenhang mit einem solchen in der nVPf (Bertram §207) bestand, das heute im Zusammenschmelzen ist. An die Stelle von g tritt hier g, das sicher von Mhm her, d.h. also seit dem 18.Jh., den älteren Vsl. zurückgedrängt hat.

29.6. Es ist verständlich, daß es bei der modernen S-N-Bewegung zu Überbildungen kommt. Denn infolge des Zusammenfalls von naxl̦ und šdaxl̦ "Stachel", wird nun bei Jüngeren auch altes -chel durch -gl̦ ersetzt, so šdagl̦, dsāglə für dsāxl̦ə "zeichnen" (mod. dsaišnə). Aber für āxl̦, būxl̦ "Eichel, Buchel" heißt es eher aišl̦, būxl̦ (Schule!), ein Zeichen für unsystematisch wirkenden Lautersatz.

Der gleichen Strömung, wenn auch einem anderen Mechanismus, ist der Ersatz von $-x\tilde{\hat{\imath}}$ durch $-g\underset{\circ}{l}$ zuzuschreiben, s. D 49.6.2.2.

29.7. Das Fehlen der Sonderentwicklung von /gəl/ außerhalb des alten *flīgə/sōgə*-Gebietes hat seinen Grund darin, daß dort die Spirantisierung $g > \check{j}/g$ ($> j/\emptyset$) vor dem Wandel $-K+əl >$ $-K\underset{\circ}{l}$ liegt (vgl. C 39.5.3,2).

/g/ hinter unbetontem Vokal

30.0. Hierher gehören das häufige Suffix -*ig*, ferner die Verbindungen *l r* + *g*, die wenigstens durch einen flüchtigen Sproß-V getrennt waren. Die Entwicklung ist hier im gesamten shess. Bereich (und darüber hinaus) gleich verlaufen. Die Sonderstellung von *g* hinter unbet. V gilt besonders bei -*ig* auch für weite Teile des deutschen Sprachgebietes (Überblick bei Schirmunski 1962, 313f.).

Aus praktischen Gründen behandeln wir zunächst die Verbindungen aus *l r* + *g*.

30.1. *l r* + *g.*

30.1.1. Einheitliches Ergebnis ist überall -*ljə*, -*(r)jə*, sekundär ausl./vorkons. -*lg*, -*(r)g*, auch im größten Teil Rhhs (außer W). Bsp. aus L: *feljə* "Felge(n)", *galjə* "Galgen", *weljən* "rollen, wälzen" (mhd. *welgern*, zu ahd. *walgôn*); *folgen* heißt heute *folšə*, *iš folš* nach D 27,1f., daher keine Beispiele für VErn in -*lg* in L; *berjə* "Bürge; Bürger; bürgen" - *iš berg*, *boj(ə)mǫ̈šdə* "Bürgermeister", *ējə* "Ärger", *(n)erjəd-* "(n)irgend-", *mojə* "morgen"; *sorjə* "sorgen; Sorgen", Sb. Sg. *sǫrg*, Vb. *iš sǫrg*, *ę sǫrgd*; *bērig* "Berg(e)".

Ein Sonderfall ist *ōrig* "arg, sehr", flektiert *ōriǰ-* (bei Jüngeren auch *ōrig-*), Komp. *ērjə*, Sup. *ērigšd*.

Vor -*el* steht nur *g*, s.u.

30.1.2. Belege: Seibt §172a; Bauer §142,1-4; Bert. §§152,a2; 154; Born §§147,1a; 263,10-12; Freil. §266; Wenz §25,2 (*lj*, aber -*ig-* < -*rg-*). Im S: Bräut. §93,2 A.3; Waibel §60,B33. - Rhh: Held §§174f.; 344; vgl. auch Valentin §§333,1; 335; 403; ferner Bescher §87,19 und das SH, z.B. *borgen, Bürge(r), Bürgermeister; Felge, folgen, Galgen.*

Gewisse Unstimmigkeiten im s/öSt insbesondere bei -*rg-* erweisen sich als jung. Typisch hierfür ist Er-Beerf mit z.B. *bǫigə*, *gǫigl* (Wenz), *neigənds* (Bauer §142,1) < **bǫrijə* usw. (s.u.). Nach Aufgabe des *r* (s. C 48.6.3, Typ II) wird **bǫijə* dem dort geläufigeren Strukturtyp Pal.-V + *g* (D 28.4.4) angepaßt.

Unstimmigkeiten bei *Galgen* (-*lg-*, -*lg-*, vgl. Bauer §142,4; SH; öfter auch *galšə* nach D 27.1f.) erklären sich aus dem zunehmend hochsprl. Charakter des Wortes seit der Abschaffung der

Sache, die zu Unsicherheit in der Lautgebung und somit falschen Einlautungen führte; vgl. Wenz: *galjə*, aber SH für Beerf schon *galgə*; ähnlich Be-Waldm: nach Bauer *galgə* (1957), nach Meyer (1934, 25) noch *galjə* im FlN.

30.1.3. Da in diesen Lautverbindungen keinerlei abweichendes Verhalten zwischen Rhh und St (kein *g* etwa im s/öSt) festzustellen und die Erscheinung verbreiteter als die *g*-Spirantisierung hinter Ton-V ist, kann man annehmen, daß es sich um eine großräumige Bewegung handelt, die überall etwa gleichzeitig früh eingedrungen ist. Sie setzt bereits Sproß-V voraus, vgl. C 48.8, liegt aber andererseits sicher nicht später als in Rhh hinter Ton-V (D 28.6), d.h. am ehesten in der Mitte des 12.Jh., also nicht viel später als die Spirantisierung von *-ig-* (s. D 30.2.5).

30.1.4. Bei der phonetischen Analyse ist auf gewisse Reste einer ehemals silbischen Aussprache **-lⁱj-*, **-rⁱj-* zu achten: L *ọ̄rij-*, Beerf *bọigə* usw., vereinzelt auch wRhh: Bi-Hack *galⁱjə* (SH). Außerdem ist zu berücksichtigen, daß auch Rhh größtenteils VErn kennt (*folgd*), die am ehesten wie hinter Ton-V auf der Basis von [*j*] verständlich wird (D 28.2.4; 28.6). *K+j* widerspricht aber der Struktur unserer Mdaa.

Dann ist mit folgender Entwicklung zu rechnen (Bsp.: *folgen - folge*): ca 1150 *-ləg'ən - -ləg'ə* > *-lⁱjə̄ - -lⁱjə* (vgl. C 48.8), 13.Jh. *-lⁱjə - -lⁱg̑*.

j wird nun zu verschiedenen Zeiten zu *j*, in Rhh früher als in St, im n/mSt früher als im sSt. Hier blieb z.B. in L *ọ̄rij-* wegen des Zusammenhangs mit *ọ̄rig*. Der Gegensatz *ọ̄rig/ọ̄rij-* gg. *bęrjə* entspricht genau dem von *flīg/flīje* gg. *grī/grīə*. Die silbische Aussprache von *-lijə, -rijə* wurde aufgegeben, als auch die Sproß-VV schwanden. Solange man **iχ folⁱg*, *sọrⁱg* sprach, war auch **folⁱjə*, *sọrⁱjə* (bzw. im sSt zunächst *j*) möglich. Bei fehlendem Wechsel Rbl.-Vsl. ist *-ij-* schon früher über *-ⁱj-* zu *-j-* geworden. Das folgt aus der frühen Kg. im parallel entwickelten *heljə-*, s. C 8.5.2; D 30.2.5; 37.4.5.

Die abweichende Entwicklung von *-rgel* im sSt ist nach D 29.1,1; 29.4 zu erklären: *-rⁱjəl* > *-rⁱg̑'l̩* und dann *-r(ⁱ)g'l̩'*.

30.2. *-ig*.

30.2.1. Hierfür steht überall *-iχ(-)*, jünger *-iš(-)* (so L). Ein Blick auf die zahlreichen *ig*-Adj. im SH zeigt dies. Auch sNeck setzt sich dies fort, z.B. Waibel §60C, doch hat das konservative Liedolsheim *-ig* (vgl. auch §§73; 75). Überhaupt reicht spirantische (*χ-*) Aussprache hier viel weiter nach S als hinter bet. V, vgl Jutz §93. Wenn auch mit nachträglicher Ausbreitung zu rechnen ist, so ist doch klar, daß es sich hier um eine von der Verschlußlösung hinter bet. V unabhängige Bewegung handelt. Wegen des volkstümlichen Charakters des Suffixes kann *χ* auch nicht nach D 27 erklärt werden. Vielmehr ist nach innermdal. Erklärungen zu suchen.

30.2.2. Die heutige Einförmigkeit des Suffixes wird durch das Vorhandensein vereinzelter Reste als nicht ursprünglich erwiesen. Teilweise veraltet, aber einst verbreitet war *wiŋg* "wenig" (in L

Erinnerungsform; vgl. aber z.B. Seibt §174; Bert. §155 A.2; Held §180): ahd. *wênag*, mhd. *wênec* mit Synkope nach C 37.4. Das Wort kommt praktisch nur unflektiert vor und hat so eine alte Ausl.-Form bewahrt. Umgekehrt findet sich *-j-* in Wörtern, wo Ausl.-Formen fehlen: Da-*Arh* = [*ōphéljə*], 11.Jh *Araheiligen*, ⟨-lg-⟩ für älteres ⟨-lig, -leg-⟩ seit 1410; verbreitet ist die Bezeichnung *Heiligenhäuschen* "Feldkapelle" = [*heljə-*], so in L (Fecher 1941, 134) und verbreitet (SH *Heiligen-*); sonst sagt man *hailiš(-)* (Kirche!). Diese Reste deuten auf einen älteren Wechsel *-ig/-(i)j-* hin. Unter welchen Bedingungen entstand aber dann das einheitliche *-iš(-)* ?

30.2.3. In *-iš* sind zwei ahd. Suffixe zusammengeflossen: *-ag* und *-îg*. Beide erscheinen in der LB[174] und zwar inl. und ausl. mit Vsl. (sämtliche Belege): *heilac, -aga, -agun, -ogon; sêrege; manages; al(a)mahtigen* 3x; *unbigihtic; unuuirdic.* Durch die Schwächung des unbet V wurde *-ag* zu **-əg,* während *-îg* vorerst blieb (C 29.4.1/3; 34.2.1).

30.2.4. Die Urkunden-Schrr. ergeben folgendes Bild:

1) Schrr., die für Aussprache als Vsl. sprechen,

a) intervokalisch: nur ⟨g⟩, das als phonologische Schr. auch **[j]* meinen kann, also nicht eindeutig. Beispiele sehr häufig, aus HpU 1327 *geynworthegin, schůldegin, Rudeger(e), zwenzigistin;*

b) im reinen Ausl.: Hoffmann 194: 1190 *Helwic, azzik* "80", 1287 *meineidec* (ds. Uk aber auch *-ch*!), 200: 1338 *phennicgelt* (neben *-iggelt*); BII: öfter *-ck,* z.B. 346f.: 1359 *virtzick* (neben *virtzichk*!), 327: 1427 *gůtick* neben mehrmaligem *ledich, einich,* 352ff.: um 1500 öfter *-igk,* daneben *Luttig, -ich*; HpU 1327 *Hedewic* (neben *ledich,* s. 2a); PU 250: 1408 *drissick,* 285: 1479 *funffzigk* (und *igklich*), 311: 1493 *mersigk* (FIN, neben 315: 1495 *mersich*[175]), *mosigk* (FIN), aber auch *vicarigk* "Vikar" (mit altem *-ie,* s. D 30.4; daneben A.Sg. *notarien*), 313: 1495 *neuntzick* neben *vicarigk, notarigk* (A. *notarien*); ferner z.B. Zinsb Bensh 1545/50 oft *-igk,* z.B. *irrigk, langkwirigk*; W Be-Viernh 1562 *tzornigk, virtzigk* u.a.; LU 1548 *Viertzigk.*

Nach diesen Belegen ist der Vsl. im Ausl. ursprünglich lautgesetzlich erhalten geblieben, sicher im 13.Jh. noch ziemlich allgemein, im sSt noch im 16.Jh. (s.u.), in isolierten Resten (*wiŋ*) bis heute. *vicarigk, notarigk* (*-rigk* = mhd. *-rie*!) sind aber eindeutig umgekehrte Schrr.[176] wie z.B.

---

[174] In *-ag-* mit V-Harmonie nach C 28.4.2.

[175] *ig*-Adj. zum verbreiteten FIN *Mersch,* vgl. R 207 und C 5.3.1.7,3.

[176] Der (die?) Schreiber beider Ukk, in denen falsche (?) *-igk*-Formen vorkommen, unterliegt (unterliegen) wiederholt im Kampf gegen die mdal. Eigentümlichkeiten, so in der Uk S. 311f.: *anederwerbe* für *ander-,* mehrfach *ine* für *in* (Präp.!), S. 313 z. B. *widder* statt *weder* (falsche Senkung aufgehoben).

auch PU 147: 1512 *gresickt-* "grasicht-" neben 142: 1511 *gresichtt-*. Im 15.Jh. ist ausl. Vsl. im sRhh daher wohl nur noch Erinnerungsform. Dann müßte dort der Ersatz von *-g* durch *-χ* im 14./15.Jh. vollzogen worden sein, in beharrsamen Teilen Sts (S, O) sicher noch später.

c) Vor Ableitungssufix (*-lich, -heit*): Hoffmann 168: 1287 *ewecliche* (neben *ewechliche*); BII *ewecliche(n)* oft, so 10: 1313,49: 1313 (*ck*), 544: 1383, 557: 1384 (ds. Uk *fliszclichen*); Weiteres, 10: 1303 *emudecliche* (!), 970: 1362 *Erlickeim* (ON *Erlig-*) neben *Erlichheym*, 539: 1382 *penigelt*, also 1 g statt 2, spricht für Vsl.; BIII 313ff.: 1427 *eynmutklichen, eynmudclichen, eyntrechticlich* (ds. UK aber auch *-ich* und *-ich-*!), 206: Anfang 16.Jh. *gerechtickeitten*; PU 274: 1457 *ewiklichen*, ds. Uk zeigt aber Tendenz zur Vsl.-Schr. für Rbl.: 2x *Heinchgen, Heinichgen, Clessgin, sumig*, 285: 1479 *igklich* (neben *funffzigk*), 313: 1495 *allermenigklich* (neben *vicarigk*, s.o.), 314: 1503 *billikeit, gerechtikeit* 2x, *ungehorsamikeit*; HpU 1327 *eynmůtclichen*; W Be-Zotzb 1475 *herlikeit* und *-gk-, eynmuteclich, -müticlich*; LU 1548 *allermennigklichs*.

Hier dominieren eindeutig Schrr. für Vsl.[177] und zwar bis ins 16.Jh.; ⟨ch⟩ fehlt fast ganz (s.u.). Fälle wie *fliszclichen, pennigelt* zeigen, daß wirklich Vsl. vorliegt.

2) Schrr., die für stl. Rbl. sprechen,

a) im reinen Ausl.: BI 267: 1283 *azich*; Nr. 429: 1287 *innewendech* (neben *meineidec, azzik*, aber auch *dinch*!, s. D 27.5.1); BII 346: 1362 *virtzichk* und *-ick, ledig* (aber auch *genunch*!), 382: 1365 *ußenwendich* (und *wech* "Weg"), 430: 1370 *schuldich*; BIII 313ff.: 1427 *uß-, inwendich, ledich* (mehrmals) (ds. Uk auch *manich-* neben *gůtick, eynmutklichen* u.dgl.), 352ff.: um 1500 *Luttich, -ig* neben mehrmaligem *-ick*; HpU 1327 *ledich* (neben *Hedewic*, s. 1b); ON Be-Kreid [*grairiš*], 1420 *krudig*, s. C 42.3.1.

b) Intervokalisch: Hoffmann hat keine Belege. BII 195: 1336 *ewich-*, 565: 1385 *eynich-*, ebenso 613: 1390; 656: 1393 *unschedichen*; BIII 285ff.: 1420 *eynich-, einch-*, 313ff.: 1427 *manich-* (neben Schrr. mit *-ch, -ck*, s. 2a), 610: 1483 *eynich-*; PU 257f.: 1429 *eynch-* 2x, 322: 1510 *eynich-*, 330: 1525 *einich-*; HpU 1327 *Hedewighe* (neben *Hedewic*!).

c) Vor Ableitungssuffix: BI Nr. 429: 1287 (s.o.) *ewechliche* (und *ewec-*); auch später, z.B. BII 970: 1362 *Erlichheym* (neben *Erlickeim*).

⟨ch⟩ tritt im Ausl. im letzten Viertel des 13.Jh. sporadisch auf, intervokalisch erst etwa ein halbes Jahrhundert später. Falsches ⟨ch⟩ hinter K (*genunch, dinch*!) zeigt, daß auch mit bloß hochsprl. Schr. zu rechnen ist (D 27.5). Indessen sieht man bei *viertzichk* neben *-ick* (1362) die Unsicherheit des Schreibers, der wohl [-χ] sprach und *-k* als "besser" ansah.

---

[177] ⟨g⟩ zählt nicht, weil mehrdeutig.

3) Schrr., die für sth. Rbl. bzw. Schwund sprechen, natürlich nur intervokalisch: Hoffmann hat (noch) keine Belege. BII 526f.: 1381 *Bredier* (mehrmals), 667: 1394 *dye uszetzigien* (falls kein Fehler); umgekehrte Schr. 380: 1364 *Otylige* (PU 152: 1527 *Otilg* s. D 30.4).

30.2.5. Zwar sind eindeutige Hinweise auf Aussprache als sth. Rbl. spät und spärlich. Aber solange keine grundsätzlichen Änderungen im phonologischen Bereich eintraten, genügte auch hier ⟨g⟩ als Graphie für spirantische Allophone. Sicher ist die Verschlußlösung hinter unbet. V in Rhh nicht später als hinter bet., eher sogar noch etwas früher anzusetzen, d.h. in Rhh gegen 1150, jedenfalls noch vor der allgemeinen Synkope der 2. Hälfte des 12.Jh. (C 37.4.4.ff.). Da keinerlei abweichendes Verhalten in St festzustellen ist, außerdem die Spirantisierung in *-ig-* verbreiteter ist als hinter bet. V, muß mit rascherem Vordringen auch in St gerechnet werden, etwa um dieselbe Zeit (vgl. auch D 30.1.3).

Bei der Deutung ist zu berücksichtigen, daß ⟨ch⟩ 1. zuerst ausl./vorkons. und 2. ab etwa 1300 auftritt. Ein Zusammenhang mit der Apokope ist nicht zu übersehen. Ich möchte daher folgende Entwicklung annehmen: Nach C 37.4.5 entstanden hinter Grl. aus *-əḡ´/-əg´- -əġ+K* zunächst *-iḡ´/-j-/-ġ+K*. Daneben gab es hinter Nas./Liq. *-iḡ´/-ij-/-iġ+K* und aus ahd. *-ig* die Vollform *-iḡ´/-ij-/-iġ+K* (vgl. C 34.2.1). Durch den ə-Schwund des 13.Jh. in Flexionsendungen gelangte *j* in den Ausl. oder vor *-s* (N.A. Sg. Ne.), *-ś* (G.Sg. Msk., Ne.). In Anlehnung an andere *-iχ/-ij-* (D 30.4; 36.3.1) und insbesondere an *-lich* (vgl. Lenz 1903, 199; Paul 1960, 303ff.) trat statt VErn χ auch in die obliquen Kasus und von da in die endungslose Form von *-ig* ein (unter gleichzeitiger Ausbreitung der silbischen statt der synkopierten Form)[178]. Wohl zuletzt wurde die Stellung vor silbisch gebliebenen Endungen (mhd. *-er, -en, -iu*) und vor *-lich, -heit* erfaßt[179]. Wo die prädikative Form mit Vsl. fehlte oder selten war, konnte der Rbl. auch in der Schr. das Übergewicht erlangen, so bei *ein(i)ch-* (sehr oft, Bsp. s.o.) und *manch* (aaO; Moser-Stopp 1973, §72; vgl. auch A.14).

Übergang von *j* > *j* wie D 30.1.4.

Das Eindringen von *-χ-* für *-j-* hinter Grl. gehört als unmittelbare Folge des ə-Schwundes ins ausgehende 13.Jh. Die Übertragung von *-χ* auf die prädikative Stellung verlief anscheinend im sSt zögernder als in Rhh, vgl. die Beispiele 1b, während PU *notarigk, vicarigk* (1493) nur noch Schrr. sind. Die Ausbreitung von *-(i)χ* auf die Stellung vor (erhaltener) Endung dürfte hier gleichfalls langsamer erfolgt sein.

Über den ON Wo-*Horchh* s. D 36.3.1.

---

[178] Nur wo der Zusammenhang mit *-ig* verlorenging wie in *heljə*, konnte auch die Silbischkeit früh verschwinden wie in *-lg-*: D 30.1.4.

[179] Für Übernahme von χ aus dem Ausl. auch Lenz aaO; Schwarz 1914, 14; Moser 1951, §148 A.18.

Exkurs: *-ig* und *-icht*

30.3. Seit Beginn der Neuzeit hat sich *-iχ* stark ausgebreitet auf Kosten der früher häufigen Entsprechungen von *-icht* (mhd. *-echt*, ahd. *-aht*) wie verbreitet im deutschen Sprachgebiet (Henzen §131). Die mdal. Form war *-əd* (C.29.4.2,1; D 16.5.4), vgl. die SH *-icht* zusammengestellten Stichwörter, WK I,99 (*drecket* noch in SO), ferner Freil. §§246 A.; 417,10; Wenz §33. Bei Lenz Doppelformen wie *drẹgəd* und *-iχ*; vgl. auch Seibt §246. Vereinzelte *-liχd* sind Kompromisse aus *-əd* + *-liχ*, s. z.B. SH *gelblecht, grünlecht*; ebenso *-iχd* = *-əd* + *-iχ*, z.B. Freil. §§246 A.2; 261; SH *töricht*. Hist. Belege, z.B. R 245: 1410 *Ringelecht*; PU 147: 1512 *gresickt-* (!) (D 30.2.4,1b). L hat *nẹrišd* "närrisch". Auch das verbreitete *vollicht* (SH: L *folišd*) "völlig" gehört hierher.

-əd war zusammengefallen mit den Resten des alten Part. Präs., s. C 37.4.7; D 32, und *-əd* anderen Ursprungs, s.u.

Im Zuge des Ersatzes konnte *-iχ* für jedes *-əd* eintreten. So entstand z.B. L *friš-mẹlgiš* "frischmelkend" (verbr., SH mit WK II,60), *hoxdsiš* "Hochzeit" (C 34.2.4.1b; SH mit WK III,46: im N noch *-et*), *nagiš* "nackt" (s. C 37.4.7; SH *nack-end, -icht, -ig, -t*), ferner z.B. GG-Godd † *dausiš* für *dausəd* "1000". Vielleicht auch Wörter wie *glensiš* "glänzend", *wīriš* "wütend".

Das Eindringen von *-iχ* kann man für L genauer datieren an Hand der FlN *Horets-/Horigsfalltor* (Fecher 1941, 101) und *Harres-/Horetsberg* (aaO 112). Älter ist jeweils 〈-et〉, im 17.Jh dringt 〈-ig〉 ein. Demgegenüber ist der S wie auch der Odw wesentlich beharrsamer. Man kann vermuten, daß L sich hier im 17.Jh. nördlichen (DSter) Einflüssen geöffnet hat etwa im Zusammenhang mit dem Eindringen anderer nördlicher Sprachgewohnheiten, s. z.B. C 25.5.5; D 28.7.4.1.

-ie

30.4. Mit *-ig* vermischte sich die ahd./mhd. Folge *K+ij+ə*, s. D 48.3.2. Durch den Wegfall des *ə* ergab sich ausl./vorkons. **-ij*. Dabei wurde das in dieser Stellung ungewohnte *j* in Anlehnung an den nach D 36.3.1 entstandenen und sich früh ausweitenden (D 30.2.5) Wechsel *-iχ/-ij-* durch *-iχ* bzw. hinter Nas/Liq. durch *-ʲχ* ersetzt (Lenz 1903, §3; Moser 1951, §132,2).

Beispiele: **kewijə* > *kewiš*; vielleicht auch L *ǫndifdšə* "Endivien": *-f(d)χə* verbreitet (SH *And-*), *-ə* nach den Diminutiva auf *-χə*? Nicht heimisch ist *medsgə, -jə*, mhd. *mẹtzjære*, alt *Metzler*, vgl. SH; Zorn 214; 220 *metzler*; FlN L *im Metzgers Löchel* [*medsgəs-*], hist. (16.Jh.) *-gers* und *-lers*

(!: Fecher 1941, 93)[180]. - *meniŋ* "Mennige" < **menijə* (-*iŋ* nach D 4.3.4; dort auch über
Fähringe, Matering); Anna Maria > *aməriχ* Odw (SH); franz. *bataille* > *badálχ* Wo-HSülz
(SH *Batalje); Kastanie* (amdal. *keste,* L *kešdļ̣*), oft -*nχ(ə)* (SH); *Latwerge,* mhd. *latwêrje* u.ä., L
ladwęiə (< -*węrjə*), in Gebieten mit Verlust von -*ə* aber *-ĕ̆r(i)χ*, SH; *Lilie,* mhd. *lilje,* † *lilχ*
"drehbarer Teil des Faßhahns": DSt, Da-Pfungst, Wo-Ditt (SH), ebenso Hd-Handsch *liliχ* (Pfaff
1891, 189). Haster belegt noch aus der Nordpfalz *liniχ* "Linie", *oliχ* "Öl"; ersteres ist im SHess.
nicht mehr vorhanden (SH), dafür aber wiederholt *liŋg*, Pl. -*jə* mit "regelmäßiger" VErn; zu
letzterem SH: -*iχ* einst Rhh, vereinzelt sSt; FIN bei R 224f.; ahd. *oli*, aber unsere Formen setzen
*olie, *ö*- voraus (vgl. Heeger §45; Christmann §106)[181]. *Petersilie*: verbr. -*lχə* (SH; L *pęidələ*) =
-*l(i)χ* + -*ljə*. Solchen Mustern scheint auch L *(d)seleriš* "Sellerie" nachgebildet zu sein (erst seit
dem 18.Jh. weiter bekannt, Kluge).

Diese Formen sind natürlich gerade, weil der Oberschicht entstammend, deren Einfluß ausgesetzt
und in Gefahr, zugunsten einer "feineren" Aussprache ausgemerzt zu werden. So sagt man in L
(und weithin) *ǫ̆nəmarī, liljə* (wie auch in Da-Pfungst für die Blume), *linjə, ēl*, ferner *nodą̄, figą̄,*
PN *odiljə* gegenüber hist. *notarigk, vicarigk* (D 30.2.4,1b), BII 380: 1364 *Otyligen*; PU 152:
1517 *Otilg.*

Zum Typ mhd. *nêrjen* vgl. BIII 613: 1483 *fergen*; 363: 1500 *verhergen, -hergt.* ⟨g⟩ meint keinen
Vsl. sondern *[-*rijə-/-riχd*], vgl. SH *Ferger* (mhd. *vêrje*): -*rj*- und -*rχ*- (L Ø); Zorn 241 *dem
fergen*; Gef. 1632,5 *furgen* G.Pl.; B/GR Be-Bobst 1740, 189 *fährgen* D.Pl. Von isolierten Fällen
abgesehen, wurden die *j/χ*-Formen in der Neuzeit auf analogischem Weg beseitigt (Paul 1916,
§83 A.1), vgl. L *šwē̮ə̆n* "schwören", mhd. *swêrjen; šbī̮ə̆n* "spüren": ahd. *spurjen*.

cc) Angleichung von Verschlußlauten an vorausgehende Nasale und Liquiden

31.1. Soweit Vsl. hinter homorganem Nas. sth. geworden ist (D 20.6), wird er überall im SHess.
und darüber hinaus im Inl. assimiliert.

Beispiele: *kemə* "kämmen" (mhd. *kêmben*), *kumə* "Kummer" (*kumber*), *um* (*umbe*), *dsimə*
"Zimmer" (*zimber*). - *binə* "binden", *en* "Ende", *rin* "Rinde", *sin* "Sünde", *šdun* "Stunde", *dsēnə*-

---

[180] Daneben auch † *megsgə* als Versuch einer Einlautung, s. auch SH, wo weitere Spielarten, ferner
Wolff 1921, 57.

[181] Daneben mhd. *olei*, *ö-: in mittelalterlichen Ukk aus Ws öfter *oley*; ebenso z.B. Zinsb Be-Lind 1369;
daraus L (und verbr., s. SH) † *elə*, s. C 1.4.3; 5.3.1.1; 34.2.4.1a. In Rhh überwiegen (überwogen)
Formen auf -*iχ*, in St auf -*ə*, s. SH.

šaiǝ "Zehnt(en)scheuer"[182]; ON, z.B. Be-*Lind* = [*linǝfęls*]; Er-*Kön* = [*kiniχ*] (Freil. 270), CL *Quinticha, Cun-* < vorgerm. **Quintiaca* (Bach 1954, §438), s. D 18.3.2,2; FIN: *Beunde* < ahd. *biunta* s. C 5.4.3.2,1; D 3.1.1. - *eŋ* "eng" (mhd. *ėnge*), *gǫŋǝ* "gegangen", *huŋǝ* "Hunger", *siŋǝ* "singen", *dsǫŋ* "Zange", *-uŋ* "-ung", älter *-iŋ, z.B.* † *brēriŋ* "Breite" (mhd. *-unge, *-inge*, s. C 34.2.7).

31.2. Im alten Ausl. blieben *-mb, -nd, -ŋg* ursprünglich unverändert. So noch heute weithin bei *nd*: *kind*, Pl. *kinǝ*, älter † *kin* < *kind+e*[183], *lǫnd* "Land": *lenǝ, pund* "Pfund", *wind* u.a. Ausgleich unter schrsprl. Einfluß z.B. *hǫnd* "Hand" - *hen(d), rǫnd* "Rand" - *ren(d), wǫnd* "Wand" - *wen(d)*; umgekehrt im Adj. *blin* "blind"; sekundär ist z.B. *sǫndiš* zu *sǫnd* "Sand" neben *kiniš* "kindisch".

-mb, -ŋg sind nach dem Vorbild der Schrspr. heute weitgehend aufgegeben, z.B. *dum: tump, -b-, lǫm* "Lamm": *lamp, -b-, šlim* "schlimm": *slimp, -b-; gǫŋ* "Gang", *lǫŋ* "lang" s.u.

Ein Blick auf entsprechende Stichwörter im SH erweist die Allgemeinheit dieser Erscheinung. Bei *mb, ŋg* hat sie ohnehin den größten Teil des deutschen Sprachgebietes erfaßt. Nicht ganz so verbreitet ist die Assimilation in *-nd-*, s. den Überblick bei Schirmunski 1964, 394f.

Die Erneuerung der Pl. L *hend, rend, wend* ist ganz jung, vgl. SH *Hand*; noch fast allgemein *hen*.

Vor allem für die Bewahrung von *-ŋg* in alter Zeit gibt es vielfache Zeugnisse. Abgesehen von allgemeinem *gǝnuŋg* (SH; vgl. C 23.2.2.4,2) und † *wiŋg* (C 37.4.2/6) finden sich noch zuweilen Angaben über *-ŋg* bei alten Leuten, z.B. Bert. §155 A.1; Wenz §41; Held §179; vgl. auch SH z.B. *Gang, jung, lang*. Spärlicher sind die Reste von *-mb*; vgl. zunächst das von Bauer §223 aus der odw Kolonialmda in Guttenbrunn (Banat) zitierte *komb*, ferner SH *Kamm* (*mb*-Reste, bes. nRhh, öSt). Aus L gibt es nur noch hist. Schrr.: *lamb* häufig in Ukk (StAL 1690ff.); GRB 1724 *ganck* gg. *geng*; 1728 *rinck* (Sg.). Weiteres: BII 344: 1358 *Crumpbeyn* PN, 691: 1398 *dinck, junck*; PU 315: *hanck*; BIII 368: 1500 *dingk, langk*.

Die *-mb, -ŋg* sind offenbar erst ab dem 19.Jh. beseitigt worden (Schule!). Die Lagerung der Reste im W und O zeigt das Vordringen der Neuerung von den großen Städten aus und entlang des Rheins.

31.3. Die Assimiliation konnte auch in (festen) Satzinlautverbindungen wirken. Hierher zunächst *an/in* + *den*, s. D 37.2.2.2, ferner alte (verdunkelte) Zsstzg., ggf. nach Assimilation des Nas. an den Vsl. Beispiele: *wiŋǝd* < *wîn-gart*; verbr. *Bangert* (SH; L Ø) < *boum-gart*; ahd. *brâmbėri* "Brombeere", L *brōm̦l̦*, verbreitet Assimilation (SH; WK I,55); *ims* "Mahlzeit" < *inbiȝ*

---

[182] Vgl. den FlN Wo-Westh *die zehntfreie Gewann* = [*s dsēnǝfraiǝ gǝwenšǝ*], R 305.

[183] Reste s. C 35.2.2.

(allgemein, SH); ON auf -en+bach (mit Erstbelegen)[184]: Be-Ell [ęlmox] (1359 Ellenbach), Fahr [fāmox] (CL 140 Varen-, ca 1100), Kolmb [kolmox] (aaO Colun-, Colum-), Krumb [krumox] (aaO Crumbenbach), Er-Breitenbach [brārəmiχ] (1445 Breyden-), Hembach [hēmiχ] (1408 Hene-), KBromb [-brōmiχ] (11.Jh. Brambuch).

Bezeichnend ist der Gegensatz [grumox] < Crumbenbach (> *grumməmm- und dann mit Haplologie *grum(m)-) und Di-FCrumb [grumbox] < (1372) Crumpach. - Ohne Assimilation blieben auch ON auf -ndb(ach), s.D 52.2,5.

Beispiele für FIN: Wo-Abh Dörrmoge < *Dörrenbach (R 100; §30,1); Heßl Fallborn [falmərą̄] ('Fallborn-aue'): 1490 valmar, 1499 Falmern: *ze deme vallenden borne (vgl. R 110; *vallənnəmmərn > *val(n)əmər-, s. D 5.2.2,3); Ditt Laumberg [lą̄məriš] (R 192); Heßl Steinbügel [šdą̄m̧ĺ] ca 1220 in Steinbohele (R 272).

Nach Synkope des Zwischen-V in der 2.Hälfte des 12.Jh. (C 37.3.2.1) wurde auch mhd. -med- (über *-mb-, D 52.1,3) assimiliert: L frem, hem "fremd, Hemd", mhd vrëmede, hëmede; frem ist allgemein, SH; hem St (außer NW), sonst hemb (SH; WK III,33). -mb hat sich mangels schrsprl. Vorbilder gehalten (gg. Lamm). Hist. W Be-Bobst 1588, 84f. frembling(en). - Hierher ferner mhd. sëmede, "Schilf, Riedgras" - im ON Di-Semd [sem] (Freil. 67; Bach 1953a, §323)[185].

Ebenso wie -mb- wurde -nw- (über *-mb-) assimiliert, s. D 39.2.6.

31.4. In einigen Fällen fehlt die Assimilation:

1) Ente, allgemein end (SH), ahd. ėnita, Synkope nach C 37,1.2.3 in der 2. Hälfte des 10.Jh. Damals muß ein Unterschied bestanden haben zwischen ahd. -nt- und -n+V+t-: šdun < stunta gg. end < ėnita (D 20.4.2).

Der gleiche Fall liegt in gęiəd "Gegend" vor: ahd. gėginôti gg. Allmende, s. D 32; nach der Synkope sprach man *-ndə.

2) Die alten Formen von Monat, ahd. mânôd, sollten in den obliquen Kasus Assimilation haben: *mānəd/mānəd- > *mānəd/mānd- > *mą̄nəd/mą̄n(n)-. Die spätere Zeit zeigt aber Erhaltung des Dent., s. C 37.1.5 mit A.274. Dies ist als Ausgleich zugunsten der nicht assimilierten Formen zu erklären: *mą̄nəd/mą̄n- > *mōnəd/mōnd-.

3) Ohne Assimilation sind allgemein auch mundə, wində "munter, Winter", ahd. muntar, wintar (germ. *mundr-, *u̯intr-). Letzteres hatte alte Geminata (trotz der Einfachschr. im Ahd.): *winttr- (vgl. Braune §§96b; 161). Ahd. gab es mehrere Adj. auf -ttar (germ. -tr-). Ihnen scheint sich

---

[184] Aussprache nach Bauer §§114,1; 123; Freil. 268ff.

[185] In Rhh erscheint dafür wiederholt unklares [sen] > sende (?, s. R 265f.).

auch *muntar* angeschlossen zu haben, ausgehend von den flektierten Formen: **mundr* >
*munttr-, vgl. auch Franck §119,3 und D 50.3.3.

4) *ẹindǝ* "eher", älter *ẹi*, noch erhalten z.b. als Konjunktion *ẹi (d)as* "bevor". Die nasalhaltigen
Formen sind jung und im Vordringen: SH *eher*; im nSt gibt es daneben auch solche mit *-n-* (ohne
d). Der Grund zu ihrer Entstehung ist klar: *ẹi* sollte mit dem Komparativsuffix versehen werden;
-n- könnte dann von *mẹinǝ* "mehr" für *mẹi* (C 23.2.2.2 A.175) stammen. Woher aber das *-d-*?

5) *heŋgǝ* "hängen" (trans. und intrans.) und danach *fōₐhoŋ(g)* "Vorhang" geht auf mhd. *henken*
(wgerm. **hanggjan*) zurück.

6) Lwtt: unter schrsprl. Einfluß stehen z.B. *bund* "bunt", *gsund* "gesund" (*-n-*Reste im SH), *wund*
"Wunde; wund" immer ohne Assimilation; desgleichen *dindǝ*, *tǫndǝ* "Tinte, Tante". In älterer Zeit
war auch Einlautung möglich: *wǫmǝs* "Wams", mhd. *wambeis*, um 1200 aus dem Franz.; *kalénǝ*
"Kalender"; † *kujónǝ* "Koriander", beides Entlehnungen des 15.Jh.

Schon ahd. ist *Mantel* übernommen als *mantal*: L *mǫndḷ*. Nach Lessiak (1933, 123ff.) wird hier
-nt- in *-ntt-* umgesetzt, weil zur Zeit der Übernahme germ. *-nt-* bereits *-nz-*, germ. *-nd-* aber noch
nicht zu *-nd-* geworden war.

Der ON Er-*König* (s.o.) hat *-nt-* im Mund der noch längere Zeit hier ansässigen vorgerm.
Bevölkerung erhalten, später gleichgesetzt mit ahd. *-nt-* < *-nd-*.

Hochsprl. beeinflußt ist schließlich *ẹilend* "Elend", ahd. *ẹlilénti* (Sprache der Kirche!).

31.5.1. Die ältesten Belege für Assimilation aus unserer Gegend stammen aus dem CL: Nr. 3682
sum(m)eren (Pl.) "Simmer", ahd. *sumbir* (Uk zwischen 1080 und 1115, s. Glöckner, Fußnote
z.St); 245 *haftunga* gg. 256 u.ö. *-unna*; Of-*Lang*: CL 25 Text *Langungon*, Titel (des Kopisten)
Langenen (nach der geläufigeren Wortstruktur *-enen*, setzt Assimilation voraus). - Aus Ws sind
zu nennen: Hoffmann 184: 1283 *ammetde*, 1287 *(dr)umme*, 3x, später häufiger. Doch werden die
⟨-mb-⟩ noch lange weitergeschleppt (Wilmanns 1911, §80,1); bei *-nd/t-* bieten L und Ws
überhaupt keine Schrr., weil die Assimilation von der "Norm" nicht akzeptiert wurde. Ebenso
wird mangels eigener Zeichen ⟨ng⟩ für [ŋ] i.a. beibehalten.

Dennoch gibt es anderwärts eindeutige frühe Schrr. für Assimilation: Weinhold (§162) weist sie
für den Anfang des 12.Jh. nach. Bei Schatz (§165): *eimir, gikemmit*, alem., 12.Jh. Im ahd.
Physiologus (spätes 11.Jh.) finden sich *n* für *nd* (Braune §126 A.4) und für *ng* (z.B. *gevanen*,
sprinet, aaO §128 A.3).

In unserer Gegend ist die Zeit um 1100 am wahrscheinlichsten. Dies zeigen die ON Wo-
D/R*Dürkh* [*-dergǝm*]: D*Dürkh* 825 *Thuringoheim*, CL 963 *Turingonh. marca* (Verunstaltung
durch Kopisten), R*Dürkh* 1026 *Duringeheim*, im CL sonst *-inch-* (R 19; 49; Km. 40f.; 183). Die

Entwicklung [-*ŋgəh*-] > [-*ŋḡh*-][186] erweist die Assimilation als später als die Synkope nach C 37.2.2.2. Bestätigt wird dieser zeitliche Ansatz durch den parallelen Wandel -*ld*- > -*ll*-, s.u.

31.5.2. Gewisse, wohl etymologisch früh verdunkelte ON auf -*en+bach* wurden noch in den Wandel hineingezogen (s.o.), obwohl sie von Hause aus [-*n+ḅ*- > -*mḅ*-] (und nicht [-*mb*-] hatten, desgleichen Komposita wie *brâm-bèri, in-biʒ*. Aber im 11.Jh. gab es noch kein *[*mḅ*] (D 20.10.2), so daß dafür [*mb*] eintreten mußte.

Die Tendenz zur Assimilation wirkte aber noch geraume Zeit weiter, vgl. *hem, frem,* ferner das Lwt *wọməs*.

31.6. Phonologisch gesehen bedeutete die Assimilation von *ŋg* einen tieferen Eingriff ins System als die von *mb, nd*. Während bei diesen nur die Zahl der *mm, nn* vermehrt wurde, erhielt [*ŋ*] phonologischen Status, da es nun nicht mehr ausschließlich Allophon von /*n*/ vor Gutt. war: *ende - enge* > *[*ennə*] - *[*eŋŋə*], daher nun auch */ʒinnən/ - */ʒiŋŋən/* < */ʒingən/* und */ʒaŋg/* < */ʒang/*.

31.7.0. Es liegt nahe, auch bei -*ld*- und -*rd*- entsprechende Angleichungen zu erwarten.

31.7.1. Für -*ld*- gibt es in L nur noch vereinzelte Beispiele neben ausl. -*ld*: *bal* "bald", mhd. *balde; gẹl* "gelt, nicht wahr", eig. 3.Sg. Konj. *gëlte* gg. *gẹld* "Geld"; *gəduld* - Adj. *gəduliš, šuld - šuliš*; dazu hist. *Schultheiß* (ahd. *scultheiʒo*), z.B. GRB 1716 *schulles; wil* "wild", mhd. *wilde*. Ausl. ferner z.B. *wọld* "Wald"; *fẹld*, aber der ON Be-*Fehlh* [*fẹlə*], CL 228 *Hur-feldun,* noch 1480 *Felden*; Weiteres: Er-*Beerf* [*bəfẹlə*] (SH), 1290 *Burfelden*; GG-*Erf* [*ẹṛrwələ*] (Grund §100), CL 205 *Erifeldun* (a.779).

Der Pl. *Felder* hat verbreitet -*l*-; SH (L eher *ẹgə*); Sg. *fẹl* in FIN (vgl. SH) stammt aus dem D.: **im ... felde*.

Halde in FIN, z.T. mit Umlaut, häufig assimiliert: L *in der Höll* (< *Helde*, Fecher 1941, 93), außerdem R 193f.; SH.

Indessen ist gerade bei -*ld*- ein starker Rückgang der assimilierten Formen zu verzeichnen, in L (und anderswo) besonders bei *a ẹ e* + *ld*: *(k)ọld* "(k)alt-", Komp. *(k)eldə, eldən* "Eltern", *keld* "Kälte", *fəkeldə* "erkälten", *fọldə* "falten", *họldə* "halten", *šọldə* "schalten", *gẹldə* "gelten", *mẹldə* "melden", † *moldə* "Malter"; aber *šuldə* "Schulter" ist schrsprl. für mdal. *ọgsl̥*.

Das SH belegt aber noch viele Reste mit Assimilation, besonders nach N hin, vgl. z.B. *alt (älter), Älte, Älter I, bald, Eltern, Falte, Feld* (s.o.), *verkälten, gelten, halten, kalt (kälter), Kälte,*

---

[186] Erhaltung des *h* nach D 35.6.1a.

Melde, melden u.a. Reste außerdem in FlN, z.B. Be-KHaus *Dreihellerstein,* eig. *Drei-hälter-,* seit 1550 (Fecher 1942, 9). Im 16.Jh. sprach man demnach noch *hǭlə*.

Die Wiederherstellung wandert von S nach N, vgl. z.B. WK III, 16 (*halten*); WK III,80 (*Kälte*). Sie ist für L schon für die Mitte des 17.Jh. nachweisbar, s. C 18.2 (⟨alt⟩ für /ŏld/ < /uld/).

Die hochsprl. Tendenzen, die auch die gleichzeitige Kg. der ursprünglich gedehnten *ǭl(d)-*, *ẹ̄l(d)-* (C 6.1.2f.) bewirkten, konnten ansetzen an Formen wie z.B. 3.Sg. *held,* oder zweideutigen 2.Sg. *helšd* = /held-šd/ oder /hel-šd/ (D 54,3), ähnlich bei den Adj.: *ǭld/ǭl- - *elər - elšd* (= /eld-šd/, /el-šd/).

31.7.2. Der Typ *hǫldə* gibt einen wichtigen Hinweis für die Chronologie. Die (ehemalige) Dg. des V setzt intaktes *-ld-* voraus (*[hallən] hätte seinen KV vor *ll* behalten müssen); sie muß nach C 6.3 aber in der 2. Hälfte des 11.Jh. eingesetzt haben, d.h. die Assimilation von *-ld-* liegt später, am ehesten um 1100 wie auch bei *-mb-, -nd-, -ŋg-*.

31.7.3. Auch hier wirkte die Tendenz noch weiter. Einer der frühesten Fälle, der sich anschloß, ist ahd. *scultheiʒo* (s.o.). Nach dem *h*-Schwund ausgangs des 11.Jh. (D 35.6) wurde *-ld-* über *-ld-* zu *-ll-; holə* "Holunder" (s. C 37.1.2.3) schloß sich nach dem *n*-Schwund im frühen 12.Jh. an. Auch spätere Lwtt konnten den Wandel übernehmen, vgl. *fəsolərȋ͜ən* "versorgen", zu mhd. *soldenieren* (SH); *koldə* "Wolldecke", afranz. *coltre,* um 1200 entlehnt: die Assimilation ist hier wie öfter nach N hin abgedrängt (SH). *faldīn* "Valentin" (gg. *holə*) ist zwar schon alt, stand aber immer unter dem Einfluß der Kirche (Valentinus-Wallfahrt in Ws!), s. D 5.3.1,1. † *baldīn* "Wollschal" ist junges Lwt (franz. *palatine*; SH *Palatin*). *Kelter* hat *-ld-* regelmäßig erhalten (SH): ahd. *këlk(e)tra* u.ä., dann *-lkt- > *-ldd-* (D 52.2.2).

31.8.1. Bei *rd* gibt es nur wenige Wörter mit Angleichung: *bę* "Gebund Tabakblätter" (`Bürde´), mhd. *bürde;* † *ę̄* "(fruchtbare) Acker-) Erde", mhd. *ërde; forə-* "vorder-" und *ferəšd* "vorderst": *vorder; węn* "werden".

Diese Wörter finden sich überall im SHess. mit Assimilation (bzw. Resten): SH *Bürde, vorder;* zu *werden* s. z.B. Bauer §134,1; Bert. §139b; Born §134; Freil. §226 usw. Auch /ę̄r/ ist verbreitet neben jüngerem /ę̄rd/ (L *ę̄d*) (SH *Erde I*; WK II,19). L hat(te) *ę̄* gg. *ę̄d* "Erde als Himmelskörper" semantisch differenziert. *d*-Formen sind besonders stark in Rhh allenthalben im Vordringen (SH). - Vgl. ferner das C 7.1.1.8 besprochene *Irre(n)*. - Reste von Angleichung auch in *Horde*: SH *Dungh.* (gg. *Horde*), ahd. *hurd,* Pl. *-i*.

Daneben ist eine größere Zahl nicht minder bodenständiger Wörter ohne Spur einer Assimilation vorhanden (vgl. jeweils das SH): *fęd* "Fährte", eig. Pl. zu *fǭd* "Fahrt", mhd. *vart-, vėrte; fędiš* "fertig": *vėrtec, gǭdə* "Garten": *garte,* † *gēᷤdl̦* = mhd. *gürtel, hēd,* "Herde": *hėrte, hęd (*hēᷤd,* C 7.1.1.5) = mhd. *hirte, šwǭdə* "Schwarte": *swarte, wǭdə* = warten; der ON Be-*Fürth* [*fēᷤd*] (Weber 264): CL 6a *Furte,* D.Sg. *fürte* zu ahd. *furt* (*i*-St.) (Bach 1953a, §121f.).

31.8.2. Aus dem unterschiedlichen Verhalten der VV vor *[-rd-] und *[-r̲d̲(-)] in bezug auf die V-Dg. (s. C 7.7.4) ist zu schließen, daß nur jenes assimiliert worden war. [-r̲d̲(-)], ahd. *rt*, blieb unverändert[187].

31.8.3. Nun gibt es aber vereinzelte Belege mit Assimilation auch von altem *rt*: *Garten*: Hp *gāda* (Seibt §15), aber nach dem SH auch *gāra*, ebenso in Be-Koch, in den FIN Be-Mörl *Brücken-, Hallgarten* (Wagner 1944, 40; 51). *gerten,* zu ahd. *gërta*, Sprache der Winzer, Di-GUmst *gärn* (SH). - FIN aus Da-Hähnl *Hartenau, Hirtenhaus* mit *-r-* (Reeg 1935, 31; 51f.). - *karten* "Karte spielen" (L *kōda*), *kāra* Wo-HSülz (SH). - *Narte,* ahd. *narto*, öfter *(n)āra* in St, Rhh; Az-Wend *nāda* und *-r-* (SH).

Diese (und evtl. ähnliche) Fälle sind allesamt erst neu und als Überreaktionen der Mda auf die Schrspr. entstanden: z.B. Hp älter *gāda* - jünger *gāra* nach der Relation umgangssprl. *-d-* - mdal. *-r-*, vgl. *mera* D 24.6! Für Da-Hähnl vgl. eine ähnliche Erscheinung im Vokalismus, s. C 20.4.6.2. - *Narte* steht als Wort der Metzger unter besonderen Bedingungen, vgl. *hēsja* C 20.4.1.1,2; 35.4.2; 36.3.1. Lautgesetzlich hätte ja sonst aus *garte/garten* ein **garre(n): *gan* entstehen müssen.

Etwas anders kann *gärn* erklärt werden: Der Stamm /gär/ ist abstrahiert aus der 3.Sg. und dem Part. /gärt/ = /gärt+t/, zu /gär+t/ umgedeutet (vgl. D 24.2,1).

31.8.4. Aus dem Fehlen der V-Dg. vor assimiliertem *-rd-* im Gegensatz zu *-ld-* können keine Schlüsse auf frühere Vereinfachung der *r*-Gruppe gezogen werden, s. C 7.7.4. *-rd-* > *-rr-* liegt nicht früher, s. D 31.7.2. Die Schwächung der Dent. hinter *r* hinkt der hinter *l n* nach (vgl. ahd. *nt, lt* mit *rt*!, ferner D 20.4.2; 20.12.1.2).

Exkurs I: Das Partizip Präsens; *Allmende*

32. Die Assimilation von *nd* betraf auch das Part. Präs. auf mhd. *-ende* > **-anna,* nach Degemination und Apokope: **-an* > *-a*, also Zusammenfall mit dem Inf.; vgl. Schrr. wie BII 622: 1390 *... wonen sind* (= *wonende*), 644: 1482 *eynen ... brieff, besagenn; ... jerliche fallen* ("besagend; fallend"); BIII 360: 1500 *so man ... warten ist*; PU 141: 1511/18 *alle vssten gult,* 145: 1511/18 *seytdemoll mir eygen siegell mangeln seind;* umgekehrt 288: 1481 *die nachgeschrebenden ecker;* Zinsb Be-Lind 1555,88 *fallen* = *-end,* 90 *Antreffen* = *betreffend;* B/GR Be-Bobst 1721, 185 *fallen krankheit;* LU 1548 *Copij Betreffenn ...* "betreffend"; ferner

---

[187] So schon Lessiak 1933, 121.

ON: Wo-*Hangen-Walheim*, Az-*HWeish* mit *Hangen-* [*hǫŋə-*] "hangend" (R 26f.[188]); Km. 94ff.); FIN *Fallborn*, s. D 31.3; Wo-Frett *Rauschbaum*, s. R 238; auch in verbreitetem *hausmacher* steckt ein ehemaliges Part. Präs.: *-ə*, zu /ər/ umgedeutet (SH *hausmachend*) nach dem Vorbild der Herkunftsbezeichnungen auf -er auf der Grundlage der einstigen vorkonsonantischen Form *[-ə] von /ər/, s. D 8.4.1. - Ein Part. steckt auch im vereinzelt erhaltenen *glīniχ* "glühend" (SH *glühig*; L *glīriš*).

Daneben gibt es eine zweite Entwicklung des Part. Präs.: *-əndə* > *-ənd* > -əd, s. D 30.3; vgl. BII 573: 1386 *züsschen hie und sant Martins tag nehste kommet*. Das Part. muß nach der Assimilation wegen des Zusammenfalls mit dem Inf. noch im 12.Jh. unpopulär geworden sein; aber die Oberschicht konservierte den Dent. Von da aus drangen einzelne Exemplare in die Volksspr. ein, wo sie den Wandel -ənd > -əd (D 4.3.2) mitmachten.

Ähnlich verlief die Geschichte von *Allmende*, mhd. *al(ge)meinde*, zu ahd. *gimeinida*. Hier kennen die shess. Mdaa gleich vier Formen: 1. *almə*, volkstümlich entwickelt: *-meinde* > *-mēnnə* > *-mə(n)*, vor allem in FIN (SH; hist. Schrr. *-men*, z.B. R 58; W Be-Bensh 1421/73); 2. *almad*: Wiederherstellung des -d wie im Part.; 3. *almend*, 4. *al(ə)ménd(ə)*; s. SH; hochsprl. Einfluß in alter Zeit erklärt sich aus der Vergabe der Allmende durch die Obrigkeit (vgl. D 39.2.4.3 über *Brühl*, ferner E 3.2.2.)

Exkurs II: Der rheinhessische Einheitsplural

33. Im Gegensatz zu St hat Rhh im Anschluß an das große alem. Gebiet den Einheits-Pl. beim Vb., jedoch im Gegensatz zu diesem nicht *-et* sondern /-ən/, z.B. *mę, ę, si maxn̩* (L *mę, si maxə, ę maxd*). *-ən* ist auffällig gegenüber dem Inf. *max-ə*. Mittelalterliche Schrr. aus Ws (BII, BIII) haben für die 2.3.Pl *-ent* als Ausgleich zwischen 1.Pl. *-en*, 2.Pl. *-et*, 3.Pl. *-ent*, eine Regelung, die bereits Notker für das Alem. bezeugt (Braune §308 A.3). Aus Pl. 1. *-en*, 2.3. *-ent* sollten *-ə*, *-əd* entstehen. Letzteres ist historisch vereinzelt belegt, z.B. BII 624: 1390 3.Pl. *komet*. Bei nachgestelltem Pron. sind 1. /-əmər/ (D 39.2.6), 2. /-ən-ər/ < -ent+ir mit Assimilation, aber 3. /-əd-sə/ nach D 4.3.2 zu erwarten. /-əmər/ ist allgemein üblich; aus /-ən-ər/ wurde (Bindungs-) *n* zunächst auf die invertierte 3.Pl. übertragen: /-ən-sə/, so daß bei vorgestelltem Pron. /-əd/, bei nachgestelltem /-ən/ galt. Schließlich schloß sich die 1.Pl. an, indem in der invertierten Form /-əmər/ als /ən+mər/ uminterpretiert wurde; und /-ən/ setzte sich auch bei vorgestelltem Pron. durch (vgl. Tischz II,73 *Ir soln*, 74 *ir ... machen*, aber Tischz I,23 *merckend* Imp.)

Der Einheits-Pl. ist somit erst das Ergebnis eines spätmittelalterlichen Formenausgleichs.

---

[188] Ramge setzt freilich *im hangenden W.* an. Doch stammt der Zusatz von Ortsfremden und ist aus den bei diesen häufigeren Wendungen *das, ins hang. W.* verallgemeinert.

Was St anbelangt, so gibt es meiner Kenntnis nur das "Lorscher" System (2 Endungen, s.o.). Doch scheint im nSt einst das rhh üblich gewesen zu sein: Da-Esch *sullent ir, wüßent,* u.a.: Baur I,423, 1355; vgl. Ostersp. 7. Beseitigt wurden solche Formen wie so oft unter DSter Einfluß.

III. Die Reibelaute

aa) Schwächung

34. Die aus der 2. Lautverschiebung hervorgegangenen Rbll. sowie die Affrikata *z* waren zunächst alle (geminierte) Fortes. Dazu kamen die germ. Rbll. *f s þ x,* die geminiert, ausl. und auch vor K gleichfalls zunächst noch Fortes waren. Dabei ist allerdings in den meisten Stellungen *x* schon früh in schwaches *h* übergegangen (D 16.5.2) und *þ* ahd. ganz ausgeschieden (D 16.3).

Die heutige Mda kennt hingegen keine Rbl.-Fortes mehr. Lediglich im Ausl. fakultative Halbfortis, s. B 2.4.2,3. Entsprechend den Vsll. muß also hier ebenfalls eine allgemeine Lenierung eingetreten sein. Deren zeitliches Fortschreiten ist aus den Schrr. nicht zu entnehmen, weil die Graphien ⟨f ff, s z, ss sz, sc sk⟩, später ⟨sch, z tz (cz), ch⟩ nichts über Fortis- oder Lenischarakter aussagen. Indirekt kann man die Stufen der Lenierung aber ziemlich sicher erschließen, weil es sich ja um eine Grl.-Schwächung handelte, die nicht nur die Vsll., sondern auch die Rbll. gleichmäßig erfaßte. Die Etappen der Rbl.-Schwächung dürften grundsätzlich identisch gewesen sein mit denen der Vsl.-Schwächung. Denn es ist klar, daß dort, wo z.B. *sp* > *sb,* d.h. **[sb̠]* oder **[sḇ],* oder *ft* > *fd, *[fd̠ fd]*, auch *ś* bzw. *f* den Lenierungsprozeß mitmachten. Wir kommen so etwa zu folgenden Ansätzen:

1) vor (hinter) K: Fortes > stl. Lenis im 9.(10.)Jh., vgl. D 20.2f.;

2) ausl.: Halbfortes bzw. im Satzinl. Lenes, 9./10.Jh.; (später Vermischung beider Aussprachen); vgl. D 20.8.

3) intersonantisch, nach LV i.a. kurz, sonst geminiert:

    a) nicht geminiert (d.h. nach D 50.3.2 anfangs des 9.Jh. vereinfacht): Übergang zur stl. Lenis im weiteren Verlauf des 9. Jh.; Parallelen bei den Vsll. fehlen;

    b) geminiert: im 9.Jh. Halbfortes (vgl. D 20.9), stl. Lenes nach der Degemination im 12.Jh.

bb) Schwund und Assimilation: /h/

35.1. Während die unbeh. ahd. Lenis-Vsll. infolge der Schwächung zur Verschlußlösung bzw. Assimilation neigten, erwiesen sich die Rbll. als widerstandsfähiger. Einzig und allein bei /h/ mußte eine Schwächung zwangsläufig zum völligen Schwund führen.

Nach dem Schwund von anl. *h-* vor K (D 16.5.3.1) gab es im Arf. folgende Distribution:

I *ha-*; II *ặha*; III *ahs*; IV *alha/arha*; V *aK+ha*.

Der Typ V kommt besonders in Zsstzg. (Namen usw.) vor. Im Anl. ist die Opposition /h/ - /x/ zugunsten des ersteren, im Ausl. und sekundär vorkonsonantisch zugunsten des letzteren neutralisiert, s. D 47.1.

Zu I: lm Anl. bleibt *h-* vor bet. V erhalten (über sekundäres *h-* s. D 48.2.1), vor *ə* schwindet es in den mit *her-, hin-* gebildeten Adv., z.B. *ər-aus, ən-aus* "heraus, hinaus", *ə-bai, ə-wẹg* "herbei, hinweg".

35.2. In allen inl. Positionen schwindet /h/. Dies hat weitreichende phonologische Konsequenzen: /h/ steht nun nicht mehr im lebenden Wechsel mit /x/ und gehört nicht mehr zum Gutt.-System. Es wird auf die Position beschränkt, in der auch /bh gh (dh)/ vorkommen, nämlich dem Anl. vor bet. V[189] und wird wie diese zum positiven Grenzsignal (B 2.7,1).

Die inl. Positionstypen:

35.3. II. *ặha*:

35.3.1. Beispiele s. C 25.3.1; ferner *fədsaiə* "verzeihen" (mhd. *-zîhen*); *gẽ* in *gẽ-huŋə* "Heißhunger", zu mhd. *gæhe*; *hẹi* "Höhe": *hœhe*; *sẹiə, iš sẽ* "sehen, ich sehe", *dsẽ* "geizig": *zæhe, dsẹi* "Zehe": *zêhe, dsẹiə* "10", s. C 1.4.2.

Erst recht schwand *h* hinter unbet. V. Beispiele: 1. ON auf *-aha*, s. C 34.3.1; 2. *ǫnə* "hin, entlang" (verbr., SH *ane*) < *ane-hine* (> *anə(h)ən*, s. C 34.2.2); vgl. auch SH *abe II* (< *abe+hine*; L ∅); ON Be-*Hofh*, s. C 5.3.2.1, Wo-*Horchh*, s. D 36.3.1.

Diese Tendenz wirkt fort bis heute. Man findet *h*-Schwund. als fakultative Variante dort, wo *h* entweder im 2. (nichthptt.) Glied einer Zsstzg. oder unbet. Wörtchen im Satzinl. steht, z.B. *frai(h)aid, -hunəd*, s. C 32.5.2.1; *ę hód* "er hat" - *ę (h)od gsǫ̃d* "gesagt" (bzw. *-og+gsǫ̃d*, D 37.2.1.1), *du (h)oš_mə s gęwə* "du hast es mir gegeben", *si (h)ob_miš gərūfə* "sie hat mich (herbei-)gerufen", also jeweils im unmittelbaren Nachton (aaO); aber: *ặbrahǫ̃m* "Abraham", *ấlgəhǒl* "Alkohol" gg. *mǒamèd* "Mohammed" (vgl. D 35.6.1a; 35.7); Vermeidung des Hiats in modernen Namen: *ẽặhad* "Erhard", *ęwəhad* "Eberhard", *gẽặhad* "Gerhard", auch *ửhū* "Uhu".

Kein *h* sondern sekundär eingeführtes *g* ist anzusetzen in *šlǫwə, dsīẹ* "schlagen, ziehen", vgl. D 28.2.1,IIa; 28.3.1,Ic mit A.161.

---

[189] Gewisse Ausnahmen s. D 37.5.

35.3.2. Nach Franck §110,1 wird *h* gerade im Fränk. schon früh öfter unterdrückt, doch kann in ahd. Zeit noch kein voller Schwund vorliegen. Die Unterdrückung wie z.B. in LB *giu* (D 16.5.3.2) ist eher Zeugnis für die schwache Aussprache. Beim schnellen oder nachlässigen Sprechen tendierte der Laut allerdings zum Wegfall. Völliger Schwund hinter Ton-V ist für unsere Gegend erst für die 2.Hälfte des 12.Jh. zu belegen und zwar aus dem CL.

Zur Zeit der Abfassung der Original-Ukk, deren Kopien im CL enthalten sind, war inl. *h* noch intakt. Fehl-Schrr. gehen eindeutig zu Lasten der Kopisten. Dies erhellt besonders klar aus den D 35.6.1b zitierten Wörtern.

Im LC Reg. fand ich bei folgenden Namen schwankende Schr.,

PN: *Fri(h)o* (12.Jh.), *Ro(h)olf, Stahal* neben *Stal* (mit Varianten), *Stahalhart* gg. *Stalh-*; FlN Wo-Pfedd *im Hochberg*: *Oemberg* (!; s. R 154); ON: *Reihen* (bei Hd): *Rihero marca* gg. *Rien, Riom*; Hd-*Handsch*: neben -*sc(h)uhes*- Formen ohne -*h*- (und z.T. mit Kontraktion, z.B. 3651 *Hentscus-*); Az-*GWeinh*: 772 *Wîhin-*, 815 *Wîen-*, aber 1140, 1191 *Wîn-* (Km. 220)[190]. Namen auf -*aha*: Der *Eisbach* (bei Ws) heißt 1016 *Ysana*, 1080 *Hisena*, 1220 *Isena*, daneben -*ache* (Hoffmann 197; Deboben 37): Späteres: 1113 *Bulaa*, 1188 *Bula* u.a., s. C 34.3.1. - Hinter unbet. V auch z.B. im PN *Al(a)olf* neben *Alaholf* (CL).

Hoffmann (197) bringt als ersten Beleg *Hoenberch* 1226. In der späteren Zeit sind Schrr. häufig, z.B. BII 318: 1354 *sent* 3.Pl. "(sie) sehen", *len* "Lehen", *lien* "leihen"; 351: 1359 *gescheen*, 564: 1385 *entphaen*, 600: 1388 *czein* "10"; LV 1441 *zen*; vgl. umgekehrte Schrr. wie BII 572: 1386 *umbfrahe*.

35.3.3. Völliger *h*-Schwund hat sich seit ahd. Zeit langsam von N nach S hin ausgebreitet: das Anfränk. hat es bereits verloren, im As. kann es öfter fehlen (Gallée 1910, §260), im Hess. fehlt es schon im 11.Jh. (vgl. Braune §154 A.1), während es im Mittel- und Nordbair. erst um 1300 ausfällt, im Sbair. gar meist erhalten bleibt (Kranzmayer 1956, §33b), ebenso in Teilen des Hochalem. (Jutz 1931, 230ff.). Aber Notker hat großenteils Schwund (Braune §154 A.9). In dieses Gesamtbild passen die Verhältnisse um Ws - L. Hier weisen die Schrr. am ehesten auf die Zeit um 1100, kaum früher, da z.B. ahd. *sihet* noch zu *sisd* werden konnte, s. C 38.1.3; D 47.3,3. Hinter unbet. V jedoch ist der Schwund noch früher anzusetzen, vgl. 1016 *Ysana*.

35.4. III. *ahs*:

35.4.1. Trotz seiner schwachen Artikulation blieb *h* *(< x)* vor *s* ahd. erhalten, wenn kein K folgte (D 16.5.2.1). Zwar haben LB, BS, Gll zufällig keine Beispiele (CL s.u.), aber ahd. und speziell afränk. war ⟨hs⟩ üblich (Braune §154 A.5; Franck §114).

---

[190] 1194-98 *Wigen-* ist eher eine Fehlschr. wegen des Ausfalls von -*g*- nach D 23.2.2.11.

35.4.2. Heute spricht man meist [*gs*], z.B. *ǫgs* "Achse", ahd. *ahsa, ǫgsl̥* "Schulter, Achsel": *ahsala, wǫgsə* "wachsen", *fugs* "Fuchs", *ogs* "Ochse", *segs* "6" (s. C 1.4.2), *węgslə* "wechseln": *wëhsalôn*. Daneben hat L einfaches *š* in *dǫršl̥* "Deichsel", nach D 42.2.2 A. 213 aus **[dīšəl]*; *hēsjə* "Eisbein", zu ahd. *hahsa*[191]. Wörter mit einfachem *s* finden sich auch sonst im SHess., vgl. SH _Brächsem_, ahd. *brahsima, brēs-* u.ä. verbr.; _Dassel_ "Kopf", zu *dahs-boum*, lat. *taxus*; _Deichsel_: verbr. *s š*; _Eidechse_ (L *aidęgs*, † *ā-*): nRhh; _Hächse_: verbr. *hēs-* ebenso Ableitungen, so _be-, verhächsen_; dazu auch _Hächsenholz_ (zum Aufhängen geschlachteter Schweine), oft *hēsə-* durch volksetymologische Umdeutung als "Hessenholz"; über _Leuchse_ s. C 20.4.6.2,1.

Namen: Ma-*GSachs, HSachs, Lützelsachen* [-*sāsə*] (Bauer §88,1); FIN z.B. Da-*Hähnl Wachs(wiese)* = [*wǭs-*] (Reeg 1935,47).

Weiteres Material aus der Pfalz s. Haster 1908, 64; 84; Bertram §219; Heeger §44; zusammenfassend Christmann 1931, 19-22 (mit hist. Belegen).

Man kann davon ausgehen, daß auch unser Gebiet einst am Wandel *hs* > *s* teilhatte (vgl. Christmann aaO; Wagner 1925/26; 1933).

35.4.3. Dies wird durch hist. Belege bestätigt. CL: PN *Richswint*, so z.B. 2500f., aber 308 *Risswint*, 2190 *Ris-*, aber hier folgt noch ein dritter K, vgl. Braune §154 A.5.

Die erwähnten *Sachsen*-Orte erscheinen als "Sachsenheim": 8x *Sahsen-*, 10x *Sahssen-*, aber 3668 4x *Sassen-* (neben 2x *Sahsen-*). Umgekehrt Hd-*Dossenheim*: über 40x so (1x *T-*), aber K. 120 *Dohssen-*. Hoffmann 156: 1226 *Voselin*, 1263 *V̊uezgrabe*, 1293 *Wslocher-* ("Fuchs-"), 1287 *seis, sesse, seszehen. ses* ist überhaupt im 14.Jh. die Normalschr. in Ws. Aus BII[192]: 244: 1344 *unter den Tresselern* ("Drechslergasse", s. Schwan 1936, 29), 298: 1351 *wassen* 2x, 531: 1382 ds. und *wesset* "wächst", 347: 1359 *missewas*, 522: 1381 *ich ... verwesselte*; 15.Jh., BIII: neben öfterem *ses(se)*, in den Ukk S.325ff.: 1426 *waiss* "Wachs", 330: 1405 *buszen* "Büchsen", 331: 1403 *bússen*, 641f.: 1402 *osse* usw. Daneben zuweilen ⟨sh, sch⟩, sicher nicht als [*š*] zu interpretieren sondern mit ⟨th⟩ für ⟨ht⟩ zu vergleichen (D 16.5.4.1f.; etwas anders Wagner 1933, 45f.); Hoffmann 197: 1300 *bushe(n), seshe*; BII 276: 1350 *Drescheler-* (vgl. o. *Tresseler-*); BII 322: 1426 *waische* "Wachs", daneben *waiss* und sogar *Heschen* "Hessen", 330: 1427 *buschen* "Büchsen", 2x, 645f.: 1450 *wasch, flasch*. Es handelt sich um Versuche der Schreiber, die mustergültige Lautung mit der tatsächlichen Aussprache zu vereinbaren. Dabei konnten dann auch solche Versehen unterlaufen wie *Heschen*. Auch ⟨(c)hs⟩ war sicherlich anfangs nur reine

---

[191] Mit nicht einheimischem V und Diminutivsuffix; zu ersterem s. C 20.4.1.1,2; zu letzterem: hinter *s* sollte *-l̥* stehen, vgl. *hęsl̥, haisl̥* zu *hǭs, haus* "Hase, Haus".

[192] Die von Froeßl (44ff.) immer wieder zitierten Formen von *nächst-* (*nest-* u.ä.) gehören zunächst nicht hierher, s. C 25.3.1.

Schreibweise, denn neben gelegentlichem *sehs* für gewöhnliches *ses* steht auch *sehes*, so z.B. BII 104: 1320, 618: 1390; vgl. ferner in einer Uk aus Leiningen BII 79: 1317 *ohsterwoche*.

Das gleich Bild bieten alte FIN. *Fuchs* erscheint im 13.Jh. oft als *fus, fos,* für Wo s. R 118; zuletzt 1490 (Herrnsh *fosch-*!); Hepp 1435 *an dem Fußels berge* (R 119). Ebenso steht für *Ochse*: *ose* u.ä. (R 224) und zwar bis in die Neuzeit. Einige Belege aus jüngerer Zeit: Hepp 1602 *oßecker, Oßweg*; Offst 1720 *in den Osengärthen*, 1820 (!) *Osengärten*. Aus St ist der FIN Be-Auerb *Sechshalbe Morgen* zu beachten: 1471, 1528 *sest-*, 1487 *seß-* (Kunz 1983, 181)

35.4.4. Die weitere Entwicklung ist bei Froeßl (45ff.) gezeichnet und wird von unserem Material bestätigt: Seit dem 15.Jh. geht ⟨s⟩ in verstärktem Maß zurück, zunächst sicher nur in der Schr., wofür das nun häufiger werdende ⟨s(c)h⟩ spricht[193], bald dann auch in der Aussprache. Dabei trat [x] vor das [s], und die ungewohnte Lautgruppe wurde zu [gs] vereinfacht, was in Spuren schon im CL auftauchte: 3020 2x *Ocsenheim* = 3765 2x *Oschen-* (!). Von diesem Prozeß wurde auch altes [x] erfaßt, sofern es etwa durch Synkope nachträglich vor [s] getreten war, so in L *hẹigšd* "höchst"[194], *nẹgšd* "nächst", dieses ursprünglich gleichfalls obersprachlich. Belege für [gs] aus Ws aus dem 15.Jh. bei Froeßl (46). Hingegen ist *nigs* (< *nich-s*) umgangssprl., s. D 17.3.

Daß es hie und da zu Adoptivformen kommen konnte, nimmt nicht wunder. Man vergleiche das oben zitierte *ohster-*, eine reine Schr. Für den FIN Wo-Dalsh *in der Aßleiter*, dessen 1. Glied nach Ramge (64) zu mhd. *âse* "Holzgestell an der Wand" gestellt wird und wohl früh nicht mehr verstanden wurde, findet sich 1498 *in der oxleytern* (1610 *in der oßlaidern*), eine Umdeutung des Schreibers. Der ON *Wasserbiblos* (bei GG-Crumst) mit *wasen* "Rasen", CL 2720 *Wasunbifloz*, a.1318 *-chs-*, 1358 *-hs-*, 1363 *-sch-* (s.o.), 1398/1400 *Wachsen-*, 1423 *-(c)hs-* (nach *wachsen*); bis Anfang des 16.Jh. verliert sich der Gutt. wieder.

Als Zeit der Wiederherstellung des Gutt. ist - nach Ansätzen im 14.Jh. - das 15./16.Jh. anzusehen, in beharrsamen Gegenden aber noch später[195]. Einzelne Wörter, besonders aus der Bauernsprache (*Deichsel, Hächse*) und Namen (*Osengärten*, 1820!) haben länger widerstanden; nur Weniges hat sich bis heute gehalten.

---

[193] Allerdings kann ⟨sch⟩ hie und da die wirkliche Aussprache wiedergeben. So wahrscheinlich in *Fosch-* "Fuchs-", wofür Ramge (386f.) Beispiele bringt. Es handelt sich um Zsstzg., in denen *fos-* offenbar nicht mehr recht verständlich war, so daß *s* vor folgendem K zu *š* werden konnte (vgl. *dsīəlšrȫ*, D 42.3.2.

[194] Verallgemeinerung des /ch/ nach D 47.4. Ebenso übrigens im ON Er-*Höchst*, nach Freil. 269 *chs* zuerst 1421.

[195] Nach Schützeichel 1960, 100 ist [gs] um Kreuznach und Simmern erst Mitte des 18.Jh. durchgedrungen.

35.4.5. Nach Christmann (1931, 19f.; vgl. Wagner 1925/26, 33) hat *hs* > *s* das gesamte Wmd. "überspült" und zwar vom NW her kommend. Nach Kranzmayer (1956, §33e1) ist auch das Bair. erfaßt worden, nach Jutz (1931, 234f.) Teile des Alem., vgl. Frings 1950, K.38 (zu ergänzen durch die Angaben bei Kranzmayer). Die Pfalz schloß sich zwischen dem 10. und 12.Jh. an (Christmann). In L war sie in der 2. Hälfte des 12.Jh. schon vorhanden (CL!). Da aber die beim *h*-Schwund neu entstandenen V-Längen (s.u.) mit den Dgs.-Längen des frühen 12.Jh. zusammenfallen konnten, muß der Wandel *hs* > *s* nahe bei der Entstehung der neuen V-Quantität liegen, also etwa um 1100.

Wegen des Fortfalls von *h* auch im Bair. kann die Wiederherstellung nicht, wie es oft geschieht, als obd. Gegenstoß angesehen werden. Es ist weniger ein Kampf verschiedener Landschaften als verschiedener Sprachschichten. Die Wiederherstellung war von der Oberschicht getragen (vgl. das frühe ⟨cs⟩ im CL!). Dabei mag das Obd. vorangegangen sein, aber mehr nicht.

35.4.6. Das Ergebnis der Vereinfachung von *hs* war eindeutig ein *LV* + /š/ (Wagner 1925/26, 45), also keine Assimilation sondern Schwund (wie bei *ht*). Dadurch unterscheidet sich das südwestdeutsche Schwundgebiet von dem md.-ndd. (vgl. Bremer 1895, 42). Für Assimilation können nicht die häufigen ⟨ss⟩ ins Feld geführt werden. Sie dienen lediglich dazu, die stl. Aussprache anzudeuten: Ein /ahšə/ > /āšə/ trat neben die Typen /āžə/ und /āʒə/. Nun war aber dieses neue *š* im Gegensatz zum alten /š/ (= [áššə]) Lenis, weil hinter LV stehend. Das bedeutete eine Änderung im Bereich der distinktiven Kennzeichen. Nicht mehr der Gegensatz (Halb-)Fortis - Lenis (/ṣ̌/ - /š/) sondern stl. - sth. (/š/ - /ž/) war relevant, eine ungewöhnliche Opposition im Bereich der Grll., die daher auch im Lauf der Zeit beseitigt wurde, s. D 42.6.3f.

Für die Annahme einer Ersatz-Dg. gibt es folgende Gründe:

1) Restformen mit LV, s. z.B. SH *Achsel, Brächsen, Hächse*; [-*sāsə*] im ON, ferner vereinzelt auch sonst, vgl. Born, Freil., Nr.2;

2) die heutige Aussprache von *ahs*: L [ǫgs], verbreitet so in St: Bauer §18; Bert. §§3; 194,1-3; Born §§10; 197,1-4; Freil. §§16; 308,1f. [ǫgs] geht über [ǭgs] auf *[ǭs] zurück (C 12,2).

3) Mittelalterliche Schrr. bestätigen dies: Aus den obigen Listen erwähne ich: *Vůezgrabe, Voselin, waiss, seis, sehes*; dazu BII 649: 1393 *seesz*, ferner aus DSt 1471 *buyßen*, 1569 *boyßen* "Büchsen" (Born 127).

Für das 15. Jh. kann man für L somit mit folgenden Lautungen rechnen: *[ǭṣl, fǭs, sẹis, ūs/ǫus]* "Achsel, Fuchs, sechs, Ochse" (zum Vokalismus s. bes. C 1.4.2; 20.4.3.1).

Der LV wurde nach und nach beseitigt, aber nicht, wie Wagner (1925/26, 45) will, zugleich mit dem Eindringen von [gs], sondern nach Ausweis der Reste (Typ *āgsəl*) später. Die Reihenfolge war: ǭṣl - ǭgṣl - ǫgṣl.

35.4.7. Anm. Es wäre einer eigenen Untersuchung wert, warum die parallele Vereinfachung von *ht* bereits Jahrhunderte früher eingetreten ist. Romanischer Einfluß scheidet aus. Denn im Afranz. wird /k/ vor /s t/ über */χ/ zu /j/: *laxare, noctem* > afranz. *laissier, nuit*.

35.5. IV. *alha/arha*:

35.5.1. Die Entwicklung ist auf den ersten Blick uneinheitlich. Man kann vier Gruppen unterscheiden:

1) Schwund mit Dg. des V: L *bəfēlə* "befehlen" (allgemein: SH), ahd. *bifёlahan*, mhd. *bevёlhen*; *šęl* "scheel", ahd. *scёlah*, mhd. *schёlch*; dazu: im Odw Formen von *Forelle* (mhd. *forhel*) mit Anfangsbetg.: *fŏ-, fŭ-* u. dgl., aber mit LV (SH: L *fǫrḗl*); das ganze Innere Rhhs ausfüllend: *Furche*, Typ *Fōr* (SH), nach R 119 auch *Fehr*[196], mit dem sich Reste von *Föhre* (ahd. *foraha*, mhd. *vorhe*) gemischt haben sollen; sonst Typ *Furch(t)*, L *fǫrš(d)* (ahd. *furuh*, Gl2 A.Pl. *furihi*). - ON: Wo-*Alsh* [ālsəm] alt 831, 881 *Alahes-*, 782 *Alaes-*, 940 *Alehes-*, ca 1032 *Ales-* (R 15; Km. 3; germ. **alh*); Wo-Hangen-*Wahlheim* [-wālэm]; 766, 768, 778 *Walaheim* (R 26; Km. 94f.: **Walaho-heim*), vgl. auch Az-*Wahlh* (Km. 216f.); über *gwę̄ǫ* "quer" s. D 38.2.2.

2) Schwund mit Kürze des V: L *mę* "Mähre" (allgemein KV: SH; Treiber §57,2), ahd. *mariha*, mhd. *märhe*, BII 28: 1306 *Jacobum dictum Marre*; *sala-* "Sallen-" in FlN L, Be-KHaus, die auf alte (Sal-)Weidenbestände hindeuten: *Sallengraben* (Fecher 1941, 142; 1942, 13ff.), *-leppen* (1941, 147), *-steg* (aaO 146), *-teilung* (aaO 99), ⟨ll⟩ seit dem 16.Jh. belegt; zu ahd. *salaha*, mhd. *salhe*, vgl. Gl1 *salihin* (: *salignis*). Außerdem der FlN Be-GRohr *Sellengraben* (Müller 252). - ON Ma-*Wallstadt*: CL 484 *Walha-*, 481ff. *Walaha-*, 799 *Wala-*, 32 *Wale-*. - Verbreitet ist im ganzen shess. Raum (auch L) *wel-* "welch-", allerdings nicht mit germ. *-lh-* sondern ahd. *-lihh* < *-lik-*. Der häufige Gebrauch im Vorton führte aber zur Abschwächung des [xx] > [h], und bei der Aufgabe des Sproß-V (*wёlih-* > *wёlh-*, C 47.3) floß dieses *lh* mit dem alten zusammen.

Im Odw kennt man noch ein *Förle* "Föhre" (SH), über dessen Vorgeschichte ich allerdings nichts Näheres weiß; *ŏ* könnte sekundär vor *rl* gekürzt sein, s. C 8.5.

KV liegt schließlich auch in *węlš* "welsch" vor: mhd. *wälhisch*.

3) Bewahrung des *h* als [š] < [χ] und KV in (L) *šilišə* "schielen", (spät)ahd. *scilihen*, mhd. *schilhen*.

4) *rh* erscheint als *rk* in *Ferkel*, s. D 47.3,2.

35.5.2. Die schrspr.-fernen *mę, sala-, wel-* mit KV stellen offenbar eine bodenständige Entwicklung dar. Die Kürze erklärt sich am einfachsten bei Annahme einer Assimilation

---

[196] Umlaut nach den obliquen Kasus des alten *i*-Stammes: *vurch - vürhe*.

[mẹrhə. żathən-] > *[mẹrrə. żatlən-]* noch vor Beginn der Dg. von V vor *r l* + Gutt. nach C 7.3.

Sicher echtmdal. sind andererseits die LVV in Wo-*Alsh*, Hangen-*Wahlh*, Az-*Wahlh* gg. Ma-*Wallstadt*. Der gleiche Gegensatz findet sich in L *salə* gg. FIN Az-Wörrst *Schaulweide* = *Sal*-(Bucher 1936, 35), ebenso in Hoffmann 209: 1299 *Tweren*- (mhd. *twërh*) gg. Hd *Zwerrenberg*, 1717 *Zweren*-, 1741 *Zwirn*-, 1791 *Zwerren*- (Derwein 1940, Nr. 1074). Doch liegt im letztgenannten Fall eine Erklärung wie in *šẹl* näher, s.u.

Daraus ist zu schließen, daß der Beginn der Dg. von *a ẹ* (d.h. Entstehung des losen Anschlusses, s. C 11.2.1) vor *l r+h* und die Assimilation dieser Verbindungen zeitlich nahe beieinander lagen und sich zum Teil überschnitten:

1) *rh* wurde allgemein etwas früher angeglichen als *lh*.

2) Geht man davon aus, daß der lose Anschluß im fortschrittlicheren Rhh früher aufkam als im oft nachhinkenden sSt, dann ergibt sich für *lh* eine Zweiteilung:

a) Rhh: *alh-* > *a″lh-* > *a″ll-* > *āl-* (wie *ald-* > *a″ld-* > *a″ll-*, aaO);

b) sSt: *alh* > *all* (und danach erst *ald* > *a″ld*).

(L) *bəfẹlə* (2.3.Sg. *ī*, Part. *bəfōlə*) sollte dann in Rhh *ẹ̄* (Part. *ŏ*), im sSt KV haben. Es steht aber unter schrsprl. Einfluß (C 20.9.3; SH). Andererseits belegt PU Kürze: 130: 1504/18 *bevellen*, ebenso 135: 1507/18 u.ö.; mehrfach *entphollen* u.ä., z.B. 109: 1477/1518; 310: 1492 *empffelle* "Empfehlung"; ebenso W Be-Bobst 1588, 85 *befollen*. Demgegenüber in Ws nur traditionelles ⟨lh⟩ neben doppeldeutigem ⟨l⟩, z.B. BII 472: 1377 *befelhen*, 576: 1386; BIII 247f.: 1406 *befelhen*, -*o*-, aber BII 573: 1386 *befolen*; BIII 314: 1426 *entphelen* (3.Pl.), -*o*-. Da aber *o* vor *lh* nicht gedehnt wurde (C 6.1.4), werden die *ẹ̄* dem (Prät. und dem) Part. entstammen.

Auch amdal. *šẹl* hat überall LV, vgl. hist. *Schel(e)*, z.B. BII 348: 1359 (neben *Schelhin sůn*). Hier muß gleichfalls ein Ausgleich stattgefunden haben: unflektiert *[šẹl^iχ]* C 6.2.3; vgl. D 47.6) gg. flektiert Rhh *šẹl-*, St *šẹ̣l-*, dann überall zu *šẹl* ausgeglichen. Umgekehrt hat sich Ws *Tweren*- nach dem häufigeren *[twẹr]* gerichtet (mit Verlust des -*ch* nach D 47.6).

Einheitlicher KV in *wẹlš* hingegen erklärt sich nach C 8.5.1 durch frühe Synkope nach C 37.4.

Unklar bleibt nur *Förelle*, s.o. Über rhh *Fohr* s. D 47.6.

Was *šilišə* angeht, so hat es sein /*ch*/ verallgemeinert aus der Position vor -*(s)t*. 11.Jh. z.B. 1.Sg. *[ši̯tlə]*, Inf. *[ši̯tlən]* (vgl. heutiges *šilən* "schillern" < *schilh-ern*), aber z.B. 2.3.Sg. *[ši̯tx(š)d]*, Part. *[gši̯txd]* (vgl. C 38.1.3). Hier waren die Formen mit erhaltenem /*ch*/ im Gegensatz zu *befehlen* in der Überzahl.

35.5.3. Eine zeitliche Einordnung dieser Assimilationen muß berücksichtigen, daß ein fester Kontakt zwischen *l r÷h* vorausgesetzt wird, d.h. der Verlust der ahd. Sproß-VV bald nach der Jahrtausendwende (C 47.3). Insbesondere ist aber die Nähe zur Entstehung des losen Anschlusses im 11.Jh. auffallend. (s.o.). Die Vertauschung der Reihenfolge in Rhh und im sSt weist am ehesten auf die Mitte des Jahrhunderts.

35.6. <u>V. *aK+ha*</u>, d.h. *h* hinter anderen KK als *l r*:

35.6.1. Hier schwindet *h* gleichfalls. Verbindungen aus Grl.+*h* kommen nur in Zsstzg. vor; betroffen sind sie vor allem, wenn sie verdunkelt sind, also besonders ON und PN.

a) ON: Allgemein hat *-heim* sein *h* verloren; Beispiele und hist. Schrr. s. C 34.3.4.2. *h* hat sich nur erhalten in (heute) dritter Silbe, wenn es mit vorhergehendem gutt. Vsl. verschmelzen konnte: Wo-*Pfiffl* [*pif̣lkum*], vgl. auch nPf *Obrigheim* [*owɒkum*], aber z.B. [*rɒi-dę́rgəm*] "Wo-RDürkh" (*h*-Schwund aber erst nach der Synkope, s. C 37.2.2.2; D 31.5.1). Ausschlaggebend war der stärkere Nbt. Diese Beschränkung der Erhaltung von *h* vor Nbt. auf die Verbindung *-gh-* erklärt sich aus dem Fehlen von *-b+h* in dieser Stellung und der sonstigen Verallgemeinerung der Schwachform von *-heim* nach C 34.3.4.5f. Sonst wäre sie wohl allgemeiner, vgl. Heeger §31n.

Weiteres: Wo-*Osth Westh* [*ošd-, wešd(h)owə*], Schrr. ohne *h*: 1255, 1283 *Ostowen*, 1230 *Ostoven*, 1297 *Ostofhin* (!), 1283 *Westoven* (Hoffmann 187). FIN L *Wolfheck* [*wolfeg*] (Fecher 1941, 101).

b) PN: Hier sind hist. Schrr. wichtig, weil gerade PN stark der Mode unterworfen sind und sich vor allem in neuerer Zeit an der Schrspr. orientieren. Doch fehlt in Namen älterer Tradition das *h* stets, und in jüngeren ist es fakultativ. Älter sind z.B. *gębəd* "Gebhard" (Fam.-N), *lenəd* "Leonhard", *mádildə* "Mathilde", *wilem* "Wilhelm" (moderner auch *wilhȩlm*; vgl. aber GRB 1717 *Wilm*), *wɒldə* "Walther", dazu *gę̄rəd* "Gänserich; langer Hals"[197], eig. "Gerhard", womit der moderne PN *gę̄had* zu vergleichen ist. Namen jüngeren Datums: *będold* "Berthold", *bȩnad* "Bernhard", *lōdā* "Lothar", *mȩšdild* "Mechthild", *rɒinad* "Reinhard", *rɒinold* "Reinhold", als moderner Doppelname *kal-ɒins* "Karl-Heinz", bei denen immer auch *h* zu hören ist, je nach dem Grad der Anlehnung an die Schrspr. und die Häufigkeit des Vorkommens[198].

Im CL stehen sehr häufig neben sorgfältiger kopierten alten Namensformen mit *h* solche ohne, die oft schon durch ihren vom Kopisten gleichfalls modernisierten Vokalismus (und ggf.

---

[197] Weitere Formen SH *Ger(r)et* mit Wk II,66: Nach dem Kartenbild ist das Wort erst verhältnismäßig jung in unserer Mda und von S her eingedrungen.

[198] *Bernhard* als Familienname kenne ich nur ohne *h*; wer umgekehrt seinem Mädchen den seltenen Namen *Adelheid* gibt, wird das *h* sprechen.

fortschrittlicheren Konsonantenstand) ihre Anpassung an die Sprache der 2.Hälfte des 12.Jh. verraten[199]. Nach LC Reg.: *Adal(h)art; Adalhoch - Adeloch; Adalholt - Adal-, Adelolt; Amal(h)ar, Ans(h)elm, Ant(h)och, Bern(h)art, Bern(h)och; Ruodhart - Rut(t)art, Rutdrat; Theuthart* u.ä. - *T(h)eutart*[200] *und Dithart; Eberhart - Everart; Eggiholt - Eggolt; Gerhart - Gerart* (s.o.); *Giselhard (-t) - Gislart; Gisilhelm - Gislelm; Gisilher - Giseler; Gisilhild - Gislild; Grim(h)ar; Isanhart - Isnart; Isinher - Isinar, Isner; Liuthart - Liutard; Mecht(h)ilt; Maginher - Magnar; Nant(h)och, Nit(h)art; Raginher - Ragner; Rum(h)art; Ruothoh - Rudoch; Walt(h)elm; Walthari - Walter; Warinhar* u.ä. - *Warnar, Werner; Willihar, -her - Willer; Wolfheri - Wolfer; Wurmher - Wormer.*

c) Weitere Schrr.: BII 13: 1303 *Werkuz* "-haus", 44: 1316 *Holenheckeren* (Fem., PN) = 73: 1316 *Hulineckern*, 550: 1383 *scholteisz*; PU 43f.: 1343 *deme scholtheyzen - der scholteize, Funffundert* (Beiname); dazu die umgekehrte Schr. 54: 1367 *wonhen.* - Späteres, z.B. GRB 1716 *schulles* "Schultheiß", 1724 *Klainausen* "Be-KHaus", *schulauß.*

d) Außer den ON und PN bietet die heutige L Mda noch weiteres Material: *hinən* "hinter" (Adv.) = *hinter+hin* (mrf. **[hinnər-ən]*; SH *hintere*), *gəwōnəd* "Gewohnheit", *grǫŋgəd* "Krankheit", *wǫred* "Wahrheit", aber *gəlęiəhaid* u.a. (für **-hād*) s. C 34.2.5b; dazu verbreitet *-unəd* "-hundert", z.B. *finfunəd*, wozu der c) erwähnte PN aus dem 14.Jh. zu vergleichen ist. Aber auch das neuere Lwt *dęshalb* kann *h* im Zwischenton unterdrücken: *dęsalb x́.*

Im Satzinl. kann *h* in Vb.-Formen nach den konsonantisch endigenden Pron. *(i)š, (ə)s* fallen, besonders beim Schnellsprechen, namentlich aber im oft unbet. gebrauchten Vb. *haben*: *š hęb s* "ich habe es" - *š ̣ ęb s gəmǭxd* "... gemacht", *s (h)od gəręiəd* "es hat geregnet"; andere Vbb.: *š (h)ęib s úf* "ich hebe es auf", *s held* "es hält" - *s (h)eld ǫ̀rig úf* "es hält sehr auf", *š (h)ǫld s* "ich halte es" u.dgl. - Weitere Beispiele außerhalb von L: zu *-heit* > *-əd* s. SH *Heit*; sodann wRhh *šolǝs* "Schultheiß" (SH *Amts-Sch.*), hist. Schrr. s.o.; *Bockshode*, SH. - FIN: hier seien nur erwähnt Wo-Gundersh *auf der Wittenhohl* = *[wirəmōl]*, zu mhd. *widem(e)* "Wittum" (R 301), heute als *wira mōl* "wieder einmal" gedeutet; *hinter Schartenhaus*, 1777 *hinter des Harthen Hauß* (R 254); Wo-Osth *Rasselseck* enthält nach Ramge (237) *-hecke.*

35.6.2. Der *h*-Schwund hinter Grl. ist in der 2.Hälfte des 12.Jh. (CL!) bereits vorhanden. Zwar fehlen mir noch ältere Schrr., doch geht man kaum fehl mit der Annahme, daß er in die gleiche

---

[199] Ob hierher auch die PN auf *-old* (< *-wald*) gehören, die verbreitet im 12.Jh. zu *-hold* umgestaltet werden (Bach 1953, §496,1), ist fraglich. Solche Fälle finden sich auch im CL, z. B. *Eberolt - Eberholt, Gerold - Gerholt* u.a. Wir lassen sie hier außer Acht.

[200] *Teutart* mit *T-* für *Th-* des Originals statt *D-* ist typisch für den (mißlungenen) Versuch einer "Modernisierung".

Bewegung gehört, der auch *h* in den Positionen II-IV zum Opfer gefallen ist, am nächsten verwandt mit IV.

35.7. Es gab also eine allgemeine Tendenz zur Tilgung jedes inl. *h*, die sich etwa in der Zeit von 1050 bis 1100 durchsetzte, jedoch bis heute weiterwirkt. Da *h* (fast) nur noch vor bet. anl. V zugelassen wird (B 2.4.7), muß es unter anderen Bedingungen aufgegeben werden, vgl. die Fälle unter II (Vb.-Formen), V, b.d.

Die Neigung zum allgemeinen *h*-Schwund ist vergleichbar der Lösung inl. Lenisverschlüsse; insbesondere: Position II vgl. intervokalisch *-g-*, P. IV vgl. Nas/Liq.+homorganen Vsl.

Die Abhängigkeit des *h*-Schundes von der Betg. ist klar, vgl. besonders die Positionen II (*mõamęd - álgəhǫ̃l*!), IV, V (*dęs(h)alb*; *-dę́rgəm - pífļkùm*; *wǫ̃ərəd - gəlę́iəhàid*, s. C 34.2.5b). Die stärkere Reduzierung nachtoniger Silben im Spätahd. mußte zwangsläufig den schwächsten Rbl. am frühesten treffen.

IV. Entstehung (halb-)stimmhafter Allophone zu alten stimmlosen Lenes

36.1.1. Nach B 2.4.1,2; 2.4.2,3; 2.4.3,2 haben die alten stl. Grll. heute unter den dort angegebenen Bedingungen eine Neigung zur Stimmhaftigkeit. Sie findet sich m.W. überall im SHess. und darüber hinaus (z.B. Pfalz) und zwar vornehmlich in den Städten, stärker bei Männern und am ausgeprägtesten in der Unterschicht.

Genauere Untersuchungen stehen noch aus; auch die Fachliteratur erwähnt sie kaum. Hinweise darauf fand ich bei folgenden Autoren:

Kuntze (§165, nur für *s*); Martin (§133 A.2); Kaufmann weist auf sth. Rbl. in folgenden ON hin: *Alzey, Dietersheim, Dromersheim, Enzheim, Jugenheim* (Km. aaO). Reeg (1935) notiert wiederholt *ovəm* "auf dem", z.B. 26 (*a. d. Eschhof*), 36 (*a.d. Weiler*); Bucher (1936) schreibt 2x *šozē* "Chaussee" (8 *Alzeyer Ch.*, 23 *Am Judenkirchof* ...). Am klarsten ist die Erscheinung offenbar von Nichtdeutschen erkannt worden, so von Schirmunski 1962, 360.

Diese Aussprache, besonders ohrenfällig bei Rbll., ist m.E. d a s Charakteristikum der "rf." Mdaa. von Saarbrücken über Speyer, Mhm, Ws bis in den Taunus hinein. Auch in Oberhessen ist sie vorhanden (Schirmunski).

36.1.2. Ihr Alter ist kaum feststellbar, weil es sich ja nur um Allophone handelt, die dem Sprecher (und meist auch dem Hörer, selbst wenn er aus anderen Gegenden stammt) nicht zum Bewußtsein kommen. Sicher ist, daß kein Zusammenhang mit der alten Stimmhaftigkeit von intersonantischem germ. *s* besteht, da die neue Stimmhaftigkeit alle Grll. gleichmäßig erfaßt, also alte Fortisverschlüsse ebenso wie ahd. *ff* *ʒʒ* sowie *š* (< *šš* < *sk*), die von Hause aus natürlich stimmlos waren. Von daher läßt sich sogar umgekehrt mit ziemlicher Sicherheit schließen, daß die neue Stimmhaftigkeit eine verhältnismäßig junge Erscheinung ist. Sie war phonologisch erst möglich geworden, als die intersonantische Opposition /z/ - /s/ (Typen *reisen - reißen*) etwa im 14.Jh. aufgehoben worden war (D 46.5). Für junges Alter kann auch die Art der Aus- und Verbreitung von städtischen Zentren aus mit Schwerpunkt in der Unterschicht geltend gemacht werden. Eine weitere zeitliche Festlegung ist daher kaum möglich.

Diese neue Lenierung zeigt klar das Fortwirken uralter Schwächungstendenzen unter gleichzeitiger Berücksichtigung phonologischer Gegebenheiten.

36.2.1. Dies wird noch deutlicher an den primären Verbindungen aus Nas./Liq.+Vsl., hauptsächlich *mb md, nd, ŋg, ld lg*, in denen der Vsl. im gesamten shess. Raum zur vollen Stimmhaftigkeit neigt, auch im Satzinl. (B 2.4.1.2d). Umso auffälliger ist übrigens das völlige Schweigen der Literatur gerade über dieses Phänomen. Beispiele s. aaO; B 2.4.2,3.

36.2.2. Die größere Intensität dieser Sonorisierung legt die Vermutung eines früheren Eintritts nahe. Sie liegt nach der Assimilation entsprechender spätarf. Gruppen *mb nd ŋg, ld rd*, also nach 1100. Es schließen sich aber alte Geminaten (z.B. *wində* < *winttar, dalgə* "befingern" < ahd. *talggôn*, s. D 50.3.3) an, die erst gegen 1200 vereinfacht wurden; ferner ist ein Gegensatz in Lwtt (um 1200) wie *Kolter* gg. *Wammes* zu beachten (D 31.4,6; 31.7.3): /lt/ bleibt, /mb/ wird nachträglich assimiliert, was auf das Fehlen eines sth. *d* hinter *l* anfangs des 13.Jh. hindeutet. Andererseits ist es auffällig, daß Verbindungen aus Nas./Liq.+Rbl. (wozu ja auch /ds/ gehört) nur die "moderne" (Halb-)Stimmhaftigkeit aufweisen. Es sind betroffen: Nas./Liq.+ *s š ds f χ*. Aber die beiden letzteren waren durch Sproß-VV abgetrennt (C 48.1.1; 48.2.1,5b), *r* und *n* waren im 13.Jh. bereits mehr oder weniger vokalisiert (D 3.3.2; 9.2.2.2), *s* kam hinter *m (n) l* praktisch nicht vor, sondern nur [z] (D 42.6.2); *m+š* (< *sk*) gab es nicht. Es kommen daher für eventuelle Stimmhaftigkeit nur in Frage: a) *l+š*: nur in einigen wenigen Fällen, so *falsch-, fälschen, welsch-*. Es ist klar, daß sich ein Allophon *[ž] unter diesen Bedingungen nicht halten konnte, vgl. auch D 46.1; b) *l+ds* = [l^{d}s] (*schmelzen*, D 54,3), im 13.Jh. noch in Opposition zu /l^{d}z/ (*Felsen*, D 43): Aus phonologischen Gründen war eine Stimmhaftigkeit von *l+ds* unmöglich. Sie wäre außerdem der Desonorisierung des 14.Jh. (D 46) zum Opfer gefallen.

Es ist somit klar, das nach Wiederherstellung der Nasalgruppen [n^{d}s n^{d}š] nur die neue (Halb-) Stimmhaftigkeit eintreten konnte (vgl. *lg*).

Alle diese Überlegungen weisen auf einen Eintritt der Stimmhaftigkeit von Vsl. hinter Nas./Liq. im Lauf des 13.Jh. (Auch im Spätahd. hatte z.B. *-ndə* einen Vorsprung vor *-adə*, vgl. D 15.5.9,2 mit 20.12.1.1).

36.3.1. Noch in einem dritten Fall ist verbreitet früh volle Stimmhaftigkeit eingetreten: *x̯+ix̯-* bzw. *x̯+ix̯-* (*i* ist Sproß-V) > *x̯+j-*. Reste davon findet man noch fast im gesamten shess. Raum; SH, *Arche*: *aijə* Er-Kailb; *dalchen*: *-lj-* Be-Laud, Az-GBick, *herumd.*: Be-Mitt; *durcheinander* (*D-*): *-j* Er-LWieb, Be-Bensh, Wo-Horchh, mir auch aus Ws und Mz-Mombach bekannt;

Fenchel: -*j*- Di-Alth; *gehorchen*: Az-Fram, *horchen*: Mz, *horcheln*: Er-Beerf; *grancheln*: Az-GHepp, *Grancher*: mehrfach Rhh; *Kirche*: -*j*- Er-Reichh Rohrb; *Ranchel*: Rhh öfter -*nj*-; *Tüncher*: -*nj*- verbr. Rhh; ferner das Diminutivum -*chen* hinter *s* *š* nördlich der *lein/chen*-Linie (Bauer §170; K.32): -*jə* (z.B. *haisjə*, L *haisḷ*; vgl. C 37.4.7). - Über *j* statt *χ* in *Zeichen* s. D 27.4 A.149. Man darf annehmen, daß sich auch in -*lich* der gleiche Vorgang abgespielt hat, obwohl ich dafür keine Hinweise habe.

Die ganze Erscheinung ist stark im Rückgang; aus L kenne ich keine Beispiele mehr[201] (vgl. aber *durcheinander* in Bensh!). Sie ist nach der Entstehung der Sproß-VV anzusetzen, also frühestens ab der 2.Hälfte des 12.Jh. möglich (vgl. C 48.8). Die Zeit um 1200 scheint mir am wahrscheinlichsten wegen des Namens von Wo-*Horchh*: alt [*hǫrišəm*] (C 48.4), 897 *Horaga*-, 904, 940 *Horege*-, 1141ff. meist *Horge*-, aber 1234 *Horch*-; *Horg*- noch 1494, 1496, 1691 (R 31f.; Km. 110): ahd. *daʒ horaga heim; *Horch*- ab dem 17.Jh. übliche Schreibweise (R). Folgende lautliche Entwicklung ist anzunehmen: 11.Jh. *hǫragəhẹin > *hǫrgẹn (C 34.3.4.6; 37.2.2.2; D 35.3), 12.Jh. *hǫrijum (D 30.1.4). *j* < *j* hielt sich bis ins 12.Jh. (vgl. ⟨Horg-⟩). Im Zug der Beseitigung von -*rj*- in *horchen* schloß sich auch der ON an. 1234 *Horch*- ist als Kontrastschr. ein Hinweis auf bereits vollzogenen Wandel *horchen* > *hǫrij-. Zur Weiterentwicklung von -*ij*-, -*ij̆*- s. aaO.

36.3.2. Man sollte eine entsprechende Sonorisierung auch bei den anderen Rbll. erwarten. Sie kommt aber nur noch in *Bischof* vor, vgl. z.B. BI 77: 1190 *Biscovisheim*; 267: 1283 *bischove* Pl., 2x, 278 (Nr. 428): 1287 und 342: 1300 *bischove* D. neben 279: 1287 -*fes*, 278 (Nr. 427): 1287 -*phis*.

Im übrigen kommt nur *l r*+*f* (mit Sproß-V, s. C 48.2.1,5b; 48.3.2) in Frage, hauptsächlich *helfen/geholfen, dürfen, scharf/schärfer, schlürfen, werfen/geworfen/Würfel, Dörfer*. Es wäre aber in einigen wenigen Paradigmen ein Wechsel -*f*/-*v*- (> *w*) entstanden, der ebensowenig geduldet wurde wie -*š*/-*ž*-, s. D 36.2.2. Auch die -*v*-Formen in *Bischof*- in BI entsprachen zur Zeit ihrer Aufzeichnung schon nicht mehr der gesprochenen Sprache (Synkope!).

V. Völliger Schwund von Geräuschlauten in unbetonter Stellung

37.1. Betrachtet man die Grl.-Schwächung als eine Folge der Konzentration der Artikulationsenergie auf den Hptt.-V, dann ist der Extremfall der völlige Wegfall von KK. Beim nachtonigen *g* ist dies eine allgemeine Tendenz, bei anderen Grll. findet sich spurloser Schwund nur in Wörtern und Wortformen, die unter den besonderen Bedingungen der häufigen

---

[201] *hēsjə* "Eisbein" ist nicht einheimisch: C 20.4.1.1,2; D 31.8.3; 35.4.2.

Unbetontheit stehen. Zuweilen läßt sich als zusätzliche Bedingung Dissimilation und/oder die Stellung in einer KGr. feststellen.

Betroffen sind die alten Vsll. *b d* und der Rbl. /*ch*/ Für *g* s. D 30; *f s š* waren offenbar widerstandsfähiger.

37.2.1.1. b:

haben: L *hō* < *hân, du hošd, ę hod*, 2.P. *ę hęd*, aber *iš hęb, mę/si hęwə*; Konj. Prät. (der Indik. ist ungebräuchlich) *iš/ę hēd, du hēšd, mę/si hēn*; Part *ghadə*. Die Verteilung von kontrahierten und unkontrahierten Formen variiert geografisch sehr stark, s. SH. Wahrscheinlich gab es ursprünglich zwei Paradigmen, ein Voll- und ein (kontrahiertes, d.h. *b*-loses) Hilfs-Vb., die dann verschieden miteinander gemischt wurden (Klappenbach 1944, 181ff.). Der ältere Gebrauch scheint m.M. noch z.T. durch in HpU 1327 1.Pl. *hayn geluhin* (2x), 3.Pl. *hayn ufgeghebin*, 3.Pl. *hayn geghebin*, aber auch ... *dye sye ... noch hayn*; LU 1441 Inf. *gethan han*. Das heutige Paradigma wäre demnach verhältnismäßig jung.

Jünger ist die reduzierte Inversionsform (unbet.) *hęmə* "haben wir" < (bet.) *hęwə-mə* (über *hęwm̦ə*, vgl. C 39.3.2).

geben: 2.Sg. *gišd*, 3. *gid*, sonst regelmäßig; verbr. in St: SH; vereinzelt auch 2.Pl. *gęd* gemeldet. Hist. Belege aus Rhh bei Froeßl (128: 12. und 13.Jh.), auch für die 1./3.Pl. *(gen(t))*. Der V *i* ist geneuert. Ursprünglich galt überall /ī/ > *ai*[202], Reste im Odw (Bauer §§35,2; 123,2; SH *geben*; WK II,70), hist. z.B. Zinsb Be-Lind 1455,71f. *giit* (!); Zinsb Bensh 1550,5.6 u.ö. *geit*; auch in BIff., PU häufig *git*, mit LV, vgl. PU 136: 1508/18 *geyt*.

Die Kontraktion gehört ins frühe 11.Jh. (Braune §306 A.2; nicht identisch mit den D 23.4 dargestellten Vorgängen, weil von der Betg. abhängig!), dafür spricht die Erhaltung von *i*; bei späterer Dg./Kontraktion wäre Senkung zu erwarten (C 19.9f.).

Neueren Datums ist *gę͜m̦ hę̌* für *gęb (ə)mol hę̌* "gib mal her".

bleiben: *b*-Schwund in der 2./3.Sg. nur noch im n(ö)Odw, wRhh (SH). Dabei mag auch Dissimilation *b - b* mitgespielt haben (vgl. unten *kriegen*). Ob solche Formen auch in L üblich waren, kann ich nicht belegen.

37.2.1.2. d:

Die 2.Sg. Konj. der Hilfs-Vbb *dū hō* "tun, haben" lautet allgemein *dēšd, hēšd* (u.ä.) für **dēdšd, *hēdšd* (1./3.Sg. *dēd, hēd*; vgl. auch die Pl.-Formen *dēn, hēn*, D 24.9.6f.). Sonst bleibt *-dšd*

---

[202] Wie im Obd.: Kranzmayer §27e.f; Jutz 1931, 177.

erhalten, z.B. *du bīdšd, lēdšd, šnaidšd* "du bietest, lädst, schneidest". Dabei war Dissimilation *d - d* mit im Spiel.

Auch diese Erscheinung ist alt: 1. vor der Verallgemeinerung des Schwundes von ausl. *-d* in der Inversion (s.u.), 2. schon 1460 *hest* im Ostersp. 20.

Die Endung der 2.Sg. *-šd* tendiert besonders in häufig unbet. verwendeten Hilfs-Vbb. zu weitergehender Vereinfachung, s. D 53.2.2.

Das *-d* von *hod* "hat" kann im Vorton an folgende *b(ə)-, g(ə)-* meist eines Part. angeglichen werden, meist unter Entstehung einer Geminata, z.B. *ę hog⁺gsẹiə* "er hat gesehen", *di hob⁺bšdimd nig*s *gəmẹrgd* "sie hat bestimmt nichts gemerkt".

37.2.1.3. *g*: Hierher möglicherweise die Dissimilation in *grid* "(ge)kriegt" < **grigd*, s. D 28.2.4, entstanden in der Verwendung als Hilfs-Vb.: *ę grid s gəbrȫxd* "er kriegt es gebracht" = "man bringt es ihm", "es wird ihm gebracht", *ę hod s gəbrȫxd grid*.

37.2.2. Vsl. fällt in einigen Pron., Adv. u.ä. aus:

37.2.2.1. *b*: im Demonstrativpron. *sẹl-* "jen-" < *sëlb-*; in L vielleicht nicht bodenständig, sondern für älteres *hen-* (D 48.2.1).

Zu *sẹl-* gehört † *sẹd* "dort" < *selb+t* (vgl. SH, WK I,92), zugleich mit *l*-Schwund, s. D 7.2.

37.2.2.2. *d*: Der bedeutendste Fall ist der best. Art.: heute in L Msk. N.A. *də*, G. (in Resten) *əs* (z.B. *əs miləs* "Müllers"), D. *əm*; Ne. N.A. *əs*, D. *əm*; Fem. Sg., Pl. (alle) N.A. *di*, D. *də*. Neben dem A.Sg. Msk. *də* auch † *ən* hinter Präp. (s.u.).

Von solchen Art.-Formen nicht zu trennen sind † *as* "daß"[203] und *ən* "denn" (Fragepartikel, in Bestimmungsfragen fast obligatorisch, Beispiele s.u.).

Die heutige Regelung zeigt Verlust des *d-*, wo ein ausl. K erhalten ist, also *əm, ən* ("den, denn"), *əs, as* gg. *di, də* ("der, den").

Schon im Ahd. gab es Ansätze zum Verlust von *d- (th-)* hinter Präp., also im Zwischenton bei *daʒ, dës, dëmo, dëro* (Braune §287 A.2; Franck §176,5). Dies setzt sich im Mhd. fort (Weinhold §482ff.) mit deutlicher Tendenz zur frühen Verallgemeinerung der *d*-losen Form von *daʒ, dës*. Ausgegangen ist *eʒ* "das" m.M. gleichfalls aus der Stellung des Akk. im Zwischenton und auf den

---

[203] Wegen des Zusammenfalls von *as* "daß" mit *as* < *als* (D 7.2b) entstanden durch falsche Wiederherstellung Formen wie *iš wās ned, wi grǫus als əs is* "ich weiß nicht, wie groß es ist" für ... *as əs is*, eig. "daß es ist".

N. übertragen worden. Verkürztes *me* "dem" ist vielfach belegt, vgl. z.B. FIN Wo-Herrnsh *uffe me holen wege,* 1286 (R 157); Tischz II,72 *auffm stul.*

Auch die heutige Mda zeigt Reste der alten Regelung: *d-* im Vorton, Ø im Zwischenton. Der A.Sg. Msk. heißt in L hinter den Präp. ǫn, in älter/ən/, z.B. ǫn naxl̥ heŋgə "an den Nagel hängen", gẹi iŋ˰kelə "gehe in den Keller" mit ǫn/in < ǫn/in+ ən; verbreitet, SH *der II.*

Hist. z.B. W Be-Viernh 1562 *biß an langen stein, bis an Scheidgraben;* Tischz I,94 *uffn disch,* 96 *ann rücken;* II,71 *ann baum,* 76 *vonn wercken;* hier auch Belege für die (heute allgemein abhanden gekommene) gleiche Erscheinung im D.Pl.: I,129 *bein seuen;* Zorn oft, z.B. 63 *in bodem, in grund,* 68 *in hof.* 69 *an hals,* 73 *übern Obermarkt,* 106 *in rath;* D.Pl.: 18 *zun zeiten,* 153 *in ohren.*

Auch der D.Sg. Fem. lautete hinter Präp. einst */ər/.* Reste sind spärlicher, z.B. GRB 1720 (Nr. 42) *beyer fron = bei der* (öfter). Modern: Er-Zell *mirə sairə* "mit der Seide" < *mid+ər* (nicht *mid+də!),* SH *die II.*

Doppelformen (mit und ohne *d-)* gab es demnach in folgenden Fällen: Msk., G.D. (dəṡ - əṡ, dəm - əm bzw. mit *-n* nach D 2.2.4), A. (dən - ən); Ne., N.A. (dəs - əs); Fem., G.D. (dər - ər); Pl., G.D. (dər - ər, dən - ən). In den *s*-haltigen Formen wurde die Kurzform zuerst verallgemeinert, später im D. - Msk. Ne. */ər/* und ən konnten sich nicht durchsetzen wegen der Gefahr eines Zusammenfalls mit entsprechenden Formen des unbest. Art. (*/ər/* "einer", D.Sg., s. D 4.4.3; ən "einen", s. D 4.4.2,1).

Die heutige Verteilung von *d-* und *d*-losen Formen ist somit das Ergebnis eines langen Ausgleichsprozesses, bei dem sicher die Tendenz, den Wortkörper des Art. nicht zu sehr schrumpfen zu lassen, eine Rolle gespielt hat.

Was as, ən "denn" anbelangt, so stammt auch hier der *d*-Verlust aus dem Zwischenton[204]; für *as* vgl. Beispiele wie *iṡ bin frǫu, as-də dŏ biṡd* "ich bin froh, daß du da bist"; ən: daneben dǫn, das verwendet wird 1. zur stärkeren Betonung, 2. fakultativ am Ende einer Redeeinheit, 3. hinter silbischem unbet. Pron.: *wu maxṡ˰n hĕ?* "Wo gehst du hin" - *wu maxšə dǫn hĕ?* (insistierend); *wǫs maxṡ˰n jéds?* "was machst du jetzt?" - *wǫs máxšə dǫn?* (Nr 2); *wu hŏs-n dǫn gsẹiə?* "wo hast du ihn denn gesehen?", *wǫn hošə mə n dǫn gəwesə?* "wann hast du ihn mir gezeigt?" (Nr. 3; zweimal ən hintereinander wird vermieden). Abweichend sagt man allerdings /dən/ hinter wǭ, wē̬ "war, wäre", z.B. *wẹ wǫ́ dn̥ dẹs?* "wer war das?". Dies deutet darauf hin, daß der Schwund von *d-* ursprünglich auch an das Vorhandensein eines vorhergehenden K gebunden war.

---

[204] Die SH *das 3* gegebene Erklärung befriedigt nicht.

37.2.2.3. Ausl. *-d* wird gern unterdrückt in <u>unbet. *nid*</u> (jünger *ned*) "nicht" vor folgendem Vsl., z.B. *ę hod nib‿bšdǫnə* "er hat das Examen nicht bestanden", *nig‿gǫns* "nicht ganz", *iš hęb s nig‿gsęiə* "ich habe es nicht gesehen" (aber *nid gsęiə*), *nib‿bésə* "nicht besser"; *nimęi (ne-)* "nicht mehr" kann Fortsetzer von mhd. *niemêr* sein, später an *nid* angelehnt (vgl. Wolff 1921, §22).

minǫnə "miteinander" scheint hingegen eher Umbildung eines älteren **mir‿ənǫnə* zu sein.

37.2.3. Eine Zwischenstellung zwischen Vsl. und Rbl. nimmt die <u>Affrikata *ds*</u> ein. Sie ist unter bestimmten Bedingungen zu *s-* reduziert worden und zwar in ahd. *zi* (mhd. *ze*) im unmittelbaren Vorton, Einzelheiten s. C 40.3. Wegen *zackern* ist die Reduzierung nach dem (einstigen) Verlust des *-ə* eingetreten (vgl. aaO). Sie gehört aber in Ansätzen noch ins (frühe) 12.Jh., wenn sie, was wahrscheinlich ist, mit der folgenden Erscheinung zusammenhängt.

Wie altes *ds* wird auch infolge früher Synkope in Mittelsilben von ON entstandenes *d+ś* behandelt. Beispiele seien folgende ON: Az-*FLaub Gabsh Heim*, Bi-*O/NHilb*, Wo-*O/NFlörsh*, Mz-*Ülv*, s. C 37.2.2.2: allesamt mit *dś > ś* schon im (frühen) 12.Jh.; ferner Wo-*Berm*, Mz-*Dexh*, s. Km. 15 bzw. 35 (*-e/is-* erst im 13.Jh. belegt).

37.2.4. Auch */ch/* ist verschiedentlich ausgefallen. Folgende Fälle kommen in Betracht: *ā, glai, nō* "auch, gleich, nach", mhd. *ouch, gelîche, nâch*. */ch/* ist in unbet. Stellung ausgefallen und dann verallgemeinert, ursprünglich also z.B. *no m ésə* "nach dem Essen" gg. **dənōx, *nōx-gęwə* "danach, nachgeben", heute *dənō, nō-*. Zur Verbreitung s. SH *auch* (WK I,16), *gleich* (WK II,84), *nach*: */-ch/* ist von N her (Rhein-Main-Gebiet) im Vordringen.

Zeitlich läßt sich der Schwund nur indirekt bestimmen: *ā* wird entstanden sein nach dem Untergang von **ox*, also zu Beginn der Neuzeit, s. C 2.3.3.2; *glai* nach der allgemeinen Apokope des 13.Jh. Für *nō* gibt es Belege aus dem 14.Jh., z.B. BII 319: 1354 *na*, 593: 1399 *hernach*.

Verhältnismäßig jungen Datums - weil fakultativ und im lebenden Wechsel mit Vollformen - scheinen folgende zwei Fälle: *du brauxšd > du brauš(d)* im Vorton: *du brau(x)š nigs* "du brauchst nichts" - *du bráuxšd dęs* "du br. das"; *no‿nid* und *nox nid* "noch nicht".

Erwähnt sei, daß die häufige Verwendung in der Unbetontheit die Wiedereinführung (nach D 16.5.4.4) eines ausgefallenen */ch/* verhindert hat in *nid* "nicht", *hǫind* "heute abend" (< *hînaht*) und **-əd*, s. C 37.4.7.

b) Wandlungen der Geräuschlaute außerhalb der Konsonantenschwächung

I. Die Verschlußlaute im Anlaut

38.1. Sieht man von der noch zu besprechenden Vereinfachung von KGr. ab, dann gibt es kaum Veränderungen im Bereich inl. Vsll., die nicht auf das Konto der K-Schwächung gehen. Lediglich im Anl. sind mir gewisse selbständige Erscheinungen bekannt.

38.2.1. Grundsätzlich blieben die anl. Vsll. so erhalten, wie sie aus der K-Schwächung hervorgegangen waren, also *ḅ ḍ g̣* vor V, Liq., *n, w*; vor V außerdem *p k* (= [*ḅh g̣h*]). Ein */t/* fehlte. Daher mußte *t-* in Lwtt aus der Schrspr. durch *ḍ-* ersetzt werden, z.B. *daḅĕd* "Tapete", *ufgədagḷd* "zurechtgemacht (Frau)" ('aufgetakelt'), *dində* "Tinte" (*-ə* erhalten!). Doch unter dem zunehmenden Einfluß der Schule wurde in Anlehnung an */p- k-/* auch ein */t-/* eingeführt, wohl erst seit dem 19.Jh. Noch für *Telefon, Telegramm* kommen die veraltenden Nebenformen *dĕləfōn, dẹləgróm* vor, heute eher *t-*. Aber in anderen Wörtern ist *t-* schon alleinherrschend, z.B. *tādḷ(ə)* "Tadel, tadeln" (vgl. C 5.5.3,1), *tagd* "Takt", *tǫndə* "Tante" (mit *-ə*!), *tǫŋgə* "tanken", *tas* "Tasse", *tē* "Tee", *teädə* "Theater", *tēloxī́* "Theologie", *tembḷ* "Tempel", *tembō* "Tempo", *tēō* "Theo", *tešdəménd* "Testament", *tẹrēs* "Therese", *tẹrī́n* "Terrine", *tibə* "tippen", *tibtób* "tiptop", *tidḷ* "Titel", *tǫnən* "turnen", *tǫrm* "Turm", † *tōd* "Torte" (neuer *tǫd*), *tomäd* "Tomate". Manche der älteren Entlehnungen haben in verkehrsfernen Gebieten *d-* für L *t-* (vgl. z.B. SH *Tante, Testament, Tomate*). Auch zu Überbildungen konnte es kommen. Verbreitet sind noch *direkt, Direktor* mit *t-* (SH), L † *ti̯ərégd,* heute *d-*.

Einmal vorhanden, konnte *t-* produktiv werden, vgl. L *ẹḅəs ərümtẹrèdən* "etwas ausposaunen" (schallnachahmend *tẹrę̄́*).

38.2.2. Eine weitere, wenn auch zahlenmäßig nicht sehr starke Einschränkung von *d-* ist in der anl. Verbindung ahd. *dw-*, mhd. *tw* eingetreten. Zwar schreiben alte Wser Ukk zunächst allgemein ⟨tw-⟩ (Hoffmann 209), entsprechend dem allgememeinen obd. (und md.) Gebrauch (vgl. schon CL 93 *Getwinc* "Be-Zwing"), doch ist dies ebenso kanzleisprl. wie *t-* in *tag* für einheimisches *dag* (D 20.4.1 A.106). Nach der K-Schwächung wurde *[dṷ-]*, dann *[dw-]* gesprochen. Die heutige Mda verfährt nicht einheitlich. Neben *gw-* steht *dsw-*: L *gwē̮ə* "quer", *g(ə)wẹdš* "Zwetsche" gg. *dswiŋə* "zwingen", *dswẹrg* "Zwerg". Ebenso sind die Verhältnisse im gesamten shess. Raum. M.W. gelten allgemein *g(ə)wẹdš - dswiŋə, dswẹrg*. Doch kann letzteres als Wort des Märchens schrsprl. beeinflußt sein. Be-*Zwing* hat seit 1258 *Zw-*, 1321 wieder *Tw-* (Dahl 84 Be-Bensh), aber 1514 auch *Quingen-*; für das veraltete *Zwehle*, allgemein mit *dsw-*, bringt das SH (*Hand-zw.*) historische Belege mit *qu-*. Umgekehrt ist statt *quer: zwerch* als die ältere Form zu erweisen. Dafür spricht 1. *ē̄* statt *ę̄* (C 20.9.3), 2. der allgemeine Verlust von ausl. *-ch* (D 47.6), 3. Reste von *zwerch* in FlN: Be-KHaus *Zwerchgräben* (Fecher 1942, 59), ebenso R 307f. für Wo; daneben aus Dalsh ein junges *Quergewann* (236) für älteres *Zwerch-*. Doch scheint dahinter eine noch ältere Vorstufe *Querch-* zu liegen, wie sie nach Fecher (1942, 43 A.15) 1626 aus L als *querchs* belegt ist (vgl. aber Zorn 56 *zwerchs!*); FIN Da-Hähnl *Zwerchacker*, 1588, 1594 *querch-*, 1709 *Zw-*; *Zwerchlach*, 1588 *querch-* (Reeg 1935, 49). - In einem Fall ist sogar *dw-* bewahrt: Da-Balkh *twatsch* "verschroben" (SH).

Dieses Bild zeigt, daß wir hier keineswegs eine gesetzmäßige Veränderung haben. Wegen des stehengebliebenen *dw-* sind weder *gw-* noch *dsw-* lautgesetzlich. Ersteres ist im Omd., letzteres im Obd. (Schwäb.) beheimatet. *Zw-* erschien als vornehmer und wurde von der Oberschicht getragen, denn neben ⟨tw-⟩ wird meist nur ⟨zw-⟩ geschrieben. Zwar taucht ⟨zw-⟩ schon ca Mitte des 13.Jh. auf (s.o.), doch hält sich ⟨tw-⟩ noch lange, in Ws und Wo-Pfedd mindestens bis 1400[205]. Beispiele aus dem 14.Jh.: BII 399: 1366 *unbetwngelich* (!), 705: 1400 *Twingenburg*, PN; PU 245: 1401 *thweheln*.

Die Kanzleien schrieben also das vornehmere *zw-*, jedoch inkonsequent, da die gesprochene Sprache zunächst [dw-] beibehielt. Unter dieser "Oberfläche" sickerte dann seit etwa dem 14.Jh. (Moser 1951, §144,1a) [gw-] allmählich als bequemer Lautersatz[206] für die seltene Verbindung [dw-] ein, ähnlich wie inl. [-dw-] schon früher auf anderem Wege beseitigt worden war (D 39.2.6), wohingegen die Oberschicht eher zu [dsw-] neigte. In einem Wort des Handels wie *Zwehle* oder einem Namen wie *Zwingenberg* siegte *Zw-*, wenn auch die Umgangssprache zunächst *Quingen-* sprach. Ebenso in anderen Wörtern. In *quer/zwerch* scheint der Ersatz des älteren *querch* durch *zw-* besonders früh vollzogen worden zu sein, wofür sich dann - ganz modern - wieder hdt. *quer* durchsetzt.

38.2.3. Gegenüber *d-* ist der Bestand bei *b- g-* fast unversehrt. Über gelegentliche *k-* für *g-* in Lwtt s. D 57.4.2.

p- für *b-* steht weithin in *Busch* (SH *Pusch I* mit WK I,69), eventuell infolge Wortkreuzung. In L gilt heute folgende (sicher sekundäre) Regelung: *puš* "Salatkopf", *buš* "Strauch" (z.B. *holə-buš* "Holunderstrauch").

II. Die Reibe- und Zischlaute

aa) Labiale

Der spätahd. Zustand

39.1. In der spätahd. Zeit galt folgende Distribution:

---

[205] Bis dahin habe ich die Ukk unter diesem Gesichtspunkt exzerpiert.

[206] Für Lautersatz - wenn auch zweifelnd - Moser aaO A.5; ferner Fleischer 1966, 85f.

1. a) $v(l)a$-   { a) ặfə[207]   aLfə }   a) ặf(+K)   aLlnf(+K)
                 { b) ặvə   aLlnvə }

2. $b(l)a$-   ặbə   aLlmbə   ặb(+K)   aLlmb(+K)

3. $(K)ua$-   ặu̯ə   aLu̯ə/(aKu̯ə)   ∅   ∅

Die Typen /anvə, aKu̯ə/ waren selten; hinter K ging inl. u̯ meist ahd. verloren (Braune §109 A.1); *scato/scat(a)wes* ist vom N.A.Sg. aus in die schwache Flexion übergetreten (vgl. Paul §121 A.1), L *šērə.* - /ambə/ wurde nach D 31 assimiliert.

Dieses System wurde in mrf. Zeit völlig neugeordnet. Auslöser war m.M. die bald nach 1000 einsetzende Spirantisierung von intersonanisch $b > w$ (D 22.6). Betroffen war zunächst germ. /u̯/, dessen Geschichte daher am besten an dieser Stelle verfolgt wird.

Die Entwicklung des /u̯/ bis ca 1150

39.2.1. Für die arf. Zeit erweisen die Schrr. ⟨u uu⟩ noch eine Aussprache als Halb-V, vgl. Welz 65ff.; häufige Schrr. auch in der LB, im BS und den Gll.

39.2.2. Später ist intervokalisch u̯ meist geschwunden, sonst zu w geworden. Beispiele für den Anl. s. B 2.4.4,2. Hier ist der Übergang in w seit dem 12.Jh. belegt. Unklar ist dabei die Deutung von Gl5 *uolaliben* wie *ueili* neben *ungeuuon, ungeuuarnoten*. ⟨v-⟩ wird dann im CL häufiger (Welz 65), d.h. in der 2. Hälfte des 12.Jh. galt schon [w-]. Nach Paul (§76) liegt der Wandel um 1100, was sicher auch für unser Gebiet zutrifft.

Phonetisch gesehen handelt es sich um den Verlust der Lippenrundung und *u*-Zungenstellung infolge Erschlaffung der Artikulation, vgl. C 2.0.2. Sie war außerdem begünstigt durch das Vorhandensein eines intersonantischen [w] als Allophon von /b/. Über die Phonemisierung von [w] s. D 39.3.

Eine Weiterentwicklung von $w > v$ unterblieb (wie im gesamten Obd.) zur Vermeidung des Zusammenfalls mit [v-] (aaO).

Die neue Aussprache machte die Heranziehung von ⟨w⟩ bzw. ⟨uu⟩ für [w] $< [b \ v]$ möglich, Beispiele s. D 16.2.3.1 A. 64; 22,6. Wegen der lautlichen Nähe war auch graphische Verwechslung von /v-/ und /w-/ möglich; über ⟨w-⟩ für /v-/ s. D 16.2.3.2,2; Beispiele für ⟨v-⟩ für

---

[207] /f/ hinter KV als Geminata realisiert, s. D 18.6.3.

/w-/ sind nicht häufig und spät, so BII 450: 1375 *van sie vollent, vider* neben *vor můren* "vermauern", *vor lůwen* "verliehen", *Volf* (PN), 507: 1380 *von* neben *wan* "wann".

Über *m-* in *wir* s. D 39.2.6.

In *bǭrə* "waten" (verbr.: SH *baden II*) ist Umdeutung eines *wǭrə nach *bǭrə* "baden" erfolgt.

39.2.3. Hinter anl. K: In ahd. *du̯-, tu̯-, su̯-, zu̯-* und *ku̯- (qu-)* blieb der Lab. grundsätzlich als *w* erhalten. Beispiele: *dswiŋə* "zwingen": *dwingan, dswā* "2", *šwads* "schwarz", *gwęgə* "Quecken", *gwęilə* "quälen", entsprechend spätere Entlehnungen wie *gwędšə* "Zwetschen", *gwidə* "Quitten".

Hist. Schrr. mit ⟨qw-⟩ s.u. (*kommen*), ferner z.B. BII 558: 1384 *Volqwin,* 610: 1390 *qwit.*

Unter gewissen Bedingungen ist aber *u̯* aufgegeben:

1) in *qu-* in folgenden Fällen:

kumə "kommen", allgemein (SH), ahd. *quëman,* vielleicht alte Ablautsform, eventuell aus dem Part. verallgemeinert (vgl. Braune §340 A.3; Franck §185,1; Schatz §447). Im Prät. sind jedenfalls noch lange Formen mit *qu-* gebräuchlich gewesen, vgl. z.B. BII 318: 1354 *qwam,* 610: 1390 *qweme(n);* WL 1423 *er käme - queme;* W Be-Bensh 1421/73 *qwamen sie;* W Er-Beerf 1457 *qwamen, queme,* aber z.B. PU 239: 1391 *keme;* BIII 315: 1426 *kamen.*

Zum gleichen Stamm gehört L *fəkǭmə* "verkümmern": *k-* in Rhh fast allgemein, ebenso wRied; *gw-* restl. St, wRhh (SH mit WK II,40). *k-* ist offensichtlich junge Neuerung; vielleicht nach *verkommen, verkümmern.*

kǭdən "lallen" (Kinder), allgemein (SH *kodern I*): Die Zugehörigkeit zu ahd. *quëdan* ist unsicher (SH), eher zu *kaudern, kuddern.*

Nur noch historisch und in FlN *Kot,* mhd. *quât,* Belege s. SH und R 236: in Wo-Abh Pfedd Monsh *Quotbach,* alte Schrr. (ab 14.Jh.) meist mit *qu-,* Abh auch *k-* (1490, 1508, 1510), also entgegen der Aussprache. ⟨k-⟩ ist demnach Kanzlei-Schr. wie im Namen der *Kotgasse* in Wo-Gundersh: 1450 *quat-,* aber 1600 *Koth-.* Der Name eines unbedeutenden Baches bewahrt die ältere Lautung.

Es kann somit als gesichert gelten, daß die Mda keinen lautgesetzlichen Wandel *qu- > k-* gekannt hat.

2) Die Folge *K+u̯+i-* ist ursprünglich wie auch sonst im Wmd. (über *[u̯ü]?) zu *Kü-* geworden, wenn ein Zsl. folgte. Der Wandel setzt noch *u̯* (und nicht *w*) voraus, ist also spätahd.

Besonders oft und lang belegt ist er in *zwischen,* ahd. (*in*) *zwiskên: tuschen,* später auch *z-;* Beispiele: BII 118: 1321 *tůschen,* 370: 1362 *tuschen,* 422: 1368 *thusschen,* 613: 1390 *tůssehen;* BIII 248: 1406 *tuschen;* PU 275: 1457 *thuschin;* FlN Be-Auerb 1473 *züschen den bechen* (Kunz

1983, 164); W Wo-Osth 1338 *zussen*; WL 1423 *züschen*; Zinsb Be-Lind 1455, 81 *züschen*, 92 *zwschen*; W Da-Weit 1484 *zu-*; zum Rückgang solcher Schrr. s. auch Stopp 1974 (S.3). Reste von *-diša* in St s. SH *dazwischen* (Di-Stein, Da-Ernsth).

Hierher gehörte einst auch <u>Schwester</u> (L *šwęšdə*), auf der Basis von ahd. *swister* (Braune §29 A.2), z.B. BII 441: 1373 *sûster*, ferner Schwitzgebel 1958, 75ff. Häufiger aber ist *swester* geschrieben, das sich früh durchsetzte. Heute hat man entsprechende Formen nur noch am Westrand des deutschen Sprachgebietes (vgl. Bach 1950, K.36). Im nRhh ist es bald nach 1500 verschwunden (Schwitzgebel 80), im sRhh und in St eventuell schon früher. Die Formen mit *w* hatten höheren Verkehrswert, bei *Schwester* kam noch der Umgang mit den Behörden und mit Ordensschwestern hinzu (Vgl. C 17.2.4; D 42.4.2).

Wo kein *s* folgte, entstand kein **ü*, vgl. *šwimə, dswiŋə* ohne Spur eines solchen Übergangs.

39.2.4.1. <u>Intervokalisch</u> ist *ṷ* meist geschwunden: hinter mhd. *â*: z.B. *blō* "blau", mhd. *blâ(w-)*, ebenso *grō, lō* "grau, lau", † *pō* "Pfau" (jünger *(b)fau*): *pfâwe*; mhd. *î*: *šnaišə* "schneien": *snîwen* (s. D 47.4), *waiə* "Weiher": *wîwer*; mhd. *ie*: *gŋīə* "knien": *kniewen*; mhd. *uo û iu*: *rūə* "ruhen": *ruowen, baṷə* "bauen": *bûwen, draṷə* "trauen": *truwen; aiə, aiš* "euer, euch": *iuwer, iu(wi)ch*, *ail* "Eule": *iuwele, blaiə* "bleuen": *bliuwen*, dazu *Bleuel*, mhd. *bliuwel*, L Ø, aber verbreitet als Appellativ und FIN (SH); *hailə* "heulen": *hiuweln; nai(-)* "neu(-)": *niuwe(-), siš fəraṷə* "sich Vorwürfe machen": *ver-riuwen*; hinter *i̧- (ü̧-)* Di.: *dān* "tauen": *töüwen*, entsprechend *frān, šdrān* "freuen, streuen" (vgl. C 25.3.3); *hāi* "Heu" (für **hā̊*, C 1.4.5.3): *houwe*; über *hāwə* "hauen" s. C 20.7,4; D 28.8.

ṷ ist auch gefallen in *frǫu, šdrǫu* "froh, Stroh" (schon ahd., s. Braune §114a), ferner in *sęi, šnęi* "See, Schnee" (aaO §204 A.1; Franck §70).

Auch hinter *ə* schwand *ṷ*: mhd. *witewe* > **wid*, verdeutlicht durch *-frā̊, -mǫn* (die häufigen *Wittib* in Ukk sind hochsprl.).

39.2.4.2. Einige wenige Wörter haben intervokalisches *ṷ* als *w* bewahrt. Allgemein sind die hochsprl. bestimmten *ēwiš* (s.u.), *lēb*, Pl. *-wə* "Löwe", s. SH; ferner *Bleuel* (s.o.): *blaiwəl* Er-NKinz Zell (SH), aber Vb. *blaiə* (vgl. Freil. §184); zu allgemeinem *kauə* (L *kaṷə*; SH) gehört *kaiwəla* "langsam kauen", Di-Brensb, Wo-Ws Pfedd (SH *käueln*); neben verbreitetem (L) *ruįš* u.ä. "ruhig" (mhd. *ruowec*) im S Reste von *rīwiχ*, über dessen ehemalige Verbreitung im N aber vorerst nichts ausgesagt werden kann: Treiber §46 A.6; Waibel §49,2b; Bertram §§159; 193; SH.

39.2.4.3. Nun findet sich aber auch *-w-* in einigen Wörtern, denen es von Hause aus nicht zukommt: *Brühl*, bes. in FIN (mhd *brüel*): *brīwəl* sRied (SH; L Ø; vgl. z.B. Hp *Briefel*, z. B. 1480 *Browel*, 1773 *Briefel*, Metz 66; Be-Mitt, Metzendorf 1980, 165); Di-Ueb, Da-OMod, Wo (R 89f.; Deboben 67a); *glühend*: L und verbreitet *glīriš*, anderswo *glīn-* (SH *glühig, glütig*), aber auch *glīwiš*, so Be-Bensh Hp (vgl. Seibt §127c), woraus jünger *glīχ*, zu mhd. *glüejen*. *-w-* ist hier sekundarer Hiattilger, doch fehlt er z.B. in *Bühl* < *bühel* (s. C 25.3.1.2). Es fällt auch das heute durchgehende Fehlen der Senkung in *Brühl* auf (jedoch Schrr. mit ⟨o oe⟩ z.B. 15.Jh., s. R 89 und Metz 66). Es scheint hier eine Rolle gespielt zu haben, daß ein Brühl immer herrschaftlicher Besitz war. So wie die Kanzleien das längst geschwundene intervokalische *u̯* hartnäckig weiterschrieben (s.u.), so behielt es auch die Oberschicht noch eine Zeitlang in der Aussprache bei, jedoch zuweilen falsch, so in *Brühl*. Sowohl *ī* als auch *w* stammt aus der Sprache der Herrschaft[208]. So erklärt sich am einfachsten z.B. der Wechsel zwischen *Brübel* und *Brühl* von Ort zu Ort in Wo.

In den Wörtern *blaiwəl, brīwəl, glīwiχ, kaiwələ, rīwiχ* schwand das *u̯* nicht, weil es vor einer verhältnismäßig schweren Silbe stand. Wahrscheinlich kann man auch so das (schrsprl.) *ewig* deuten (s.o. und C 20.4.1.1,2). Der Gegensatz *blaiwəl - blau(ə)l* ist dabei lehrreich. Ersteres steht an der (ehemaligen) SO-Grenze von *au* für *iu* (C 1.3.3.2ff.). Da alle C 25.4.2.1ff.; 25.5.1 genannten Wörter keine Spur eines -*w*- haben, möchte ich annehmen, daß einst im O [*ī*] schon sehr früh durch [*ü*] ersetzt worden ist, noch vor dem *u̯*-Schwund, der dort indessen (wie so oft im Odw) später liegen kann als im Ried. Demnach ist *u̯* hinter *ū* im Gegensatz zu den vorderen VV auch vor schwerer Silbe gefallen, was leicht verständlich ist.

39.2.4.4. Eine Datierung des Schwundes ist schwierig, weil *u̯* schon ahd. zuweilen (besonders hinter LV) fehlen kann (Braune §110 A.1; Franck §69,5), was höchstens als Hinweis auf die Labilität des Lautes, aber nicht auf allgemeinen Wegfall betrachtet werden kann.

Ausnahmen mit besonders frühzeitigem Schwund sind höchstens gemäß C 25.3.3 die Wörter mit früher Kontrakion sowie *nichts, etwas,* s. D 17.3f., ferner ahd. *iuwih,* unbet. *iuh* (Braune §282 A.6).

Im Mittelalter werden Schrr. häufiger. Die ältesten Hinweise auf *u̯*-Ausfall. stammen aus dem CL: *Biengen* (sw Freiburg i.Br.): meist *Bih-* (2637, 2639, 2641, 2666), aber 2701 *Biwinger* und 3657 *Bingen;* (Ob.-, Nd.-) *Kleen* (bei Wetzlar): meist *Cleh-* (3095-3102, 3683, 3692a usw.), aber *Clew-* 3070 = 3730b, 3691a = 3098 (*Cleh-* !). In der 2. Hälfte des 12.Jh. muß wegen des Schwundes von -*h*- und -*u̯*- bei entfernteren Orten die genaue Schreibweise nicht mehr klar gewesen sein. Aber auch im klaren Appellativum *neu-* wird *w* weggelassen: 3667 *N(i)uen-heim,* 93 *Nuin-;* 164 *Nuhenburc;* vgl. ferner den ON GG-*Bauschh* (CL *Biwines-*): 1258 *Buens-,* sonst *Buwens-.* Aus Ws: BI 239: 1275 *Bubenbüen;* BII 236: 1343 *Pfaenburgedor,* ebenso 237: 1344, aber 529 und 558: 1382 *Pauwen-;* 332: 1356 *die...frauwen frau Irmele, graes,* aber 422: 1368 *grawes,* ebenso 654: 1393; 410: 1367 *verbuen,* D.Sg. *bue* neben 288: 1350 *daz bůwe hůsz,* 335: 1357 *gebuwet,* 497: 1380 *vor der Nuenporten* und *Nůwen-;* PU 33: 1308 *im Nuensatze,* 231:

---

[208] Vgl. die Doppelentwicklung von *Allmende,* s. D 32.

1375 *buhe* (= *buwe*); falsch: 47: 1355 *der fruwe messer*; BIII 608: 1483 *stuwer* = mhd. *stiure*, 610: 1483 *eynem buwern*.

Erst spät erscheinen Schrr. wie *sewen* "säen", s. D 48.3.1,1.

Es ist sicher, daß $u̯$ schon vor dem CL geschwunden war, aber noch lange (zuweilen auch falsch) geschrieben wurde. Der Schwund liegt somit mindestene im frühen 12. Jh.

39.2.4.5. Diese Zeit legt die Vermutung, daß phonologische Verhältnisse dabei eine Rolle gespielt haben, nahe.

Nach dem Wandel [ăbə] > [ăwə] (vgl. D 39.1) gab es intervokalisch folgende Typen: /ăfə/ - /ăvə/ - [ăwə] - /ău̯ə/, d.h. das Allophon [w] droht, mit /v/ oder /u̯/ zusammenzufallen. Andererseits wird zu jener Zeit auch /f/ immer schwächer (D 34), und [ff] tendiert zur Vereinfachung, d.h. auch /ăfə/ - /ăvə/ nähern sich an. Deshalb wird das System intervokalisch neu geordnet: 1. /v/ und [w] vereinigen sich zum neuen Phonem /w/, das ausl. bzw. vorkonsonantisch mit /b/ wechselt (D 25.1.2: 25.3), vgl. frühe Schrr. schon im CL, so 3832 *Wazenhowe*, s. auch D 16.2.3.1. Jetzt ist zwar der Abstand /f/ - /w/, aber nicht /w/ - /u̯/ ausreichend. Dies führt in schwacher Stellung zum Schwund des schwächeren Lautes. Das könnte dann - schätzt man die Zeit vom Wandel -*b*- > -*w*- und für die anschließende Umstrukturierung ab - um 1100 geschehen sein, also etwa unserer obiger Ansatz.

Wo /u̯/ erhalten blieb, fiel es allerdings mit /w/ zusammen, vgl. BII 473: 1377 *eveclichen*, *ew-*, 501: 1380 *ebeclichen*.

39.2.5. Hinter Liq. war /u̯/ in starker Stellung und blieb als /w/ erhalten (sekundär ausl. bzw. vorkonsonantisch dafür /b/, D 25.3.1). Damit sind ahd. Liq.+*b* v *u̯* zusammengefallen. Doch war -*lv*- äußerst selten (z.B. ahd. *wolv*-). Beispiele: *ęrbs* "Erbse" (für *ăwəs: C 34.2.4.1a): mhd. *ärweiʒ*, *farb* "Farbe": *varwə*, *fęrwə* "färben" (*iš fęrb*): *vėrwen*, *gęrwə* "gerben": *gėrwen*, *męrb/męrw*- "mürb": *mürwe*, † *pilwə* "Kopfkissen": *pfülwe*, *šwalb*/Pl. *šwalwə* "Schwalbe": *swalwe(n)*; ferner *Kirchweih*: *kęrb*, s. C 34.2.4.1b.

Wo *u̯* in den unflektierten Formen fehlte, wurde es auch in den flektierten getilgt: *fǫl(-)* "fahl (Kuh)", *kǭl(-)* "kahl", *gęl(-)* "gelb": mhd. *val(w-)* usw.; *męl* "Mehl" zu *mël(w-)*, dazu das Adj. *męliš*. Verloren ist *u̯* auch in *šmę̄ən* "schmieren", s. Paul §169 (S. 201); C 37.1.2.2. Hingegen hatten sich *fęrwə*, *gerwə* an die Nomina (*varwə*, *garw*-) anlehnen können (vgl. Paul §169 A.2).

Vereinzelt steht -*lm*- für -*lw*-: L *hawə-hęlmə* "Haferspreu": mhd. *hëlwe*, -*lm*- in St, bes. Er (SH *Helwe*), Dissimilation *w* - *w* zu *w* - *m*. Vgl. auch SH *Pülven* (L *pilwə*, s.o.), gelegentlich -*lm*-: *p* - *w* > *p* - *m*.

39.2.6. Nach dem Wandel *u̯* > *w* entsteht eine Tendenz zur Beseitigung der inl. Folge Dent. + *w* vor unbet. Silbe. *w* wird dabei durch *b* ersetzt. Betroffen sind folgende Fälle: *ębəs* "etwas" (allgemein, SH; obd.); *ämbern*, verschiedene Bedeutungen (L Ø), nach dem SH auf mhd. *antwürten* zurückgehend. Als Entwicklung ist *-d̯y-* > *-dw-* > *-db-* > *-b(b)* anzunehmen (Freil. §186; vgl. D 38.2.2).

ladwẹiə "Latwerge" hat die Gruppe erhalten, weil die zweite Silbe einen stärkeren Nebenton trägt (B 3.4.1,a3).

Als Beseitigung einer ungewöhnlichen KGr. ist *mulbruf* "Maulwurf" (so u.ä. verbr., SH) zu verstehen: ursprünglich *-lwr-*.

Etwas anders *-u̯ər*, (nachgestelltes) *wir* hinter *-(ə)n*: *-(ə)n- u̯ər* > *-(ə)nwər* > *-(ə)mbər* > *-(ə)m(m)ər* (Weiterwirken der Assimilationstendenz D 31, bes. 31.3), von hier aus /mər/, bet. /mēr/ "wir" abstrahiert. Solche ⟨m-⟩ sind zwar als vulgär erst spät belegt, z.B. PU 127: 1501 *habenn mir*, 145: 1514 *mir ... seind*, doch stecken sie hinter weit früheren Schrr. wie 1283 *irkenne wir* (Hoffmann 177); BI 303: 1293 *verzihe wir*, 199: 1338 *henke wir*. - Sonstiges ist selten und nicht ganz sicher, vgl. FIN Wo-Pfiffl *Ammet*, R 60; ferner Freil. §419,I,56.

Wenn heute in L in einsilbigen Vb.-Formen *-n* auch vor *-mə* auftaucht (z.B. *mę hēn* "wir hätten" - *hē(n)-mə*), so ist dies erst seit der Wiederherstellung von *hēn statt *hę̃* (D 3.1.2.2,4b) möglich geworden.

Das System der Labiale ab ca 1150

39.3. Nach dem Schwund von /u̯/ in schwacher und /u̯/ > [w] in starker Stellung, dadurch gegebener Phonemisierung des [w] und der Beseitigung des Typs /avə/ (D 39.2.4.5) stellt sich das System spätestens Mitte des 12. Jh. so dar (Numerierung wie D 39.1):

1. a)	[v(L)a-]	ăfə	aL/nfə	ăf(+K)	aL/nf(+K)
2.	b(L)a- ⎫				
3.	(K)wa- ⎭	1b/2 ăwə	1b/2/3a aLwə	ăb(+K)	aL/mb(+K)

(3 ău̯ə entfällt)

Damit ist das System noch nicht zur Ruhe gekommen; denn im Lauf des 12.Jh. erscheint ein neues (4.) *-b-* < *-bb-* (D 20.12.1.1), das sich mit altem /b/ vereinigt und damit zum heutigen Zustand überleitet:

1. a)	[v(L)a-]	ăfə	aL/nfə	ăf(+K)	aL/nf(+K)
2.	b(L)a-	4 ăbə	Ø ⎫		
3.	(K)wa-	1b/1 ăwə	1b/2/3 aLwə ⎭	2/4 ăb(+K)	aL/mb(+K)

Das neue System läßt klar den Grund für den Ersatz des Wechsels mhd. -v-/-f durch -w-/-b (D 25.3.2) und von entlehntem /-lb-/ durch /-lw-/ (D 22.4) erkennen.

Nach der Aufgabe von sth. [v-] nach D 46.4 ist der heutige Zustand erreicht.

bb) Dentale (Zischlaute)

Vorbemerkungen

40. Hier haben sie die wichtigeren Veränderungen über längere Zeit hingezogen. Einschneidend war die Entstehung eines /š/, die zur völligen Umstrukturierung des Systems führte und schließlich ihre Rückwirkung auch auf die Labiale hatte (D 46.4). Aber auch hier ist nach und nach ein ausgewogenes System entstanden, das bis heute Bestand hat.

sk > š

41.1. Zusammen mit sp st war auch sk zu [sġ] geschwächt worden (D 20.3). Doch wurde die Verbindung im Lauf der Zeit weiterentwickelt zum einheitlichen Laut š (ohne Lippenrundung). Beispiele: ahd. skînan, skrîban; waskan, wunsken; fisk, tisk > L šǫinə, šraiwə; węšə, winšə; fiš, diš. Die Entwicklung ist etwa so verlaufen: 1. [sġ] > [sġ'], d.h. Palatalisierung des Gutt. durch Angleichung an das mit der Vorderzunge gebildete [s]; pal. Aussprache folgt aus dem Umlaut von a (C 1.4.3) und dem Übergang von unbet. ə zu i (C 42.3) vor [š] wie vor den anderen Palatalen; 2. durch weitere Angleichung nunmehr an die Artikulationsart des [s] wird der Vsl. zum Rbl.: *[sχ][209]. 3. Nun wird das wohl alveolare [s] weiter zurückgezogen in Richtung auf [χ]: *[šχ] und (4.) beide assimilieren sich zu *[šš], einen zunächst sicher noch pal. Zsl., der wegen seines Ursprungs vorerst in allen Stellungen (auch im Anl. und Ausl.) geminiert und deswegen Halbfortis war (vgl. D 34.3b; Schwarz 1926, 26).

41.2. Auf der Stufe [sġ] haben sich zwei Wörter mit ursprünglichem [-s+ġ-] angeschlossen: 1. der Name der Weschnitz, s. D 44,2; wahrscheinlich L (und verbr.: SH) naišęəriš "neugierig". Dieses wird meist aus niuwes-girec hergeleitet[210]. Beide müssen früh als einheitliche Wörter gefühlt worden sein, was sich beim ersten auch aus den alten Schrr. ergibt.

---

[209] Palatalisierung des K und Spirantisierung gehören nicht unbedingt zusammen. Gerade in nd. Mdaa, in denen s nicht zu š gewandelt worden war, und im Nfränk. findet (oder fand) sich auch sx (teilweise > s); s. die Übersicht bei Schirmunski 1962, 362f.

[210] So schon Schwarz 1926, 24; dann z.B. bei Freil. §412,11: Auch wo š und χ unterschieden werden, spricht man hier š. (Also Erklärung nach D 27 unmöglich.)

41.3. Schwieriger ist die Datierung der einzelnen Etappen, da ⟨sc sk⟩ lang beibehalten wurden (Hoffmann 210: bis Mitte des 13. Jh.), ⟨sch⟩ andererseits /s-ch/ meinen kann.

Einen Hinweis auf den Beginn könnten die genannten Wörter mit ursprünglichem [-š+ġ-] geben. Sie werden sich erst auf einer Stufe [šġ], höchstens [šḡ] angeschlossen haben, also nicht vor dem ausgehenden 9. Jh. (D 20.3)[211].

Die Quellen zeigen folgendes Bild: LB 19x *sc* in *scolda* u.ä. (s. u.); Gl1 *scollo*; CL: *sc*, seltener *sk* (Welz 101ff.), vereinzelt (in den weniger sorgfältig kopierten Teilen) *sg*: 532 *frisginga* (Pl.), sonst *-sk-*, z.B. 3652. In den stärker modernisierten Teilen öfter auch *sch*, z.B. 132 *Hanschuhesheim*, 824ff. *Mer(i)sche(ro)*, 946 *Aschibrunn-*, 2105ff. *Fischiling-*, 3829 *Rusche* PN (12. Jh.) u.a. Eindeutig sind daneben ⟨s⟩, so z.B. 3835 *Malsen* (Berg *Malschen*, ca 1200), aber 93 *montem Malscum*; *Weschnitz*, neben *-sg-*, *-sc-* (D 20.3) auch *-sch-*, z.B. 685f., 715 (vgl. Welz 103) und *-s(s)-*, z.B. 921f. Der PN (12.Jh.) 3810 *Scarhubere* (2x): 3836 *Sar-*; 3405 PN *Scerphwin*, 2148 *Sch-*, aber 505 *Serpwin*[212]. - Gl5: immer *sch*: *schelda*, *schalt*, *schunden*, *schunta*.

Erster Beleg aus Ws für ⟨sch⟩ nach Hoffmann (210): 1141 *Vischere(s)husun*. Aus dem 13. Jh. vgl. 1266 *Szeůmir*, *sillinge*, 1274 *Visserhusen* u.a. (aaO).

Die Schrr. des CL erweisen mit Sicherheit für das 12. Jh. die einheitliche š-Lautung, während Gl5 noch /s-ch/ meinen könnte. Nach Paul (§114, Berufung auf Kranzmayer) ist um 1050 /š/ erreicht, wenn nicht schon früher. Dies trifft auch für das Rf. zu: Gewisse V-Dgg. (s. C 4.2.4), die sich ab ca 1050 anbahnen, setzen dieses voraus.

41.4. Die Zwischenstufen *[šχ] o.ä. waren labil und haben sich nirgends erhalten. Im häufig unbet. *scolan* ging nach Ansätzen im Ahd. (Tatian) der Gutt. verloren (*solə*, vgl. C 7.3.2.3,1), wohl auf der Stufe *[šχ], s. Braune §374 A.; Franck §209,4.

41.5. Die zunächst in allen Stellungen entstandene pal. Geminata wurde nach und nach vereinfacht, sobald die Erinnerung an den Ursprung verblaßt war, etwa nach zwei Generationen, d.h. im 11. Jh. Die Vereinfachung begann dort, wo Geminaten am ungewöhnlichsten war: im Wortan- und -auslaut bzw. vor K. Es folgte die Stellung hinter LV, den Abschluß bildeten KV bzw. K + šš (wie bei anderen Rbll. auch). Als Folge der Geminatenvereinfachung wurde die Halbfortis zur Lenis (Schwarz 1926, 27), was weitreichende Folgen für das System hatte, s. nächstes Kapitel.

---

[211] Auch Schwarz (1926, 23) rechnet mit einem Beginn anfangs des 9.Jh.

[212] Kann aber auch die ahd. Nebenform *sarpf* enthalten.

Die redundante pal. Aussprache geht im 11.Jh. verloren: /š/ bewirkt keine Erhaltung alter i̯-Dii. (L † flāš. s. C 2.3.2.6; 20.3.1.2); aber nach wie vor wird /š/ ohne Lippenrundung gesprochen.

Neuordnung des Systems der Zischlaute

42.1. Die Vorgänge des 11. und beginnenden 12. Jh. hatten eine starke Überlastung des Systems der Zsll. gebracht: Statt des spätarf. Gegensatzes /ż/ (Lenis!) - /š/ - /ʒ/ (D 18.6.4), wo /ż/ nur hinter KV in direkter Oppositions zu /š/ stand (vgl. [áżə] - [áššə]) war nach D 35.4.6 auch ein solcher hinter LV getreten; ferner trat nach Maßgabe der allmählichen Aufgabe des Geminatencharakters im Lauf des 12. Jh. in den einzelnen Positionen auch š in Gegensatz dazu (D 41.5): /š/ - /ż/ - /š/ - /ʒ/. Dadurch war das System der Zsll. überlastet und bedurfte einer Vereinfachung. Der heutige Zustand, das Endergebnis der Entwicklung, ist klar und übersichtlich: /š/ - /s/ (= ʒ), d.h. die mittleren Glieder wurden beseitigt, nämlich aufgeteilt zwischen /š/ und /ʒ/.

42.2.1. Im einzelnen gelten in der heutigen L Mda (und verbreitet) folgende Vertretungen für /š ż/:

/š/ > /s/ oder /š/, letzteres anl. und inl. vor K (wie alem. und sbair.): šbēd "spät", šbrōx "Sprache", šdei̯ "stehen", šdrān "streuen", šdrōs "Straße", šlǫwə "schlagen", šlōfə "schlafen", šmai̯sə "schmeißen, werfen", šmēən "schmieren", šnai̯rə "schneiden", šnei̯ "Schnee", šwǫns "Schwanz", šwēə "schwer"; kašbə "Kasper", pišbən "flüstern"; fešd "fest", kašdə "Kasten", du hošd "du hast", šunšd "sonst" (s - š > š - š); ebenso hinter r (auch entgegen der Schrspr.): ōš "Arsch", † kēəš "Kirsche" (ahd. *kirišša), pešiŋ "Pfirsich", wešiŋ "Wirsing", lōəš "Lorsch" (CL Laurissa u.ä.); ON auf -ersheim, z.B. gunɒšəm, iwɒšəm, perəšəm "Wo-Gundersh Ibh Pfedd".

42.2.2. Vor /-əl/ ist die Behandlung uneinheitlich: š und s. Beispiele für š (für L und nach dem SH): ōšlə, s. D 3.3.1: allgemein š; dǫršl̥ "Deichsel"[213] (ahd. dīhsala): s und š; drōšlə "trödeln" ("lautmalend", SH tr-): allgemein š, daneben s (SH transeln I); fušlə "tastend suchen", allgemein š; † gāšl̥ "Peitsche"[214] (ahd geisila): (fast) allgemein š; gŋušlə "herumfingern" (zu mhd. knüssen "kneten, stoßen"): š und s (vgl. SH knuseln); nǫušlə und -slə "brummeln, nörgeln" (zu frühnhd. nuseln "näseln, mhd. muscheln).

Beispiele für s: duslə "dösen": allgemein s; eisl̥ "Esel": nur s; aus-gŋǫuslə "ausknobeln", nicht aus knoseln (so SH) sondern identisch mit knauseln (*gŋāū- > gŋǫu-, s. D 23.2.2.2) neben

---

[213] Diese Form auch in Be-Bürst Hütt. Grundlage ist *dīšəl (D 35.4.2); daraus *dai̯šl̥ und mit sekundärer Nasalierung (C 23.2.2.3) daĩšl̥ > dǫĩšl̥ (belegt um L: SH). Nach der Entnasalierung wurde in der Auseinandersetzung mit dem verbreiteten dǫiš "durch" gg. L dǫrš (vgl. C 48.6.3) < dǫri̯χ (C 48.1.1) ein dǫišl̥ durch dǫršl̥ ersetzt.

[214] Noch in der Wendung ə lǫŋi gāšl̥ "eine lange (meist weibl.) Person".

-*scheln II*; *grușl̦-bē̦* "Stachelbeere": *s* und *š* (SH *Grus(s)el II*, *-sch-*, *Grusselbeere*); *kișl̦* "Kiesel": allgemein *s*; *sușl̦ə* "leicht regnen", eig. "säuseln".

Über *ǫmș̌l̦* s.u.; *drūș̌l̦* "Drossel" (allgemein *š*) < ahd. *drôscala*; *māșl̦*, *rīșl̦* "Meißel, Rüssel" mit mhd. *ʒ* (*meiʒel, rüeʒel*).

Zum Nebeneinander *s/š* vgl. ferner noch z.B. SH *Trassel, Trossel - Truschel II; Dusel - -sch-; flanse(l)n - flanscheln; Träunschel, Trunschel; Fissel, Fusel; granscheln; Krusch - Kruschel I; kus(ch)eln II; nos(ch)eln, nuseln II - nuscheln* u.a.

Eine rein lautgesetzliche Deutung scheitert an der Unmöglichkeit, den Wechsel plausibel zu machen. Vielmehr ist von der Beobachtung auszugehen, daß *-el-* am häufigsten in Vbb. als expressives Suffix (intensiv, iterativ) vorkommt. Auf den expressiven Charakter solcher Vbb. weist außer ihrer Bedeutung und "spontaner" Nasalierung auch gelegentliches Hinüberwechseln von *-šəl-* zu *-dšəl-* hin (D 45), vgl. *futscheln, Knutschel, kutscheln II* (zu obigem *kus(ch)-*). Der breite Zsl. hatte also einen expressiven Wert angenommen und konnte daher auch für *s* eintreten. Von den expressiven Vbb. aus gelangte er dann auch zu gewissen Sbb. auf /-əl/ mit gleichfalls mehr oder weniger expressivem Wert (*gāș̌l̦*, *dǫrș̌l̦*[215]).

42.2.3. Während hinter *n* allgemein *s* steht (z.B. L *gǫns* "Gans", *uns*), ist die Entscheidung für primäres /*ms*/ aus Mangel an Beispielen nicht möglich: L *ǫmș̌l̦* "Amsel" (ahd. *amsala*): allgemein *š*; eventuell noch das (etymologisch unklare) *Gumschel I* (L Ø; alem. *s*!). *ǫmș̌l̦* könnte *š* haben wie die obigen Wörter, ggf. unterstützt durch *drūș̌l̦* (anders Schwarz aaO).

42.2.4. Manchmal kann *š* durch den vorhergehenden wie auch den nachfolgenden K verursacht sein, so vielleicht in *ǫmș̌l̦*; sodann in der häufigen Verbindung *-rst*, z.B. *ǫnəšd* "anders (+ *t*)", † *bē̦əšd* "Bürste; Be-Bürst" (heute *be̦šd* bzw. *be̦šdad*), *dǫšd* "Durst", *fe̦šd* "First; Fürst", *fe̦šd* "Ferse (+ *t*)".

42.3.1. Auch das Genitiv-*s* (soweit erhalten) war hinter /-*ər*/ in *š* übergegangen, doch ist dies auf analogischem Weg stark zurückgedrängt. Reste in L sind spärlich, z.B. *didə* "Ditter" (Familienname), Fem. *di didəšən*; aber z.B. *baẉəslaid* "Bauersleute", *s miləs* "Müllers"; *hǫldəs* = (SH) *halters* "nun einmal"; typisch für den heutigen Zustand ist *Bauersleute* mit *š*, ins öSt und n/wRhh abgedrängt (SH: Bauer §137,15f.).

42.3.2. In den Fugen alter, zumeist mehr oder weniger verdunkelter Zsstzg. ist *š* ebenfalls anzutreffen und dann allerdings noch allgemein üblich, so in Namen. Beispiele: *Felsberg* (Odw) = [*fe̦lšbe̦rg*] (SH) in benachbarten Orten (z.B. Da-Balkh Jug), aber sonst *fe̦lsə* "Felsen" (SH); historisch 1473 *Felsch-*; ON auf *-s+bach* (bes. Odw), z.B. *Be-Alb* (Bauer §137,18), *Er-Ann*

---

[215] Anders über *Geißel* Schwarz (1926, 32 A.1): *š* < ahd. *šš.

Ernsb, Di-*Brensb* (Freil. 268f.), immer [*-šbox*]; Be-*Mitt* = [*midəšáusə*]; FIN Wo-Dalsh *Ziegelsrain* = [*dsīəlšrə̄*], 1610 *Ziegelschran* (R 306). Appellativa: SH *Forschel* (Rhh: ʹVorsäuleʹ); *eislich*: im Odw *š*, ähnlich *freislich*; die Wochentage *Dienstag, Donnerstag*: L *dinšdǭg, dunəšdǭg* (gg. *sǫmsdǭg*, s.u.).

42.3.3. Auch in sonstigen engen Satzinlautverbindungen war *š* möglich: *š*-Reste in *vor-/hintersich* (SH: Odw), in *(ə)s* "es, das": SH *es* (Sp. 273) mit WK II,22; FIN Wo-Gundersh *hinter Schartenhaus* = hinter ʹs (= des) *Harten H.* (so 1727: R 254), *es* hatte aber mhd. *ʒ*, was nach D 42.6.3 hinter *r* zum gleichen Ergebnis führte, daher *heš* "Hirsch", mhd. *hirʒ* (hist. Belege C 37.1.5, ferner Fecher 1941, 89 A. 498ff.: ⟨sch⟩ aus dem 17.Jh.). Sonst aber ist *ʒ* vor K als *s* erhalten: *sǫmsdǭg, ōbsd* (gg. *agšd* "Axt")²¹⁶.

42.4.1. Der Wandel *s* > *š* vor K im Inl. erfaßt grob gesehen nur das Alem. (sowie sbair. Mdaa), dazu Teile des Rf. Die *fest/-fescht*-Linie verläuft etwa öBingen in SO-Richtung und zieht nördlich von L an der S-Grenze des ehemaligen DSter Gebietes entlang (Maurer 1930, 66f. mit Abb. 4 (S. 60); SH WK II,42; III,86; IV,46; Bauer §137,2-13, K. 41).

Nach Maurer (aaO) hat sie einmal weiter nördlich gelegen. Im 15.Jh. war Mainz noch im Übergangsgebiet. Rechtsrheinisch sind inl. *š* unter DSter Einfluß aus den nSt verschwunden. Doch blieben bedeutende Reste liegen: nöDSt in Of-Sprendl, westlich in GG-Bütt, Da-Griesh wird (wurde) jedes inl. *s* zu *š* (Born §260) als Ergebnis der Auseinandersetzung von z.B. "besserem" *fest* mit älterem *fescht* (Maurer). M.E. ist diese Erscheinung nach Ausweis gewisser ON vormals bis an die Mainlinie verbreitet gewesen: GG-*Bausch* (vgl. C 1.3.3.2), ⟨sch⟩ zuerst 1517: *Bwescheim*; Da-*Braunsh* s. C 34.3.3.3: ⟨sch⟩ seit 1517; Da-*Wasch*: 1. Hälfte des 15.Jh. *Wassen-, -chs-*, 1457 -ss-, 1560, 1669 -sch-; nur historisch *Wasserbiblos*, s. D 35.4.4, 1504/09 *Wagschen-*. Im 15.Jh. war *š* bis vor die Tore Frankfurts fest etabliert, etwa im Umfang wie in den heutigen Inseln. Erst seit dem ausgehenden 16.Jh. hat DSter Einfluß nach und nach den heutigen Zustand geschaffen.

42.4.2. Der Typ *fescht* genoß und genießt daher in der Nähe der *fest/fescht*-Linie nicht das Prestige wie im Alem. In der Oberschicht ist er verpönt. Deswegen sagt man z.B. eher *gaisd, brīsdə* "Geist, Priester", *šwę̄sdə* neben *-šd-* (vgl. C 17.2.4; D 39.2.3,2). Entsprechend in Lwtt: *əs wesd* "die Weste" (vgl. Bauer §137,8); *wesdə, osdə* "Westen, Osten" (gg. ON *wešd-, ošdhowə*), PN *hǫsd, júsdīnə* "Horst, Justine", s. ferner D 57.5.3. Der umgekehrte Fall, nämlich *šd* für *sd* ist seltener, z.B. L *(siš) gfašd (maxə)* "(sich) gefaßt (machen)", Ws *sǫmšdā*.

42.5.1. Historische Belege für *s* > *š* sind reichlich vorhanden. Zu den ON s.o.

---

²¹⁶ Die Wser Stadt-Mda hat diesen Unterschied in der Auseinandersetzung mit hochsprl. *sd* verwischt: *sǫmšdā, obšd*. In L ist das gleiche zuweilen bei Jüngeren zu hören: zu *šd* in *Obst* s. auch Bauer §137,3; Freil. §405, II 10.

s+K: CL 13 *Shlothrun* (ON *Schlüchtern*); Hoffmann 210: 1287 *Shmalz*; BII 369: 1362 *dez goltschmydn*, 632f.: 1392 mehrmals *lescht-* "letzt-" (mhd. *lest*); indirekt: 620: 1390 *nuschit* = *[naišd]*, vgl. D 17.1. ⟨s⟩ wird im allgemeinen noch lange beibehalten. Umgekehrte Schrr. sind häufig, z.B. Hoffmann 210: 1274 *Visserhusen*; BII 104: 1320 *gesriben, geschr-*, 119: 1321 *sreib*, 3.Sg. Prät., 366: 1361 *zussen* "zwischen" (so öfter neben *thussen* u.ä., z.B. 624: 1391[217]), 399: 1366 *Vismark, Viszergazzen* D., 449: 1374 *treskammer*, 632f.: 1392 *lescht-, neschte* "nächste"; auch noch später: *Weschnitz* mit *-ss-* 1463, 1493 (D 44); FlN Wo-Heßl *Entenwasch*: 1480 *-was*, 1499 *-waß* (R 106; 289); BIII 356: 1500 *an die fleisz scharren, mit fleisz benkhen* ("Fleisch").

r+s: Auch hier Beibehaltung von ⟨s⟩, konsequenter als vor K. Dennoch gibt es wenigstens aus dem 14. Jh. klare Zeugnisse; zunächst der Name *Lorsch*: *Lors(e)* u.ä. hielt sich bis Anfang 18. Jh. (Müller), aber seit Anfang des 14. (1324) setzen *Lorsch(e)* ein (vgl. auch Debus 1973, 36f.). Umgekehrte Schrr. häufig im FlN *Mersch* (R 207), z.B. Wo-WOpp 1286 *me(h)rs* und *mersch*[218].

Weitere Belege: FlN L *im Horst* [*uf m hōǫšd*]: 1590 *horsch*[219] (Fecher 1941, 100); Wo-Westh *Krämershalden*: 1374 *Cremerschalden* (R 183); der ON Wo-*Pfedd* [*perəšəm*]: PU 228f.: 1368 *Pedirnschem* u.ä. (*-n-* rein graphisch, s. D 5.2.2,2; 5.2.3).

Aus der durch die ständige Umsetzung besonders bei ungeschickten Schreibern entstehenden Unsicherheit erklären sich weitere Fehlleistungen: FlN Wo-Herrnsh *an dem Fuchslöchern*, 1490 *foschlochernn* (R 118), sonst ⟨s⟩; die Wser *Drechslergasse*: 1344 *-ss-* (D 35.4.3), aber 1350 *Drescheler* (Schwan 1936, 29); ON Wo-*Leis* [*laiṣ̌əm*], 1332 *Luschil-* (R 34). Besonders oft kommt ⟨sch⟩ in der Wortfuge von ON vor als Übertragung von solchen auf *-ersheim* > /-ərš-/, vgl. Wo-*Pfedd*, s.o.; Wo-*Herrnsh* [*hę̣nsəm*], 1499, 1578 *Hernscheim* (R 28); *Kriegsh* [*grīsəm*], 1315 *Krichscheim*, 1627 *Krischeim* (R 33); *Weinsh* [*wǫinsəm*], 1389 *Winscheim* (R 51); zu *Monsh* [*munsəm*] (12.Jh *Munnes-*): neben *monscheiner* 1385 noch 1771 *münscheimer*. Solche Schrr. hatten keinen Rückhalt in der Aussprache.

Die ältesten Zeugnisse für *s* > *š* stammen aus der 2. Hälfte des 12.Jh. Im allgemeinen blieb die Schr. wie auch sonst konventionell, vgl. z.B. BI 267: 1283 *steidte* = *[šd-]* wie *hůs-, han* = *[haus]*: C 21.3.4.2,3, *[hǫ̃]*: C 23.6.3.

42.5.2. Ähnlich sind die Verhältnisse bei /ʒ/. In den alten Lorscher Sprachquellen (außer Gl3) wird regelmäßig unterschieden zwischen ⟨s ss⟩ und ⟨z zz⟩ u.ä. (vgl. D 14.3.1). Auch im größeren

---

[217]Daneben öfter auch *schůschin* u.ä. (z.B. BII 92: 1312), wohl Assimilation.

[218] Unrichtig Km. (188) zum ON *Mörsch*: *k* sei zur Erleichterung der Aussprache geschwunden.

[219] Unterdrückung des *-t* in der Schr., weil die Schrspr. im allgemeinen nur ⟨-rsch⟩ oder ⟨-rst⟩ kennt.

nicht von Welz behandelten Teil des CL fand ich nur 1 *s*: 91 *Wormesveld* für 43 *Wormazfeld*. Ws: BI 207: 1263 *Vůezgrabe*; dann gleichfalls in der ersten deutschen Uk 267f. (Nr. 408): 1283 *besser, bessern* 2x, *dis* 3x, *es* 3x; Späteres Hoffmann 159. Auch im 14. Jh. gehen ⟨z⟩ und ⟨s⟩ öfter durcheinander. Jedenfalls ist der Zusammenfall von /ś/ und /ʒ/ nicht erst zu Anfang des 14.Jh. eingetreten, wie Moser (1951, 212) meinte[220].

42.6.1. Bereits oben (42.1) wurde angedeutet, daß die Gründe für die Vereinfachung des Zsl.-Systems im phonologischen Bereich gesucht werden müssen[221]. Von dorther wird man auch weitere Aufschlüsse über die zeitlichen Abläufe gewinnen.

42.6.2. Einzelheiten über das Verschwinden von /ś ż/ ergeben sich aus der Analyse der Distributionstabelle:

	Nr.	/š/	/ś ż/	/s/ (= ʒ)	/š ž/	/s z/
Anl.	1	ša-	ża- (śa) ———————→ ∅		ša-	za-(sa-)
	2	∅ ←——— śka-		∅	šKa-	∅
Inl.	3	ắšə ←---- { ắśə / ắżə } ———————→ ắsə			ắšə (ắžə)	{ ắsə / ắzə }
	4 a	amšə	amżə ——?——→ amsə		amšə/amžə	amsə
	b	anšə	anżə ———————→ ∅		anšə	anzə
	c	alšə	alżə ———————→ ∅		alšə	alzə
	d	aršə ←—— { arśə + arsə / arżə }			aršə / aržə	∅

---

[220] Die eingehende Untersuchung von Schulze 1967 macht gerade für unser Gebiet keine näheren Angaben.

[221] Wir folgen hier Gedanken, die bereits wiederholt in der Literatur geäußert worden sind. Schon Schwarz 1926 (28, vgl. auch 27) sucht die Gründe für die Vereinfachung wenigstens für den Anl. im System. Später ansatzweise auch bei Martinet 1955, 244f. und - etwas detaillierter - bei Fleischer 1966, 87ff.

	5	∅	⟵ aśKə	∅	aśKə	∅
Ausl.	6	ắś	ắś ——→	ắs	ắś	ắs
	7 a	amś	amś ——?——→	ams	amś	ams
	b	anś	anś ——→	∅	anś	ans
	c	alš	alś ——→	∅	alš	als
	d	arš	⟵ arś + ars		arš	∅
	8	∅	⟵ aśK	∅	aśK	∅

∅ = Leerstelle im System; Pfeile geben die Richtung der Vereinfachung vom Dreier- zum Zweiersystem an. Der gestrichelte Pfeil in Position 3 weist auf expressive Verschiebung hin.

42.6.3. Erläuterungen zu einzelnen Positionen:

Nr. 1: śa- hinter stl. KK, s. D 16.4.3.

Nr. 3: /aśə/ = [aśśə] bis ins 12. Jh., später [aśə], s. D 50.5. [š ž] waren in expressiven Wörtern entstanden, s. D 42.2.2.

Nr. 4/7: a) mś durch spätere Synkope nach D 37.3f. entstanden, ebenso ms (vgl. *Ims, Sams-tag, Worms,* aaO);

b/c) zu den Verbindungen *l n + s* (= 3) s. D 43.1;

d) */-rš/* = altes [-rśś-] wie z.B. in *Kirsche, Lorsch* < ahd. **kirśśa, *lôreśśa.* - Wie *l n + s* war auch *r+s* ungewöhnlich und durch eine häufigere Verbindung, hier *rś*, ersetzt worden (vgl. D 42.3.3) und dann in *rš* übergegangen (vgl. Schwarz 1926, 34).

Nr. 5/8: *aś+K(ə), as+K(ə)* kamen nur in der Flexion gewisser Vbb. vor: vor dem Dent. der 3.Sg., 2.Pl., im Prät. und Part. schwacher Vbb. (z.B. *er, ihr faßt, faßte, gefaßt*), Formen, die aber unter Systemzwang standen und infolgedessen für unsere Überlegungen belanglos sind.

Es fehlt der Typ *aKś(ə).* Aber außer dem Typ *āś(ə)* = mhd. *ahs(e),* dessen Gutt. nach und nach wiederhergestellt wurde (D 35.4.4ff.), fehlen entscheidende Beispiele. Nach Schwarz (1926, 30f.) sollte hier *š* stehen.

42.6.4. Aus der Distributionstabelle läßt sich klar folgende Gesetzmäßigkeit ablesen: 1. in allen Positionen, die von *š* besetzt waren, wichen *ś ż* in Richtung auf *s (3)* aus: 1, 3/6, 4bc/7bc. Nur in gewissen Wörtern unterblieb diese Verschiebung aus Gründen der Expressivität, s. D 42.2.2[222]. 2. Wo es keinen š-Typ gab, blieb s̪ zunächst (Schwarz 1926, 30) und ging dann nach und nach in š über: 2, 5/8. Eine Ausnahme bilden 4d/7d: Ein Ausweichen nach s hin wurde hier unter dem Einfluß des (alveolaren) r verhindert.

Unklar bleiben 4a/7a. Hier sollte Regel 1 gelten, was aber mangels Beispielen nicht nachzuweisen ist, vgl. aber *felsǝ* "Felsen" mit sekundärem ls.

Was die zeitlichen Ansätze angeht, so geht Regel 1 der Regel 2 mit Bestimmtheit voraus.

Im einzelnen ist mit folgender Entwicklung zu rechnen: Auslösender Faktor des Systemumbaus war der Verlust des allgemeinen Geminatencharakters von *[šš], der sich nach D 41.5 in mehreren Stufen vollzog:

1) Anl. und ausl. (bzw. inl. vorkonsonantisch, etwa in Vb.-Formen wie *wünschte*) wird *[šš] noch im 11.Jh. vereinfacht. Andererseits bezeugt CL *Wormes-* (D 42.5.2) den Zusammenfall von s̪ und s im Ausl. für die 2. Hälfte des 12. Jh. Daher wird in diesen Stellungen s̪ > s im frühen 12. Jh. liegen[223].

2) s̪ > š (vor K) ist gleichfalls im CL in Ansätzen nachweisbar (*Shlothrun*, D 42.5.1), ist also spätestens um 1150 eingetreten.

3) Nach Schwarz (1926, 37) wurde der Typ *aš̪š̪ǝ* am spätesten erfaßt. Dies ist verständlich, weil *aš̪š̪ǝ* (Halbfortis, D 34) erst in der 2. Hälfte des 12.Jh. zu *aš̪ǝ* wurde (D 50.5) und erst dann nach dem Übergang zur Lenis den Typ *aš̪ǝ* nach *asǝ* hin abdrängen konnte. Deswegen fehlen frühe ⟨ss⟩ für ʒʒ m.W. im CL völlig. Die erste Schr., 1283 *besser-*, aus Ws ist nur wegen des Fehlens deutschsprachiger Ukk recht spät. Genau so müßten sich die Positionen 4/7 verhalten haben (Geminaten hinter Liq., Nas., s. D 50.3.3), obwohl dafür keine Schrr. zu erwarten sind.

Affrikata aus einfachem Zischlaut

43.1. In den Positionen 4bc/7bc (D 43.6.2) fehlten ahd. Verbindungen aus l n + s (= ʒ), während l n + sk, wenn auch nicht häufig, primär vorhanden waren, z.B. *falsk, wunsken*; sekundär später auch infolge Synkope (C 37.1.2.3), z.B. in *ménnisco*.

---

[222] Nicht expressiv ist (L usw.) *līʒ* "Leuchse" für verbr. s, vgl. SH mit WK IV,28; Umdeutung nach (umgangsspr.) *līʒ* "Liege", vgl. C 20.4.6.2,1.

[223] Schulze 1967 kommt auf Grund ihres Materials für das Alem. auf die Zeit Ende des 12.Jh. (S.6), für das Wmd. (Rip.) Ende des 12., anfangs des 13.Jh. (S.9). Unsere Ansätze liegen noch früher.

Daher waren *l n* + *s* ungewöhnlich, als sie durch die Synkope entstanden und wurden durch die geläufigeren Verbindungen *l n* + *ts* (*Holz, pflanzen*) ersetzt (vgl. Paul §75): ahd. *binuʒ, muniʒʒa* > *[bins-, münssə]* > *[bends-, möndsə]* (schon CL 2 *Munzergazza* = 1976 *Munzer Gazze*). *l* + *s* z.B. in *alleʒ* > *[alds]*. Später wird dieses *ds* zu *d̦s*, s. D 54,3.

Es standen sich also zunächst gegenüber:

lš	*-lż-*	*-lŝ*	*ld̦s*
nš	*-nż-*	*-nŝ*	*nd̦s*

Dieser Zustand war noch im frühen 13.Jh. vorhanden, als vorkonsonantisches *n* vokalisiert wurde, man vergleiche SH *Binse*: *b̃eds* vereinzelt Er, aber *uns* > *õs*, s. D 3.3.1.

43.2. Ein weiterer Schub analogischer Affrizierung erfolgte bald nach *ŝ ż* > *s z*, also etwa anfangs 13.Jh. Die neuen *s z* verhielten sich hinter *l* wie die alten, also *ld̦s* z.B. in *Hals, Hülse*, Wo-*Alsh* wie noch heute: *hald̦s, hild̦s, āld̦səm*. Entsprechende Schrr. finden sich bei Weinhold (§205) schon aus dem 13.Jh., in Ws anfangs des 14.Jh.: BII 45: 1312 *alz*, 193: 1325 *Domehalzen* PN (fem.), später: LU 1441 *alzo*; Gef. 1632,10ff. *verpentionieret*, 23 *pentionen* und umgekehrt 10 *praetension*, 22 *competens* (2x); GRB 1686f. *gleichfalts, ebenfalts*.

Infolge der Auflösung von *n* vor Zsl. (D 3.3) entfiel hier zunächst die Bedingung für eine parallele Entwicklung. Die Oberschicht indessen, die *n* beibehielt oder bald wiederherstellte, sprach entsprechend *-nd̦z-*, *-d̦s*, was später auch von der Unterschicht übernommen wurde. Schrr.: BII 505: 1380 *enzit* "einerseits"; GRB 1686f. *nebents* (und *-ns*) "nebst", *Bentzheim*, 1727 *Bentzem*.

Der letzte Schritt ließ nicht lang auf sich warten. Da nun jedes *s z* hinter *l (n)* als Affrikata realisiert wurde, war diese Aussprache vorhersagbar geworden, d.h. es gab hinter *l (n)* keinen Unterschied mehr zwischen /s z/ und /d̦s/: In diesen Positionen sind nur /d̦s dz/ zugelassen als [d̦s dz]. Daher transkribieren wir [ls ns], z.B. [gọns] "Gans" und "ganz", [als] "als" und [alsə] "Alzey", [fils] "Filz" und "füll's", vgl. GRB 1718 *hols, holß*.

Nachdem so [d̦s dz] die einzigen Möglichkeiten der Realisierung von /s z/ hinter *l n* geworden waren, erfolgte noch im 13.Jh. die Übertragung auf die auch sonst parallelen /š ž/ (vgl. D 42.6.2; 46,3). Nach Moser (1951, §129,8gβ, vgl. auch 8iβ) ist ⟨ntsch⟩ "hessisch" schon in der 2. Hälfte des 14.Jh. belegt, vgl. BII 591: 1387 *mentschlich-*. Früher sind W Wo-Osth 1338 *mentsche*; Da-*Alsb* [ọlšbox], alt *Aldes-* (z.B. 1130, 1331) - 1347, 1357 *Alts-*, 1383 *Als-*. Um 1300, wahrscheinlich aber schon früher, ist diese Anpassung vollzogen.

Dies ist, abgesehen von der zunächst noch vorhandenen Stimmhaftigkeit, der heutige Zustand.

Erst in der Neuzeit konnte Übertragung auf die Sequenz *m*+*f* erfolgen, s. B 2.4.2,2.

Exkurs I: Der Name der *Weschnitz*

44. Der Name des Baches ist schon wiederholt Gegenstand von Deutungsversuchen gewesen. Einen gewissen Überblick für die ältere Zeit findet man bei Schmitt 1964, der allerdings z.B. die Arbeiten von Bach (1953a, §197) und Koob (1956) unerwähnt läßt.

Die heutige Aussprache (soweit nicht über die Schule vom Schriftbild beeinflußt) ist [*wešəds*] (Seibt §36), ebenso im ON Be-*LWesch* = [*laurə-wešəds*] (Bauer §74). Die Aussprache L [*wešnids*] (oder gar [*weš-*]) stammt aus dem Heimatkundeunterricht der Schule (zum *ę* s. C 17.2.3).

Hist. Schrr. beginnen mit dem CL: meist *Wisgoz* s. D 41.3; später: (Metz 307) vor 1200 *Wischotz* (nach Minst; woher?), (nach Müller, Koob, Schmitt:) 1340 *Wyschoz*, 1414 -*wisches* (für den ON), 1455 *Weschencz*, 1461 und 1463 *Weschitz*, 1463 auch *Wessecze*, 1465 *Weschentz*, 1493 *Wessentze*, 1509 *Weschenz*, 1562 *Weschnitz*.

Es fällt auf, daß wir es, nach der 2. Silbe zu urteilen, mit zwei Überlieferungssträngen zu tun haben. Es gibt Schrr., die auf altes -*s* (ahd. -*ʒ*) weisen und im *Wisgoz* (= -*gôʒ*) des CL ihren Ausgangspunkt haben. Sie sind verhältnismäßig selten (freilich auch wegen der lückenhaften Namensüberlieferung im 13 Jh. und der Zweideutigkeit von ⟨z⟩) und erlöschen anscheinend im 15.Jh., hatten aber wegen des -*wisches* im ON einen Rückhalt in der damaligen Aussprache, also etwa *[*wešəs*], wobei *e* durch Senkung (C 19.4,1a), *š* < *s+g* (D 41.2) und der V der 2. Silbe durch Abschwächung (C 34.3.2,1b) entstanden sind.

Der 2. Überlieferungsstrang, der später die Oberhand gewann, weist ausl. ⟨-z⟩ (u.ä.) auf sowie öfter auch einen Nas. und ist vor 1200, dann stärker seit dem 15.Jh. belegt.

Den zwei Überlieferungssträngen entsprechen auch die zwei Hauptdeutungsversuche: 1. ausgehend von *Wisgoz* als Zsstzg. von ahd. *wisa* "Wiese" und *gôʒ* zu *gießen* (Bach, Koob), die regelmäßig zu *wešəs* führen mußte; 2. ausgehend von den *n*- und *z*-Formen (nach Krahe) als Fortsetzer eines vorgerm. *Viscantia*[224] (so Schmitt, zur idg. Wurzel 3 *u̯eis*-, s. IEW 1134), das über ahd. *Wiskanzia, *Wiskenze über *Wischenze mit Senkung und Ausfall von *n* (nach C 4.3.2) zu *[*wešəds*] werden mußte.

Daneben existiert ein Kompromiß aus beiden Deutungen: Es handelt sich danach um einen vorgerm. Namen, der aber "germanisiert" worden ist (so Metzendorf 1983, ebenso Metz[endorf 1986]).

---

[224] Das wiederholt angesetzte *Visantia* (so Müller; vgl. Fecher 1941, 140f.) sollte möglichst rasch vergessen werden. Es hätte höchstens zu *wesəds* werden können! Die wenigen ⟨-ss-⟩ sind nach D 42.5.1 zu erklären.

Geht man von einem echt germ. *Wis+gôʒ* aus, dann ergeben sich zwei Schwierigkeiten: 1. woher stammen die z-Formen der gesprochenen Sprache (in der Schr. könnte sehr wohl das Vorbild anderer Gewässernamen wie *Gersprenz, Bach* aaO §240,2, gewirkt haben; so Koob)? 2. Eine alte Zsstzg. sollte bei kurzsilbigem Vorderglied eher **Wisa-gôʒ* mit erhaltenem Fugen-V lauten (s. Braune §62 A.1; Franck §54). Das bei Metz (nach Minst) zitierte einmalige *Wisogoz* (vor 1200, ohne Quellenangabe) ist viel zu spät, um dafür ins Feld geführt zu werden.

Man wird nach alledem der Kompromißdeutung zuneigen: Ein vorgerm. **Viscantia* wird ins Ahd. übernommen und volksetymologisch zu **Wisgôʒ* umgestaltet. Beide Formen leben zunächst nebeneinander weiter, wobei die letztere offenbar, gestützt durch die Mönche des Lorscher Klosters, die ja im Weschnitztal eine reiche kolonisatorische Tätigkeit entfalteten, längere Zeit Prestigeform war, die sich aber in der Unterschicht auf Dauer nicht durchsetzen konnte und deshalb etwa im 15.Jh. erlosch. Dies war umso leichter, als sich beide Namensformen auf rein lautlichem Weg im 12./13.Jh. stark angenähert hatten: **wešəs* und **wešəds*.

Die Einlautung eines vorgerm. Namens hat übrigens eine bemerkenswerte Parallele im Namen *Lorsch*: Das (trotz der Bemühungen von Debus 1973) nach wie vor ungedeutete vorgerm. *Laurissa*, im Munde von dort offenbar noch lange überlebenden Romanen *Lauressa* (D 1.4.5.5), wurde später, d.h. wohl von den Mönchen des Klosters, entsprechend der damaligen fränk. Namensmode zu *Laures-ham* (mit *-ham* = *-heim*) eingedeutscht (s. D 4.2.4.1), eine Form, die aber, weil unpopulär, genau so wenig überlebte, wie die Fortsetzer des alten *Wisgoz*. S. auch E 3.2.3.

Korrekturnotiz: Zum ganzen Fragenkomplex s. K.-H. Mottausch: "Das Kloster Lorsch und die deutsche Sprache". In: Geschichtsblätter Kreis Bergstraße 25 (1992), S. 193-197.

Exkurs II: Die Entstehung eines /dš/

45.1. Im phonologischen System der L Mda (s. B 2.3) erscheint eine Affrikata /dš/, die sich nicht lautgesetzlich auf eine einheitliche mrf. oder gar arf. Grundlage zurückführen läßt. Sie geht, soweit es sich überhaupt um klar etymologisierbare Wörter handelt, teils auf altes /ds/ = ahd. z, teils auf /š/ (< sk) und (selten) teils auf dent. Vsl. + /š/ zurück. Soweit solche Fälle in den Handbüchern zur Sprache kommen, gelang es bisher nicht, ein "Lautgesetz" dafür zu finden. Typisch hierfür sind die Bemühungen Virgil Mosers (1951, §147,3c), wenn er schreibt: "Wichtiger ist der Wandel eines s > š nach t ..., welcher ... nicht spontan und unter bisher ganz ungeklärten Bedingungen, erscheint". Er zitiert dann solche Fälle wie hochdeutsch *plätschern, quetschen, rutschen, tätscheln* u. dgl. Meiner Ansicht nach ist diesem Phänomen mit junggrammatischen Methoden überhaupt nicht beizukommen. Zwar ist im Rahmen dieser Arbeit eine ausführliche Untersuchung nicht möglich[225], doch sei hier einem Erklärungsversuch nachgegangen, der bereits wiederholt gemacht worden ist[226] und den auch das sehr umfangreiche Material, das im SH nunmehr zugänglich ist, nahelegt.

45.2. Ein solches /dš/ steht nämlich vor allem in Wörtern expressiven Charakters. Von daher erklärt es sich sehr leicht, daß gerade die Volkssprache sehr viele Beispiele enthält (vgl. die folgenden Listen). š ist ein breiter Zsl. und deswegen bestens geeignet, das Breite, Plumpe, aber auch das Klatschende, Glitschige zu malen[227]. Es sei (abgesehen von eben diesen *klatschen, glitschen*) an lautmalende Interjektionen wie *patsch, platsch, flatsch, klatsch, ratsch* u. dgl. erinnert. Sie sind alle erst nhd. oder spätahd., d.h. nach der Entstehung des š belegt[228]. Vorher mußte man sich anders behelfen. So belegt Lexer mhd. *blaz, pl-* "platschender Schlag", dazu das Vb. *blatzen, pl-*. Mit dem Aufkommen des š konnte man ältere Interjektionen umbilden oder solche neu schaffen. In der Volkssprache entstanden dazu wohl schon sehr früh Ableitungen wie *patschen, platschen* ... Aus ihnen und den daneben stehenden Interjektionen wurde ein expressiver Wert von /dš/ abstrahiert und nun dieses auch auf andere Wörter (meist Vbb.) mit entsprechend expressivem Charakter übertragen. So entstand das allgemein verbreitete *pidš* "Pfütze" für **pids* (mit *ds* < *tt*) etwa in Anlehnung an *patschen* (L *badšə*). Die große Zahl einschlägiger Fälle (s.u.) legt die Vermutung nahe, daß /dš/ zunächst an die Stelle von /ds/ trat. Teilweise steht die ältere Form noch daneben, so deutlich z.B. L *brodš* "Schmollmund" gg. Vb. *brodsə* "schmollen". Erst sekundär und in geringerer Zahl erfolgte die Ausdehnung des gleichen Vorgangs auf Wörter mit älterem š (Weise aaO), das wegen seines häufigen Vorkommens für expressive Zwecke weniger geeignet war (vgl. aber D 42.2.2). Auch die oben beschriebene ursprüngliche Bedeutung erfuhr eine Ausweitung, insofern als nun auch allgemein gefühlsbetonte Wörter /ds/ bzw. /š/ in /dš/ verwandeln konnten. Bei manchen Wörtern ist die Einordnung in eine der beiden großen semantischen Kategorien nicht ganz einfach.

45.3. Zur näheren Illustration folgt nun eine Liste von einschlägigen Fällen aus dem SH (hauptsächlich Bd.I-III), die keinen Anspruch auf Vollständigkeit erhebt.

1) *dš* zur Kennzeichnung von "breit, plump; glitschig":

---

[225] Diese müßte nicht nur das umfangreiche Material an Hand hist. Schrr. überprüfen, sondern auch die geografische Verbreitung dieser Erscheinung und eventuell ihren Ausgangspunkt klären.

[226] Weise 1908 (!); Levy 1961; Fleischer 1966, 91ff.

[227] S. die Wörter D 42.2.2 mit š für s!

[228] Im einzelnen s. Kluge, Duden-Etym. s.v. *Patsche, plätschern, klatschen*.

a) *ds* neben *dš*: Hierher zunächst die Streckform von *breit*: L *brīdsəbrād* neben (anderswo) *britsche-*, *Ätz* - *Ätsch*, *platzen* - *platschen* (? Bedeutungsunterschied), *plotzen* - *plotschen*, *plutzeln* - *plutschen*, *Pratze* - *Pratsche*, *pratzeln* - *pratscheln*, *Butz Botz* - *Botsch II*, *Tatze* - *Datsche (-ō-)*, *dotzen* - *dotschen I*, *flitzen* - *flitschen*, dazu *flutschen* (**flutzen*, nur noch in Ableitungen, s. *Flutzer*), *Knātz II* - *Knātsch*, *knōzen* - *knōtschen*, *lotzen II* - *lotschen*.

b) *š* neben *dš*: *baljā(t)schen* (franz. *parlage!*), *Pusch I* - *Putsch (-o-)*, *Da(t)sch*, *trie(t)schen*, *Tru(t)schel I*, *II*, *flāschen* - *flatschen*, *knausche(l)n knautschen*, dasselbe auch mit *-ū-*, *kuscheln II* - *-tsch- III*, *la(t)schen*, *lawa(t)schen*, *Lu(t)sch*, ferner *wi(t)schen*.

c) nur (noch) *dš*: *Pätsche, patschen*, [*pidš*] (s.o.), *plätsch-*, *Pritsche I-V*, *Brutsch* (auch mit *ie*, *o*)[229], *Butsch II*, *tatschen (tätscheln)*, daneben mit "Ablaut" *ditsche(l)n*, *Tral(l)ewatsche* (und Vb. *-en* mit verschiedenen Spielformen), *trätschen*, *fletschen* (mhd. *vletzen!*), *glitschen*, *klatschen*, *krawātschen*, *Knotsche* (L *gņoudš*) "plumpe Hand", *Lätsche* (L *ladš* "Pfütze"), *lātschen*, *lätscheln*, *Matsch*, *Quatsch* (? Etymologie unsicher, vgl. Kluge; Duden-Etym.), *quetschen (-t+š-)*, *rūtschen (< -tz-)*.

2) *dš* allgemein gefühlsbetont:

a) *ds* neben *dš*: *trizen* - *trūtschen*, *fätzen I* - *fätschen* und mit "Ablaut" *fitzen* - *fitsche(l)n* (daneben auch ein *futsche(l)n*, jedoch ohne *tz*-Nebenform, das gleichzeitig zu *fuscheln I* gehört, s.u.), *verhutzeln* (wenigstens in der Bedeutung 2) - *verhutsche(l)n*, *verkitzeln* - *verkitschen II*, *vermōzen* - *vermotschen*, *verzwatzeln*, *- ern*, - *verzwatscheln*, *-ern*, *Gitze* - *Gitschel II*, *Lotze* - *Lotsche*.

b) *š* neben *dš*: *bütscheln II* - *büscheln (-i-)*, *pra(t)schen*, *tuscheln* - *dutscheln*, *tuschen* - *dutschen*, *verpä(t)scheln*, *fusche(l)n I* - *futsche(l)n*, *gau(n)(t)schen*, *Lawu(t)sch*.

c) nur (noch) *dš*: *gutschen*, *Gitschel I*, *krätschen*.

45.4. Mit dem Aufkommen des expressiven /*dš*/ erfuhr das phonologische System zwar eine Bereicherung, doch ist keine volle Symmetrie entstanden, insofern als /*dš*/ im Gegensatz zu /*ds*/ anl. nicht vorkommt (über Lwtt s. D 57.5.5). Der Vorgang der Phonemisierung von [*dš*] hat seinen Ursprung in der Entstehung von semantisch differenzierten Minimalpaaren vom Typ (L) *bladš* "platschender Guß (Wasser z.B.)" - *blads* "Platz" (vgl. Fleischer 1966, 89-92, bes. 92).

45.5. Für den Zeitpunkt der Entstehung von /*dš*/ habe ich keine eigenen Materialsammlungen angelegt. Doch ist frühestens an das 13. Jh. zu denken, weil vorher wegen des Umbaus des Zsl.-Systems die Voraussetzungen noch nicht gegeben waren. Nach Moser (1951, §47,3c) treten solche Formen erst stärker im 14. Jh. auf. Auf Grund meiner Kenntnis kann ich nicht die Frage

---

[229] Gehört zu dem semantisch davon heute getrennten *protzen* (L *brodš* - *brodsə*).

beantworten, ob heute noch ähnliche Neubildungen möglich sind. Es ist im Einzelfall immer schwierig, den Nachweis zu erbringen, daß eine Wortform früher nicht üblich war. Gerade expressive Wörter und Wortformen haben keine "Geschichte", d.h. sie gehören mehr der gesprochenen als der geschriebenen Sprache an.

cc) Verlust der Stimmhaftigkeit von /z/, /ž/ und /v/.

46.1. Der D 42 dargestellte Umbau des Zsl.-Systems hatte zwar durch die Aufgabe von /š ž/ eine Vereinfachung gebracht, dafür gab es aber immer noch Asymmetrien durch das Vorhandensein von /z/ und das neu entstandene /ž/. Besonders letzteres war funktionell unterbesetzt: Neben expressivem $\breve{a}\breve{z}\partial$ kam es nur noch in den Positionen 4ad vor. Andererseits war der Gegensatz /s/ - /z/ nur intervokalisch (Position 3) ausgenützt. Wegen expressivem $\breve{a}\breve{z}\partial$ hätte die Möglichkeit einer Ausweitung von /ž/ zur Kennzeichnung expressiver Wörter bestanden. Doch setzte sich stattdessen rasch das deutlichere /dš/ durch (D 45).

Eine weitere Schwäche dieses Systems bestand in der allgemein schwachen Artikulation der Zsll. nach der K-Schwächung. Sowohl /s š/ als auch /z ž/ waren besonders intersonantisch Lenes, so daß der phonetische Unterschied zwischen stl. und sth. nicht sehr ausgeprägt gewesen sein kann.

Dies alles muß bald zur Aufgabe des seltenen /ž/ zugunsten von /š/ geführt haben, ohne daß die Gefahr einer Homonymie bestand.

46.2. Dies hatte seine Rückwirkung auf /s/ - /z/. Denn angestrebt wurde offenbar ein möglichst symmetrisches binäres Zsl.-System. Die Beseitigung von /ž/ zog daher die Aufgabe von /z/ nach sich, zuerst in den Positionen 1/4bc, wo die Opposition /s/ - /z/ neutralisiert war; zuletzt schloß sich /$\breve{a}$zə/ an.

46.3. Das neue System erwies sich dann tatsächlich bis heute als stabil:

ša-	šKa-		$\breve{a}$šə	amšə	anšə	alšə	aršə ašKə
sa-	∅		$\breve{a}$sə	amsə	ansə	alsə	∅ ∅,

dazu nach und nach auch aKšə (z.B. Typ *tappschen*, SH) - aKsə (z.B. Typ *tappsen*, SH; wǫsə "wachsen").

46.4. Das Verschwinden von anl. /z-/ hatte als unmittelbare Auswirkung auch die Beseitigung von [v-] zur Folge[230], da ihm schon seit Jahrhunderten im Inl. nur stl. Allophone entsprachen (D 39.3,1). Es hatte sich offenbar nur wegen des Vorhandensein eines /za-/ halten können. Zsll. und

---

[230] Kein Zusammenhang besteht mit der Entstehung eines /w-/, wie Lessiak (1933, 56f.) meint: /w-/ und [v-] koexistierten jahrhundertelang (vgl. D 39.9) !

Rbll. wurden im Wortanl. sth. gesprochen (Grenzsignale!). Nach dem Aufkommen eines /ša-/ war das Prinzip durchlöchert.

46.5. Zeitlich ist die Aufgabe von /z ž/ nur indirekt zu bestimmen. Graphischen Ausdruck hatten sie ja nie gefunden. Nach D 42.6.4 war /ž/ etwa seit der 2. Hälfte des 12.Jh. vorhanden; nach D 16.2.2 verschwinden die Hinweise auf [v-] im Lauf des 15. Jh. Die Aufgabe von /ž/ und nachfolgend von /z/ könnte also etwa im 14. Jh. liegen.

dd) Die Gutturale

Die stimmlosen: /h/ und /x/

47.1. Gemäß D 18.6.1; D 35.1 ergibt sich für die Zeit um 900 folgende Distribution:

$$ha- \left\{ \begin{array}{cccc} \ddot{a}ha & aLha & aKha & \ddot{a}hṡ(a) \\ \breve{a}xa & aIxa & \emptyset & (\ddot{a}xta) \end{array} \right\} \quad a(L)x(+K)$$

Erläuterung:

1) Geminaten sind nicht berücksichtigt, s. D 18.6.

2) Die beiden Phoneme /h/ und /x/ bildeten ursprünglich ein eng verzahntes Teilsystem mit Neutralisierung im Anl. und vorkonsonantisch bzw. ausl. (vgl. auch Moulton 1954, 37).

3) aKha kam nur in Zsstzg. vor, s. D 35.6.

4) Über ǟhṡ(a) s. D 35.4; ǟht(a) fehlt, s. D 16.5.4, dafür dringt aber ǟxt(a) ein.

5) aLxa ist selten, s. D 14.2.2; 35.5.1.1 (welch-).

47.2. Ein bedeutender Einschnitt war der Schwund aller inl. h (D 35.7). Dadurch war /h/ mit /x/ komplementär distribuiert: (ca 1200) ha- - ǟxa - ǟxta - a(L)x(+K). Aber dennoch konnten beide wegen zu starker phonetischer Unterschiede kein gemeinsames Phonem bilden, außerdem war die Parallele h - x mit v - f durch den h-Schwund und den Übergang des inl. -v- in /w/ gestört. Somit war /h/ im System in die Isolierung gedrängt und konnte in gewissen späteren Entlehnungen in Opposition zu /ch-/ treten (vgl. D 27.1: χē; 57.5.4).

/x/ erhielt sich sonst im wesentlichen in seinem Bestand (als [x] und [χ] > [š], s. D 49.5).

47.3. Gewisse Veränderungen ergaben sich in folgenden Positionen:

1) Trat /x/ sekundär vor einen Ton-V, so mußte es in älterer Zeit ersetzt werden: kǭn- "kein-", mhd. dëhein u.ä. ⟨K⟩ nach Weinhold (§492) seit Ende des 12.Jh. Da ë sich in der ersten Silbe neben in der Unbetontheit entstandenen ⟨o i⟩ gehalten hat (Braune §§29 A.3; 154 A.7), muß mit

ursprünglich zweifacher Betonung gerechnet werden: ahd. *doh(h)éin *déhhein je nach Stellung im Satz (vgl. B 3.1.7.4.2a), wobei im Vorton *hh* > *h*. Später wurden beide Formen vermengt, die Anfangsbetonung kam früh außer Gebrauch, und in der Kompromißform *dechein* trat *k* an die Stelle von *chx*, während *dehéin* noch eine Zeitlang als *dhein*- in Wser Ukk des 14.Jh. fortlebt.

Abweichend ist /x/ behandelt in den Lwtt *Achat*, *August*, s. D 27.4.2: Ersatz durch *h*-, weil /k/ nicht in Frage kam.

Nur das Allophon [χ-] konnte sich aber wenigstens zeitweise im Anl. einiger Lwtt durchsetzen, s.o.

2) Anders ist allgemein /g/ in *Ferkel* (L *fęrgl̩*) zu beurteilen: mhd. *värhel*, dafür *värchel* (nach *varch*) und -*rk*- (Paul §99); entsprechend in FlN aus Wo *Lerkel*- neben *Lerche* (R 196f. mit anderer Deutung). Bedingung war offenbar auch das folgende /-əl/, doch vgl. auch E 3.2.6.

3) Grundsätzlich bleibt /x/ auch im Ausl., unabhängig davon, ob es intervokalischem /h/ oder /x/ entsprach: *dax* "Dach", Pl. *dęšə*, Dim. *dęx'l̩*, *lox* "Loch" - *lešə* - *lex'l̩*; *iš*, *diš* "ich, dich", *miliš* "Milch"; germ. *h*: *dox* "doch", *dǫrš* "durch" (LB *thuruh*), *fǫrš(d)* "Furche", *hǫux* "hoch", *nox* "noch".

Erhalten wurde ursprünglich auch einst mit inl. /h/ alternierendes /x/, vgl. BII 102: 1319 *geschach*, 154: 1327 *sach* "sah", *lech* "lieh", 575: 1386 *wichwaszer*, 619: 1390 *befalch*; PU 393: 1597 *bevelch*; letzteres noch in Lorscher Ukk des 17./18.Jh., z.B. Gef. 1632, 1ff. *befelch*; GRB 1717 *befälich*, 1728 *befelch*.

Trat in alter Zeit /h/ infolge frühen ə-Schwundes in den Ausl. oder vor K, mußte es systemgerecht durch /x/ ersetzt werden. So z.B. im Vb. *sehen*: *sihe(s)t* nach C 38.1.3 > *sich(s)t*, L *(du, ę)* † *sisd* (< *siχ+(š)d*), verbreitet, s. z.B. Bauer §§39.9; 153,5; Bert. §207,10; Freil. §412,3; ebenso einst bei *geschehen*, SH (L *gšęiə* - *gšíd*); vgl. hist. Schrr. wie PU 286: 1479 *geschicht*; Tischz I,64 *man ... sicht*; 95 *es geschicht*.

Auffallend ist, daß *Vieh*, mhd. *vihe*, Doppelformen besitzt: L *fē* und *fīš*, letzteres verächtlich; verbreitet so: SH. Lautgesetzlich sollte nur *fē* sein. Doch ist *Viech* schon uralt, vgl. FlN Wo-Westh 1438 *fiche*- (1428 *Viehe*-; R 286); das Lorscher Flurbuch ca 1655 hat mehrfach *Vich*-; StAL Ratsprotokolle 1675 *Viechhirtten*; vgl. auch Tischz II,72 *vichisch*. *Viech* ist offenbar die "bessere" Form der Händler mit längerer Erhaltung bzw. Wiederherstellung des Rbl. (und ohne Senkung!), die aber im Lauf der Zeit einen "Abstieg" hinnehmen mußte. (Das eigene Vieh (*fē*) bezeichnete der Bauer liebevoller, während das der Händler nicht immer das hielt, was es versprach.)

47.4. Durch den *h*-Schwund wurde das bisherige System der Alternanzen entscheidend geschwächt, weil nunmehr vorkonsonantisches bzw. ausl. /x/ unmotiviert war. Dies führte zu Störungen.

Nachdem z.B. ahd. *lihan - liht* über *lihen - licht* zu *lien - licht* geworden war, schloß sich **snien* < *sniwan* "scheien" (*u̯* > *Ø*, D 39.2.4) an: **snicht* wie *licht*, daraus L *šnaišd*; verbr., s. z.B. Bauer §§154; 177.5; Bert. §106 A.; Freil. §§236; 412,1; vgl. Waibel §60C. Als zum Ersatz des starken Part. **gesnien* (vgl. Paul §158 A.2) ein **gesnicht* (L *gšnaišd*) gebildet worden war, wurde der Stamm **snich-* auf den Inf. übertragen, daher *šnaišə*[231].

Verallgemeinerug von *-x* liegt auch vor in *houx* "hoch" (*hẹišə, hẹigšd*), verbr., SH (gg. *hẹi* "Höhe"). Für Wo ist das Eindringen von *x* in die flektierten Formen etwa um 1500 anzusetzen, vgl. R 154f.: 1399 FIN Wo-Westh *uf hoenreyne*, 1490 Abh ... *hoen rich*, aber Gundersh 1501 *im hoche Riche*, 1518 ... *hochen Rych*; Herrnsh 1309 *hoenbaume* - 1506/7 ... *hachenbaumb*, 1508/84 ... *Hogenbaum* u.a. Für L habe ich keine Belege, doch ist hier sicher wie so oft mit Verzögerung zu rechnen. Wahrscheinlich drang *-x-* vom Rhein her nach W und O hin vor, ohne das wRhh ganz zu erobern.

Meistens wurde aber ursprünglich mit *-h-* alternierendes *-x-* aufgegeben, vgl. L (modern) *sī(š)d*, 2.Pl *sẹd*; *gsīd* (s.o.); *šẹl*: D 35.5.2; *waiwasə*; *rau* "rauh", mhd. *rûch, rûh-* (vgl. *raux*-Reste bei Bertram §221; Heeger §44; Derwein 1940, Nr. 717: modern FIN *Rauchwiesen*); *rẹi* "Reh": *rêch, rêh-* (Jagd war nie eine Sache der kleinen Leute, vgl. D 27.2).

47.5. Vereinzelt steht *-g* für /-x/[232]. Am verbreitetsten in *Floh, Schuh*, mhd. *vlôch, schuoch*, flektiert *-h-*. L: *flọug*, Pl. *flẹi, šug - šū*; *flọugə* "verprügeln" ist junge Ableitung (s. SH *flohen*), ebenso z.B. *šugəbenḷ* "Schnürsenkel" ('Schuhbändel') neben *šū-maxə*. Ausl. K war einst fast allgemein, s. SH (*Floh*): meist *g, x* nur ö/sSt, vgl. Bauer §153,2; † *flọux*, † *šux* Hp, Seibt §185. Das bei Bauer aus L zitierte *flọux* kenne ich nicht, kann aber vereinzelt noch vorkommen; doch s. z.B. StAL Ratsprotokolle 1674 *schuch* (Pl.!), aber 1675 *schueg* (Pl.); Sg. öfter *schuch*, z.B. GRB 1705, 1715; vgl. W Be-Bobst 1588, 82 3x *schuch*, Sg. Daraus ist zu entnehmen, daß die heutigen Pl. *flẹi, šū* nicht unmittelbar auf *flœhe, schuohe* zurückgehen, obwohl verbreitet (Bauer). Nach dem SH (*Holzschuh*) gilt (galt) in St auch im Pl. *-g*. Wechsel Sg. *-g*/Pl. *-Ø* ist hingegen dort gebräuchlich, wo durch frühen Schwund von intervokalischem *g* ein Wechsel *dāg* - Pl. *dā* entstanden war[233]. Die seltene Alternanz *-x/-Ø* wurde durch die häufigere *-g/-Ø* aufgesogen (verbreitet im Md., vgl. Lessiak 1933, 137f.). Erst später drang *-g* auch in Gebiete mit erhaltenem **-gə* > *-g* ein. Nach *dōg - dẹg* müßte es auch *flọug - *flẹig* heißen. Die heutigen Pl. *flẹi, šū* sind somit keine Archaismen sondern nachträgliche Rückbildungen, die beim öfter gebrauchten Pl. einsetzten. Die alten *g*-Schrr. besagen nicht viel über die tatsächliche

---

[231] Ein Ansatz mhd. **snîgen* ist unnötig, so z.B. Freil. aaO. Obige Erklärung im Ansatz schon bei Sexauer §117 A.2.

[232] Nicht hierher *iš dsīg* usw., s. D 28.2.1,IIa.

[233] Vgl. SH: dazu z.B. Held §§184; 190; Bertram §221.

Aussprache: sie können nach D 27.5.1 als umgekehrte Schrr. erklärt werden. -g wird sicher in L erst seit dem 19.Jh. allgemeiner üblich geworden sein, eingedrungen wohl von N her wie soviele andere Erscheinungen. Dabei hat in L sicher auch das Vorbild von *dǭx - dǭg* (D 27) eine Rolle gespielt.

Anderes ist nicht so verbreitet. Zu erwähnen ist wRhh (Teile der Pfalz, vgl. Haster 1908, 62) *hōg* "hoch", s. SH mit WK III,44: im Gebiet mit erhaltener Alternanz *-x/-∅* (gegenüber sonstigem allgemeinem *hōch-*, s.o.; vgl. auch Christmann §105,4 *hōg*, §102,2 *heoᵣ*).

Über weitere Wörter mit *-g* für *-x* s. D 27.6.

47.6. In Teilen Rhhs ist ausl. */x/* hinter *r* gefallen, noch vor der Dg. von V vor *-r*, aber nach der Aufgabe der alten Sproß-VV, also etwa Mitte des 11.Jh. Alle Wörter zeigen nämlich LV: rhh *Fōr* "Furche", s. SH mit WK II,62 (mhd. *vurch*. Pl. *vürhe*); hist.: BI 303: 1293 *durch bette und dur libe*; Az-Schornsh Udh wiederholt *gefor*, s. Walldorf 1936, 24: 1460; 74: 1403; 91: 1497; W Wo-Ibh 1486 *gefevre* (Verschreibung?). Das Moselfränk. kennt Formen ohne *-ch* (RWB *Furche*). - Auch mhd. *twĕrch* (*twĕrh-*) zeigt entsprechende Formen[234]. Hoffmann 209 belegt aus Ws neben 1299 u.ö. *Twerch-gazzen* auch 1293 *Twergazzen*. Die Erscheinung ist offensichtlich früh wieder rückgängig gemacht worden, s. z.B. R 307f: nur *-rch*-Belege; FIN Az-Udh *Zwerchgraben* = [*dswẹ̄riχ-*] (Walldorf 1936, 121); ebenso Held §36. Unter diesen Bedingungen war ein Übergreifen auf St ausgeschlossen. Im übrigen bedürfte diese Frage noch eingehender Untersuchungen.

Altes und neues /j/

48.1. Vom Ahd. her war */j/* in folgender Distribution vorhanden: 1.Anl. vor V (*ja-*), 2. inl. zwischen VV, besonders hinter mhd. *æ (mæjen)*, *üe (blüejen)*, *ei (eijer*, s. D 28.2.4); hinter KV war es selten, z.B. LB *bigiht*, s. D 23.2.2,12; 3. hinter K in ahd. *-rj- (nĕrjen)* und in jüngeren Entlehnungen. In mhd. Zeit erhöhte sich die Zahl der inl. */j/* beträchtlich infolge der Spirantisierung von *g* (D 28.2). Dieses neue *j* teilte im SHess. allenthalben das Schicksal des alten, so daß beide zusammen behandelt werden können.

Neben der grundsätzlich bis heute erhaltenen halbvokalischen Aussprache des alten *j* muß sich früh ein spirantisches Allophon [j] gebildet haben, s. Braune §§115ff. (Schr. ⟨g⟩) Für das Rf. ist sie für folgende Stellungen zu erschließen: 1. anl. vor *i* (s.u.), 2. inl. hinter *ei*, s. D 28.2.3; 3. hinter *r*: D 48.3.2.

Anl. *j*:

---

[234] Aber verbreitetes *quer*, allgemein ohne *-ch*, ist wohl schrsprl. Ursprungs, s. D 38.2.2.

48.2.1. Über *ja* > *ĩa* s. B 3.2.5. Schon seit ahd. Zeit kann *j-* in *jen-* fehlen (Braune §116 A.4). Solche Formen setzen sich fort in L *hen-* (swRied, SH *jener*), veraltend zugunsten von *sẹl-*. Das *h-* stammt von *hin, hier, h-oben, h-unten* usw. Hist. Belege mit und ohne *h-*: PU 228f.: 1368 *hensite Rynes, hin-*; GRB 1716 *der innigen geng* "derjenigen".

48.2.2. Die Verbindung *ji-* hat eine doppelte Entwicklung genommen. Sie kam vor 1. in alteinheimischen Wörtern und 2. in alten Entlehnungen aus dem Romanischen für g *(ž)* (D 57.5.4). Zur ersten Gruppe gehören *Gicht*, L *gīsdə* (Pl.) "heftige Angst", verbreitet, nSt *ji-*Reste (SH); Formen der Vbb. mhd. *jëhen*, vgl. LB *gihu*; BI 267: 1283 *vir gehen wir* (mehrfach), aber 302: 1293 u.ö. *(wir) veriehen*; HpU 1327 *Wyr ... verghehen*; mhd. *jësen, jëten* "gären, jäten"; 2.3.Sg. *gise(s)t, gite(s)t*, heute L *gẹ̄ən (gẹ̄ə̯d, gəgō̜ən), jẹ̄rə (jẹ̄d, gəjẹ̄rə)*. *ji-* ist über *ji-* zu *gi-* geworden, dann erfolgte nach und nach Ausgleich: hist. *verg(h)ehen*; *gẹ̄ən* nach der häufigen 3.Sg. *gẹ̄ə̯d* (allgemein, SH)[235]; *jẹ̄rə* hat *j-* durchgesetzt, aber in Rhh, nwSt oft auch *g-* (SH; WK III,68; Nähe der ehemaligen *g-/j-*-Grenze, s. D 15.1 A.60).

Nach dem Zeugnis von *Gicht* (s.o.) ist *ji-* zu *gi-* geworden, vgl. auch SH *Gegicht*: im nSt viele *j-*Reste. Man hat den Eindruck, daß *j-*Relikte einst den ganzen DSter Raum ausgefüllt haben. Mithin ist *gi-* von S nach N gewandert und hat ursprünglich an der S-Grenze des DSter Gebietes haltgemacht. Da diese Grenze ab ca 1600 wirksam wurde, kann *gi-* erst spät, also erst nach 1600, in die Volkssprache eingedrungen sein. Dieser Zeitpunkt ist auffallend spät, aber die geografischen Verhältnisse lassen m.E. keine andere Deutung zu. Uralte ⟨gi-⟩ dürfen nicht über die wahre Aussprache hinwegtäuschen, denn ⟨g⟩ war ahd. und mhd. eine häufig gewählte Möglichkeit, ungewöhnliche Graphien wie ⟨ii-⟩ für /ji-/ zu vermeiden (Braune §116 A 1; Franck §72; Paul §79), vgl. LB *gihu*. Wegen solcher ⟨g-⟩ sind aus Ukk-Schrr. keine Schlüsse auf *j-* > *g-* zu ziehen.

Daß dieser Wandel erst spät in unser Gebiet eingedrungen ist, ergibt sich auch aus den Wörtern der zweiten Gruppe. Hier kommt zunächst das Wort *Gips* in Frage, wofür weithin im Obd. *Jips* (zum *J-* s. D 57.5.5). Zwar hat L mit dem gesamten Rhh und dem Ried heute *gibs*, doch war *ibs* wenigstens im sSt einst die Normalform (SH *Gips*). Es geht auf *jibs* zurück (Seibt §171 A.1) und zeigt, wie sich *ji-* bei ungestörter Entwicklung verhalten hätte. *ji-* > *gi-* dürfte bei uns also auf Übernahme südlicher Sprachgewohnheiten beruhen. Heutiges *g-* entstammt der Oberschicht. Es setzte sich zunächst in der Ebene durch und drang dann allmählich nach O in den Odw vor. Entlang der Bergstraße, in einem schmalen Streifen zwischen Hp und Da-Seeh im N gibt es Zeugen dieses Rückzugsgefechtes: Da *(j)ibs* und *gibs* miteinander rangen, wurde auch zu den

---

[235] Auch der V entstammt ihr: *ē* < *ī*, das z.B. in Rhh verbreitet erhalten bzw. wiederhergestellt ist, s. C 19.1.2.

gleich gebauten (L) *gihĺ* "Gipfel"[236] ein **(j)ibəĺ* gebildet, und danach entstand einerseits das Vb. *ibəĺa*, andererseits verlor im Anschluß das bedeutungsverwandte (L) *giwĺ* "Giebel" sein g-: *iwəĺ* mit dem Vb. *iwəĺa*. Es ist nicht mehr feststellbar, seit wann diese merkwürdigen g-losen Formen vorhanden sind, ob auf der Stufe *ib-* oder **jib-* entstanden, sicher aber zu einem Zeitpunkt, als solche Adoptivformen noch leichter möglich waren als heute. Jedenfalle dürften diese Ausführungen zeigen, daß *ji-* > *i-* wohl im größten Teil von SHess. (mit L) die bodenständige Entwicklung war und *gi-* "importiert" ist.

48.2.3. *j-* ist zu *g-* geworden auch in *ghǫns- (drauwə, -mǭrig)* "Johannis(beeren, -markt)", *gh-* < *gəh-* (C 40.1.1,2), vgl. SH. Hier wurde das ungewöhnliche *jə-* durch geläufigeres *gə-* ersetzt (vgl. SH *Hieronymus*: Er-Höchst *gr-*).

Nicht *j-* < *g-* sondern Erhaltung des alten Zustandes liegt vor in *gē* "jäh" (SH *gäh*, *Gäh(e)*, *Gäh-*). L nur noch *gē-huŋə* "Heißhunger", mhd. *gæhe*.

48.3.1. Das Wichtigste über die Geschichte von altem und neuem intervokalischem *j* mußte bereits C 25.4.1f.; 25.5.2ff. vorweggenommen werden.

1) Rhh: Grundsätzlich Schwund vom *j*; zeit- und gebietsweise Beibehaltung bzw. Wiederherstellung als Hiattilger vor *-ə*. Der Schwund liegt früh. Dies ergibt sich aus dem Aufkommen "ostfränk." Schrr. wie BII 531: 1382 *mewen*; BIII 640: 1300 *sewen* "säen"; PU 251: 1412 *gesewet*, die ohne Rückhalt in der gesprochenen Mda waren, vgl. W Wo-Eich 1476, 628 *mehen* sowie die ⟨w⟩ im Ster *j*-Gebiet, s.u. Nr. 3.

Um 1200 war *j* wohl noch vorhanden (vgl. D 28.6), hinter mhd. *ei oü* als [*j*]. Der Wegfall liegt also zwischen ca 1200 und 1382 *mewen*. Dies legt die Annahme eines Zusammenhangs zwischen *ə-* und *j*-Schwund nahe: mhd. *sæjen* hatte ursprünglich im Präs. durchgehend *-j-*, nur im Prät. und Part. hingegen fehlte es (*sâte, gesât, -æ-*). Durch den *ə*-Schwund ergaben sich strukturell unmögliche Formen des Typs *ich *sæj, du *sæjst* usw., d.h. *j* mußte ausfallen (**sæ, *sæst*) außer in der 1.3. (rhh. auch 2.) Pl. Es gab nun zwei Möglichkeiten: Verallgemeinerung des neuen Stammes *sæ-*, also *j*-Schwund - die "fortschrittlichere" Lösung - , oder die Umdeutung von *j* zum Hiattilger, die "konservativere" Lösung. Beide sind in Rhh vertreten.

Von daher ergibt sich als mutmaßlicher Zeitpunkt von Schwund bzw. Umdeutung des *j* das ausgehende 13. bzw. beginnende 14.Jh.

2) nSt, ursprüngliches Gebiet von System I der *g*-Entwicklung (D 28.7.2): einst völliger Wegfall auch vor *-ə*, eventuelle Reste sind durch die Hiat-Dig. überdeckt, aber kaum anzunehmen, weil die allgemein starke Kontraktionstendenz gerade Auslöser dieser Dig. war. Zeitlich liegen die

---

[236] Zu diesem und den folgenden s. SH *Gipfel, gipfeln; Giebel, giebeln*.

Ansätze sicher ähnlich wie in Rhh, höchstens nur geringfügig später: *j* > ∅ ca 14.Jh., vgl. auch C 25.5.3.6. (Auch die darauf folgende Kontraktionstendenz scheint sich erst etwas verzögert bemerkbar gemacht zu haben, aaO.)

3) Das übrige St: Gebiet des ursprünglichen Systems II (D 28.7.2): im 13.Jh. war noch *j* < *g* vorhanden: *j* > *j* (soweit nicht durch Alternanz mit *g* oder *g* gehalten) und Zusammenfall mit altem *j* sind wohl erst im 14.Jh. eingetreten, *j* > ∅ liegt noch später, aber noch vor dem Eindringen von System II in L im Verlauf des 15.Jh. Denn es ist klar, daß der *j*-Schwund in L zusammen mit System II übernommen worden ist (auch in *āij-* > *āi-*). Der konservative O (und der S) hat bis heute meist schwaches *j* bewahrt (C 25,5.4,5f.) trotz vereinzelter (kanzleisprl.!) historischer ⟨w⟩, vgl. Zinsb Be-Lind 1369, 57 *gesewet*. Wegen des sRied und Ma s. C 25.5.5. Über neueren *j*-Schwund s. C 25.1,2.

48.3.2. <u>Hinter K</u> war germ. *j* häufig, ist aber im 9.Jh. allgemein weggefallen (Braune §118; Franck §55,1). Die LB verhält sich hier nicht einheitlich: *fillola* (A.Pl.; lat. *filiolus*), *uuillon* (D.Pl.) und *sunda* (A.Pl.) neben G.Pl. *-lustio, zitio* und Vb.-Formen *bitdiu*, (hinter *r*) *sueriennes*; sonst vor Endungs-*e* keine *i*-Reste: *sunteno* (G.Pl.), *unsipberon, uuillen* (3x; D.Sg.). Das geringe Material läßt eine sichere Beurteilung nicht zu, ob dieses Schwanken gewissen Regeln folgte. Jedenfalls hat *j* die LB nicht lange überlebt.

Unter gewissen Bedingungen war statt *j* silbisches *i*+Gleit-K *j* gesprochen worden, vielleicht schon früh mit stärkerem Reibungsgeräusch, also *-ij-*, so hinter *r* (*nerjen*) und in einigen anderen Wörtern, worunter Entlehnungen (*kevia* "Käfig", Anlehnung an das Lat.), s. Braune §118 A.3f.; Franck §55,2; Paul §80 A.2; C 47.1,3; D 30.4. Hist. Belege für diese Aussprache s. die angegebene Literatur (⟨-ig-⟩), dazu Dahl 84 Be-Bensh 1321 *Laurenzigen dag* (2x); BII 380: 1364 *Otyligen*.

Durch die Aufnahme von Lwtt ergaben sich immer neue K+*jə*. In älterer Zeit erfolgte Einlautung nach D 30.4; in jüngerer Zeit wird *-jə* im allgemeinen beibehalten (wobei Sg. und Pl. von Sbb. gleichlautend werden), z.B. *akãdsjə* "Akazie(n)", *bruljəs maxə* "den Großen spielen" (franz. *brouille*), *dāljə* "Dahlie(n)", *familjə* "Familie(n)", *frosîdjə* "Forsythie(n)", *taljə* "Taille(n)". Anders ist öfter die Einlautung z.B. von *Kastanie* erfolgt (L † *kešdĺ*): durch Abwerfen von *-jə*, so Wo *kašdón*, Pl. *-ónjə*. Ähnlich L *glīf(jə)* "Clivie(n)", PN *Cilie* [*dsiljə*], aber Dim. *dsil-šə*; allgemein üblich ist *fonil* "Vanille" (vgl. SH).

III. Palatalisierungen

49.1. Grundsätzlich werden heute alle KK mit möglichst neutraler Zungenstellung gesprochen, sieht man von ausgesprochen pal. wie *j* *j* und dem vel. *x* ab. Diese Aussprache beruht auf der allgemeinen Schlaffheit der Artikulation der Mda, die, soweit nötig, auf Nebenartikulationen verzichtet. Auch der Unterschied zwischen *k g* in *kind, gīsə* und *kū. gus* ist nicht sehr ausgeprägt. Ebenso hat das ursprünglich pal. *ś* früh eine neutrale Färbung angenommen, s. D 41.1.

49.2. Durch Assimilation kam es im Lauf der Geschichte wiederholt zu (halb-)pal. Aussprache, von der allerdings heute nur noch spärliche Reste vorhanden sind. Es sind dabei zu unterscheiden: 1. Assimilation von K an (meist vorhergehenden) V, 2. Assimilation von K an K.

49.3.0. Das Älteste ist die <u>Angleichung von Gutt. an vorhergehenden pal. V</u>. Aus geografischen Gründen und anderen Erwägungen rechnen wir mit zwei Schüben:

49.3.1. Betroffen sind zunächst gutt. Vsll.: mrf. *-g-, -ḡ, -ḡḡ-* (= mhd. *-g-, -c/-ck, -ck-*). Palatalisierung läßt sich erschließen 1. aus dem Ergebnis der Spirantisierung von intervokalischem *-g-*. Daß *j ĵ* nicht selbstverständlich sind, zeigt das System im sSt mit *g* hinter Pal.-V (D 28.9). 2. Wichtig ist auch die Erhaltung der Dii. *ei öü*, während sonst vor nicht pal. V monophthongiert wird (C 2.3.2.6), zugleich ein Kriterium für die Chronologie.

Hier ist nun ein bezeichnender Unterschied: Während mhd. *ei öü* in Rhh St vor allen alten gutt. Vsll. erhalten bleiben, ist dies in Teilen der VPf und im "Westpfälzischen" nur vor **[g]* der Fall (Bertram §§141; 144; 156; Wiesinger 1970b, §141f).

49.3.2. Daraus folgt:

1. Schub: a) Im 10.Jh. sth. gewordenes intervokalisches /g/ (D 20.6) wird noch vor der Jahrtausendwende zu [g'] hinter allen pal. VV. Dieser zeitliche Ansatz ergibt sich aus der Entwicklung von *ẹ̄gi igi* ab 1000 (D 23.2.1.6) und der Erhaltung von *ei öü* im 11.Jh. Dabei gab es eine Abstufung: starke Palatalität hinter *ei öü* - schwächere sonst. Letztere war im Obd. weit verbreitet, ging aber im Rf. ab Anfang des 13.Jh. verloren (D 28.9.2f.), erstere hielt sich meist hinter dem pal. Di.-Abglitt länger, fiel aber z.B. im sEr noch vor der Monophthongierung weg (vgl. C 2.3.2.8).

b) Stl. gutt. Vsll. (mhd. *teic, *-schöücken*) wurden im Hauptteil von St Rhh gleichfalls palatalisiert (L *dāig, fəšāigə*). Die Pfalz wird nur noch teilweise erfaßt. (Auch im Ostfränk. meistens, vgl. Wiesinger 1970b, §140c.e; aber Heilig §150 *dāk* "Teig"). Der Vorgang ist auch zeitlich von a) nicht zu trennen. Die unterschiedliche Ausbreitung liegt im Grad der Anfälligkeit der einzelnen KK: je schwächer, desto anfälliger.

2. Schub: a) Ahd. /x/ war nach verbreiteter Anschauung obd. vel. (z.B. Paul §99). Dies ist auch für unsere Mda vorauszusetzen. Abgesehen von LB *thuruh*, dessen Sproß-V *u* vel. /rx/ erweist, ist ein wichtiges Indiz die Monopthongierung von *ei öü* vor /x/, die sich am einfachsten bei einer Aussprache [*ẹix ȫüx*] erklärt (C 3.2.6).

Die Datierung ist schwieriger. Aber *x* > *χ* liegt hinter bet. V nicht später als hinter *ə*, d.h. etwa in der 1. Hälfte des 12.Jh., jedenfalls nicht erst im 13.Jh., weil sich damals eher die umgekehrte

Neigung zur Entpalatalisierung bemerkbar machte (vgl. *g*!). Das Nachhinken von $x > \chi$ scheint dadurch erklärt zu werden, daß dieses stärker "pal." ist als die Vsll.. daher einerseits der Palatalisierung, andererseits der Entpalatalisierung größeren Widerstand entgegengesetzt (vgl. auch Dieth 1950, §359). Man kann annehmen, daß /x/ bereits zusammen mit dem ersten Schub hinter Pal.-VV seine Artikulation weiter vor, etwa an den mittleren Gaumen verlagerte, aber voll pal. kann es im 11.Jh. noch nicht gewesen sein.

x und χ waren zunächst Allophone. Der Gegensatz wird später phonemisiert durch den Ersatz von $\bar{e}_{24\ 25}$ durch $\bar{a}$ (D 20.3.4), vgl. Minimalpaare wie *rāxə* "rauchen" - **rāχə* "(dar-)reichen", **āx* "auch" ($> \bar{a}$, D 37.2.4) -**āχ* "Eiche"[237]. Durch die Synkope und das Eindringen des Dim.-Suffixes -*chen* (C 4.2.2.2; 37.4.7) tritt χ auch hinter K, z.B. L. *flidš* $<$ **[fledχ]* "dünnes Frauenkleid" (SH *Flittich*), *blędšə* "Blättchen". Erst später und spärlich drang es auch in den Wortanl. (D 27.1 $\chi\bar{e}$; 57.5.4).

b) Etwa gleichzeitig mit a) sind *g ġ ḡ* und *x* auch hinter unbet. *ə* palatalisiert worden. Dies ist zu erschließen aus der allgemein schon Mitte des 12.Jh. eingetreten Spirantisierung in **-əg'-* $>$ **-əǰ-*, C 37.4.5, sowie die Umfärbung von (nicht synkopiertem) *ə* zu *i* vor erhaltenem *ġ ḡ x* in der 2. Hälfte des 12.Jh. (C 42.3). Allerdings wirkte dieses Gesetz noch einige Zeit weiter (aaO).

Man darf vermutem, daß /ə/ lange Zeit ein verhältnismäßig vorderer V war (C 42.2). Dadurch konnten (halb-)pal. Allophone bei folgendem Gutt. entstehen.

49.4. Der Palatalisierung muß in gewissen Fällen bald eine Entpalatalisierung gefolgt sein. Während χ bis in die Neuzeit und *j ǰ* (soweit nicht ganz verstummt) als solche erhalten blieben, verlor nicht spirantisch gewordener Gutt. seine pal. Aussprache. Dies steht nach D 28.9.2.2 im Zusammenhang mit dem *ə*-Schwund.

Unter Berücksichtigung der dortigen Ausführungen ist mit folgenden zeitlichen Abläufen zu rechnen:

1) Ausgangs des 12., anfangs des 13.Jh. Verlust der Palatalität durch sekundären Kontakt mit folgendem Grl. Betroffen sind folgende Typen: *LV* + [*g*], Beispiele aaO; *Di.* + [*g ġ*], z.B. **-šāiġ'ə, *ḅāig'ə* - **-šāiġḍ-, *ḅāiḡḍ-*; *KV* + [*ġ*], z.B. **deġ'ə* - **deġḍ-*.

2) Verallgemeinerung der neutralen Aussprache: a) hinter LV rasch in der 1.Hälfte des Jh. bei allen [*g*], weil vom Vb. ausgehend; b) hinter KV rasch bei [*ġ*], bei [*g*] zögernder und erst in

---

[237] Dem Bestreben, einer Phonemisierung von χ entgegenzuwirken, ist die verbreitete Einführung von *āiχ* für *āχ* zuzuschreiben, s. C 20.3.4.

Anlehnung an die anderen neutral gewordenen *gutt*. Vsll., erst nach 1250; c) hinter Di. gegen 1300 in Anlehnung an a) und b) und infolge der Entspannung des Di. *ai* > *āi* (C 21.3.4.2,2).

49.5. Die beim Rbl. /χ/ viel auffälligere pal. Aussprache blieb (auch aus phonologischen Gründen) bis in die Neuzeit erhalten. Heute ist fast überall im SHess. (über die teilweise noch erhaltene Zwischenstufe χ̌) Zusammenfall mit /š/ eingetreten[238]: *richten* und *rüsten* lauten gleich, L *rišdə*. Die Erscheinung ist ganz neu. Während Bauer 1957 (§150) zu Recht [š] transkribiert (von drei Orten im sEr abgesehen), scheidet Seibt 1930 (§9) beide noch mit Mühe. Auch das SH macht immer wieder auf den jungen Übergang χ > χ̌ > š aufmerksam (z.B. *abrichten, Flittich*). Umso mehr überraschen gewisse alte Verwechslungen von ⟨ch⟩ und ⟨sch⟩, z.B. aus Be-Mörl 1488 *forschen* "furchen" (Vb.), 1568 *habischs-*, 1668 *fichen* (Wagner 1944, 40; 43; 51); W Be-Bobst, 1588 *solschem* (S. 79), *strowich* (84); Be-Aschb: 1814 *misch* (Sockel eines Wegekreuzes, s. Meyer 1934, 58). Ich halte wenigstens die älteren allesamt für Verschreibungen. Auch das von Maurer (1930, 69) aus der Gegend von Di-GBieb (genau: Di-Ueb: Freil. §412,8) beigebrachte *list* "Licht", wozu auch Formen von *Trichter* mit -*st* (Freil. aaO, Di-OKling) kann als falsche Umsetzung von *šd* in der Nähe der *fest/fescht*-Grenze jung sein und braucht nicht ins 16.Jh. datiert zu werden.

Die Handbücher ermöglichen einen Überblick über den Zustand der dreißiger Jahre: öSt noch χ, im SW š (Freil. 1929, §§236; 246; 411,9; vgl. Wenz 1911, §33: χ); n/mSt š (Born 1938, §§155; 157,1; Bert. 1935, §§159b; 162b), χ-Reste (Grund 1935, §106,1:χ; vgl. §5,2); sSt s.o.; aber schon Weber (1908f.) notiert š. Indessen können manche ⟨š⟩ bzw. ⟨χ⟩ auch den Übergangslaut χ̌ meinen. Im S: š (Bräut. 1934, §87,1; A.1; Treiber 1931, §57,1), dann χ̌ und schließlich χ (Waibel 1932, §60). - Rhh: Held (1915, §§146; 185): χ, Bescher (1933, §§87ff.): χ̌; der Übergangslaut χ̌ ist (war) meiner eigenen Kenntnis nach aber damals schon im wesentlichen auf das Innere Rhhs beschränkt, vgl. Valentin (1934, §§314; 338): š[239].

Die VPf: im N und O š, sonst χ (Bertram 1937, §216; vgl. Christmann 1927, §104,1:χ). Auch in Saarbrücken war š 1932 im Vordringen (Kuntze §202 A.2).

Offensichtlich ist der Wandel von den Städten (Frankfurt, DSt, Mhm, Mainz, Ws) ausgegangen (vgl. obige Belege) und am Rhein entlang in N-S-Richtung, dann aber auch nach O (St) und W

---

[238] Über /χ/ vor /-əl/ s.u.

[239] In Wo-Gundersh konnte ich den Übergang selbst beobachten. Mein dort gebürtiger Großvater (Jahrgang 1880) sprach wie seine Altersgenossen zeitlebens χ bis χ̌. Meine heute dort lebenden jüngeren Verwandten haben je nach Alter und dem Grad ihrer Verstädterung χ̌ bis š.

(Rhh) gewandert. In L scheint es am ehesten von Mhm her eingedrungen zu sein, sicher schon im 19.Jh.[240]. Denn auch die ältesten Sprecher unterscheiden nicht mehr χ und š.

χ > š ist weit verbreitet; es erfaßt außer unserem Gebiet und Teilen der Pfalz das Moselfränk., Ripuarische (vgl. auch Bruch 1954, §7), ferner das Omd. (Fleischer 1961, 164), das Elsässische (Beyer 1955). Träger der Bewegung war lange die städtische Oberschicht (vgl. Froeßl 122), während die städtische Unterschicht und die bäuerliche Bevölkerung noch lange Widerstand leistete, nicht zuletzt weil der Wandel zur phonologischen Verarmung führte. š (bzw. χ) galt - aus welchen Gründen auch immer - zeitweise jedenfalls als vornehmer[241].

Heute jedenfalls ist zwar nach dem Vorbild der durch Schule und Massenmedien verbreiteten Hochlautung χ wieder als richtiger anerkannt; doch macht die echte Mda keinerlei Versuche zu einer Wiederherstellung des alten Zustandes. Bei Leuten, die sich um eine "bessere" Aussprache bemühen, sind Adoptivformen geläufig. Man sagt dann (und schreibt öfter) nicht nur *heilich, ich,* sondern auch *himmlich, Fleich, Tich, die Menchen* (wie *Männchen*), vgl. Froeßl 122f. sowie Kuntze §202 A.2 (Selbstzeugnis des Verfassers).

49.6.0. Eine weitere Gruppe von Palatalisierungen hat ihren Ursprung in der Assimilation von dent./gutt. Grl. an folgendes *l̦* (Annäherung der Artikulationsstelle).

49.6.1. Dent.:

In der älteren Mda werden die Verbindungen *d d̦ s + l̦* halbpal.-lateral ausgesprochen, s. B 2.4.2,4b; 2.4.2.5; D 24.9.2ff. Der Übergang *d̦l̦ > l'* etwa anfangs des 13.Jh. setzt bereits Palatalisierung voraus (D 24.9.3f.). Sie war sowohl phonetisch als auch zeitlich eine unmittelbare Folge der Reduzierung von əl zu l̦, s. C 39.5. Über ihre Verbreitung kann ich wegen fehlender Angaben in der Literatur nur Vermutungen anstellen: sicher (einst) ebenso verbreitet wie (einst) die besondere Aussprache von *l' < *d̦l̦.* Heute ist sie in L bei vielen Jüngeren unter städtischem Einfluß im Schwinden.

49.6.2. Gutt.:

49.6.2.1. Erhaltene Vsll. zeigen folgendes Bild: *g'l'-,* Vel.-V + *g'l'̂,* Pal.-V + *g'l̂,* s. B 2.4.1,4b. Ursprünglich sth. g verhielt sich ähnlich: Pal.-V + *g̦l̂,* Vel.-V + *g̦l* (nicht pal.!), später dafür -*g̦l̂* bzw. -*xl̦* oder -*g̦l',* s. D.29.

Also auch hier wie bei den Dent. gegenseitige Angleichung der Artikulationsstelle: halbpal. *g'* (mit lateraler Explosion!) und *l'* werden an der gleichen Stelle gebildet. Hinter Pal.-V ist die

---

[240] Seit dem 19.Jh. arbeiten viele Lorscher dort.

[241] Die von Fleischer aaO gegebene Begründung scheint mir unzureichend.

Artikulation etwas weiter nach vorn verschoben. Der Prozeß gehört - sicher auch bei anl. *gl*- - in die gleiche Zeit wie bei den Dent., s.o. Entsprechend besteht auch hier heute eine Tendenz zur Aufgabe der Palatalisierung.

49.6.2.2. Wie bei den Vsll. verschmolz auch *χəl* zu *x̣ʆ*, wobei der Übergang von halbpal. *x'* zu *ʆ* akustisch den Eindruck eines leichten Verschlusses macht. Deshalb wird unter dem Einfluß der Hoch- und Umgangssprache dafür bei Jüngeren vielfach -*gʆ* (-*gl* + *V*, s. C 39.4.1) gesetzt. Beispiele: *gηex̣ʆ* "Knöchel; kleiner Knochen", *mix̣ʆ* "Michel", *rex̣ʆə* "rechnen", *six̣ʆ* "Sichel", *šdix̣ʆə* "sticheln"; Dim.: *bex̣ʆ* zu *bǫx* "Bach", *bīx̣ʆ* zu *būx* "Buche", *bix̣ʆ* zu *bux* "Buch", *brix̣ʆ* zu *brux* "Bruch", *dex̣ʆ* zu *dax* "Dach", *dix̣ʆ* zu *dux* "Tuch"; dafür moderner (vgl. D 29.6) *gnegʆ*, *migʆ*, *regʆə*, *sigʆ*, *šdigʆə* (-*lə*), *begʆ*, (*ə glǭni būx*), *bigʆ*, (*in glǭnə brux*), *degʆ*, *digʆ*; seltenere Formen werden dabei gemieden.

Auffallend ist, daß die Verbindung -*rš* < *rix auch schon bei alten Leuten erhalten bleibt: *dǫršʆ* "Deichsel" (zu *dǫrš*, s. D 42.2.2 A.213) und *keršʆ* zu *karš* "Karren" (ʻKarchʼ) und *keršʆ* "Kirche". Sicher war auch hier *-*rix̣ʆ* das Ältere (vgl. SH *Lerche*: Be-Watt mit -*xʆ*). Doch nach dem Verstummen des Sproß-V und dem Übergang *χ* > *š* bildete man zu *karš*: *keršʆ* wie z.B. zu *ǭš* "Arsch": *ēšʆ*, da ein Wechsel -*rš*/*-*rx̣ʆ* ebenso unmotiviert war wie **āx̣ʆ* für **ēx̣ʆ* (s.u.).

Leider ist es mir wegen des Schweigens der Literatur über solche Aussprachefeinheiten unmöglich, genaue Angaben über ihre Verbreitung zu machen. Ich vermute aber, daß diese Palatalisierungen wenigstens im sSt (System III: D 28.7.3), wahrscheinlich aber darüber hinaus, weit verbreitet waren (sind?); vgl. obigen Beleg aus Be-Watt.

49.6.2.3. Ein Unterschied besteht im Verhalten von Vsll. und Rbll.: Während *gʆ* auch hinter Vel. zu *g'ʆ'* wurde, blieb *x̣ʆ* erhalten, weil *x* vel., *g* aber weiter vorn am Gaumen artikuliert wird (und wurde). Bei der Spirantisierung wurde daher **nag'ʆ'* zu *nagʆ (wie *āx̣ʆ* für **ēx̣ʆ*, s.u.).

Da der halbpal. Rbl. *x'* nur hinter Pal.-V vorkam, mußte er beim Ersatz von *ē₂₄* durch *ā* ebenfalls entpalatalisiert werden, daher *āx̣ʆ*, *dsāx̣ʆə* "Eichel, zeichnen" für **ēx̣ʆ*, **dsēx̣ʆə*. Denn der Gegensatz /*χ*/ - /*x*/ war nach der Phonemisierung von /*χ*/ gekennzeichnet durch das Merkmal pal. - nicht pal., so daß [*x'*] Allophon von /*x*/ war. Daher wird auch [*x'*] nicht vom Wandel *χ* > *š* erfaßt.

Ein Sonderfall ist *lāx̣ʆə* "leugnen": *ai₂₅* > *āi* (gegen 1300, s. C 21.3.4.2.2), dann verliert der Lang-Di. seinen geschwächten Abglitt vor dem halbpal. *g'*, und *g'ʆ* wird zu *gʆ*: **lāig'ʆ*- > *lāgʆ-. Es scheint, daß wir hier eine Sonderentwicklung in L haben, vgl. die Angaben im SH (*leugnen*).

IV. Geschichte der Geminaten

50.1. Das Wesen echter Geminaten besteht darin, daß in einem Gebilde wie *atta* zwei *t* hintereinander gesprochen werden, beide getrennt durch ein Expirationstal, also *at-ta*. Die

Silbengrenze liegt in der Geminata, der K ist auf zwei Silben verteilt. Daneben gibt es aber noch den Lang-K, bei dem die Silbengrenze nicht im K sondern wohl meist davor liegt, also *a-tta* (Dieth 1950, §502ff.). Solche "Geminaten" sind dann wohl meist einfach mit abschwellendem Druck artikuliert. Sie sind als Zwischenstufe zwischen den echten Geminaten und dem Verlust des Geminatencharakters zu betrachten und ergeben sich geschichtlich im Zusammenhang mit der stärkeren Reduzierung der nichthptt. Silben, also *at-ta* > *a-tta* > *a-tə*.

50.2.1. Die heutigen shess. Mdaa kennen sowohl Geminaten als auch Lang-KK, obwohl immer wieder das Gegenteil behauptet wird. Sie decken sich allerdings in keinem Fall mit den ahd. Geminaten, sondern sind allesamt im Satzinl. entstanden, haben aber keinen phonologischen Status. Über die Entstehung solcher Geminaten s. C 46.5; D 37.2.1; 52.7, über Lang-KK s. D 52.2,2 bzw. ,5; 56.2,2.

50.2.2. Die ahd. Geminaten sind alle vereinfacht worden. Beispiele: *abḷ* "Apfel", ahd. *apful* (eig. -*ppf*-), *šafə* "arbeiten": *skaffôn*, *šdobə* "stopfen": *stopfôn*, *ribə* "Rippen": *rippûn*; *bidə* "bitten; bitter": *bitten* bzw. *bittar*, *ẹsə* "essen": *ẹʒʒan*, *sidsə* "sitzen": *sizzen*; *maxə* "machen": *mahhôn*, *šbrẹšə* "sprechen": *sprëhhan*, *degə* "decken": *dëcken*, *rigə* "Rücken": *rucki*; *šwimə* "schwimmen": *swimman*, *šbinə* "spinnen": *spinnan*, *falə* "fallen": *fallan*, *parə* "Pfarrer": *pharrâri*, *kan* "Karren" = /karn/: *karr*-. Ebenso sind im Lauf der Zeit durch Assimilation entstandene Geminaten vereinfacht worden, s.insbes. D 31; 35.5; 41.5; 52.2.

50.2.3. Auch im Satzinl. wird beim Zusammentreffen zweier gleicher KK in der Regel nur einer gesprochen: *iš koned = kon + ned* "kann nicht", *kumid = kum + mid* "komm mit!", *hodẹ̄ s gsẹiə?* = *hod + dẹ̄* "hat (d)er es gesehen?", *iš hẹbšdimd nigs = hẹb + bšdimd* "ich habe bestimmt nichts", *dẹs šadə nigs = šad + də* "das schadet dir nichts", *dẹs gẹid alsọ wáirə = als + sọ(u)* "das geht immer (`als´) so weiter"; Zsstzg.: *bedux* "Bettuch" *debišdọŋ* "Teppichstange", *ẹsẹwī* "Eßservice", *haglods* "Hackklotz", *kindāf* (ggf. mit sth. *d* nach D 36.2.1) "Kindtaufe ", *labrọ̄ud* "Laib Brot", *šdigọ̄ŋ* "Stickgarn", *šộfẹl* "Schaffell", *ọbrẹšə* "abbrechen", *foláfə* "voll-laufen", *họ̄maxə* "heimgehen" (`-machen´). Auch *j̣*-Di. wird vereinfacht: *Neujahr* (*nai + jộ̄ẹ*) = *nájộ̄ẹ*, *drajộ̄ẹ* "3 Jahre".

Aus Deutlichkeitsgründen kann bei vorgestelltem Adj. oft Geminata gesprochen werden: *di ọld+dẹ̄ẹ* "die alte Tür", *s rọud+dộ̄ə* "das rote Tor" (gg. *rọu dộ̄ẹ* "rohe Tor"), aber nicht in festen Zsstzg., z.B. *dikob* "Dickkopf". Weitere Beispiele für Zsstzg. finden sich auch oft in der Transkription des SH, vgl. z.B. folgende Stichwörter: *heillos, hell-licht, heraus-sagen, -sägen, -saufen* und viele andere.

50.3.1. Zu Beginn der Lorscher Überlieferung treffen wir die Regelung, die wir als "normalahd." bezeichnen können: Geminaten, ganz gleich welchen Ursprungs[242], sind intervokalisch hinter

---

[242] Ein erheblicher Teil war bei der Tenuisverschiebung entstanden; im einzelnen s. Braune §91ff.

kurzen VV erhalten, hinter langen meist gekürzt: beseitigt sind sie auch im Wortausl. und vorkonsonantisch. Doch ist die Kg. hinter LV erst im 8., anfangs 9.Jh. eingetreten (Braune §92). Beispiele: LB *all-* (öfter), *manne* 2x, *minnoda* (mehrmals), *sunnundag*, *unsipberon*, *uuizzod*, *uuizzant-*, *uuahhandi*, *bitdiu*, auch nach unbet. Silbe: z.B. *sueriennes*, *biscoffa* (A.Sg.); BS *nindrinnes*, *stillo*, auch *zi comonne*; aus den frühen Gll: Gl1 *scollo*; Gl3 *uuassen*, *beuuellan*; *hinssahi*; Vereinfachung: LB *bispráha*, *forlázanero*, *ruoholóso*, *lútar-*, *gibuozanne*; *(gi)sprah*, *slaf-heiti*, *brah*; *giuuar* (zu ahd. *wërran*); Gl3 *rife*; *scif man*; *ádeile* (*ja*-Stamm). Das gleiche Bild bietet auch die späte Gl5: *uuall-*, *grimm-*, *gisellen*, *erᵈtechcan* (so!) - *stiefsun*, aber auch *muozzo*.

50.3.2. Außer Gl5 *muozzo* gibt es weitere Ausnahmen von der "normalahd." Regelung: LB *gisahane* (ahd. *sahhan* "streiten") - *druhdtin*; BS 3x *sizi húcze*, was als Fehlschrr. interpretiert wird, s. Braune §93 A.2; Franck §121,5.6; zu *druhdtin* s. außerdem D 20.3.

50.3.3. Hinter K werden im allgemeinen keine Geminaten geschrieben, höchstens gelegentlich im schwachen Prät. der *jan*-Vbb. bei stammschließendem Dent. (Braune §§98 A.; 163 A.5; 363 A.4b.c). So schreibt man nur *wintar*, *hënken* (< *hanggjan*), *hëlfan*, *wërfan*. Dennoch ist noch lange Geminata gesprochen worden. Sonst wäre die fehlende Assimilation z.B. in *wintar*, *hënken* > L *wində*, *heŋgə* unverständlich. Als alte [nd ŋg] intervokalisch zu [nd ng] wurden (D 20.6: Vorstufe zur Assimilation nach D 31), also im 10.Jh., müssen noch Geminaten vorhanden gewesen sein. Das gleiche hat für die (heute untergegangenen) Dent.-Prät. zu gelten, vgl. Gl5 *schundan* *[nd] gg. *schunta* *[ndd] (vgl. D 15.5.3). Der Dent. des Prät. war morphologisch wichtig, daher sogar gelegentlich ahd. *leitta* zu *leiten*. Auch anderes gehört hierher, so L *dalgə* "(ungeschickt) befingern" (verbr., SH *dalken*), zu *Talg*, ahd. *talggên* mit expressiver Geminata. Schließlich war auch *šš* < *sk* hinter Liq./Nas. zunnächst geminiert (D 41.5; vgl. die Positionen 4/7 der Tabelle D 42.6.2). M.M. waren also die ahd. Verhältnisse komplizierter als gemeinhin angenommen wird. Geminata galt nicht nur hinter KV sondern auch hinter K. Hinter LV stand sie i.a. jedoch nur aus morphologischen Gründen, also im schwachen Prät. bzw. Part. (*leitta* gg. LB *lútar-*). Die Schr., die sich ja auch am lat. Vorbild orientierte, vermied Folgen wie ⟨-ntt- -lff-⟩.

50.3.4. Die Möglichkeit, Geminaten auch hinter LV zu sprechen, wurde nach Ausweis der Folgeentwicklung auch in gewissen anderen Wörtern genutzt: *hēb* (Pl. *hēbə*) "schmales Beil, bes. für Waldarbeiten", ahd. *háppia* (< *hēbjō*), verbr. St (SH *Häpe Hape*); *fašāigə* "einschüchtern", mhd. *-schöücken*, s. SH *verschäuken*; *šnēgə* (s. C 2.3.2.7): *snöüken*, die beiden letzten mit *-(c)k-* < germ. *-gj-*; ferner: *gāglə* "schaukeln, schwanken", ahd. *gouggalôn* (SH *gaukeln I*); *gauglə* "(schwierige) Dinge zusammenfügen, hinkriegen" (*'schaukeln'), ahd. *gúggalôn* (SH *gaukeln II*); *hōgə* "Haken", ahd. *hâggo, -(c)k-*, mhd. *hâgge*[243]; *šnọug* "Schnake", mhd. *snâke*, ahd. *snâko* < *-gg-* (Kluge). Ehemalige Geminata ergibt sich hier eindeutig aus

---

[243] Im Obd. noch heute Reste von Geminata: Kranzmayer 1956, §37b1; Jutz 1931, §95.

dem erhaltenen Vsl. Die vier letztgenannten hatten mit Sicherheit von vornherein expressive Geminata. Sie blieb erhalten, während sonst hinter LV funktionslose Geminata früh aufgegeben wurde. Nach dem frühen Schwund von *j* in *hâppia, *scouckjan, *snouckjan* wurde ihre Geminata aus semantischen Gründen als expressiv umgedeutet und konnte so bis zur allgemeinen Degemination bewahrt bleiben. (Vgl. mit früher Kg. LB *lûtar* > L *laurə*).

50.3.5. Umgekehrt fehlt die Geminata mehrfach hinter KV. Scheinbare Ausnahmen s.o. Hier sind gewisse Vbb. zu nennen. Der Ausgleich zugunsten der nicht geminierten 2.3.Sg. bei *jan*-Vbb. ist nicht nur in Fällen wie *dsęilə* "zählen" < *zéllen: zélis, -it* durchgeführt worden, sondern auch z.B. in *šjrə* "schütten" (ahd. *skutten*), wozu *šorən* "vibrieren, beben" (zu *er-schüttern*), und in ahd., mhd. *zётten* "(aus-)streuen" mit der Ableitung L † *dselə* "streuen (z.B. Mehl)" < *zételn*. Nach solchen Mustern scheint auch *zittern*, L *dserən*, seine Geminata (ahd. *zittarôn*) aufgegeben zu haben. Anders scheint *ilərišə* "wiederkäuen" beurteilt werden zu müssen: ahd. *ita-rucken*, mhd. *ite-*. Vielleicht liegt hier Einfluß eines danebenstehenden Sb., mhd. *itroche* "Schlund", vor.

Über den Verlust der Geminata in *Herr* s. C 7.5.

50.4.1. Die Geminaten blieben bis ins 12.Jh. hinein im wesentlichen stabil. Gegen 1100 erhielten sie sogar durch nun einsetzende Assimilationen (D 31; 35.5; 41) weiteren Zuwachs, auch nachkonsonantisch. Aber schon der CL zeigt eine große Unsicherheit in der Schr. Sie geht aufs Konto der Kopisten des 12.Jh. und nicht der Originale, wie ein Vergleich der von Welz behandelten Ukk mit weniger genau kopierten Teilen ergibt. Nach den Angaben bei Welz (68ff.) sind die Geminaten im allgemeinen erhalten, Falsch-Schrr. halten sich in Grenzen. Als solche haben z.B. *Offterisheim, Offtres-* (74), *Lůddewico* (78) oder das häufige *Wisscoz* "Weschnitz" (101ff.) zu gelten. Öfter stehen ⟨tt td⟩ für den einfachen Laut (79f.; 84ff.). Einige wahllos herausgegriffene Beispiele aus anderen Teilen den CL illustrieren den tatsächlichen Zustand der Sprache etwa um 1150: 167 *Grantzo, Dietto*, 176 *Liutbrandt*, 179 *Hiltdibalt*, 185 *Heimmingi*, 219 *Batdagis* und *-d-*, 227 *Wigunt* und *-gg-*, 228 *Heittung* gg. 254 und 259 *Heidungi*, 231, 238, 244 *Basinsheimmer marca*, 245 *Hepphenheimmer-*, 251 *Auttacchri* - 271 *Odaccri*, 3319 *Aschibrunen*, 3219 *in villa Wetera iuxta fluvium Wetteraha* = 3743d *Weteraha*, 3752c *in Wederer marca*, ähnlich öfter, 3780 *Brizenheim*, 3818 *Kammerada* (FlN), *Diffenlachen* (FlN), 3821 *Heili(c)ka*, 3822 3x *Winenheim* "Weinheim", 1x *-nn-*, 3836 *in Langenwinckele* u. dgl.

50.4.2. Auch außerhalb des CL gibt es Belege für wachsende Unsicherheit. Bei frühen Belegen weiß man natürlich nie, ob es nur Einfachschrr. wie z.B. in der LB sind, so z.B. 1016 *Ebo*, 1080 *Ebonis* zum PN *Ebbo* (Hoffmann 184), oder 1012 *Bikenbach* "Da-Bick". Ein sicheres Zeugnis für Degemination ist 1171 *Kieden-* "Az-Kett", ahd. **Kittin-* (Km. 125) mit falschem LV.

Nach der Vereinfachung der Doppel-KK konnte die Doppelschr. zur Wiedergabe erhaltener alter Kürze in offener Silbe herangezogen werden. Solche Schrr. sind dann beweisend für den Eintritt der Degemination. Der älteste mir bekannte Beleg außerhalb des CL ist 1194-98 *Petter(n)sheim* (R 45). Aber schon PU 11: 1154 heißt es *Capenbergensi* gg. 12: 1154, 13: 1156 *Capp-*, sicher kein Zufall. Im Verlauf des 13.Jh. geht dann der Sinn für den richtigen Gebrauch der Geminaten nach und nach verloren; sie dienen nur noch, wenn auch nicht konsequent, zur Kennzeichnung kurzer VV (Beispiele s. C 4.4.3; 5.6). Beispiele für Einfachschrr. aus späterer Zeit: 1241, 1295 *Wakirpil*, 1275 *Strekefuz*, 1280 *an der cruken* (alle Hoffmann 190), 1266 *Bukelini*, 1269 *Randeken*, 1282 *Ekelmanno*, 1282 *hekin* (aaO 193f.), 1283 *sezen, sazung* (199); 1287 *er bithe* und 1300 *bidet* (204); 1287 *vere* (174); vgl. ferner den FlN Wo-Pfedd 1286 *uffe den striegen* (!) "... Stricken" (R 277). - Auch die Vereinfachung im Satzinl. ist früh belegt: BII 307: 1352 *uf einre fleischarn* (-*sch*+*sch*-), 539: 1382 *penigelt = pennig+gelt*.

50.5. Es steht außer Zweifel, daß im 13.Jh. keine Geminaten bzw. Lang-KK mehr gesprochen wurden. Wegen der Schrr. (CL!) muß sich die Degemination während der 2. Hälfte des 12.Jh. vollzogen haben (vgl. D 20.12.1.1). Voraussetzung waren 1. die schon ältere schwache phonologische Stellung der Geminaten, D 18.6.3, 2. die D 20.9 beschriebene phonetische Schwäche der phonologisch relevanten Geminaten, 3. das sich immer stärker geltend machende Streben, das Wort in einer Drucksilbe zu sprechen (C 11.5), wobei die Geminaten nur hinderlich waren. Den letzten Anstoß bildete dann die Neuordnung der V-Quantitäten zu Beginn des 12.Jh. durch die der Unterschied zwischen solchen häufigen Strukturtypen wie *agə - aǵǵə* zu *āgə - aǵǵə* mit entbehrlicher Geminata geworden war, daher dann *āgə - aǵə* (> *āgə - aǵə*), s. D 20.12.1.1.

Der vorausliegende Übergang von der echten Geminata zum Lang-K ist urkundlich nicht zu belegen, steht aber offenkundig im zeitlichen und ursächlichen Zusammenhang mit der Reduzierung der vollvokalischen Nebensilben im 10./11.Jh.

c) Vereinfachung von Konsonantengruppen

I. Einleitung

51.1. Jede gesprochene Sprache hat eine mehr oder weniger ausgeprägte Tendenz zur Vereinfachung vom KGr., um den Redeablauf zu erleichtern. Was die Sprachgemeinschaft dabei zu dulden bereit ist, hängt von verschiedenen Gegebenheiten ab, die nicht immer klar erkennbar sind. Doch kann man sagen, daß naturgemäß solche Gruppen am stärksten betroffen sind, die aus mehr als zwei KK bestehen, besonders wenn solche Gruppen ungewohnt oder schwer sprechbar sind.

Gebremst wird die Entwicklung vom Streben nach Deutlichkeit, aber auch vom etymologischen Bewußtsein, das stärker von der Oberschicht getragen wird. Dies zeigt sich sehr deutlich in ahd. zweigliedrigen PN, bei denen die Kanzleien im Gegensatz zur gesprochenen Sprache unassimilierte Formen lange weiterschleppten (s. z.B. D 52.2). Daß es bei der Wiederherstellung des alten Zustandes zu Fehlleistungen kommen kann, ist einsichtig.

51.2. Grundsätzlich sind alle im Wortinneren bzw. in der Zsstzg. vorkommenden Vereinfachungen auch in Satzinl. möglich, manche finden sich aber nur hier oder dort (wegen des Fehlens emtsprechender Gruppen im anderen Falle). Gerade in Sandhi wirkt sich aber das Streben nach Deutlichkeit als Bremse stärker aus als im Wortinneren, wohingegen sie im Satz wohl zu allen Zeiten mehr oder weniger fakultativ blieben, abhängig vom Sprechtempo und der individuellen Sorgfalt (die neuerdings auch durch die "allgegenwärtige" Schrspr. gestützt wird). Von daher ist es verständlich, daß das Alter und die Geschichte der Satzinl.-Formen wegen des fast völligen Ausfalles einschlägiger Schrr. nur schwer auf direktem Weg zu bestimmen sind.

51.3. Dennoch lassen sich Assimilationserscheinungen schon fürs Ahd. nachweisen (vgl. außer den PN D 52.2 etwa das *gimer* der Altdeutschen Gespräche, 10 Jh., ferner die vielen Belege bei Wolff 1921, passim). Aber ab ca 1100 ist für das Rf. eine außerordentliche Zunahme zu verzeichnen. Dies erklärt sich aus der nun immer stärker werdenden Vermehrung bereits vorhandener und dem Aufkommen neuer, ungewohnter KGr. als Folge des seit dem ausgehenden 11.Jh. immer rascher um sich greifenden ə-Schwundes. Hinzu kam die durch K-Schwächung wachsende Labilität der Grll.

51.4. Besonders anfällig sind natürlich Gruppen aus drei (oder mehr) Gliedern, deren mittlerer K "in der Klemme" (Dieth 1950, §343) sitzt[244]. Die Häufigkeit der Reduzierung gerade von /d/ hängt lediglich mit seinem gehäuften Vorkommen in Flexion und Wortbildung zusammen.

Auch wenn der K im Satzinl. individuell nicht völlig ausfällt, wird er wenigstens reduziert, vgl. z.B. ę glābd + mə s ned "er glaubt es mir nicht" > glābd-mə > glābb-mə (zu D 52.1,1), dę hęibd kǫn dsendnə hǫux "er hebt keinen Zentner hoch" (zu D 53.2.1). Diese Reduktionsstufe wird in unserer Transkription i.a. nicht eigens wiedergegeben.

51.5. Wir unterscheiden im folgenden zwischen "Assimilation", wenn eine Geminata als Zwischenstufe nachweisbar ist[245], andernfalls sprechen wir von "Ausstoßung" (bzw. "Abfall" am Wortende). Eine strenge Scheidung zwischen beiden ist aber nicht immer möglich, besonders im Wortinl. nach Aufgabe der Geminaten.

Das Material aus der modernen Mda beschränkt sich im wesentlichen auf L, da die Handbücher dieses Gebiet meistens unberücksichtigt lassen. Nach meiner Beobachtung gelten jedoch die Lorscher Verhältnisse weithin.

---

[244] Grundlegend die Arbeit von Wolff 1921 mit reicher Materialsammlung besonders aus älterer Zeit.

[245] Gesprochener Lang-K wird im Satz durch -K̲+K̲- wiedergegeben.

II. Verschlußlaute

aa) Kontaktassimilationen

52.1. Teilweise; 4 Abteilungen, davon 1 und 2 vornehmlich im SatzInl., 3 und 4 nur im Wortinneren.

1) *-d + m-* > *-b + m-*, unabhängig, ob dem *-d* ein V oder ein K vorausgeht; im Falle von *-bd* entsteht ein Lang-K (*bd* > *bb*). der in häufigen Verbindungen auch vereinfacht werden kann. Aus *-nd* wird *-mb* (D 6.5.1). Besonders oft sind Verbindungen aus Vb.-Form auf *-d + Pron. -mə* "man; mir", *-miš* "mich" betroffen. Beispiele: *ę hob-̣miš gsęiə* "er hat mich gesehen", *do gęib-̣mə hě* "da geht man hin", *dęs helb-̣mə ned lọŋ aus* "das hält man nicht lange aus", *ę hěb-̣mə s gęwə* "er hätte es mir gegeben", *wọs lab-̣mę̥ə drō* "was liegt (*laid,* s. C 32.3.1) daran"; *gugb-̣mə* "guckt man", *maxb-̣mə* "macht man" (*b* ist hier nur schwach), *šęŋb-̣mə* "schenkt man"; *dę kimb-̣mə grọd rę̄šd* "der kommt mir gerade recht". - *ę glābb-̣mə s ned* "er glaubt es mir nicht", *di šraibb-̣mər̮in brīf* "sie schreibt mir einen Brief", *di šdobb-̣mə mọ šdrimb* "sie stopft mir meine Strümpfe"; ferner: *haub(b)mọn* "Hauptmann", *hab̮mójə* (*haid:* C 32.3.1) "heute morgen". - *dęs šọimb-̣mə ned rišdiš sə sọi* "das scheint mir nicht richtig zu sein", *wọs kemb-̣mə dọn do máxə?* "was könnte man denn da machen?", *ə pumb̮mę̄l* "ein Pfund Mehl".

Hist. Schrr. kann man kaum erwarten. Immerhin bezeugt BI 325: 1299 *Ampmann* (PN) neben sonstigem *Ammet-* das Alter der Erscheinung (vgl. L *ọmd* "Amt" gg. *ọmbmọn*).

2) Bei *-bd -md* findet sich die gleiche Erscheinung wie bei 1), wenngleich seltener, auch vor folgendem *w- f-: si šdobb̮wī̥ə šdrimb* "sie stopft wieder Strümpfe", *ę kimb̮wī̥ə rędữə* "er kommt wieder zurück", *dęs kimb̮fọ̈d* "das kommt fort" (= wird fortgeschafft").

3) Infolge *ə*-Schwundes zusammentreffende *m-d/d̮* wurden zu *mb/mb̮* (D 31.2). Doch ist der Wandel im lebenden (Vb.-) Paradigma entweder nie durchgedrungen oder alsbald wieder beseitigt worden, vgl. *ę kimd, nimd, šēmd siš* "er kommt, nimmt, schämt sich". [*-mb-*] wurde assimiliert, s. D 31.3. Amt, samt heißen heute *ọmd, sọmd*, aber historisch sind belegt z.B. GRB 1729 (Nr. 48) *oberamb* (3x); (Nr. 68) *samb* (2x).

4) *-gn-* > *-ŋn-*: in L und verbreitet nur in romanischen Lwtt, z. B. *ọŋēs* "Agnes", *iŋnǎdsjus* "Ignatius", *mọŋněd* "Magnet", wo es aber wohl aus romanischer Wurzel stammt, vgl. die kirchenlat. Aussprache von *agnus, dignus* (s. auch Sommer 1948, 233f.) ferner hist. Schrr. wie BII 50: 1313 *singno singnavi* (lat. Text); BIII 383: 1365 (u.ö.) *sante Mangne, Angnes*; noch Zorn: *bei s. Mangen*. Im einheimischen Wortschatz findet sich dieser Vorgang nur im sSt bzw. sNeck, wo *-gen-* vor der *g*-Spirantisierung zu *-gn-* wurde, s. D 23.2.2.9; 28.9.2.1.

52.2. Vollständig. Grundsätzlich führt die Vollangleichung zunächst zu Lang-KK. Bei uralten Verbindungen (z.B. PN) ist die Geminata längst gekürzt, in historischen Namen aber noch an

Fortis-Schrr. erkennbar, vereinzelt auch an Doppelschrr. In jüngeren (Lehn-)Wörtern und verdunkelten Zsstzg. wird der K wegen des Fehlens von Geminaten im Wortinneren spurlos ausgestoßen. (Damit berührt sich die Assimilation mit der "Ausstoßung", s. D 53). Wo aber das Bewußtsein für die Wortgrenze erhalten ist, kennt auch die moderne Mda Lang-K neben Kg., letztere stärker bei Älteren. Doch zeigt sich gerade hier im Schwanken zwischen unassimilierten Formen, assimilierten mit Lang-K und assimilierten mit Kurz-K die individuelle Sorgfalt bei der Aussprache.

Man kann folgende Gruppen unterscheiden:

1) V + 2 Vsll.; Beispiele für PN aus dem CL (zitiert nach LC Reg.): (*t+b*) *Theotbalt* u.ä. - *Di(e)polt* u.ä., *Theo(t)bert* u.ä., *Liutbolt* - *Liu(b)bolt* u.ä., *Ru(o)tpert* u.ä. - *Rupbert, -pp-, -b(b)-*; (*t+g*) *Theo(t)ger* u.ä., *Dithgis* u.ä. *Teugis, Die(t)goz* u.ä., *Ruotger* u.ä. - *Ruogger, Rucker, -cg-, -gg-*; (*k+b*) *Hugbert, -c-* u.ä. - *Hupert, Wigbert, -cp-* u.ä. - *Wi(b)bert*. - Jünger sind: *ębəs*, s. D 39.2.6, *mádlēn* "Magdalena" (vgl. BII 399: 1366 G.Sg. *Madalenen*). ON: Di-*Diebg* [*díbọrg*]: 1208 *Ditburg*, 1254 *Dipburg*, 1262 *Dippurch*; Be-*Glattb* [*glabox*] (Bauer §134,1): 1252ff. *Glatbach* u.ä. (keine Assimilations-Schrr. bekannt); SH *lautbar* /*laubər*/, St. Weiteres s. D 53.2.3. Diese Assimilation ist nicht mehr lebendig.

2) *l* + 2 Vsll.; PN aus dem CL (LC Reg.): (*lt+b*) *Hildibert* u.ä. - *Hilbert*; *Walpreht, Walbrechd* (< *Wald-br-*), modern *walbədsnọ̄xd* unruhige, schlaflose Nacht" (eig. *Walpurgisnacht*, zu ahd. *Waldburg*, nach dem vorigen umgedeutet); (*lt+g*) *Wal(t)ger*; (*lk+b*) *Volkebert* u.ä. - *Folbert* u.ä. Der appellativische Wortschatz bietet nur weniges: *wilbəd* "Wildbret", mhd. *wiltbræte, keldə* "Kelter" < *këlkt-*, s. D 31.7.3; BIII 274: 1410 *erfolte* "erfolgte" (falls nicht Verschreibung).

Angleichung in -*ld+b/p-, g/k-* ist auch in der heutigen Mda noch gang und gäbe, mit oder ohne Lang-K, Beispiele: *ę hod dęs bilg̟+gsęiə* "er hat das Bild gesehen", *iš mẹ̄gd ned̮ḹōns im wọlb̟+b̟laiwə* "ich möchte nicht allein im Wald bleiben", *du muš n̥ də wọlg̟+gęi* "du mußt in den Wald gehen", *mę hęwə nī gęlg̟+ghadə* "wir hatten nie Geld"; festgeworden und daher degeminiert war der ältere Name der *Waldstraße*: † *wọl̟-gas* (gg. *wọld*; heute *wọld̮-šdrōs*), vgl. auch *węl(g̟+)grīš* "Weltkrieg".

3) *r* + 2 Vsll.; *rt+b*, PN (CL) *Hartbert* u.ä. - *Harpert, -b-* u.ä., *Nortbert* u.ä. - *Norpert, -b-*; ON *Erbach* (Odw) [*ę̄box*] (Freil. 169): CL 155a *Ertbach*, ferner 1223 *Erpach*, 1354 *Erppach*; Be-*Erb*: CL 3813 *Er(p)bach* (12.Jh.); Er-*Erbuch* [*ęəbũ̄x*] (Freil. 269): a. 1113 *Ertbuc*, 1321 *Erpuch*, alle mit ahd. *ërda*; das Wort *Erdbeere* in verschiedenen Spielarten (SH), L † *ębḷ* < *ę̄rbbər*.

rkt: in mittalterlichen Wser Tornamen auf *-burgtor*, früh *-burter* u.ä., z.B. BII 154: 1327 *Nûwenborter*, 229: 1342 *Nûwenborther*[246]. Für *Markt*, L *mǫrig*, gilt weithin der Typ *Mart* (SH), z.T. verdrängt durch das südliche *-k*, so auch in Ws, vgl. Schwan 1936,31: bis Mitte 15.Jh. *mart*, seit dem 14.Jh. dann *mark(t)*, das sich im 15.Jh. durchsetzt. Beide Formen beruhen auf Ausgleich[247]: *market/markt-* > *mark(t) mart-* (vgl. D 53.2.5.4). - *Werktag* > *wẹdǫg*, verbreitet und alt (Wolff 1921, 45f.), vgl. BII 633: 1342 *wertage* A.Pl.

Im lebenden Gebrauch sind Vereinfachungen der Gruppe 3) nicht mehr vorhanden. Doch weisen die Fälle mit unorganischem *-t* hinter *r* auf einst freieren Gebrauch im Sandhi hin, s. D 53.2.4f.

4) *m* + 2 Vsll., praktisch nur *-mb+d*, namentlich in Vb.-Formen der modernen Mda, z.B. *dǫmbə* "dampfen" - *s dǫmd, hod gədǫmd*; *ę šdǫmd* "stampft" zu *šdǫmbə* u.a., woneben in stärkerer Anlehnung an die Grundform auch *-mbd* zu hören ist; ferner *bromd* "prompt" (aber *bromb+bədīnd* nach D 52.2,7). Im freien Satzinl. sind solche Formen kaum mehr üblich. Vielmehr wird hier *b* nur reduziert, z.B. *s is kǫn šdrúmᵇ⌣dō* "es ist kein Strumpf da".

5) *n* + 2 Vsll. In festen Verbindungen (Nomen, Zsstzg.) wird *n* an folgenden Lab. bzw. Gutt. angeglichen (D 6.3-5), im Satzinl. nur noch fakultativ, häufiger bei Älteren.

Am häufigsten ist *-nt+b*: PN (CL), z.B. *Guntbalt - Gumbalt, Guntbert* u.ä. *Gumpert, -mb-*, *Lantbret* u.ä. - *Lamprec(h)t, -b-* u.ä., - *Rantbert* u.ä. *Rampert, -b-* u.ä., beachte 214 *Ramtberti!*; ON: Er-*Kimb* [*kimbox*] (Freil. 270), 12.Jh. *Kuntbuch* (aaO), 1359 *Kunte-*, 1602 *Kympach*; Be-*Rimb* [*rimbox*]: CL 6a und 40 *Rintbach*, a. 1383 *Rympach*, 1407 u.ö. *Rimp-*; Er-*Sandb* [*sämbox*] (Freil. 271): 1320 u.ö. *Sampach*, 1454 *Samppach* (!). - Appellative: † *hǫmbalə* "(Spiel-)Ball" (*hǫmbalšəs dū* "Ball spielen"), *hǫmbę̄səm* "Handbesen", † *humbę̄ǫ* "Himbeere" (so oder ähnlich verbr.: SH; ahd. *hintbéri*); *humbodsə*, derbe Abweisung, z.B. *du grigš h.* "nichts": Hundbutzen (SH); bes. rhh *Grundbirne* "Kartoffel": [*grumb-*] (SH *Grundb.*; WK III,84); hist.: PU 44: 1345 *mompar* (= *munt-bar*); Tischz I,120 *Embeut*, 164 *schamper* "schandbar".

Noch heute im Satzinl. möglich (meist bleibt aber *n* erhalten), Beispiele: *dęs šǫinb+bal (šǫimb+) fędiš sə sǫi* "das scheint bald fertig zu sein", *ə punb+pęšiŋ* "ein Pfund Pfirsiche", *los dǫ hǫnb+bai də* "laß deine Hand bei dir" (auch *pumb⌣, hǫmb⌣* möglich); im Inl.: *enḅḅę̄ən, enḅḅinə (em-)* "entbehren, entbinden".

---

[246] Daneben schon 118: 1321 *-portor*, Umgestaltung nach *Porte* "Pforte" mit [ḅ-] nach D 57.4.1, vgl. BII 255: 1347 *sante Martines borte*, heute *Martinspforte*.

[247] Nach Protze (1961 passim) im md. N eher *-t*, südlich davon eher *-k*; doch ist der heutige Zustand das Ergebnis eines langen Ausgleichsprozesses; vgl. auch Wolff 1921, 46f.

Man beachte auch historische Fehlschrr. wie GR 1698 *Endbach* für *Embach* (Bürgermeister von L).

-nt ‿ g: Namen sind selten, CL: *Nantger - Nancger.* Modern: *Landgraben* (vgl. Fecher 1941,95), älter *lǫ̆ŋ‿grǭwə,* jünger *lǫŋ+gr., lǫŋ+gr.. lǫnd-; iš keŋg(+) grǭd dəhǭm blaiwə* "ich könnte gerade daheim bleiben" (neben *keng+, kend*), *bəkǫng+gęwə* "bekanntgeben", *dę fədīng+gūd* "er verdient gut", *dęs hob͜ məš gsung+gəmǭxd* "das hat mich gesund gemacht"; *iŋ͜ (in͜)kęrš* "in die Kirche" (ohne Geminata in der früher häufigeren Verbindung, s. D 37.2.3). Im Inl. z. B. *enggǫŋə* "entgangen" *(eŋg‿);* dazu PU 139: 1510/18 *engeltnis;* ferner FIN Wo-Leis 1321 *hungaßes-* (R 162), Gundersh 1447 *im bontgauwe,* 1457 *in dem bongkuwe,* ähnl. öfter (R 92). Bemerkenswert W-Diebg 1429 *Zenggreffe(n),* wiederholt, beachte ⟨gg⟩!

6) *n* + 2 Vsll., im lebenden Satzinl. keine Angleichung von *n* mehr an folgenden Lab., Gutt.

nk+b: CL *Thurincbert, -g-* u.ä. - *Thurinbert* u.ä; ON Be-*Lamp* [*lǫmbədə*]: a. 832 *Langobardonheim, Langbard- -* a. 1141 *Lampert-.*

nk+t[248]*,* hist. in *Punkt, sankt* (Wolff 1921, 48): BII 634: 1392 *pŭnte;* HpU 1327 *sente;* Zinsb Be-Lind 1369, 58 *sant;* PU 253: 1423 *sand;* W Wo-Eich 1476 *san(n)t,* so oft (aber LB latinisierend *sanctin*); heute *puŋd, sǫŋd,* die übliche Aussprache für ⟨nkt⟩, vgl. auch *konjəŋdū̆ə* "Konjunktur", ferner *deŋgə* "denken": *ę deŋd, gədeŋd, iš deŋg͜ drō* "ich denke daran" u.a ., vgl. oben Nr. 4.

Hierher ferner *blinsĺə, šwǫns* "blinzeln, Schwanz" u.a.: mhd. **blink(e)zen, *swank(e)z-* (Kluge) mit Angleichung des N.

Ein Sonderfall ist ahd. *int-,* das weithin vor folgendem Vsl. sein *t* verlor (Wilmanns 1911, §324; Schatz §76), ohne daß jeweils Geminata nachweisbar ist. Dies kann auf die Vortonigkeit, aber auch auf nachträgliche Wiederherstellung des Anl.-K zurückzuführen sein. vgl. D 54,1.

7) Auf den Satzzusammenhang beschränkt und deswegen fakultativ und mit Geminata ist die Angleichung von *d* zwischen je 2 lab. bzw. gutt. Vsll.: *bromb+bədīnd,* s. o. Nr.4; *ę blaib+bái mə* "er bleibt bei mir", *ę reb+bōnə* "er rupft Bohnen"; *ę hag+kǫ hóls* "er hackt (spaltet) kein Holz", *iš hęb s gšig+grid* "ich habe es geschickt gekriegt", vgl. GRB 1718 (Nr. 39) *geschick gewest.*

8) V + dent. Vsl. + *f:* s. D 14.1.2.3; jünger ist † *afəgád* "Advokat" (verbr.: SH); nicht mehr lebendig, vgl. z.B. *adfénd* "Advent".

---

[248] Weder bei *nkt* noch bei *mpt* (Nr.4) sind hist. Schrr. mit Geminaten vorhanden, die eine eindeutige Zuordnung unter die Assimilationen erlauben, vgl. auch D 50.3.3. Doch ist eine Trennung von der Assimilation in *nt+g* unmöglich. Sie war anscheinend im Arf. noch nicht vorhanden (vgl. LB *sanct-*), ist also zu einer Zeit aufgekommen, wo die Geminaten bereits aufgegeben waren (D 50.4f.).

Eindeutig auf Geminata weisen Schrr. wie z.B. *Liubbolt, Rucker (-gg-), Dippurch*; aber auch *Erpbach, Nancger* u.a.

Von den Nummern 1-8 sind bezeichnenderweise nur noch die lebendig, die die Schwächung bzw. Beseitigung eines mittleren Vsl. anzielen. Verbindungen aus V + 2 Vsll., aber auch *r* + Vsll. werden nicht mehr verändert, letztere auch wegen der *r*-Vokalisierung.

9) Die Vereinfachung von Gruppen aus */dəl/, /dən/,* Nas., Liq + sth. homorganen Vsl. sind als unmittelbare Folgen der K-Schwächung bereits D 24.9; 31 behandelt.

bb) Spurlose Ausstoßung eines mittleren Konsonanten

53.1. Es handelt sich durchweg um Gruppen aus drei (oder mehr) KK, wobei der dritte kein Vsl. zu sein braucht. Während nämlich Gruppen wie z.B. *l+$\overline{gg}$* (oben Nr.2) möglich waren (D 50.3.3), gab es (außer *-lff-* < germ. *-lp-*) keine Gruppen aus K + gedehnten Zsl., Rbl., Nas., Liq. Daher mußte in Verbindungen mit solchen KK ein Vsl. spurlos ausfallen.

Betroffen ist in der Hauptsache wieder *d*, viel seltener *b g*. Wir behandeln daher zunächst *d*, dann *b g* getrennt und anschließend gewisse Sonderentwicklungen in den Gruppen aus Nas./Liq. + homorg. Vsl. + Rbl./Zsl.

Mittleres /ḍ/

53.2.1. In Gruppen aus Grl. (*b ġ, f x s š*), Nas. (*m ŋ*) + /ḍ/[249] fällt /ḍ/ unter folgenden Bedingungen aus: allgemein im Wortinl. vor *-šd* (2.Sg., Superlativ), im Satzinl. heute fast nur noch in *-šd* + *p/b-, g/k-, šd-* (selten noch vor anderen KK), dabei besonders wieder in festen Verbindungen oder wenn dem *-šd* ein weiterer K vorausgeht. In allen übrigen Fällen bleibt /ḍ/ heute, wenngleich oft zu [ḍ] reduziert, aus Gründen der Deutlichkeit meist stehen. Aus dem gleichen Grund wird im Satz bei *-šd* + *šd-* (*šb-*) gern Geminata gesprochen: *-š+šd- (-b-)*.

Beispiele für *d*-Schwund vor *-šd* im Wortinl.: *du bəhaubšd: bəhaubdə* "behaupten", *du brēgšd, mēgšd* "du brächtest, möchtest (vgl. *iš brēgd, mēgd)*, *(du) hefšd: hefdə* "heften", *lifšd: lifdə* "lüften", *bəōwaxšd: bəōwaxdə* "beobachten", *šlọxšd: šlọxdə* "schlachten"; *laišd: laišdə* "leuchten; leisten" (*laiχd+šd, *laišd+šd), *mēšd, wēšd* "müßtest, wüßtest" (vgl *iš mēsd, wēsd)*. Die Beispiele zeigen zugleich die Wirkung der Zsl.-Angleichung nach D 56.2,2. Wegen des Gleichklangs mit der 1.3.Sg. *laišd* (vgl. das Paradigma von *faśdə* C 35.2.2d) werden solche Formen oft gemieden und mit Hilfe der (auch sonst möglichen) Umschreibung mit *dū* "tun" umgangen: *du dušd laišdə*.

---

[249] *md ŋd* sind jedoch sehr selten, s.u.

Auch im Superlativ gerade recht gebräuchlicher Adj. sind unklare Formen entstanden: *də féšd* "der festeste" zu *féšd*, *də laišd* zu *laišd* "leicht", älter **laišd* - **laiχd*, *də šlę̄šd* zu *šlę̄šd* "schlecht", älter **š - χ*. Sie kommen zwar vor, doch besteht eine Neigung zum Ersatz durch mehr der Schrspr. angenäherte Formen: *féšdəšd, laišdəšd, šlę̄šdəšd*. Das gleiche gilt für andere Superlative: *di fərigšd* zu *fərigd* "verrückt" ist zwar möglich, aber *fərig(d)šd* dürfte sich durchsetzen.

md und *ŋd*: *du kę̄mšd, gę̄ŋšd* "kämst, gingst (Konj.)" (vgl. *iš kę̄md, gę̄ŋd*); *bərīmd, ausgšlǫŋd* "berühmt, gerissen (´ausgeschlankt´)", Sup. *bərīm(də)šd, ausgšlǫŋšd*; zum (seltenen) Lwt *fəlǫimdə* "verleumden" die 2.Sg. *fəlǫimšd*.

Satzinl.; feste Verbindungen: *baiš‿šdūl*, -š+š- "Beichtstuhl"; *feš‿šdelə*, -š+š- "feststellen"; *gədéš(d)nis* "Gedächtnis", *griš‿bǭm, -kind* "Christbaum, -kind" (verbr.: SH *Krist-*); *koš‿šbīliš*. -š+š- "kostspielig" (verbr.: SH), *poš‿bəǫmdə* "Postbeamter", *poš‿šbǭbux*, -š+š- "Postsparbuch". Mögliche Vereinfachungen im Satz (immer auch mit reduziertem [d] möglich): *do hor‿ə fiš‿gšdǫnə* "da hat eine Fichte gestanden" (*fišd*), *ę hod sǫ dǫ́š‿ghadə* "er hat solchen Durst gehabt" (*dǫšd*), *iš braiš‿gęld* "ich bräuchte Geld", *s koš‿ba mēə nigs* "es kostet bei mir nichts", *də ēə̨š‿parə* "der erste Pfarrer", *di lǫmb laiš‿ko bisļ* "die Lampe leuchtet kein bißchen (überhaupt nicht)", *iš hęb nǭxd-dinš‿ghadə* "ich habe Nachtdienst gehabt", *dę̄ s mə s lībš‿gəwę̄sd* "er ist mir am liebsten gewesen", *wę hod n̩ di agš‿kabúd gəmǭxd?* "wer hat die Axt kaputt gemacht?", *un šunš‿gęid s gūd?* "und sonst geht's gut?" *iš wǭ də nę̄gš‿padsjénd* "ich war der nächste Patient". Auch im häufig synkopierten *sešdsiš* "60" (C 46.1) vor mit Vsl. anl. Sb.: *sešdš marg* (vgl. D 56.2,2) gg. *seš‿peniŋ*. Ähnlich z.B. *do rīš(d) s gūd (šdsg)*.

Bei *-md, -nd* gibt es im Satzinl. heute nur noch die D 52.1,1f. beschriebenen Angleichungen.

53.2.2.1. Weitergehender Abfall von *-d* ist in der <u>2.Sg. auf *-šd*</u> zu registrieren. Hier wird *d* nicht nur allgemein unter den oben angegebenen Bedingungen unterdrückt (also besonders ausgeprägt wieder bei *K+šd*), z.B. *du giš(d)‿kǭm nigs* "du gibst niemand etwas" (´keinem nichts´), *du gęiš(d)‿ko bisļ wairə* "du gehst kein bißchen weiter", *du konš‿gęi* "du kannst gehen", *du maxš‿gǭ nigs* "du machst gar nichts", *šlę̄fš‿+šdunļǫŋ* "schläfst stundenlang", sogar *du hęiəš(d)‿jo nigs* "du hörst ja nichts". Es heißt ferner *biš-ə, hoš-ə, duš-ə, węš-ə* zu *du bišd, hošd* usw. "du bist, hast, tust, wirst", ebenso das Prät. *wǭš-ə* "warst du" und die Konj. *wę̄əš-ə, hē̄š-ə, dē̄š-ə*; meist auch *muš-ə, waš-ə* "mußt du, weißt du", zuweilen auch die Konj. *mē̄š-ə, wē̄š-ə* "müßtest, wüßtest du". Alle diese Formen zeichnen sich durch häufigen vortonigen Gebrauch aus.

Das gleiche ist allgemein bei bet. Vbb. auf *K+šd-* zu beobachten: *defš-ə, finš-ə, konš-ə, koxš-ə, maxš-ə, šlę̄fš-ə, wēdš-ə* "darfst, findest, kannst, kochst, machst, schläfst, wartest du" gg. *gišd-ə, išd-ə, laišd-ə, lešd-ə, šdaišd-ə* "gibst, ißt, leuchtest/leistest/liegst, läßt, steigst du". Bei solchen Vbb. fällt das *d* auch vor der Fragepartikel /ən/ = [n̩] und dem Pron. /ən/ "ihn(en)" weg: *wǫs hoš- n̩, koxš-n̩* u. dgl. (eig. *hoš-ə + (ə)n*).

Dies muß lautgesetzlich sein, vgl. *lāš-nagl̥* "langer Eisennagel" (< *lāšd-*). Auch bei *sd* gibt es dazu Parallelen im Vorton: L † *ǫbsǝnắd* "eigenartig -willig" < *obstinat* (verbr., SH); † *Kassenett*: SH (franz. *castagnette*); ebenso vor *l̥*: Er-*Forst* [*fōšl̥*] (Reil. §196), *Hebst* [*hɛibšl̥*] (Bauer §134,1).

Nicht lautgesetzlich hingegen ist dann weitere Ausbreitung der Schwundform im Satzinl., z.B. vor unbet. V (Muster die obigen *hoš-ǝ* ...): *du kimš ǫn s rōdhaus* "du kommst ans Rathaus", *du hoš ɛwǝ gōnigs gsǭd* "du hast aber gar nichts gesagt". Die Grenzen sind hier in L (wie auch sonst) sehr fließend und individuell verschieden.

53.2.2.2. Es sind verschiedene Faktoren zusammengekommen. Auszugehen ist vom häufigen *d*-Verlust bei Hilfs-Vbb., die oft vor mit *g(ǝ)*- eingeleitem Part. stehen. Hier ist *d* ausgestoßen worden, z.B. *du hoš͜gsɛiǝ* "du hast gesehen", *du wɛš͜gǝwegd* "wirst geweckt", ebenso vor *ǝn* (s.o.). Eine weitere Quelle bei Hilfs-Vbb. und Vbb. auf *K+šd* sind die Folgen *-šdǝ+d-, -šd+s+K-,* z.B. *hɛibšdǝ dǝs úf?* "hebst du das auf?" > *hɛibš-ǝ d-, do mēšd-ǝ hēgɛi* "da müßtest du hingehen" gg. *do mēš(d)-ǝ dǝ gǫnsǝ dōg šafǝ* "da müßtest du den ganzen Tag arbeiten", *išd-ǝ mid?* "ißt du mit?" gg. *iš(d)-ǝ dǝs gēn?* "ißt du das gern?", *wǫs gišd-n̥?* "was gibst du (denn)?" gg. *giš(d)-ǝ dǝs hē?* "gibst du das her?", *du maxšd-s* "du machst es" gg *du maxš(d)-s gud* "... gut", *du maxšd-s úf* "du machst es auf" gg. *du maxš s dox úf, du maxš s ned úf, du wāšd-s* "du weißt es" gg. *du wāš(d)-s dox.* Die Fälle beruhen z.T. auf Dissimilation, was auch aus gewissen anderen Beispielen erhellt: *wǫs rīš(d)-s do sǫ gūd* "was riecht es da so gut" gg. *rīšd-s.* Auch bei Sbb.: *Fenster* = [*fenšdǝ*], aber vor folgendem mit *d(s)-, n-* beginnendem Wort kann das innere *d* ausfallen: *max s fenšǝ dsū* "mach das F. zu", *dǝs fenšǝ dō* "dieses F. da", *dsum fenšǝ naus* "zum F. hinaus" (aber *dsum fenšdǝr͜ǝnaus*), dagegen *max s fenšdǝ uf* "mach das F. auf", aber auch schon übertragen: *max s fenšǝ uf.* Ähnlich kann man hören neben regelmäßigem *seds diš (dǝš) hḗ* "setze dich hin" (C 32.5.2.1): *sedš do hḗ* < *seds (d)š+d-,* aber *hog* ("hocke") *dš do hḗ.* Auch der vorausgehende Dent. hat hier eine Rolle gespielt.

Etwas anders zu beurteilen ist es, wenn neben *ledšd-* "letzt-" häufig auch *ledš-* vorkommt, ebenso neben *šunšd* "sonst": *šunš,* z.B. *s ledš(d)ǝ mōl* "das letzte Mal", *šunš(d) ɛwǝ nigs* "sonst aber nichts". Hier hat das erste *d* bzw. *n* dissimilatorischen Einfluß ausgeübt.

53.2.2.3. Die Verallgemeinerung von *-š* < *-šd* zunächst in der Inversionsstellung vieler Vbb. mit allmählicher Arbreitung auf weitere Stellungen, in denen Schwund gleichfalls nicht berechtigt war, ist von diesem Ansatz her leicht zu verstehen. Stärkere Verallgemeinerung der *d*-losen Formen finden sich z.B. in Ws, wo es auch heißt *gēš-ǝ, iš-ǝ, wēš-ǝ* "gehst, ißt, weißt du", *du gēš awǝ mid mǝ* "du g. aber mit mir" (gg. *du gēšd*), sodann besonders am Südrand Sts, wo *-d* in der 2.Sg. allen Stellungen beseitigt ist (Bauer §134,17; K.19).

53.2.3. Außer der 2.Sg. gibt es weitere Hinweise auf vormals wesentlich häufigere Ausstoßung eines mittleren *d* (vgl. Wolff 1921, §§12; 15): 1. hist. Schrr. (s.u.), 2. das Schicksal des Intensiv-/ Iterativsuffixes mhd. *-ezen*: heute allgemein *-sǝ* hinter K, z.B. *blɛigsǝ* "plärren" (zu *blöken*), *glugsə* "glucksen (vom Huhn, das brüten will)", *grẹgsə* "stöhnen, klagen" (`krächzen´), *hubsə* "hüpfen", *šlabsə* "schlurfen" (*šlab-*), *de šligsə* "Schluckauf" (zu *šligə*, "schlucken"), *šubsə* "schubsen" (zu *schieben*). Daneben die auch schrsprl. vorhandene Lösung: Angleichung des ersten K[250], z.B. *blidsə* "blitzen", *šmadsə* "schmatzen" (mhd. *bliczen, smackezen*), *šlodsən* "geräuschvoll trinken" < **sluck-z-*. SH *hitzeln* < **hickz-*. Die Entscheidung zwischen *blidsə* und **bligsə* (Luthers *blixen*!) dürfte davon abhängig gewesen sein, ob der Zusammenhang mit dem Grund-Vb. früh verloren gegangen war (dann wurde der erste K angeglichen), oder nicht. Im letzteren Fall wurde der erste K jeweils wiederhergestellt, und dafür fiel das mittlere *d* aus.

Die gleiche Entwicklung zeigt das Suffix mhd. *-eze*, das (meist pejorative) Kollektiva bildet: Neben L *nēds* "Nähzeug" (verbr.: SH) und dem besonders in Rhh gebräuchlichen *gfaivds* "Brennmaterial" (SH *Gefeuerz*)[251] stehen Bildungen wie L *ọbgalẹgs* "Küsserei" (`Abgeleck-s´), *gəkoxs* "(lästige) Kocherei", *gəlāf(s)* "Lauferei", *gəlọmədī̦əs* "Lamentieren".

Vereinzelt findet man auch *-gds-* > *-gs-* in Lwtt (*-ktion*), vgl. z.B. SH *Kollektion. Korrektion. Lektion*. Aus L sind mir solche Fälle nicht bekannt.

53.2.4. Auch die weitgehende Beschränkung der Ausstoßung von *d* im Satzinl. auf *-šd* ist sicher sekundär. Das ergibt sich 1. aus den Verhältnissen im Inl., 2. vereinzelten Resten wie *drọx-bə* "trächtig" < **drọ̄xd+bər* (verbr.: SH *trachtbar*) sowie *is* "ist" (BS *ist*) mit Verlust des *d* ursprünglich vor allem vor folgendem Part. mit *gə-* noch vor dem Wandel */šd/* > *šd* (vgl. das schwäb. *ischt*), also vor 1150 (D 42.6.4,2). An alten Schrr. ist nicht viel zu erwarten, weil ja stets die Pausaform daneben stand. Nur gelegentlich entschlüpfen Formen wie Gef. 1632, 23 *Forschmeister*; GRB 1718 *geschick worden* oder z.B. FIN Wo-Bechth ca 1500 *yn der wißkircher gewanden* "Wüst-" (R 304); Mölsh 1516 *neben der korsgassen* "Karst-" (R 170); Alsh 1721 *Karschgewann* (aaO); Osth 1547 *Dinßberg* "Dienst-" (R 98). Die von der Schrspr. bzw. Oberschicht gestützte Pausaform hat im Lauf der Neuzeit die *d*-Ausstoßung im Satzinl. weitgehend zurückgedrängt.

53.2.5.1. Bei der Annahme einer einst fast gewöhnlichen Ausstoßung den mittleren *d* auch im freien Satzinl. erklärt sich am einfachsten das dem Germanisten vertraute Phänomen des Antritts eines unorganischen *-t* an den Ausl. vieler Wörter. Sie sind nämlich nicht zu trennen von anderen Wörtern mit Verlust von altem *-t*. Die einfachste Deutung ist, daß verbreitet im deutschen Sprachgebiet zu einer gewissen Zeit solche *t*-Ausstoßungen üblich waren. Aber unter dem Druck der Oberschicht, die immer auf Bewahrung der vollen Wortform drängte, wurde

---

[250] Weitere Einzelheiten bei Wolff aaO.

[251] Hinter V bleibt *ds* erhalten: durch nachträgliche Ausbreitung von *-s* aber auch *Gefeuers*; vgl. auch SH *Getiers*: *-ds* besonders im Odw; s.v. *jammern*: *Gejammers* mit *ds* in Bi-GAlg. Produktiv ist nur noch *-s*, vgl. *dẹs gənēs, gəfaiəs* "das (ständige, lästige) Nähen, Feiern".

"wiederhergestellt", allerdings öfter fehlerhaft: *-t* wurde angehängt, wo es nicht hingehörte oder umgekehrt fortgelassen, wo es berechtigt war. Daß es sich dabei um keine "lautgesetzliche" Erscheinung handelt, zeigt die regional schwankende Behandlung einzelner Wörter oft auf verhältnismäßig engem Raum, zuweilen innerhalb der Mda selbst (vgl. die Beispiele aus L), ohne daß dafür jeweils die Schrspr. verantwortlich gemacht worden könnte. Die Festlegung wird wohl jeweils nach gewissen Vorbildern erfolgt sein, die wir aber heute meist nicht mehr fassen können.

53.2.5.2. Beispiele aus L mit unorganischem *-d* (zur Verbreitung s. jeweils das SH): *agšd* "Axt": mhd. *ackes*, *ǫndifdšǝ* "Endivien" (vgl. D 30.4), *ǫnǝšd* "anders", *dudsǝd* "Dutzend": mhd. *dutzen*, *ẹ̄bš(d)* "verkehrt": **äbech*, *(n)ẹrjǝd-* "(n)irgend-": *(n)iergen*, *fẹ̄šd* "Ferse": *versen*, *fǫrš(d)* "Furche": *vurch* (*-d* bes. im SO, s. SH, WK II,62), *hifd* "Hüfte": *huf*, *laišd* "Beerdigung": *lîch*, *mojǝd* "Morgen" (festgeworden nach *ōwǝd*), † *mōšd* "Moos" (vgl. SH, WK IV,57), † *nīǝ̯šd* "Fruchtschaufel" (SH *Nürsch*), † *ōbsd* "Obst": *obeȥ*, *safd* "Saft": *saf*, *sẹlbšd*: *sẹ̈lbes*, *sẹlwǝd* "selber", *senf(d)* "Senf": *sẹ̈nef*, *šunšd* "sonst": *sus*; aber *ūgǝnaišd* "gefräßig" (`ungeneusisch') ist an *gǝnaišd* "geneigt" angepaßt. Nicht in L belegt ist Antritt eines Dent. z.B. in *Bursche, Deich, gestern, Hanf, Koffer, Liesch II, morsch, Puls, schon* (z.B. Wo-Gundersh; vgl. Haster 1908, 58), *Torsche, Vers, vorhin*. s. SH.

Umgekehrt fehlt sekundäres *-d* in L z.B. in *breriš* "Predigt": *prédige*, *jeds* "jetzt": *ieze* (> *itz* usw.), verbr. in *Habicht* (SH: L *hawišd*); ursprünglich auch *Mond* (L *mōnd*), Reste in Rhh (SH), hist. im FlN Wo-Herrnsh 1481/1560 *in der Munescheyne* (R 210).

Es ist damit zu rechnen, daß *-d* nicht nur in *Mond* erst nach schrsprl. Vorbild angetreten ist, vgl. die Verbreitung z.B. von *Ax-t, Obs-t* (zu letzterem s. C 8.2.2; D 37.3.2.2).

Nicht hierher gehören L *gfǫnd* "gefahren": sekundär schwaches Vb. (D 9.2.2.2), und die Konj. *iš gẹ̄bd, gẹ̄nd, kẹ̄md* "gäbe, ginge, käme" mit *-d* nach *brẹ̄gd, dẹ̄d, hẹ̄d* u.s.w. "brächte, täte, hätte".

53.2.5.3. Echtmdal. Wörter mit *d* im inneren Ausl. sind anders zu erklären. Hierher gehören *ǫnǝdhálb* "anderthalb" mit *d* nach dem Muster von *dritt-, viert-halb*, *aišṇdliš* "eigentlich", dessen mehr oder weniger hochsprl. Formen schon die Herkunft anzeigen (demgegenüber *ǫdḷiš* "ordentlich"!), sowie L *āšdǝliš* "unheimlich, fürchterlich" für ursprüngliches *āšdliχ* (SH *eislich* und *eister-*, WK III,8) < *āšliχ* < *eis-lîch* (D 23.2.1.2), ebenso *freis(t)erlich, freislich* (SH; mhd. *vreislich*; L ∅). Alt sind beide Male *-š(d)l-*; *-šdǝr-/* nach *fürchter-lich*. In der Folge *-st-l-* war *t*-Schwund schon ahd. möglich (Wolf 1921, 132f.), vgl. BII 110: 1321 *geislich*, 381: 1364 *geys-*. Als *-t-* wieder fest wurde, geriet auch *eis-lîch* in den Prozeß.

53.2.5.4. Beispiele für abgefallenes altes *-d*: L *hābǝšǝ*, s. D 22.5, *grūš(d)* "Gerümpel" (SH *Krusch(t)*), *mǫrig* "Markt", *is* s. D 53.2.4; hist.: Gef. 1632, 21 *jahrmarck*; GRB 1717 *Benedic*. Außer für *Benedikt, Haupt, Krusch(t), Markt* (worüber D 52.2,3) ist SH fehlendes *-d* (oft neben Erhaltung) gemeldet auch z.B. in *(Bettel-)Vogt, Gemächt I, Genist* (L *gǝnišd*), *Geschwulst, Gneist, Kaft I, (Mühl-) Arzt*.

Nicht hierher gehören: *ę braux* "braucht", Anlehnung an die Präteritopräsentien; *nagiš* s. C 37.4.7.

Hist. Schrr. habe ich seit der 2.Hälfte des 14.Jh.; sekundäres *-t*: BII 382: 1365 *daselbist*; 416: 1367 *geforht*, vorher meist ohne *-t*, später aber oft so, z.B. 543: 1383, 594: 1388 *gefurchet* (mit falschem *-e-*); BIII 286: 1525 *sust*, 361: 1500 *dennocht* "dennoch", 623: 1525 *anderst*; Zorn 95 *morgend*. Daneben Wörter ohne sekundäres *-t*, z.B. BIII 327: 1427 *daselbst - selbs* (und noch GRB 1714 öfter *-selbs*), 625: 1525 *predig*, 637: 1444 *nieman*[252]; PU 44: 1345 *n(i)ergen*; über *Axt, Obst* s.o.

Seit dem ausgehenden 13. Jh. findet sich zugleich schon die Unterdrückung von mittlerem *t*, ohne daß die oben angenommenen Bedingungen (Stellung zwischen KK) noch jeweils nachweisbar wären: Ws *ich* für *icht* "etwas" 1287 (Gleißner-Frings 1941, 144); BII 81: 1317 *gesatz(t)*, 134: 1324 *lantfluch*, 197: 1335 *edelknech*, 401: 1366 *-rech*, 430: 1370 *iz* "ist", 475: 1377 *versatz* (+ V!), 622: 1390 *gehap hat*; PU 54: 1367 *notdorff* (+ V); FIN Be-Auerb *Erlenhaupt*: 1472 *am airleheube*, 1480 *-heub* (Kuntze 1983, 169).

Weitere Beispiele aus dem Bereich des Md. bei Weinhold §200, aus dem Obd. §194: seit dem 12.Jh.: vgl. ferner Ostersp. 30 *wust* "wußtest".

53.2.5.5. Der Beginn umfangreicherer *t*-Ausstoßungen ist nicht unmittelbar belegt. Was wir sehen, ist das bereits im 14.Jh. vorhandene Ringen der Schreiber um die richtige Wortform. Aber abgesehen von den frühen Belegen bei Weinhold gibt es Hinweise, daß damals auch schon in der Aussprache die Reaktion eingesetzt hatte: *-ən, -ər* vor K wurden ja bereits ab der 2. Hälfte des 12. Jh. reduziert (D 4.2.5 bzw. 9.1.1.3), und trotzdem entstanden z.B. *dudsəd, (n)ęrjəd-, sęlwəd*, die intakte *r* und *n* voraussetzen. Vor sekundär angetretenem *-d* bleiben *s* und *z* geschieden, vgl. *agšd*, † *mōšd* mit † *ōbsd*, obwohl im frühen 12.Jh. ausl. *-š* und *-z* zusammenfielen (D 42.6.4,1). Auf hohes Alter weist auch *is*, s. D 53.2.6. Man darf annehmen, daß nach ahd. Vorläufern (vgl. Braune §161 A.6; Franck §128 und D 51.3) erst der *ə*-Schwund eine stärkere Neigung zur Vereinfachung der KGr. ausgelöst hat. Bis zur Festlegung der heutigen Aussprache vergingen noch Jahrhunderte des Schwankens, das in einigen Wörtern bis heute noch nicht zu Ende ist. Bisweilen hat auch das Vorbild der Schrspr. den Ausschlag gegeben, vgl. die Schrr. für *selbst*, heute *sęlbšd*.

---

[252] *Niemand* und *jemand* sind in L heute nicht mehr heimisch. Dafür sagt man *kǭns - ǭns*.

Mittlere /b̦ ġ/

53.3. Solche Verbindungen sind wesentlich seltener als mit *d*. Es gibt aber auch hier Fälle mit Ausstoßung. Heute ist diese jedoch nirgends mehr lebendig. Die Reste sind Zeichen für die auch bei *d* vermutete einstige weitere Verbreitung.

Folgende Fälle sind mir bekannt:

1) *b* wurde anscheinend allgemein aufgegeben in den Verbindungen *l+-b+m-/w-*. Aus L: † *halmōs* "Liter" (vgl. GRB 1728 *halmaß, holmos*), *halwẹ̄gs* "halbwegs". Formen ohne *b* verbreitet, vgl. SH; ferner *Halbmalter, -mitte, -mond, -morgen; -waage, -wächsig, -wüchsig.*

2) Unterdrückung des Gutt. findet sich ebenfalls hinter Liq.: CL 136 u.ö. *Folcmar*, 147f. *Folm-*, 3812 *Volmer* (Uk des 12.Jh.); K. 145 u.ö. *Folcnant* gg. 3836 *Foln-* (12.Jh.), offensichtlich auch erst seit dem 12.Jh.

Auf dieselbe Zeit dürften zurückgehen: *-rḡ+śḑ-* > *-rśḑ-*: *Marktstein*, Hoffmann 190: 1282 *marstein*, 1284 *Marstene*. Weitere Belege bei R 125 (FIN Wo-Westh *Moorstein*).

cc) Verschlußlaut zwischen homorganem Nasal, *l* und Reibe- oder Zischlaut

54. Die Besonderheit dieser Gruppen besteht darin, daß hier der Vsl. stark "in der Klemme" sitzt, besonders wenn auch der folgende Dauerlaut homorgan ist, also die Fälle 2, 3. Eine mehr oder weniger starke Reduzierung ist die Folge.

1) Sicher eine der ältesten Erscheinungen ist ahd. *int-* > *in-*, wie sie vor *f s* zu beobachten ist: Braune §73 mit A.1f.; Schatz §75; Wilmanns 1911, §324. LB hat *nintfianc*. Hier hat die Vortonigkeit des Präfixes zur Schwächung beigetragen.

2) Der Wandel *-ntf-* > *-nf-* findet sich auch mrf., vgl. zunächst D 14.1.2.3, ferner CL *Guntfrid*, z.B. 1668, 3199, aber 2560 *Gunfrit, -di*. Dieser Vorgang ist nicht mehr lebendig, vgl. L *hǫndfol* "Handvoll".

3) Jüngeren Datums ist die Reduzierung eines Vsl. vor homorganem Zsl./Rbl. Es kommen folgende Verbindungen in Frage: *l n* + 1. mrf. /ḑs/, 2. mrf. /ḑ d/ + *ś s* (Zusammentreffen durch Synkope, Zsstzg., Ableitung oder engen Satzinl.). Hier wird der Dent. nicht wie offenbar ahd. in *int+s-* völlig ausgestoßen, sondern nur reduziert, vgl. L *sǫl^{d}s, šmel^{d}sə* "Salz, schmelzen", *blǫn^{d}s*, *(pẹfə-)mīn^{d}s* "Pflanze, (Pfeffer-)Minze"; *pal^{d}s* "Pfalz" (ahd. *pfalanza*), *grūn^{d}sə* "grunzen" (*grunnizôn*), *hǫin^{d}s* "Heinz", *wǫn^{d}s* "Wanze" mit ahd. *-(i)zo*; *šwǫn^{d}s* "Schwanz" (zu mhd. **swankezen*), *də el^{d}šd* "der älteste", *kel^{d}šd* "kälteste", *du wel^{d}šd* "du wälzt" (< **-ld̦s+šd*, D 56.2,2). In der Fuge ist die Reduzierung je nach Grad des etymologischen Bewußtseins im allgemeinen fakultativ, z.B. *fẹl^{d}ₔsalọ̄d* "Feldsalat", *hǫn^{d}šū (-n^{d}š-)* "Handschuh", *ẹ mǫn^{d}ₔs (-nd s) gūd* "er meint es gut", aber nur *šǫin^{d}s* "anscheinend" (ʾscheint'sʾ), *iš gẹi n ^{d}ₔšūl* "ich gehe in

die Schule". Betroffen ist auch *š* < *χ*. z.B. *hun^dšə* (*-ndš-*) "Hundchen", *bil^dšə* (*-ldš-*) "Bildchen". Weiteres ist historisch, s.u.

Da durch weitere Veränderungen (s. D 43.2f.) heute jedes *s š* hinter *l n* als [*ds ḍš*] realisiert wird, transkribieren wir im allgemeinen [*d*] nicht. Noch in der 2. Hälfte des 12.Jh. war der Unterschied zwischen /ds/ /d-š š/ einerseits und andererseits *š š* hinter *n* vorhanden, s. D 3.3.2; 3.4.

Die Reduzierung des Vsl. liegt also früher. Die ältesten mir bekannten Belege stammen aus dem CL: PN *Guntsuint*, z.B. 432 - 2689 *Gunsuint, -di*, z.B. 1151 *Lantsuint* - 660 *Lansuint*; ON: Mz-Gons. CL nur *Gunsen-*, z.B. 2 = 1977, 1090f., zum PN *Gunzo* (= *Gunt-so*, vgl. CL 282), s. Km. 84 (dort auch Belege mit ⟨P⟩); Hd-*Handsch*, CL *Hantscu(h)es-* u.ä., z.B. 143, 275, 279ff. *Hanscu(e)s-*, *-sch-* u.ä., z.B. 132, 135f.; Wü. bei Mz-Hechtsh: 1101 *Dunzines-* 1252, 1347 *-nc-*, aber 1853 *Dulfis-* für **Dulsis-* (vgl. Km. 44f., PN **Dund-sîn*). Gemeint ist eine Aussprache **[l n+ds]*, kein völliger Wegfall, vgl. z.B. modern [*hendesẹ*] "Handsch" (Bauer §74.1) < **[hen^dšəs-]* (Dissimilation).

Die Schwächung des Vsl. muß m.M. im Lauf des 12.Jh. erfolgt sein als Folge der Schwächung von [*ds*] > [*ḍs*] im 11.Jh. (D 20.11).

Das gleiche Schicksal sollte eine Gruppe *mpf* haben, die aber wegen fehlender Lautverschiebung nur in modernen Lwtt vorkommt. Dort wird sie tatsächlich [*m^bf*] gesprochen, z.B. *em^bfoŋə* "empfangen", *im^bfə* "impfen", *kọm^bf*, *kem^bfə* "Kampf, kämpfen"; auch beim Hochdeutschsprechen heißt es z.B. *dọm^bf* "Dampf" (mdal. *dọmb*).

4) Auch im *mb ŋg̣* wird der Vsl. reduziert vor *f s š*, im Wort obligatorisch, im engen Sandhi fakultativ. Die Schwächung kann vor *s š* bis zum völligen Verlust des K führen, z.B. *šdumbə* "stoßen": *iš šdumb - du šdum^(b)šd*, *siŋə* "sinken": *siŋ - siŋ(g)šd*, *grọŋg* "krank": Superlativ *greŋ(g)šd*; † *wiŋg* "wenig": *wiŋ(g)šd*, *liŋ(g)s* "links", *frọŋ(g)fọd* "Frankfurt" (vgl. Grund §97 A.); im Satz: *im dọm^b⌣šdẹi* (*-mb šd-*) "im Dampf stehen", *grọŋg̣ faiən* (*-ŋg f-*) "krank feiern".

dd) Abfall des letzten Konsonanten einer Gruppe

55. Dieser Vorgang ist in unserer Mda entweder nur infolge analogischer Verallgemeinerung der Unterdrückung eines mittleren Vsl. oder aber unter besonderen Bedingungen eingetreten. Der erste Fall liegt vor z.B. in der 2.Sg. auf *-šd* ferner im Typ *mọrig̣*. Gegen lautgesetzlichen Abfall sprechen z.B. die *d*-Reste bei *Haupt* (SH). Zum zweiten Fall gehört in der Hauptsache die Vereinfachung von *šd* in *fenšdə*. *ledšd*. *šunšd*. teilweise auch in der 2.Sg. Einzelheiten s. D 53.2.2; 53.2.5.4.

III. Zisch- und Reibelaute

56.0. Da das Verhalten der Zsll. und Rbll. in Gruppen viel stärker von ihrem Artikulationsort bestimmt ist als das der Vsll., empfiehlt sich eine Einteilung nach der Artikulationsstelle.

aa) Labiale

56.1. Mittleres *f* wird unterdrückt; nur historisch in PN des CL und in ON (i.a. als Folge von Synkope).

PN mit *Wolf-*: CL 399 u.ö. *Wolfbert*, aber 3533 *Wolpertus* (Titel *Wolfberti*), auffällig 532 2x *Woltbrath*, das zusammen mit *Wolp-* auf Assimilation und nicht Ausstoßung hindeuten könnte; 2365 *Wolfbrand-*, T. *Wolbrandi*, 2279 *Wolbrant* = 2282 *-pr-*; 277 u.ö. *Wolfgang-*, aber 909 *Wolgangi*; 3526 *Wolfmunt*, T. *Wolmundi*; 3553 *Wolfwin*, T. *Wolwini* = 1304o *Wolwin*.

ON: Da-*Alsb* s. C 8.5.2; Az-*Wolfsh* [wolsəm] (Held §759), 1192-98 *Wolfes-*, 1403 *Wols-* (Km. 233); weitere ON mit *-lfs-* > *-ls-* (mit Angabe des jeweils ersten Hinweises auf die Vereinfachung): Az-*Becht*, schon CL 135 *Bertholdes-*, vgl. ferner a.1122 *Bechteldes-* 1194-98 *Bertoldes-* (PN *Bёrhtolves-*, Km. 12f.); Wo-*Dalsh*, CL z.B. 1042 *Dagolfes-*, a.1356 *Dales* (Km. 34); Wü. *Gößelsheim* bei Az-Eck: CL 1194 *-oldes-* neben 1237 *-olves* (s. Km. 87); Bi-*Grolsh*: 1140 *Grales-* (aaO 87); Wü. *Rudelsheim* bei Mz-Ludw: aaO 136; Wü. *Nordelsheim* bei Mz-Und: aaO 159; Mz-*Wein*: 1194-98 *Winoldes-* (aaO 220f.).

Die Vereinfachung von *-lfs-* war eine unmittelbare Folge der Synkopen des ausgehenden 11.Jh. (C 37.2.2.2). Die Schreiber stellten die Namen öfter falsch wieder her: statt *-olves-*: *-oldes-* (vgl. Km. 221).

bb) Vorderzungenlaute

56.2.

1) Hierher gehört zunächst die bereits D 41 besprochene Verbindung ahd. *sk*, deren Entwicklung als gegenseitige Assimilation anzusehen ist.

2) Beim Zusammentreffen von *s š* sowie *š* < *χ* (D 49.5) kennt die moderne Mda weithin eine Angleichung: Unter gewissen Bedingungen wird der erste an den zweiten assimiliert. Doch entstehen hier Lang-KK nur ausnahmsweise im Satzinl. aus Deutlichkeitsgründen.

Es gelten folgende Regeln (obligatorisch im Wortinneren, fakultativ im freien Satzinl.; in gebräuchlichen Zsstzg. Tendenz zum Festwerden der Assimilation):

Es werden *s+š* > *š*, *χ+š* > *š*, *χ+s* > *s*, aber *š+s* bleibt. Der Rückgriff auf die ehemalige *χ*-Aussprache ist wichtig zum Verständnis, warum *š* vor *s* bald bleibt (altes *š*), bald angeglichen wird (*χ). Doch wird diese Angleichung seit dem Übergang χ > š immer mehr aufgegeben nach Muster des unveränderlichen š vor s.

Beispiele aus den Wortinneren besonders vor -šd der 2.Sg. und des Superlativs: zu *bladsə* "platzen", *blōsə* "blasen", *frẹsə* "fressen", *raisə* "reißen", *šmelsə* "schmelzen", *wọgsə* "wachsen" gehören *du bladšd, blēšd, frišd, raišd, šmelšd, wegšd,* zu den Adj. *grọus* "groß", *kọds* "kurz", *šwads* "schwarz", *wais* "weiß", *wāš* "weich": *grẹišd, kẹdšd, šwẹdšd, waišd, wẹšd,* ferner *bešd* zu *besə* "besser", zu *họršə* "horchen", *šlaišə* "schleichen", *ọi-wāšə* "einweichen": *du họršd, šlaišd, wāšd ọi;* ferner PN: zu *dídriš, họinriš* "Dietrich, Heinrich": *s dídri(š)s, họinri(š)s;* weitere Beispiele s. C 46.1.

Satzinl. (häufiger in unbet. Wörtern): *dẹs əš‿šun ọld* "das ist schon alt", *iš budš‿šnẹl di kiš* "ich putze schnell die Küche", *dẹš‿šẹŋgl* "dieses Schränkchen", *ẹ hod š ned gəwẹšə* "er hat sich nicht gewaschen" (š < *sš < siš, s. C 32.5.2.1), *grīs-* "Kriegs-".

Aber aus Deutlichkeitsgründen nicht *əš‿šẹŋgl* (wäre ə šẹŋgl "ein Schr.") sondern höchstens *əš+š-, ẹ mus siš (səš) wẹšə* (-s+š+w- wäre zu undeutlich), ähnlich *š‿ẹb š+šun gsẹiə* "ich habe es schon gesehen", *iš wāš+šən bšaid* "ich weiß schon bescheid"; doch: *max is‿s* "mache ich es", *di hẹwə sis‿s+sẹlwəd ghold* "sie haben es sich selber geholt", aber nur *iš wẹš s* "ich wasche es"; *š < χ vor s* erhalten: *iš rīs s* "ich rieche es" u.dgl., vgl. C 32.5.2,1; 46.1.

Zsstzg.: *s+š > š* scheint öfter festgeworden, wenn vor dem *s* noch ein K stand (Deutlichkeit!); vgl. z.B. die Phonetik folgender Stichwörter im SH: *halsstarrig* (auch in L!), *-störrig, -strang, -stück;* aber auch z. B. *Hausspan.*

Das Alter dieser Angleichung läßt sich mangels hist. Schrr. nicht aufzeigen. Doch liegt die Vermutung nahe, daß sie aufkam, sobald der ə-Schwund solche Gruppen zahlreicher werden ließ. Aus der späteren Zeit gibt es vereinzelte Belege, so z.B. GRB 1709 *Kriß Zerung,* 1714 *Krießkösten* = [grīs-] < *[grīχs-].

cc) Gutturale

56.3. Da die Vereinfachung von ahd. *hs,* Liq.+*h,* K+*h* besser in anderem Zusammenhang behandelt wird (D 35.4ff.), sind hier nur ganz vereinzelte Fälle der Erleichterung von Drittkonsonanz zu erwähnen:

/ch/ ist allgemein weggefallen in *Kirchweih:* L *kẹrb,* Formen s. SH *Kirbe* mit älteren Belegen; der Bensheimer *Kirchberg* [kẹišbẹig] zeigt historisch Ansätze zu einer solchen Entwicklung: CL 3836 (Uk des 12. Jh.) *Kirchberg, Kirch-* und *Kir-;* hist FIN Wo-Wach 1733 *am Kirweg* (R 176).

Solche Vereinfachungen waren zwar zu allen Zeiten möglich, doch sprechen die Schrr. des CL dafür, daß sie in die Zeit um 1100 zurückreichen.

Anhang: Die Behandlung der Konsonanten in Lehnwörtern

57.1. Von "Fremdwörtern" im eigentlichen Sinn kann man in einer Mda nicht reden. Denn sie alle werden viel stärker eingelautet als in der Schrspr.[253]. Wegen der Verschiedenheit der phonetischen und phonologischen Systeme spielt bei der Einlautung der Lautersatz eine große Rolle. Andererseits kann ein massenhaftes Eindringen fremder Phoneme deren Sprechbarkeit fördern, zumal wenn sie durch die Unterstützung von seiten der Schrspr. ein gewisses Prestige besitzen, wofür die Übernahme des hdt. *t-* ein gutes Beispiel ist (s. D 38.2.1).

Eine weitere Quelle von unerwarteten Veränderungen ist die Analogie, die gerade bei neu aufgenommenen Wörtern eine Rolle spielt. Solche Fälle können natürlich hier nicht erschöpfend besprochen werden. Als Beispiele seien genannt L *pendāl* "Pedal" nach *pendḷ* "Pendel", *šdrabləsī̜n* "strapazieren" (Vorbild?). Auch morphologische Gründe können eine Rolle spielen. So kennt die ältere Mda kein Pl.-*s* (und die jüngere übernimmt es nur zögernd), also z.B. *di audō*, *rādjō*. Ein häufiger *s*-Pl. ist daher zum Sg. umgedeutet worden im *Brikett*: Sg. (und Pl.) *brigẹds* (verbr., SH), *ə dīas* "ein Dia". Umgekehrt konnte ein falsch verstandenes Pl.-*s* im Sg. wegfallen, daher *sẹwī̆* "(Kaffee-, Eß-) Service" (verbr., SH *Kaffee-service*).

Gelegentlich werden ungewohnte KGr. sprechbar gemacht, ohne daß es dafür allgemeingültige Regeln gäbe. So lautet der Lorscher Familienname *Adrian* meist *ā̆djō̜n*, *Bibliothek, Bronchien, Ingenieur, Religion* heißen *biblədē̆g, bronšə, inšənē̜̆ə, rẹləšō̜n* (ebenso *rẹlašẹ́s* "religiös" mit Unterdrückung des *j* (Verbr.: SH); für *Moltke* (im Straßennamen) kann man *molgdə* (meist aber *mol(g)gə-* nach D 52,2) hören, *Kiosk* heißt *kīos* (ausl *-sg* gibt es in der Mda nicht).

57.2. Die genannten Beispiele betreffen - abgesehen vielleicht vom nicht ganz klar zu definierenden *j*-Schwund - i.a. nur einzelne Wörter. Hier sollen einige grundsätzliche Tendenzen erörtert werden, die sich im Konsonantismus von Lwtt zeigen. Vieles ist bereits in früheren Kapiteln besprochen worden. Doch empfiehlt es sich, hier einen zusammenfassenden Überblick zu geben und das bereits Gesagte zu ergänzen.

57.3. Es ist selbstverständlich, daß der Grad der Einbürgerung einzelner Wörter verschieden ist und stark vom Bildungsgrad des Sprechers abhängt. Bei den im folgenden zitierten Beispielen sind vor allem solche ausgewählt, die auch dem einfachen Mann mehr oder weniger bekannt sind, wenn er sie auch meist nicht aktiv gebraucht.

57.4. Tenues.

57.4.1. Da die rom. *p- k-* unbehaucht gesprochen werden, identifizierte man sie schon seit ahd. Zeit mit den aus germ. *b g* entstandenen stl. Lauten, während für (verschobenes) *t* gar keine

---

[253] Vgl. das B 3.1.2 zum Akzent Gesagte.

Alternative bestand. Beispiele mit ⟨b- g-⟩ für rom. *p- k-* finden sich ahd.: *p* Braune §133 A.3; Schatz §151f.; *k* Schatz §221; vgl. Wilmanns 1911, §53; D 15.4.2,2. Es läßt sich folgende Regel formulieren: Vor dem Verlust der Stimmhaftigkeit von *b d g* mußten rom. *p t k* anl., inl. und ausl. durch die germ. Aspiraten ersetzt werden (sofern nicht bereits rom. Sonorisierung eingetreten war), daher z.B. *pεfә* "Pfeffer", *pund* "Pfund", *pidš* "Pfütze", *pilwә* "Kopfkissen" (`Pfühl´) u.dgl., alle obd. mit *pf-*, *Essig*, *Zoll* u. dgl., aber *Bischof* mit rom. *b-*! Später traten dafür *b, d ḏ t, ǵ* ein. Doch wurde diese Entwicklung vor V[254] immer wieder durch gelehrten Einfluß gestört, so daß auch später /p k/ stehenbleiben konnten. Die Tradition, anl. vor V /p t k/ durch /b d ǵ/ zu ersetzen, hat sich aus den ahd. Wurzeln bis heute z.T. erhalten. Beispiele für hist. Schrr.: BII 255: 1347 u.ö. *borte* "Pforte"[255], 330: 1356 *Bilgerim* (PN). Beispiele für Lwtt verschiedener Zeit mit /b- ǵ-/: *babәgai* "Papagei", *babīᶒ* "Papier", *badái* "Partei", *bagéd* "Paket", † *barīs* "Paris", *bεš* "Pech", *bēᶒ* "Birne" (ahd.; lat. *pirum*), *bels* "Pelz", *bigs* "Büchse" (lat. *pyxis*), *bobō* "Popo", *bolәdsái* "Polizei", *bolәnḗs* "Polonäse"; *gagәlág* "Kakerlake", † *gadәgīsәm* "Katechismus", *galәrǫ̈wә* "Kohlrabi", *gáwḷәrī* "Kawallerie", *gōgs* "Koks", *(ga-)gumә* "Gurke" (lat. *cucumer*), *gugug* "Kuckuck", *siš gušә* "sich ducken, fügen" (*se coucher*), der FIN Wo-Osth *Gohl*, s. D 15.4.2,2. Beispiele mit /p- k-/: *pābšd* "Papst" (mhd. *bâbes*; vgl. indessen FIN Wo-Monsh 1768 *obig den bobst*, R 226), *palm*, *pašdǖᶒ* "stattliche Gestalt" (`Pos(i)tur´), *paus*, *pešd* "Pest", *pīsagә* "piesacken", *pǫd* "Pforte" (vgl. hingegen den Altwormser Namen!), *posáun*, *pošt* "Post", *pūᶒ* "pur", *puld*, *pulwә* "Pulver"; *kadófḷ*, *kafē̃*, *kanắriә-fogḷ* "Kanarienvogel", *kawәlīᶒ* "Kavalier" (gg. *gawḷәrī*), *koldә* "Wolldecke (afranz. *coltre*, mhd. *kolter*, *g-*), *kolәnī* "Kolonie", *kudš* "Kutsche", *kuᶒrǟš* "Courage", † *kujónә* "Koriander", *kuwḗᶒ, -ḗd* "Kuvert", dazu alle Lwtt mit *Kom-, Kon-*, z.B. *kumәnišd* "Kommunist", *kumә(n)jōn* "Kommunion", *kumәsjōn* "Kommission".

57.4.2. Es fällt auf, daß *g-* seltener ist als *b-* und weniger produktiv, und zwar gilt dies schon für das Ahd. Eine Erklärung dafür weiß ich nicht. Sicher ist manches alte *g-* durch *k-* ersetzt worden. Das muß man aber auch für *p-/b-* sagen (vgl. *borte - pǫd*, *Bilgerim - pilšә*, *bobst - pābšd*). Dennoch war die Tendenz zur Tenuis beim Gutt. durchgreifender. Sie hat sogar zu einer Reihe von Überbildungen geführt (vgl. *t-* für *d-*, D 38.2.1), die allerdings heute wieder im Rückgang sind. Beim Lab. gibt es anscheinend nur das in Rhh einst verbreitete *pεrm*, s. SH *Berme* (franz. *berme*) und das alte *pensīn* "Benzin" (SH; L *b-*); beim Gutt. kenne ich aus L *kasádәn* "zum Schwatzen ins Dorf gehen", *kalób* "Galopp", *kulaš* "Gulasch", öfter mit *k-*, s. SH. *k-* neben *g-* notiert das SH außerdem für *galoppieren*, *Galoschen*, *Gamaschen*, *Garage*.

---

[254] Vor Liq., *n* sind infolge des frühen Hauchverlustes *b d g* seit alters bis auf den heutigen Tag ohnehin das Normale, z.B. *blǭn* "Plan", *brḗ̃šә* "prägen", *drodәwā* "Trottoir", *glas* "Klasse", *gŋaib* "Kneipe", *gredíd* "Kredit". Beispiel aus BII: 176: 1350 *Brediger hoff*.

[255] Zur Geschichte dieses Wortes in Ws s. D 52.2,3.

Immerhin kennt das SH aber auch bei vielen anderen Wörtern noch *g*-Reste, wo heute in L (und anderwärts) *k*- steht. Die wichtigsten: *Kakao, Kalender, Kalókem, kaputt, Karotte, Kartoffel, Kaschee, Katheder, katholisch, Kattun, Kiefer (!), Kokarde, Kokolores, Kokos, Kolik, Kommode, Kompär, Komposthaufen, Konkurs, Kork(en), Korona, Kotelett, kuscheln I, Kuwert.*

57.4.3. Im Wortinneren können *p* und *k* nach der Lautverschiebung natürlich nur als /*b̥ g̥*/, später /*b̥ g̥*/ übernommen werden, s. D 15.4.2,2. Beispiele: *brobŏ̥n* "Propan", *k̥ɔnəbē* "Kanapee", *obərī̥ən* "operieren", *fulg̥ŏ̥n* "Vulkan", *magī̥s* "Markise". Doch kann man bei nur selten verwendeten mda-fernen Wörtern heute auch schon vortonig *p k* hören: *bropŏ̥n, ɔiropḛ̄iš* "europäisch", *fulkŏ̥n,* allgemein wohl schon *akädsjə* "Akazie(n)". Dabei ist Anlehnung an einheimische Wörter mit unbet. Vorsilbe mit im Spiel wie z.B. *fəkäfə* "verkaufen", *gəpefə* "gepfiffen".

Über Ersatz durch Rbl. s. D 22.4: 27.3.

57.4.4. Für *t* gab es ursprünglich in allen Stellungen nur den Ersatz durch /*d̥*/[256]. So blieb es bis zur Einführung des neuen *t*-Phonems (D 38.2.1), die als Parallele zum Ersatz von *b*- *g*- durch *p*-*k*- zu sehen ist. Im Inl. hatte man die gleichen Verhältnisse wie beim Lab. und Gutt.: *d* ist das Normale, z.B. *adl̥ərī̄* "Artillerie", *brudǟl* "brutal", *edəwī̄* "Etui", *kabədǟl* "Kapital", *maiəsdḛ̄d* "Majestät"; in mda-fernen unmittelbar vortonig älter *d*, neuer auch *t*: *blɔndǟš* "Plantage", *fęšədǟriə* "Vegetarier" neben -*t*-, *intī̥m, mádildə, mad/tildə* "Mathilde", *metŏ̄d(ə)* "Methode", *metī̥l-algəhōl* "Methylalkohol".

Die schwache Aussprache inl. Tenues macht sich im übrigen auch beim Hochdeutschsprechen bemerkbar und bildet zusammen mit den D 36.1 geschilderten Phänomenen eines der typischen Kennzeichen der shess. Aussprache des Deutschen.

57.4.5. Die <u>Medien</u> sind bereits früher besprochen; *b*: D 22.4; *g*: D 27; *d*: D 24.3.3.

57.5. Rbll., Zsll.

57.5.1. ⟨ph⟩ wurde gelegentlich wie einfaches *p* behandelt (vgl. ⟨th⟩ = /*t*/), so verbr. in *Josef,* L *jɔusęb* (vgl. GRB 1700 *Joseb*) *sęb̥l̥*; ferner in *glēb* "Cleopha"; dies war nach Ausweis des SH (*Fotograf*) einst auch allgemein in *Photo*- üblich (L *fodō̄, fodəgrǟf*).

Der Buchstabe *v* wird in Anlehnung an das Schriftbild einheimischer Wörter (*Vater, vier*) [*f*] gesprochen, sofern es sich nicht um eine Entlehnung aus der gesprochenen Sprache (Oberschicht, franz. Besatzung) handelt. Beispiele mit [*w*]: uralt *Eva,* heute zwar *ēf,* amdal. *ęib* (SH) mit -*b* für -*w*- (D 25.2.1; Sprache der Kirche!); Modernes: *węlū̥ə* "Velours", *wēnə* "Venen" (Arzt!), *wisawī̄* "gegenüber" (*vis-à-vis*), *wold* "Volt"; [*f*]: *fadigŏ̥n* "Vatikan", *fɔnil* "Vanille", *fendil* "Ventil",

---

[256] Selten *r*, s. D 24.3.3.

fɛrόndā "Veranda", *fɛšəd táriə* "Vegetarier" (s.o.), *fiolĩn* "Violine", *fisā́š* "Visage", *fisid* "Visite", *fisədĩ̧n* "visitieren", † *fogədĩ̧fəs* "Schlauberger" (`Vocativus´), *fulg kp̧̃n* "Vulkan" (s.o.); inl.: *ɛfĩndawέl* "eventuell", *ɛfn̦šέliš* "evangelisch", *ɛfəngέljum* "Evangelium", *glafī̧* "Klavier", *in̦fəlid* "Invalide", *lɛfidə (lḗsə)* "Leviten (lesen)", PN *lɛfəsī̧* "Levasier", *nofḗmbə* "November" (vgl. GRB 1708 *nofember*), *dsifíl* "Zivil". Mit zunehmender Schulbildung wird *f* immer stärker durch *w* ersetzt. Typisch ist *Pulver*: heute *pulwə, -f-*, GRB 1707 *Pulffer*; ebenso *dsiwil* für *dsifil* u.a.

Für *pf* tritt im Anl. *f-* ein: *flḗšə* "pflegen", *flišd* "Pflicht", inl. bleibt es in *karpfə* "Karpfen" (vgl. auch SH), neuerdings gelegentlich auch im Anl., so in *(b)fau* "Pfau" für † *pō*. Hinter *m* ist es *bf*; s. D 54,3.

57.5.2.
Der anl. *ich*-Laut wie in *Chemie, China* lautet heute *š-*; über sekundär in den Anl. gerückten *ach*-Laut in *Achat* s. D 27.4.2. Im übrigen s. u.

57.5.3.
s vor *K*: *sp- st-* nach dem Schriftbild immer *šb- šd-*, z. B. *šbagḗdī* "Spaghetti", *šbegdā́gl̦* "Lärm" (`Spektakel´), *šdā́* "(Film-)Star", *šdṓ̧* "Store" (Vorhang), auch *šgā́d* "Skat" neben *sgā́d*. Vor anderen KK setzt sich hingegen im Anl. *s* gegen älteres *š* durch (vgl. D 42.4.2): dieses noch z.B. in *šlowág* "scherzhafte Anrede an Jungen" (`Slowake´), *šwī́də* (Pl.) "Angst" (franz. *suite*), *šwidjḗ* "Luftikus" (pseudo-franz. *suitier*); ferner mit *s*: *sg/kālā́* "Scala" (Radio), *sglāf(ə)* "Sklave", *audo-sgodə* (o.ä.) "Auto-Skooter", *smarάxd* "Smaragd"; auch inl. älter allgemein *š* vor K, z.B. *dišbədĩ̧n* "disputieren", † *dišgərĩ̧n* "plaudern, sich angeregt unterhalten" (`diskurrieren´), *kašdọ́njə* "Kastanien" (älter *kešdl̦*), *kumənišd* "Kommunist", *minišdə* "Minister", *pašdū̧́* "stattliche Gestalt" (s.o.), (älter) *pišdṓl* "Pistole"; in jüngerer Zeit dafür *s*: *basgə-mids* "Baskenmütze", *grisdus* "Christus", *kasgṓ* "Kasko" (Auto!), *masgə* (Sg.) "Maske", *ọšέsdə* "Orchester", jünger auch *pisdṓl*; nur *osdə, wesdə* "Osten, Westen". Einen anderen Weg hat die Mda bei der Übernahme von engl. *sweater* beschritten: Das ungeläufige *sw-* wurde durch *dsw-* ersetzt: L *dswḗdə*.

/s/ hat sich im Gegensatz zur Schrspr. in einigen franz. Lwtt erhalten, wo ⟨c⟩ durch ⟨z⟩ ersetzt worden ist. L kennt noch † *ofəsī̧* "Offizier", dazu besonders in der Sprache der Schneider z.B. in Ws *sọndəmḗdə* "Zentimeter" (L *dsendə-*), verbr. in Rhh *sígā* (L *ds-*), "Zigarre", *semḗnd* "Zement" (L *ds-*).

57.5.4.
ž wird heute allgemein durch *š* ersetzt. Beispiele: *šenī́* "Genie", *šinī̧̃n* "genieren", *šọš* "Georg", *inšənȩ̄̀* "Ingenieur", *-age* = [-ā́š], z.B. *blọmā́š* "Blamage", *garā́š* "Garage u. dgl. Doch zeigt das Gesamtbild des shess. Raumes, daß dies ein verhältnismäßig junger Lautersatz ist, der ältere Möglichkeiten überdeckt hat. D 48.2.2 ist bereits **Jips* besprochen worden, ein spätahd. Lwt aus dem Rom. Weiter findet sich *j-* für rom. *ž- (dž-)* noch in *General* (L *genərā́l*), *Geografie*

(L *g-*. † *š-*), *Georg*, s. SH[257]. Dazu aus der Schrspr. *Joppe*, *Juwel*[258], *Ingwer* (afranz. *gingebre*). Der älteste Vorgang war also Ersatz des ursprünglich pal. *ž-* durch *j-* (vgl. auch Kranzmayer 1956, §24a). Er muß noch bis ins 15./16.Jh. üblich gewesen sein, als *General* und *Geografie* übernommen wurden. Das letztere beweist, daß *j-* auch auf unmittelbar dem Gelehrtenlatein entstammende Wörter übertragen wurde. (Wie wurde damals *g-* vor Pal. im Kirchenlatein ausgesprochen?!) Jünger ist der Ersatz durch *χ-* (> *š-*). das das ältere *j-* verdrängte: belegt bei *General*, *Geografie* (L!), *Geometer* (L, s.u.), *Geranie* (L, s.u.), *Giraffe*, *Jasmin* (Hp. s. SH; vgl. Kluge). Es hat sich nach dem 16.Jh. entwickelt, wohl im 17./18.Jh. unter dem Einfluß franz. sprechender Kreise als Kompromiß zwischen *j-* und *ž-* zur Wiedergabe des stärkeren Reibungsgeräusches. Als letzte Stufe hat sich dann *š-* durchgesetzt, 1. infolge von *χ* > *š* und 2. als moderner Lautersatz der Umgangssprache: L *šemẽdə*, † *šęrǫ̃njum* (*-igum*) "Geranie". Wo diese allerdings *g-* spricht, dringt dieses ein: L *geəgraff*, (neuer) *geəmẽdə*, *gęrǫ̃njə* (Sg. und Pl.), *gizŗáf*.

57.5.5. *dž* und *tš* sind im Anl. einheimischer Wörter nicht vorhanden und werden daher gern durch *š-* ersetzt, z.B. *šęlõ* "Cello", *šīzro-kondõ* "Girokonto", *šob* "Job", veraltet *šęšə* "Tschechen". Die mdal. Aussprache des Namens *Churchill* war verbreitet *šẽdšil*.

57.6. Über die Erhaltung von *-n* s. D 3.1.2.1, über nachvokalisches *r* s. D 8.3.4.

---

[257] Die amdal. Form von *Georg* ist *Jörg*, heute durch *Schorsch* verdrängt. Die lautliche Entwicklung war *J(e)órgio* > *Jörge* > *Jörg*, L † *jęrgl*.

[258] S. Lessiak 1933, 86f., wo weiteres Material.

E) Ergebnisse.

Zur historisch-geografischen Einordnung der Lorscher Mundart

1.0. Es ist hier nicht nötig, bereits Gesagtes zu wiederholen. Die Analyse von E. Bauer (bes. §250ff.) braucht nur in Details ergänzt zu werden.

1.1. Wie schon aus der dortigen Kombinationskarte (K.53) und unserer danach angefertigten Karte 29 hervorgeht, hat sich Lorsch lange Zeit hervorragend gegenüber von Mhm her kommenden Sprachbewegungen behaupten können. Das Kartenbild zeigt zwischen Lorsch, Hp einerseits und Be-Lamp Hütt andererseits mit die stärkste Mda-Scheide des Gebietes (wohingegen die Grenze nach W, gegen Be-Bürst hin, nur etwas schwächer ist[1]). Dies wird bestätigt durch unsere Karten Nr.1 ($\bar{a}_1 > \bar{\rho}$), 2 ($\bar{e}_3 > \bar{e}$), 3 (Dig. z.B. in *hören*), 4 (Dig. z.B. in *Ohren*), 5 (Typ *hāwə* "hauen"), 6 (Senkung bzw. Öffnung von LV vor *r*), 13-15 (mhd. *â ô* vor N im S zu $\bar{\rho}$ $\bar{a}$ geöffnet), 18 (ausl. *-er*), auf denen jeweils diese Grenze zwischen Lorsch und dem S sichtbar wird.

Der Grund für diese Grenze liegt eindeutig darin, daß Lorsch bis in die Neuzeit kaum Beziehungen zu den Pfälzer Zentren Hd und Mhm hatte (vgl. Bauer KK. 33-38). Erst seit dem 19.Jh. änderte sich das, weil nun manche Lorscher in Mhm Arbeit und Brot fanden (s. auch E 1.3.1). Seitdem machen sich vereinzelte südliche Spracheigentümlichkeiten in Lorsch breit, ohne aber bisher den Charakter der Mda nachhaltig vom "Odenwälder" zum "(Vorder-)Pfälzer" Typ hin verändert zu haben. Als solche Eigentümlichkeiten sind etwa anzusprechen: 1. der neuere *r*-Schwund vor K (D 8.3.5; 8.3.7.1) und damit verbunden die Übernahme südlicher Gleit-VV (D 8.3,5; 8.4.2) bzw. von *-ʋ* für /-ər/ (D 8.3.9.1); 2. *-K+ļə > -K+lə*, s. C 39.4, bes. 39.4.3.3; 3. die Rückbildung der Verdumpfung von $\bar{a}_1$, s. C 20.8.2f.; Karte 2; 4. besondere Hiat-formen der vel. Dii. *aw-, ọw-*, s.C 25.6,1b; 5. der Ersatz von *g* hinter Vel-V durch *x* (D 28.5.2, vgl. 28.7.4.3, System C); 6. vermutlich gewisse Änderungen in der Intonation, s. B 3.2.3. Alle diese Veränderungen gehören nachweislich erst dem 19./20. Jh. an.

1.2.1. Viel stärker ist Lorsch nördlichen Einflüssen ausgesetzt gewesen. Diese kommen in der Arbeit von Bauer (und entsprechend auf unserer Karte 29) wegen der Abgrenzung des Arbeitsgebietes weniger zum Vorschein, doch vgl. Bauer §263 und E 1.3.2. Wir greifen deshalb hier stärker auf unsere eigenen Kartenskizzen zurück. Seit dem Erstarken von Katzenelnbogen bzw. Hessen-Darmstadt ab dem 15.Jh. (D 28.7.4.1), intensiver seit dem 17.Jh., sind immer wieder Sprachströmungen von N her nach S in das Ried gewandert. Sie haben zu einem Teil auch

---

[1] Bei Bauer Grenze 2. Grades.

Lorsch mit erfaßt und es so stärker an den N gebunden. Hier sind zu nennen: 1. Übernahme von "System II" der Entwicklung von *g*, vermutlich im 15.Jh., s. D 28.7.2.5; 28.7.4.1; 2. das Eindringen des intervokalischen *g*-Schwundes in *-agen*, *-ogen* (D 28.7.4.1), verbunden mit der typisch DSter Hiat-Dig. (aaO; C 25.5.5.2,3; 25.5.5.4), ferner *gai* ohne VErn (D 28.7.2.2; Karte 20); 3. die Kg. von $\bar{u}_{23}$ vor /*ch*/ (C 9.2.3); 4. vermutlich die Übernahme des LV (Di.) in *ǫuwǝ* "Ofen" statt **owǝ* (C 5.1.1; Karte 17); 5. die fakultative Benutzung einer offeneren *r*-Vokalisierung (*ö̜* bzw. *ö* statt *ꬒ*, *ꬒ*, s. D 8.3.7.1; 8.4.2). Besonders Nr. 1 und 2 haben den Charakter der Mda stärker verändert (vgl. etwa *flījǝ*, *sǫꭡǝ* für ursprünglich **flīgǝ*, **sōgǝ*; *sęiǝ* "sehen" für **sę̄ǝ*).

1.2.2. Schon bei der Hiat-Dig. konnte man das langsame Abebben der nördlichen Einflüsse in Lorsch erkennen (C 25.5.5.4f.). Öfter blieben solche bereits im Vorfeld stecken, so daß etwa Lorsch, Be-KHaus Hp Bensh, zuweilen auch Bürst sich solchen Neuerungen widersetzten. Als Beispiele für solche zurückgewiesenen Neuerungen seien genannt: 1. die moderne *r*-Vokalisierung (bes. vor Lab., Gutt.: D 8.3.7.1; 8.3.9.1; 9.2.2.2; 9.4; vgl. auch C 48.6.3, "Typ I" der Beseitigung der Sproß-VV) die erst in unseren Tagen (hauptsächlich von S her! s. E 1.1) eindringen kann, während sie im N (teilweise auch im O) schon weitgehend durchgedrungen ist (Bauer KK. 20; 21); 2. die besondere Entwicklung von LVV vor *r* (C 22.5.3.6; 22.5.4; Karte 11); 3. die Aufgabe der Dig. von mhd. *ê ė*, *œ ö*, *ô o* vor *r* (C 20.4.1.3; 20.4.2; 22.5.3.6; Karten 5; 6); 4. der Typ *hāge (-x-)* "hauen" (D 28.8; Karte 7).

1.3.1. Lorsch bildet daher zusammen mit den genannten Orten wiederholt einen vom Odenwald nach W gerichteten "Archaitätskeil" (Nr.2; 3), ausnahmsweise, wenn der Odenwald geneuert hat, eine "Archaitätsinsel" (Nr.4), während sich die moderne *r*-Vokalisierung (Nr.1) bei Beseitigung der Sproß-VV im Ried ganz eindeutig von N her vorschiebt, wobei Lorsch an der N-Grenze des *r*-Gebietes liegt; Weiteres s. die Karten bei Bauer.

Die wiederholt zu beobachtende Keilform kommt dadurch zustande, daß, wie oben ausgeführt, hier südliche Formen abgewiesen werden und nördliche in ihrem Vordringen erlahmen, so daß altes Sprachgut, wie im beharrsamen Odenwald, erhalten bleiben.

Ich möchte diese Beharrsamkeit als "passiv" bezeichnen, weil sie lediglich auf Grund zufälliger Gegebenheiten und nicht etwa durch besonders selbstbewußt-konservative Einstellung der dortigen Bevölkerung zustandekam. Man befindet sich hier gleichsam im Windschatten der Sprachbewegungen. Lorsch war jahrhundertelang verwaltungsmäßig nach O, d.h. Hp, orientiert (Bauer, K. 35); nach W (Bürst) und S, SW (also Mhm) hin war es außerdem durch den einst verhältnismäßig undurchdringlichen Wald abgegrenzt, was sich z.B. bei der Senkung bzw. Öffnung der VV vor *r* sehr deutlich (gegenüber Bürst) bemerkbar macht (oben Nr. 2). Ferner kam dann im 19. Jh. eine blühende ortsansässige Zigarrenindustrie hinzu, die es den nicht in der Landwirtschaft tätigen Lorschern ermöglichte, ihrer Arbeit zu Hause nachzugehen; man war "unter sich" und hatte so wenig Gelegenheit, fremde sprachliche Einflüsse aufzunehmen.

1.3.2. Eine aktive Rolle konnte Lorsch auch schon deswegen nie spielen, weil es lange Zeit eine unbedeutende Ortschaft im Ried war, dessen Geschichte untrennbar mit der des vom allzu frühen Niedergang betroffenen Reichsklosters verknüpft war.

Durch seine Lage als zumeist westlicher Vorposten der Beharrsamkeitszone, die sich wie gesagt meist als nach W gerichteter Keil in Fortsetzung Odenwälder Sprachgewohnheiten in die Ebene darstellt, hat die Lorscher Mda trotz der Lage im Ried ein ausgesprochen "Odenwälder" Gepräge bewahrt. Genauer: Sprachliche Eigentümlichkeiten, die einst zwar weiter verbreitet waren, haben sich im Ried nur hier erhalten können. Typisch hierfür die Dig. von mhd. *ê ê, œ ö, ô o,* die sogar einst bis ins sRhh reichte (s. Nr. 3; ferner C 20.4.2.2).

"Archaitätskeil" bzw. "Archaitätsinsel" treten auf der Kombinationskarte (53) bei Bauer und dementsprechend unserer Karte 29 nicht als solche hervor, höchstens die S-Grenze und die Grenze im W nach Bürst, während nach N zwischen den einzelnen Orts-Mdaa meist Grenzen zweiter und dritter Ordnung (bei 6 Abstufungen, die Bauer macht) bestehen. Dies rührt von dem verschieden starken Anteil der Mdaa der Ebene an den von N herandringenden Neuerungen her. Zahlenmäßig fallen auch unsere für Lorsch (und die anderen Orte) geltend gemachten Isoglossen nicht ins Gewicht, wohl aber vom Erscheinungsbild der Mda her (Dig., *r* vor Lab./Gutt. u.dgl.)!

1.4. Zusammenfassend kann man also sagen, daß die Lorscher Mda zwar den älteren "Odenwälder" Typ recht gut bewahrt hat, aber ihr ureigenes Gepräge nicht zuletzt durch die Aufnahme nördlicher und später auch südlicher Einflüsse gewonnen hat.

Das Rheinfränkische im Spannungsfeld zwischen Mitteldeutsch und Oberdeutsch

2.1. So wie die Lorscher Mda im kleinen verschiedenen Sprachströmungen, teils von N, NW, teils von S, SO her ausgesetzt war, so gewann auch das Rf. in dem Teil, den wir als "shess." bezeichnen[2], sein heutiges Profil durch ständige Auseinandersetzung mit aus - grob gesehen - eben diesen Richtungen, d.h. dem md. N, NW und dem obd. S, SO andringenden Sprachbewegungen. Daß bei der Vielzahl der Einflüsse keine besonders einheitliche Sprachlandschaft zustande kommen konnte, haben wir immer wieder gesehen: ebenso sind wir auf Schritt und Tritt der größeren Offenheit und der sich daraus ergebenden größeren (aber

---

[2] Über diese Beschränkung des Arbeitsgebietes s. A 6. Doch gilt das meiste hier Gesagte auch wenigstens für das Pfälzische. Das (Ober-)Hessische unterliegt z.T. wieder anderen Gesetzen. Überhaupt ist es vom Standpunkt der modernen Mdaa aus fraglich, ob man Pfälzisch, "Südhessisch" und Oberhessisch unter der Bezeichnung "rheinfränkisch" zusammenfassen darf. Dafür sind die Unterschiede heute zu groß. "Rf.", wie wir es hier verstehen, ist i.a. nur das "SHess." und das Pfälzische.

keineswegs vollständigen!) Einheit Rhhs begegnet, die im Gegensatz zu dem sowohl geografisch als auch sprachlich viel stärker zerklüfteten St steht, das viele Sprachbewegungen nur sehr zögernd und oftmals in abgeschwächter bzw. modifizierter Form übernahm.

2.2. Grundsätzlich kann man sagen, daß das SHess. eine ausgeprägt passive Sprachlandschaft ist. Wesentliche Impulse zur Gestaltung der deutschen Sprache sind von hier nicht ausgegangen, waren auch von dieser offenen, politisch immer stark zersplitterten Durchgangslandschaft nicht zu erwarten.

Selbst was als typisch rf. Sonderentwicklungen angesprochen werden muß, konnte sich nirgends über die Mda-Grenzen hinaus ausbreiten, hat sich z.T. auch innerhalb ihres Bereiches öfter nur teilweise durchsetzen können. Hier wären etwa zu nennen: die Verdumpfung der vel. VV vor Nasal, von der nur $o > u$ fast das gesamte Gebiet erfaßt hat und damit zu einem typischen Merkmal unserer Mda geworden ist (C 23.6.1), während bei LVV eine Abnahme von S nach N hin zu beobachten ist (C 23.5f.; Karte 16). Noch weniger hat sich die von DSt ausgehende Hiat-Dig. durchzusetzen vermocht (C 25.5.3; 25.5.5; Karten 21; 23; 24; 28).

Ein besonders charakteristisches Merkmal der rf. Mdaa (im weitesten Sinn) scheint dagegen die schlaffe Aussprache nachtoniger Vsll. und Rbll. zu sein (D 36, bes. 36.1.1), die jedoch gleichfalls nur die konsequente Weiterführung einer im deutschen Sprachgebiet weit verbreiteten Tendenz zur K-Schwächung ist.

2.3.0. Betrachten wir nun die md. und obd. Sprachbewegungen, die unsere Mda seit der Jahrtausendwende beeinflußt haben, etwas genauer an Hand der wichtigeren Erscheinungen.

2.3.1. Als typisch md. kann man bezeichnen (in zeitlicher Abfolge):

1) *ie üe uo* $> \bar{\iota} \; \bar{\ddot{u}} \; \bar{u}$, frühes 11.Jh. (C 2.3.1.1);

2) *ei öü* $> \bar{e} \; \bar{\ddot{o}}$ (C 2.3.2), gegen 1100 (2.3.2.6);

3) $\bar{e}_{12} \; \bar{o}_{13} \; \bar{o}_{14} > \bar{\iota} \; \bar{\ddot{u}} \; \bar{u}$ (C 20.4.1.1,3; 20.4.1.2), 1. Hälfte des 12.Jh. (20.4.3; 21.2.2,4; 21.3);

4) die Senkung von $i_7 \; \ddot{u}_8 \; u_9$ (C 19, bes. 19.10), um 1100;

5) die Spirantisierung von g (D 28), in Rhh ab 1150 (28.6), in St. später bis etwa in die 2. Hälfte des 13.Jh. (28.7.2.4; 28.9), vgl. auch die Karten 25-27;

6) */ch/* für g (D 27), ab dem ausgehenden 12. Jh. nachweisbar (27.5);

7) $\bar{a}_{10} > \bar{o}$ (C 20.1), 2. Hälfte des 12.Jh. (20.1.3; 27,3.2.2,2); damit im Zusammenhang stehend:

8) $\bar{a}_1 > \bar{a}$ (C 20.8), ebenfalls 2. Hälfte des 12.Jh. (20.8.3f.; 21.3.2.2,2; 21.4.3.1);

9) die Senkung bzw. Öffnung von VV vor r (KVV: C 22.3f.; LVV: 22.5; zu Lorsch bes. 22.5.3.6), ab 1200 (sRied noch später: C 22.4.3.4; 22.5.5);

10) d > d (D 24.5), etwa 1. Hälfte des 13.Jh. (24.8);

11) ϱu > $\bar{a}$ (C 20.7), um 1300 (20.7.3; 21.3.4.2,3);

12) der Ersatz von $\bar{e}_{24\ 25}$ durch $\bar{a}$ (C 20.3), allerdings nicht gemeinmd., wohl aber von N her eingedrungen, ab 14.Jh. (20.3.3);

13) d > r (D 24.1-8), ab ca 1500 (24.7.2.2f.);

14) -ig für -əd, ab 17.Jh. (D 30.3);

15) Ersatz von nach obd. Regelung unumgelautetem u durch den Umlauts-V in der Neuzeit (C 1.4.5.1);

16) zeitlich nicht genauer einzuordnen ist das spätahd./frühmhd. Eindringen von -ing für - ung, s. C 34.2.7.

2.3.2. Dem stehen einige markante Vorgänge obd. (südl.) Ursprungs gegenüber:

1) ə-Schwund in Vorsilben u.ä. (z.B. be-, ge-; C 40), im 11.Jh. (40.4);

2) die Dig. von $\bar{\imath}_{15}$ $\bar{u}_{16\ 20}$ $\bar{u}_{17\ 19}$ (C 20.6), ab der 2. Hälfte des 12.Jh. (20.6.3f.; 21.3.2.1,2; 21.3.4.2);

3) Schwund von ausl. -n hinter LV (D 3), ab 1150 (3.1.5); damit in engem Zusammenhang:

4) Schwund von Nas. hinter Voll-V vor K (D 3.3f.), ebenfalls ab 1150 (3.3.2; 3.5.3);

5) s > $š$ vor K im Inl. und Ausl. (typisch alem.! D 42.4.1), um 1150 (42.5.1; 42.6.4,2);

6) die fortschreitende Senkung bzw. Verdumpfung und Verengung bes. von LVV vor Nas. vom 13. bis ins 15.Jh. (C 23.5-8, bes. 23.6.3.6), zwar nicht ausgesprochen "obd.", aber bei uns von S her eingedrungen;

7) *$\ẹ$ $\ọ$ für $\bar{\imath}_{4f.\ 12f.}$ $\bar{u}_{6\ 14}$ (C 20.4.5), 15.Jh. (20.4.5.2; 21.5.1,2); s. auch E 3.3.1;

8) Aufhebung der Senkung von $e_{7f.}$ o_9 durch geschlossene i u (C 19.11.4), Schwerpunkt etwa 18.Jh (19.7.1).

2.3.3. Trotz der Unvollständigkeit obiger Listen ergibt sich klar ein Überwiegen der md. Merkmale. Manches davon ist im Lauf der Zeit wieder ganz oder teilweise beseitigt worden, so die md. Nr. 3 (zugunsten einer obd. Strömung, s. die dortige Nr. 7), weniger stark Nr. 4 (vgl. die obd. Nr. 8). Auch die typisch obd. Eigenschaften sind nicht alle bewahrt. So sind die Nr. 1 und 4 bis auf kümmerliche Reste verschwunden, Nr. 5 ist besonders in St besonders stark zurückgedrängt (D 42.4.1), auch Nr. 6 ist heute stark eingeschränkt.

Nach alledem kann man sagen, daß das SHess. mit Recht als md. Mda gilt, jedoch mit - von S nach N hin abnehmendem - obd. Einschlag, also eine Übergangs-Mda.

2.4.1. Wenn hier von Sprachbewegungen md. bzw. obd. Ursprungs gesprochen wurde, die unsere Mda erfaßt haben, dann ist das nicht so gemeint, daß alles Andringende unbesehen übernommen worden wäre. Lautliche Veränderungen sind gleichsam ein von außen kommendes "Angebot", auf das die Sprachgemeinschaft auf verschiedene Weisen reagieren kann. Es ist jeweils mit drei Möglichkeiten zu rechnen: 1. völlige Abweisung einer neuen Lautung, 2. "kritiklose" Übernahme (auch wenn es dabei zu Problemen im System kommt), 3. Integrierung durch Anpassung an das bestehende System.

Am leichtesten sind Beispiele für "kritiklose" Übernahme zu finden, etwa aus dem md. Inventar Nr 1, 2 (Zusammenfall mit $\bar{e}_{11}$: C 2.3.2.5), 3 (hat eine starke Zunahme der $\bar{\imath}/\bar{u}$- Laute zur Folge, verhindert aber zugleich Zusammenfall von $\bar{e}/\bar{o}$-Lauten: C 21.2.2,4), 4 (führt zur Störung im System: viele /e o/, aber (fast?) keine /i u/ mehr, vgl. C 19.11.1), 6 (allerdings wenigstens in St nur zögernd und in abgeschwächter Form), 11, 13 (führte zur Vermehrung der r), 15; aus dem Obd. Nr. 1, 3, 4, 5 (führten i.a. weniger zu Komplikationen im System).

Ein bemerkenswertes Beispiel für systembedingte Abweisung wäre die Zurückweisung der sogenannten "gestürzten" Dii. des Oberhess. (aus mhd. *ie üe uo*), die die Probleme der V-Verschiebung des 12. Jh. nicht gelöste hätten[3].

2.4.2. Besonders lehrreich sind die Vorgänge aus der dritten Gruppe. Hier wird von dem "Angebot" bereitwillig Gebrauch gemacht, weil es zur Lösung systembedingter Probleme willkommen ist. Daher können zwar Zeit und Art des Lautwandels aus der Mda selbst nicht erklärt werden, und dennoch paßt der jeweilige Vorgang trefflich ins System. Deutliche Beispiele hierfür sind aus der obd. Liste die Nr. 2 ("nhd." Dig. von $\bar{\imath}$ $\bar{u}$ $\ddot{u}$) und 7, wobei gerade dieses deutlich veranschaulicht, wie von außen kommende Anstöße ins bestehende System eingebaut werden: *$\bar{e}$ $\bar{o}$* mit anschließender Dig. statt $\bar{e}$ $\bar{o}$, die mit bereits vorhandenen $\bar{e}$ $\bar{o}$ zusammengefallen wären (s. bes. C 21.5.1,2; E 3.3.1).

Aus der md. Liste gehören hierher die Vorgänge im Bereich des Vokalismus Nr. 3, 7/8, 12. Letzteres bedeutet ja eine Entlastung von /$\bar{e}$/ durch die Abspaltung von /$\bar{a}_{24f}$/. Von den konsonantischen Wandlungen wären zu nennen die Spirantisierungen Nr. 5 und 10 (vgl. bes. D 20.12.1.1).

---

[3] Z.B. hätte in einer Reihe $\bar{e}_{4\ 12}$ - $\bar{\imath}_{18\ 21}$ - $\bar{\imath}_{15}$ - ei_{24f} auch ein Wandel $\bar{\imath}_{18\ 21}$ > $\dot{\imath}i$, ei zur Phonem-verschmelzung führen müssen. Was hätte mit $\bar{\imath}_{15}$, ei_{24f} geschehen sollen? (Vgl. auch C 21.2.2.4). Hier wird ein Lautwandel abgelehnt, weil er nicht ins System paßt.

Zur sozialen Schichtung der Mundart in früherer Zeit

3.1. Daß die Sprache eines Städtchens wie Lorsch heute nicht homogen ist, braucht nicht mehr eigens begründet zu werden. Man findet alle Schattierungen, von der echten, unverfälschten Mda über die Halb-Mda ("Umgangssprache") bis zum (mehr oder weniger reinen) Hochdeutsch (vgl. A.9f.). Wir begegnen den verschiedenen Stufen der "Verhochdeutschung" in der vorliegenden Arbeit auf Schritt und Tritt.

3.2.1. Nicht so selbstverständlich ist es aber, daß es auch in früherer Zeit verschiedene sprachliche Schichtungen, auch in kleinen Orten, wie Lorsch es früher war, gegeben haben muß, zwar nicht so ausgeprägt wie heute, aber deutlich wahrnehmbar, damals und für uns Heutige noch erkennbar. Träger einer (wenigstens angezielten) "besseren" Aussprache waren die weltliche "Obrigkeit", wozu auch kleine Verwaltungsbeamte zählten, Geistliche (in Lorsch natürlich auch die Mönche des Klosters bis zur Auflösung in der Reformationszeit), manchmal auch - die Mütter (worüber E 3.2.5), später auch Lehrer, zu allen Zeiten natürlich Kaufleute sowie bestimmte handwerkliche Berufe, die auf Grund einer gewissen Mobilität (Wanderschaft) wenigstens in ihrer eigenen Fachterminologie zu überregionaler Aussprache neigten. Nicht von ungefähr sind es gerade diese Bevölkerungsschichten, denen wir z.B. schon im 17., 18.Jh. die kostbaren schriftlichen Zeugnisse mdal. Lautungen (GR, GRB), eingestreut in mehr oder weniger schriftsprachliche Sprachformen, verdanken. Sie und nicht die Mda sprechenden (kleinen und großen) Bauern hatten wenigstens rudimentäre Lese- und Schreibkenntnisse.

Diese Gruppen sind noch deutlich am heutigen Wortmaterial zu erkennen, auch wenn ihr Einfluß z.T. schon Jahrhunderte zurückreicht. Dies sei an Hand der wichtigeren einschlägigen Fälle veranschaulicht[4].

3.2.2. Da ist zunächst die Sprache der "Herrschaft", mit der man in Lorsch verhältnismäßig selten Kontakt hatte, es sei denn bei der Ausübung der Jagd in den ausgedehnten Wäldern des Rieds[5]. Dem entspricht die besondere Lautung des Wortes *Jagd* (D 27.2), wahrscheinlich auch von *Reh* (D 47.4). Ferner ist an das Wort *Vogt* zu erinnern (D 23.2.2.8), während die besonderen lautlichen Formen von *Kaiser* (C 20.3.1.2), *König* (C 5.3.1.7,4) sowie der KV in *Fürst* (gg. *fęǫ̧šd* "First", s. C 7.1.2) eher der Schule zuzuschreiben sind.

---

[4] Wir verzichten dabei auf die Darstellung des kaum mehr abzuschätzenden weil im Zusammenwirken mit den Massenmedien ständig zunehmenden Einflusses der Schule auf die Mda, der jedoch vor dem 19.Jh. praktisch nicht ins Gewicht fiel.

[5] Es ist kein Zufall, daß sich das öfter zitierte WL 1423 mit dem Lorscher Wildbann, d.h. den Jagdrechten des Erzbischofs von Mainz beschäftigt.

Stärker war der Einfluß der mittleren und unteren Verwaltung, mit der man öfter zu tun hatte. Von ihr kommen die *d*-Aussprache von *fadə, modə* (D 24.3.37), das *d* in *eldən* (statt **elən*: D 31.7.1), in *fəbodə* (gegenüber den Inf. *fəbīrə*: D 24.3.2.3; danach dann wohl auch *ō-gəbodə* "angeboten"), ferner *gəbuǫd* (und gebietsweise *sū* "Sohn") ohne Senkung (C 22.2.2; 23.5.7.3), ebenso *šwę̄ǫn* "schwören" ohne Di. (C 20.4.1.1), das *ō* statt Di. in *bəfōlə, gšdōlə* "befohlen, gestohlen" (C 5.3.1.4; 20.4.1.1; D 35.5.2), das *ē* statt *ę̄* in *bəfēlə* (C 20.9.3), die Vorsilbe *er-* in *ęlāwə* "erlauben" (s. C 40.0 A. 296; D 8.4.1), wahrscheinlich auch die Sonderentwicklung von *Allmende* (D 32; s. auch Fecher 1941, 121) und *Brühl* (D 39.2.4.2), des weiteren eine Menge von Lwtt, so z.B. † *afəgād* "Advokat" (mit *ā* statt *ǭ*, s. C 20.8.1.2), *fəagədīǫn* "verakkordieren" (D 8.4.1; 24.3.3), *dǫndwęiə* "deswegen" (C 22.3,1; 22.4.2; 22.4.3.4).

3.2.3. Weitaus größer war zu allen Zeiten das Vorbild der Kirche. Der Geistliche (und in Lorsch die Priestermönche) war oft der einzige "Studierte" am Ort, seine Sprache hatte in mancher Hinsicht Vorbildcharakter. Hier einige Beispiele: Ein mdal. Monophthong wurde durch Di. ersetzt in *gaišd* "Geist" (gg. *fəgāšdən* "verängstigen"), *hailiš* "heilig" (gg. *heljə-*, s. C 2.3.2.3), *haidə* "Heide" (alle C 20.3.1.1f.), umgekehrt der Monophthong statt Di. (nach C 20.4.1.1,2) in *ē* "Ehe" (gg. *ęi* "ehe"), *ēwiš* "ewig" (zugleich Erhaltung des *-w-*, s. D 39.2.4.2f.), *gōd* "Patin"; die falsche Umsetzung des Di. in *sagrišdäi* "Sakristei" (C 20.7.1.3), die Umlautlosigkeit in *parə* "Pfarrer" (C 16.3,5a) und *jud* "Jude" (C 1.4.5.2 VI), der KV in *fęrmə* "firmen" C 7.2.2). Auch *pābšd* "Papst" (statt **bŏbšd*, s. C 8.2.2; 20.1.1; D 57.4.1) ist hier zu nennen. Hierher gehört ferner die besondere Lautung von *Mönch* (C 29.11.2), *Arche* (D 14.2.2) sowie *sd* für bzw. neben *šd* in *brīsdə* "Priester", *gaisd* (s.o.), *šwesdə* (D 42.4.2), dessen *e* für *ę* gleichfalls ungewöhnlich ist (aber *šwę-* hat seinerseits eine noch ältere einheimische Form verdrängt, s. D 39.2.3,2) ebenso wie das *e* in *fešd* "Fest" (C.17.2.4). Auch *ęilend* "Elend" ist nicht ganz lautgesetzlich entwickelt, wohl unter dem Einfluß der Kirche (D 31.4,6), desgleichen der Name des Wallfahrtsortes *Einsiedel* (s. D 24.9.5.1).

Auf die Mönche der Anfänge des Lorscher Klosters geht offenbar die Eindeutschung der Namen *Lorsch* und *Weschnitz* zurück (D 44, ferner D 4.2.4.1), die sich, weil nur von der Oberschicht getragen, auf Dauer nicht durchsetzen konnte.

Bekanntlich widmeten sich manche Mönche auch der Heilkunde sowie dem Anbau von Heilpflanzen. Wahrscheinlich darf man die von L *selwə* "Salbei" geforderte echt lat. Vorform *salvia* (statt ahd. *salveia*, s. C 1.4.4.2) dem unmittelbaren Einfluß der Lorscher Mönche schon in ahd. Zeit, also gleichfalls in der Anfangsphase des Klosters, zuschreiben.

In diesem Zusammenhang sei generell auf die Rolle der Heilkunde hingewiesen. Der Volksmedizin verdanken *-sāš* "-seuche" (C 20.3.4.3) und wahrscheinlich *Brennessel* (C 5.3.2.3,2; Heilpflanze!) ihre besonderen Lautungen. Mehr dem Umgang mit Ärzten hat man den KV in *Herz, Schmerz* (C 7.1.1.3), die Erhaltung von *nd* in *gsund* (gg. *blin* "blind"), *wund* "Wunde" (gg. *šdun* "Stunde", s. D 31.4,6) sowie die hochsprachliche Lautung von *aidə* "Eiter" (statt **ārə*, s. C

20.3.1.2; D 20.5) zuzuschreiben. Auch das weithin für letzteres verbreitete *Materie* ist nach D 4.3.4 hochsprachlich beeinflußt.

3.2.4. Wenn die Rede von Höhergestellten ist, denkt man auch an die Annehmlichkeiten des Lebens: besseres Essen und Vergnügen, die für die einfachen Leute nicht so selbstverständlich waren wie heute.

Honig konnte sich nicht jeder leisten, Bienenzucht war keine verbreitete Betätigung. Nicht von ungefähr hängen die einzigen Lorscher Flurnamen mit *Bien-* (*Biengarten*) an ehemaligem Klostergut (Fecher 1941, 48. 109). Daher die Form der Wörter *Honig* (C 5.3.1.7,4) und *Biene* (ohne Senkung: *bī̃.* C 19.1.4). Hier seien ferner erwähnt die besonderen Formen von *Pfirsich*, *Wirsing* (D 4.3.4; vgl. auch C 7.1.2), *Kürbis* (C 7.2.1.4; 37.2.2.2).

An Vergnügungen ist besonders der Tanz zu erwähnen. Man sprach vom † *(dǫns-)bāl* (C 4.3.2.2) mit *ā* statt *ǭ* (C 20.8.1.2) und übernahm schon verhältnismäßig früh eine nördliche Aussprache in *gai* "Geige" (D 28.7.2.2).

3.2.5. Ein ganz anderer Teil der Bevölkerung, dem die Mda gewisse Abweichungen von der eigentlich erwarteten Wortform verdankt, sind die Mütter! Mit kleinen Kindern versucht man nicht erst heutzutage, "besser" zu sprechen; auch in früherer Zeit wurde offensichtlich ihnen gegenüber sorgfältiger artikuliert. So kann man erklären das *ā* statt *ǭ* in *bābə, dādə* "Papa" (C 13.1.1), die fehlende Dig. und das *-d-* in *kōdən* "lallen" (C 20.4.1.1; D 24.3.3), das *-d-* in *sādən* "geifern" (D 24.3.3). Auch der KV in *gašdiš* "unartig" (eig. "garstig") gehört hierher (C 7.1.2; 7.4.1).

3.2.6. Schließlich hat auch der überörtliche Handel seine Spuren im Wortschatz hinterlassen. Man kaufte bzw. verkaufte gewisse Dinge außerhalb, etwa in der Stadt (oder bei fliegenden Händlern), und mußte sich infolgedessen um eine "bessere" Aussprache bemühen, wie man sie ggf. auch vom Händler oder Kunden hören konnte. Hier sind z.B. zu nennen: der V von *Beil* (C 25.3.1.2), *Uhr* (C 20.6.2.4,1), *Schirm* (KV, s. C 7.3.2, kann aber auch zu E 3.2.4 gehören), *Gewürz* (KV, C 7.1.1.5; keine Reste von LV!), *Obst* (C 8.2.2; 37.3.2.2), *Trog* (C 4.1.5, ferner, auch für *Obst*, C 20.4.1.1,2), die Synkope in *Erbse* (C 7.2.1.2; 34.2.4.1a; Wort des Marktes?), das wiederholte *e* für *ę* (i.a. jüngeren Datums) in mehreren Wörtern (C 17.2.3), *ē* für *ę̄* in *drējə* "(Hosen-)Träger" (C 20.9.3), desgleichen *ę* für *e* in *Becher (?), Geschäft, schätzen, elf* (C 17.2.4). Überhaupt tendieren gerade die Zahlwörter früh (und nicht primär unter dem Einfluß der Schule) zur Anpassung an überregionale Aussprache, vgl. außer *elf* noch folgende: das (heute veraltete) Fem. des Zahlwortes *zwei* [*dswā*] lautete *dswō* statt **dswū* (C 24.1.2), man spricht ferner schon lange *fĩ̧* statt **fȩ̃* (gg. † *fȩ̃dl̥*, s. C 22.3,3), *segs* statt **sȩis* (D 35.4.2; 35.4.6; vgl. auch C 1.4.2), *axd* statt **ǫ̆xd* (gg. *ǫ̆xd-gȩwə* "achtgeben"; C 18.3; D 16.5.4; oder gar mit Umlaut, s. C 1.4.2 A. 13), *dswǫnsiš* mit *ǫ* statt *e* (s. z.B. C 2.3.2.2; 8.4.1); überregional ist auch die Aussprache *fufdsȩi, -dsiš* (D 3.2), um nur das Wichtigste zu nennen.

Auch *əs naiəšdə* "das Neueste" muß hier genannt werden, s. C 35.2.2b.

Ferner zeigt sich die Sprache des Handels in den unregelmäßigen Pl.-Formen *ājə* "Eier" (D 28.2.4, zu II), *šū* "Schuhe" (D 47.5), im *-iŋ* von *gadiŋ, peniŋ* "passend, Pfennig" (D 4.3.4), bei *gadiŋ* zugleich Erhaltung des *-d-* ebenso wie in *Butter, Futter, Leiter* (D 24.3.3). Auch die Lautung von *Sense* ist nicht bodenständig (D 23.2.2.9). In diesen Zusammenhang gehört auch das von Viehhändlern stammende *Viech* (für *fē*, s. D 47.3,3); wahrscheinlich verdankt *Ferkel* seine Form derselben Quelle (D 47.3.2).

3.2.7. Im engen Zusammenhang mit dem Handel steht die Sprache des Handwerks. Hierher zunächst die besondere Lautung des Wortes *Meister* (C 23.2.2.4,1); ferner aus der Fachterminologie:

Bäcker: die Aussprache *bẹgə* (C 17.2.3), ebenso die heute fehlende Dig. in *brōd* (C 20.4.1.1,2); *ē* statt *ę̄* in *ọi-mē̜n* "Teig mit Hefe ansetzen" (C 20.9.3);

Färber und Gerber sind für die KVV in *farb - fẹrwə, gẹrwə* (C 7.2.1.1f.) verantwortlich;

Maurer: die heutige Aussprache *maurə* statt **maiərə*, später *mawərə* (C 16.3,5a; 22.2.4.1f.); *Gips* (D 48.2.2; 57.5.4), *Kalk* (mit *-ch*, D 14.2.2), *Reiter* "Stehsieb" (*d* statt *r*, D 24.3.3);

Metzger: die Berufsbezeichnung selbst, s. D 30.4; *flaiš* statt † *flāš* (kaum Einfluß der Kirche, weil bis in unsere Zeit lautgesetzlich; C 20.3.1.2); *hēsjə* "Eisbein" (C 20.4.1.1,2; D 35.4,2 mit A. 191); *būx* statt **bug* "Bug" (C 9.1); wohl auch der KV in *wǫšd* "Wurst" (C 7.1.2), vielleicht auch in *hęn* "Hirn" (C 7.1.3).

Schmied: *Gitter* mit *-d-* (D 24.3.3); *meniŋ* "Mennige" mit *-iŋ* (D 4.3.4);

Schneider(in): *nēdən* "Schneiderin" mit *-d-* (D 24.3.3); *šǫds* "Schürze", wahrscheinlich auch *kǫds* "kurz" mit KV (C 7.1.1.7);

Schreiner: *gē̜ruŋ* ohne Di. (C 20.4.1.1,2), *howḷ* mit *o* statt *u* (C 24.2.2).

Hier ist ferner noch an die Bildung der weiblichen Form zu Berufsbezeichnungen auf *-īn* statt *-ə(n)* zu erinnern, s. D 4.2.2,3.

3.2.8. Diese Zusammenstellung, mag sie auch unvollständig sein, läßt deutlich gewisse hochsprachliche Tendenzen in der Fachterminologie mancher Berufsgruppen erkennen, die z.T. schon uralt sind (z.B. *Gips, Kalk; einmeren*).

Solche Leute waren auch sonst aufgeschlossener für "bessere" Lautungen, sie waren im Verein mit den übrigen oben genannten Gruppen (Behörden, Geistliche, Händler ...) die Vermittler von Neuerungen nicht nur in der Aussprache einzelner Wörter ihrer Fachsprache, sondern auch auf breiterer Basis, wenn dadurch eine "bessere" Aussprache angezielt werden konnte. "Besser" kann dabei ein Rückgriff auf überregionale Lautung oder Beibehaltung bzw. Wiederherstellung (ggf. in späterer Zeit auch nach dem Schriftbild) einer älteren Aussprache sein.

3.3.1. Die bisher besprochenen Abweichungen von der echtmdal. Wortfom betreffen ja i.a. nur Einzelwörter. Doch konnte man beobachten, daß sich dabei gewisse Phänomene wiederholten, wie z.B. die Vermeidung (bzw. Rückgängigmachung) des Wandels $d > r$ (*Butter, Futter, Leiter, Reiter, Gitter, nēdən* u.a.) oder der Dii. *ei ou* (*Ehe, ewig, Obst, Trog, hēsjə* u.a.). Gerade im letzten Fall kann man sehr gut das Zusammenwirken von Ober- und Unterschicht im Ersatz von alten *ī ū* durch *$^*ē\bar{o}$* im 15.Jh. (mit anschließender Dig. und anfangs recht zahlreichen falschen Umsetzungen) beobachten, s. im einzelnen C 20.4.5f. Hier ist also eine ganze Bewegung "von oben her" ausgelöst worden, die jedoch bald (in der Dig.) ihre Eigendynamik entwickelte, so daß nun die Oberschicht gegen diese Dii. zu reagieren begann (vgl. die obigen Beispiele sowie C 20.4.2.2; E 2.3.2,7).

3.3.2. Auch sonst ist eine als vorbildlich angesehene Lautung nicht immer völlig unverändert übernommen worden (s. E 2.4.2). Hier nun die wichtigsten Fälle von Übernahme nicht nur auf einzelne Wörter beschränkter oberschichtlicher, aber (teilweise) nachträglich in die Mda integrierter Lautung aus verschiedenen Zeiten in chronologischer Abfolge:

1) die Gegenbewegung gegen den /*ch*/-Schwund vor *t*, schon uralt, d.h. ahd., s. D 16.5.4;

2) das Überleben gewisser Formen des Part. Präs. durch Verhinderung der Assimilation von -*nd*- um 1100: D 32;

3) /*ch*/ für *g* (bzw. seine Vertretungen), seit dem 12. Jh. belegt: D 27, bes. 27.5;

4) der Ersatz von $\bar{e}_{24f}$ durch $\bar{a}$ hat sicher wenigstens eine oberschichtliche Komponente, s. C 20.3.3 (bes. 3.3.4);

5) im SW (Hd, Mhm) wurde für im 15.Jh. vor Nas. diphthongierte lange $\bar{o}$-Laute wieder Monophthong eingeführt, der dann in der Unterschicht zu $\bar{u}$ wurde, worauf im 18.Jh. dafür offenere Lautungen ($\bar{o}$ $\dot{q}$) aufkamen, s. besonders C 23.6.3.5 (entsprechend $\bar{e}$ für $\bar{e}$-Laute, C 23.7.3.3), also ein zweimaliges Einwirken der "Bessersprechenden";

6) Wiedereinführung von /*ch*/ vor *s* (> [*gs*]) seit dem 15.Jh.; D 35.4,4f.;

7) *ai* für *au$_{19}$*, besonders seit dem 16.Jh.: C 1.3.3, bes. 1,3.3.4;

8) die Hiat-Dig. im DSter Raum ab dem ausgehenden 16.Jh., ein besonders lehrreiches Beispiel für Überreaktion auf mdal. Aussprachetendenzen (Kontraktion!), s. C 25.5.3, bes. 5.3.6f.;

9) das gebietsweise Eindringen von $\bar{a}i\chi$ für $\bar{a}\chi$, etwa im 16./17. Jh., zur Vermeidung der Phonemisierung von [χ], s. C 20.3.4; vgl. D 49.3.2.2;

10) die Wiedereinführung des vor Grl. geschwundenen inl. Nas. in der Neuzeit, s. D 3,3.4; 3.5.1;

11) der Ersatz von $\bar{o}_{17\;26}$ vor Nas. durch $a\bar{u}$ (das dann seinerseits wieder zu ou wurde) in der Neuzeit (etwa ab 17.Jh.), C 23.5.41;

12) der Ersatz von $\bar{o}_{24(-26)}$ vor Nas. durch $\bar{a}$ (das dann später zu $\bar{o}$ wurde) ab etwa 17.Jh., s. C 23.5.3;

13) die Gegenbewegung gegen die Senkung, seit etwa dem 18.Jh., wenigstens teilweise von der Oberschicht getragen, C 19.7f.; E 2.3.2,8;

14) $\chi > \check{s}$ im 19.Jh., D 49.5;

15) der von der städtischen Oberschicht seit dem 19.Jh. ausgehende neuere r-Schwund (in Lorsch 20.Jh.): D 8.3.5; 8.3.7-9;

16) die Einführung eines t-Phonems seit dem 19.Jh.: D 38.2.1.

3.3.3. Diese (durchaus nicht vollständige) Aufzählung läßt erkennen, daß auch in älterer Zeit von einer synchron einheitlichen Mda nicht die Rede sein kann. Je nach Zugehörigkeit zu einer bestimmten sozialen Schicht oder Berufsgruppe waren z.B. schon im Mittelalter Aussprache und Wortschatz auch in einem kleinen Ort wie dem damaligen Lorsch unterschiedlich, wenn auch natürlich nicht so kraß wie heute.

3.4. Andererseits muß es teilweise auch starke Unterschiede in der Aussprache zwischen den Generationen gegeben haben. Wenn auch nur ein Teil unserer zeitlichen Ansätze zutrifft, dann hat es Zeiten mit sich sehr rasch wandelnder Aussprache gegeben, was naturgemäß von den Älteren nicht oder nur bedingt mitgemacht wurde (vgl. A 5). Man denke nur an das 12.Jh., in dem sich u.a. solche folgenschweren Vorgänge wie die Erneuerung der V-Quantitäten (zusammenfassend C 11), die dadurch ausgelöste V-Verschiebung (C 21, bes. 21.1-3.4.1), die Senkung von kurzen und gedehnten i $\ddot{u}$ u (C 19), ein größerer Teil des ∂-Schwundes (s. die Synopse C 38.8); im Bereich der KK etwa die frühe Kontraktion (D 23.2ff.), der Schwund von intervokalischem μ (D 39.2.4.4), die Degemination (D 50.4f.) und die Schwächung von ausl. bzw. vorkonsonantischem n (D 3.1.3-5; 3.3.2; 3.5.3; 4.2.3ff.; 4.3.3, zu b) ereignet haben. Ob sich da nicht auch (wie heute) die "Alten" über die "neumodische" Sprechweise der "Jungen" aufgeregt haben? Zwar hören wir nichts darüber - wer schon hätte die Stimme des kleinen Mannes eingefangen? Aber anzunehmen ist es.

Kartenskizzen

Die Kartenskizzen wurden angefertigt vornehmlich auf Grund des geografischen Teils der Mda-Monographien (vgl. Karte 1), ergänzt durch die Angaben des SH. Öfter erwies sich das Material als unzureichend, so daß Unklarheiten blieben, die aber das Gesamtbild nicht wesentlich beeinträchtigen, da es sich ja um Karten-Skizzen handelt. Rhh, die Vpf und sNeck sind nur teilweise herangezogen.

Gleichfalls wegen in manchen Handbüchern fehlender oder unzureichender Angaben mußte auf die Erstellung weiterer wünschbarer Übersichtskarten verzichtet werden (so z.B. für mhd. *ei* vor *ch* zur Illustration der C 20.3.4 beschriebenen Vorgänge).

Historische Kartenskizzen sind unmittelbar aus den eigenen Forschungen erwachsen und deswegen mit allen Unsicherheiten historischer Rekonstruktion belastet. Grenzen können gerade auf solchen Karten nur sehr ungefähr sein.

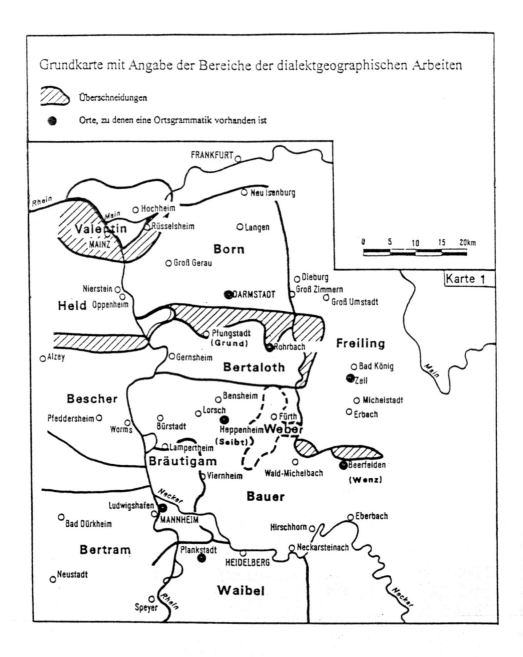

Grundkarte mit Angabe der Bereiche der dialektgeographischen Arbeiten

Überschneidungen

Orte, zu denen eine Ortsgrammatik vorhanden ist

Karte 1

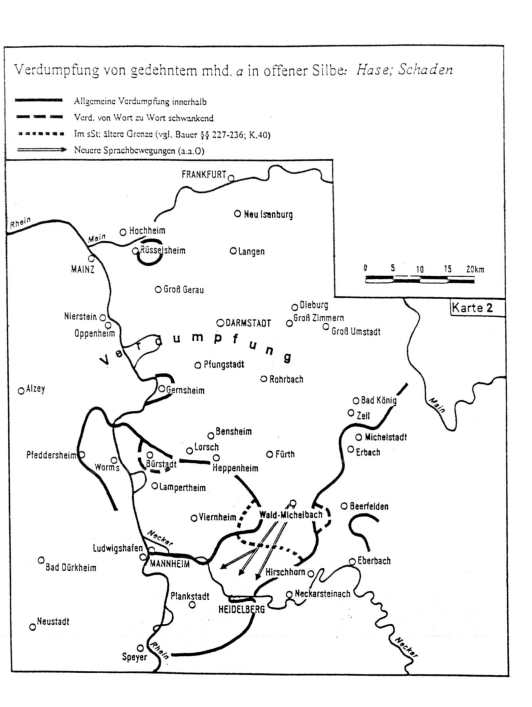

Verdumpfung von gedehntem mhd. *a* in offener Silbe: *Hase; Schaden*

Karte 2

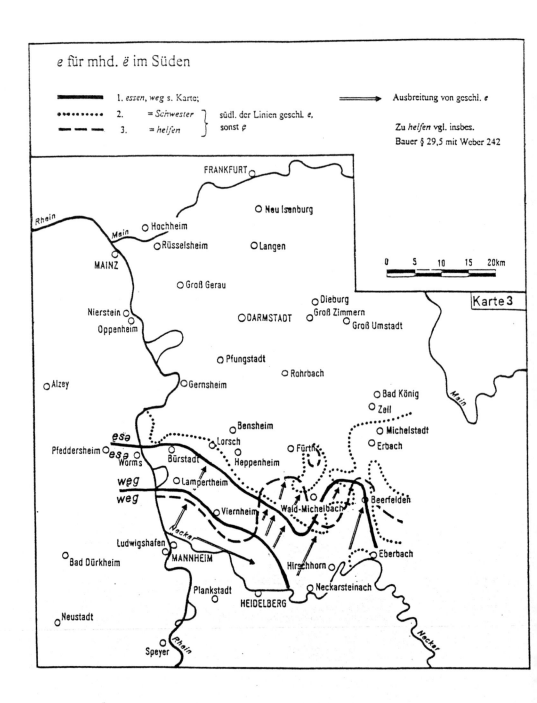

e für mhd. ë im Süden

1. *essen, weg* s. Karte;

2. = *Schwester* ⎫ südl. der Linien geschl. *e*,
3. = *helfen* ⎭ sonst *ę*

Ausbreitung von geschl. *e*

Zu *helfen* vgl. insbes.
Bauer § 29,5 mit Weber 242

Karte 3

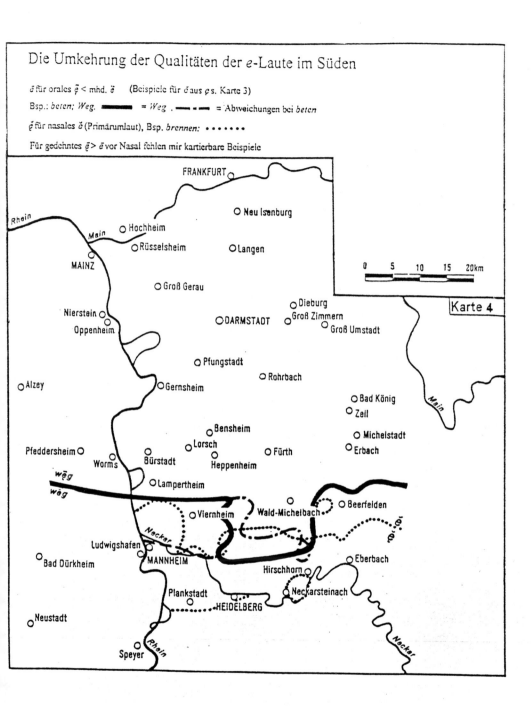

Die Umkehrung der Qualitäten der *e*-Laute im Süden

ë für orales *ẹ̄* < mhd. *ë* (Beispiele für *ë* aus *ẹ* s. Karte 3)

Bsp.: *beten; Weg.* ▬▬▬ = *Weg* . ▬ ▪ ▬ ▪ = Abweichungen bei *beten*

ẹ̈ für nasales *ä* (Primärumlaut), Bsp. *brennen:* • • • • • •

Für gedehntes *ẹ̈* > *ë* vor Nasal fehlen mir kartierbare Beispiele

Karte 4

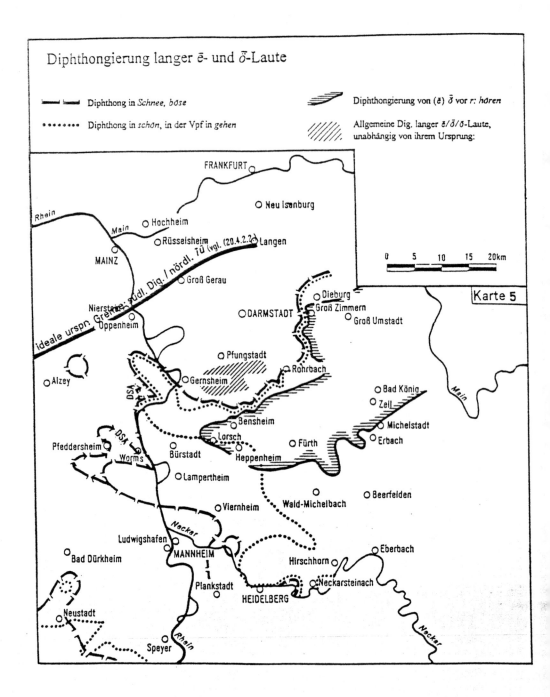

Diphthongierung langer *ē*- und *ō*-Laute

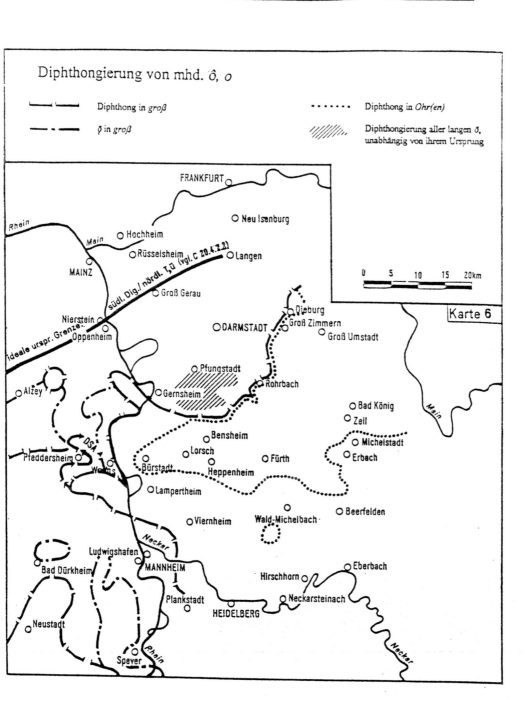

Diphthongierung von mhd. ô, o

Diphthong in *groß*

ø in *groß*

Diphthong in *Ohr(en)*

Diphthongierung aller langen ô, unabhängig von ihrem Ursprung

Karte 6

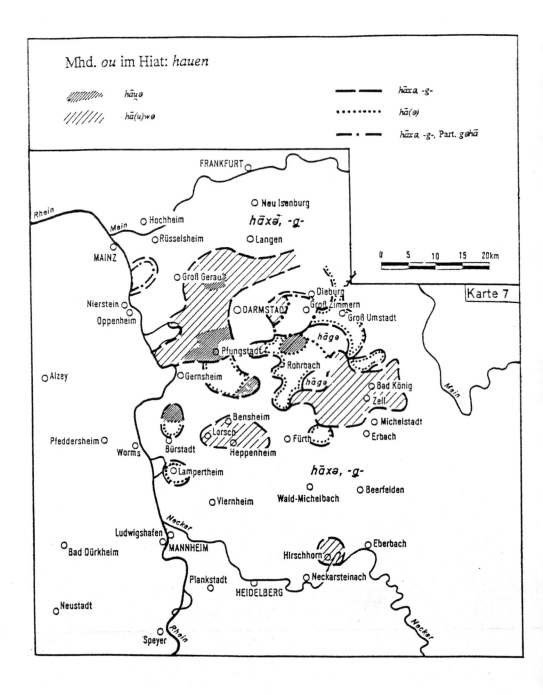

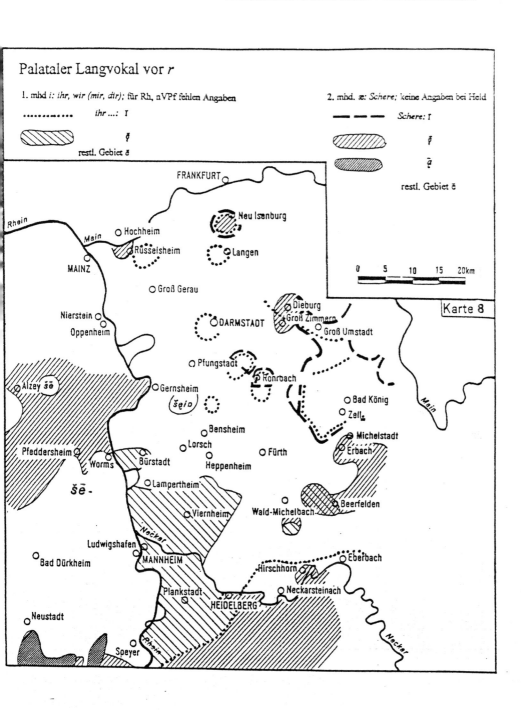

Karte 8

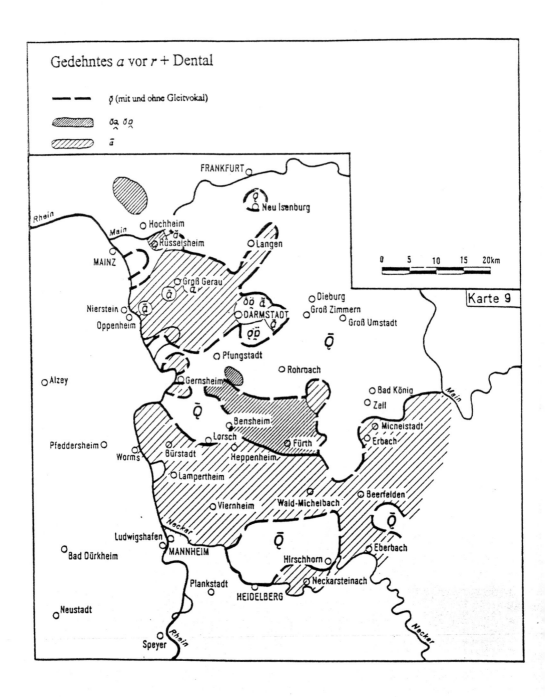

Gedehntes *a* vor *r* + Dental

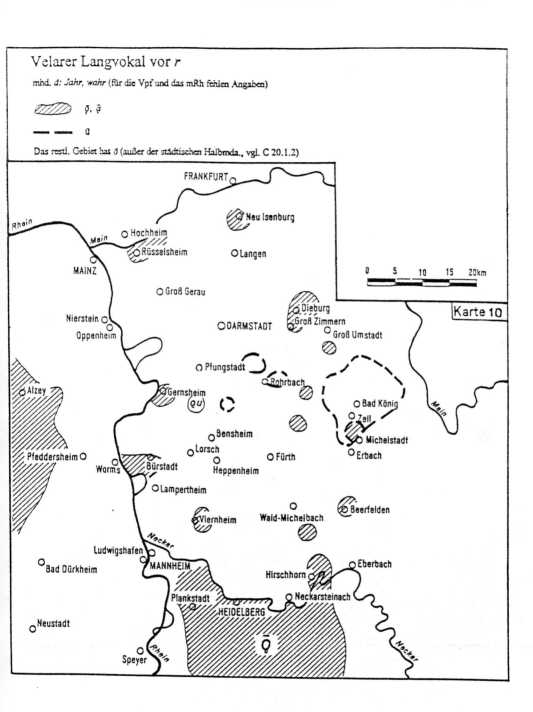

Velarer Langvokal vor *r*

mhd. *ā: Jahr, wahr* (für die Vpf und das mRh fehlen Angaben)

Das restl. Gebiet hat ọ (außer der städtischen Halbmda., vgl. C 20.1.2)

Karte 10

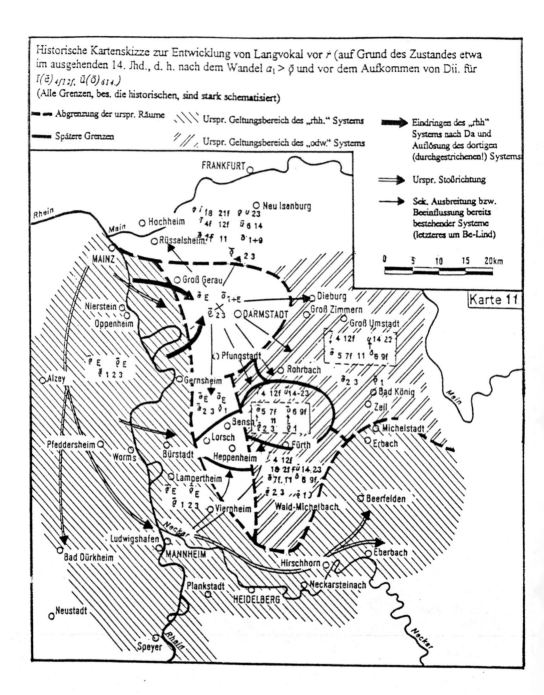

Historische Kartenskizze zur Entwicklung von Langvokal vor *ř* (auf Grund des Zustandes etwa im ausgehenden 14. Jhd., d. h. nach dem Wandel $a_1 > \bar{\rho}$ und vor dem Aufkommen von Dii. für $\bar{\imath}(\bar{e})_{4/12f}, \bar{u}(\bar{o})_{614}.$)

(Alle Grenzen, bes. die historischen, sind stark schematisiert)

Senkung und Diphthongierung in *hin* > [heị] im mSt als Beispiel für eine am südlichen Rand des Darmstädter Raumes „zerdrückte" Lautung

● (Zum Vergleich: Reste von *ọu- < un-:* freundl. Auskunft von Dr. R. Mulch, briefl.)

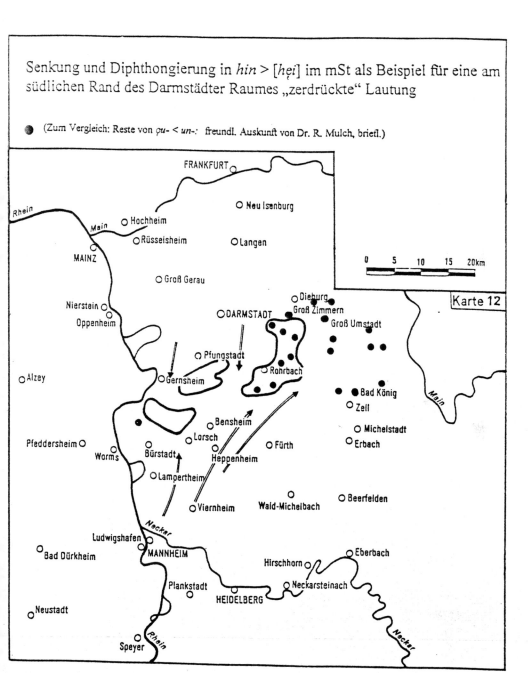

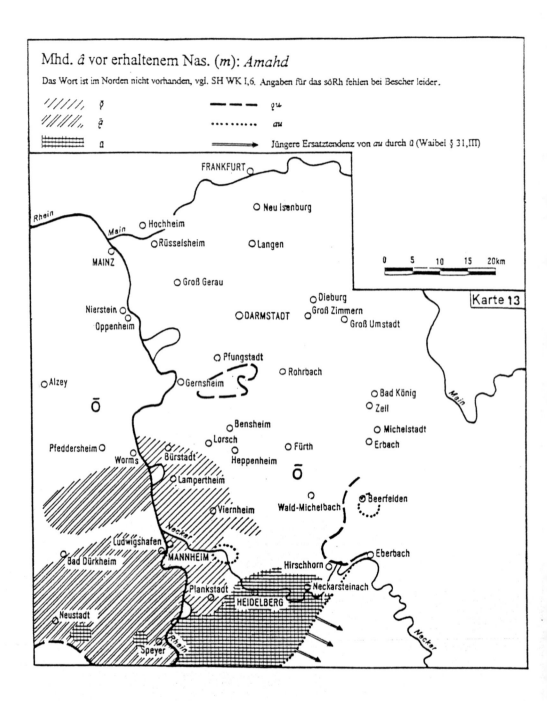

Mhd. â vor erhaltenem Nas. (m): *Amahd*

Das Wort ist im Norden nicht vorhanden, vgl. SH WK I,6. Angaben für das söRh fehlen bei Bescher leider.

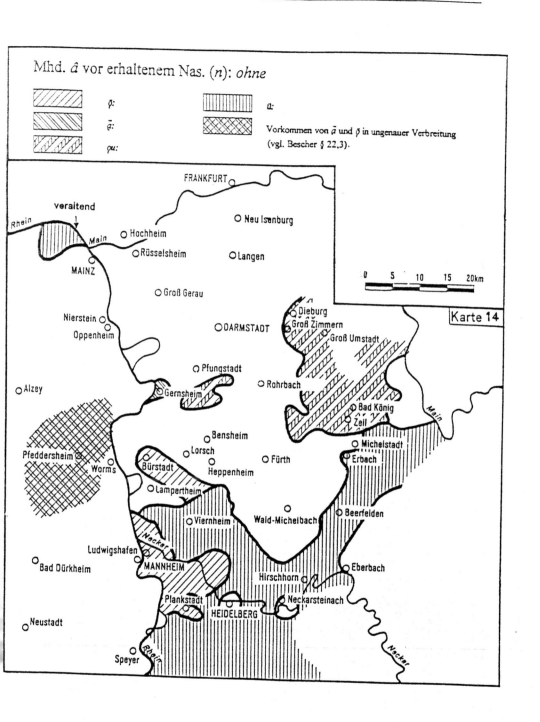

Mhd. *â* vor erhaltenem Nas. (*n*): *ohne*

ǫ:

ā̄:

ǫu:

a:

Vorkommen von *ā̄* und *ǫ* in ungenauer Verbreitung
(vgl. Bescher § 22,3).

Karte 14

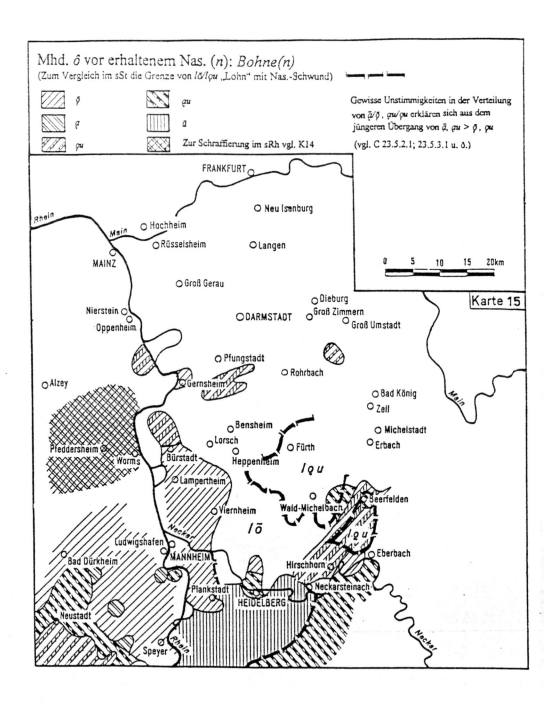

Mhd. ô vor erhaltenem Nas. (n): Bohne(n)
(Zum Vergleich im sSt die Grenze von lô/lọu „Lohn" mit Nas.-Schwund)

Gewisse Unstimmigkeiten in der Verteilung
von ā/ọ, ọu/ọu erklären sich aus dem
jüngeren Übergang von ā, ọu > ọ, ọu

(vgl. C 23.5.2.1; 23.5.3.1 u. ö.)

Zur Schraffierung im sRh vgl. K14

Karte 15

16. Historische Kartenskizze: Urspr. Verteilung der 3 wichtigsten Entwicklungs-

typen von ō₉, ū₆ ₁₄ ₂₃ vor erhaltenem und geschwundenem Nasal

649

Historische Kartenskizze: Urspr. Verteilung der drei wichtigsten Entwicklungstypen von ō₉/ū₆, ₁₄, ₂₃ vor erhaltenem und geschwundenem Nasal (vgl. bes. C 23.6.2f); ca. 2. Hälfte 15. Jh.

(Jüngere Gegenbewegungen sind nicht berücksichtigt)

Bsp.: *Lohn; Bohnen*

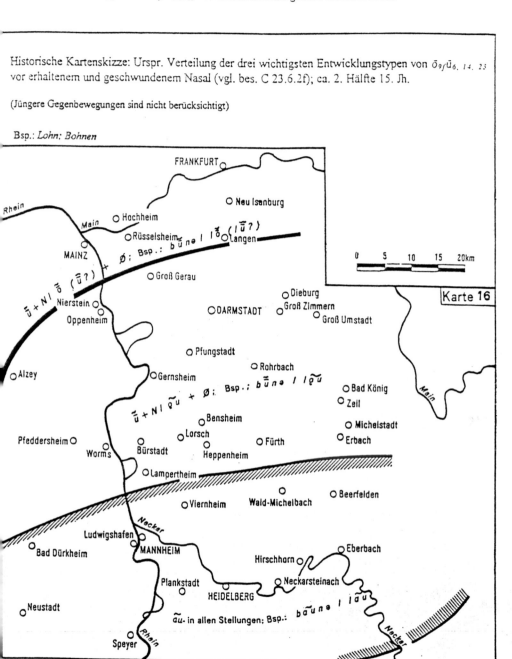

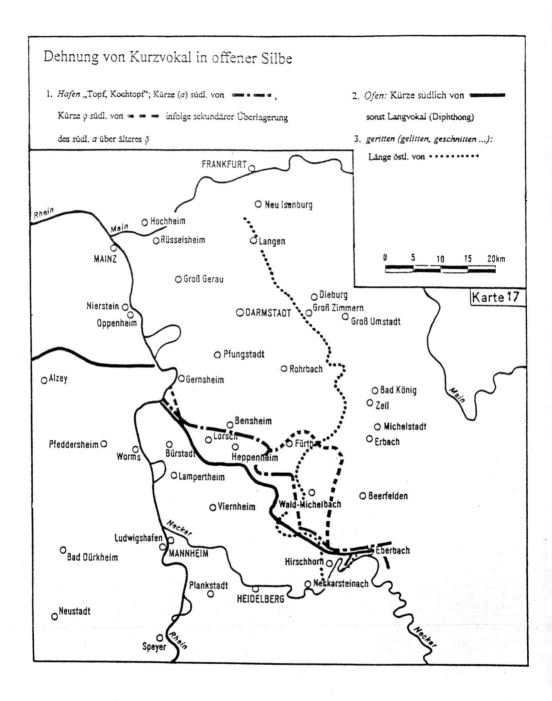

Dehnung von Kurzvokal in offener Silbe

1. *Hafen* „Topf, Kochtopf"; Kürze (*a*) südl. von ▬ ▪ ▬ ▪ ,

   Kürze *ǫ* südl. von ▬ ▬ ▬ infolge sekundärer Überlagerung

   des südl. *a* über älteres *ǫ*

2. *Ofen:* Kürze südlich von ▬▬▬

   sonst Langvokal (Diphthong)

3. *geritten (gelitten, geschnitten …):*

   Länge östl. von • • • • • • • • •

Karte 17

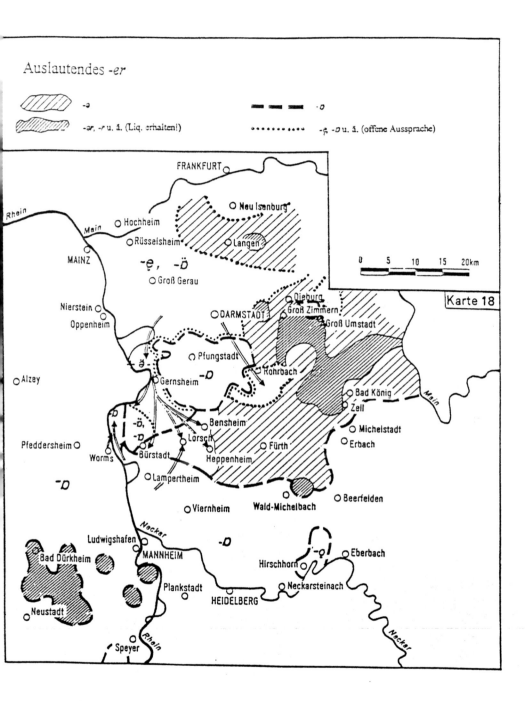

Karte 18

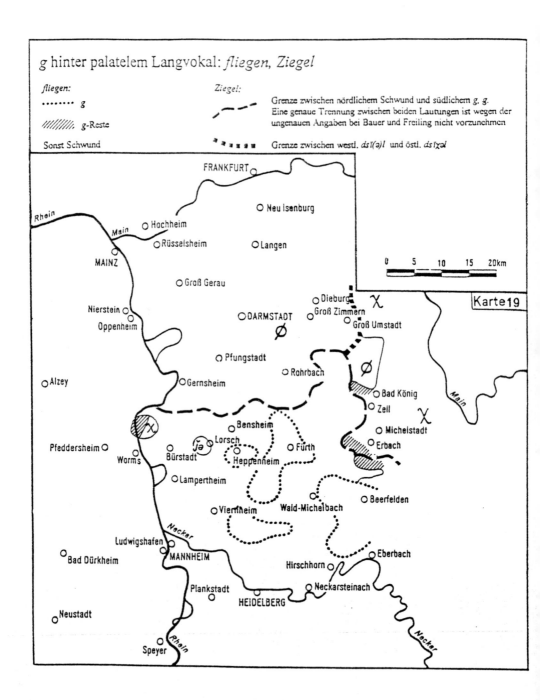

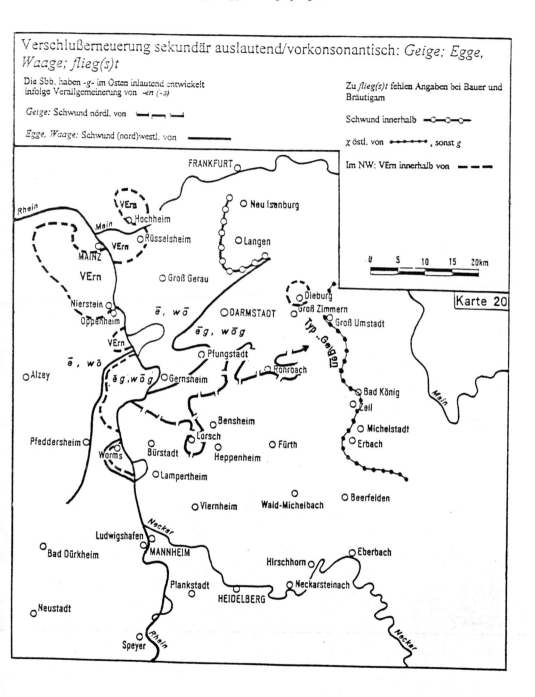

Verschlußerneuerung sekundär auslautend/vorkonsonantisch: *Geige; Egge, Waage; flieg(s)t*

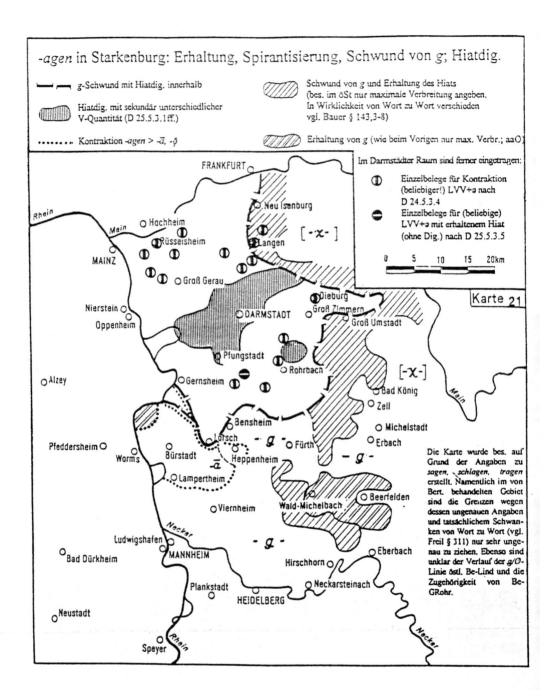

-agen in Starkenburg: Erhaltung, Spirantisierung, Schwund von g; Hiatdig.

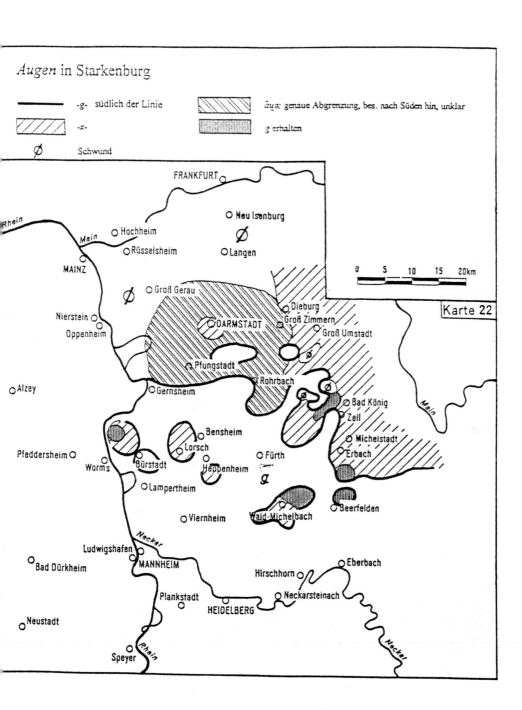

Augen in Starkenburg

-g- südlich der Linie · āγə; genaue Abgrenzung, bes. nach Süden hin, unklar · -x- · g erhalten · Ø Schwund

Karte 22

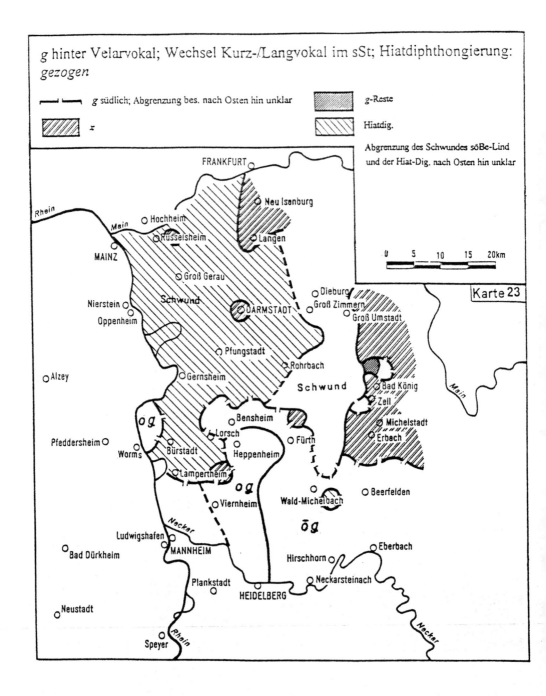

g hinter Velarvokal; Wechsel Kurz-/Langvokal im sSt; Hiatdiphthongierung: *gezogen*

Karte 23

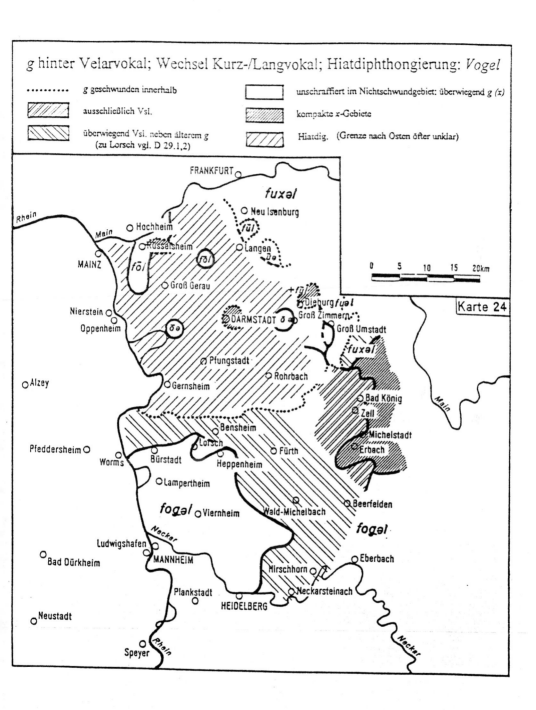

g hinter Velarvokal; Wechsel Kurz-/Langvokal; Hiatdiphthongierung: *Vogel*

············· *g* geschwunden innerhalb

unschraffiert im Nichtschwundgebiet: überwiegend *g (x)*

ausschließlich Vsl.

kompakte *x*-Gebiete

überwiegend Vsl. neben älterem *g*
(zu Lorsch vgl. D 29.1,2)

Hiatdig. (Grenze nach Osten öfter unklar)

Karte 24

I.   Zustand etwa nach 1200

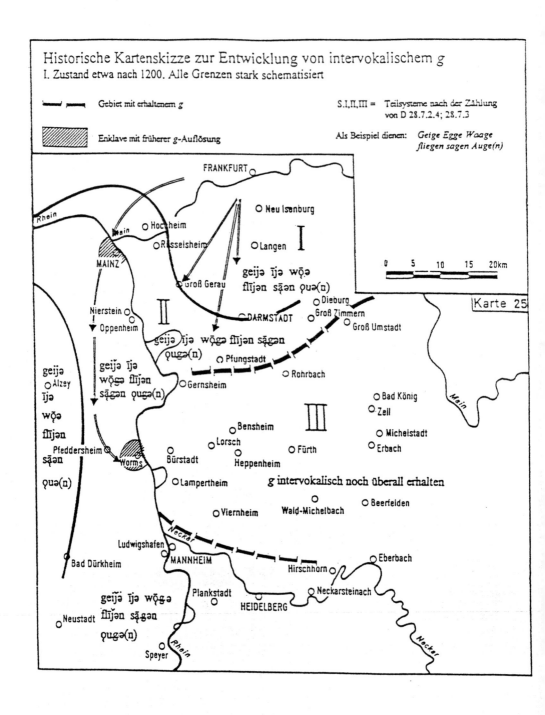

Historische Kartenskizze zur Entwicklung von intervokalischem g
I. Zustand etwa nach 1200. Alle Grenzen stark schematisiert

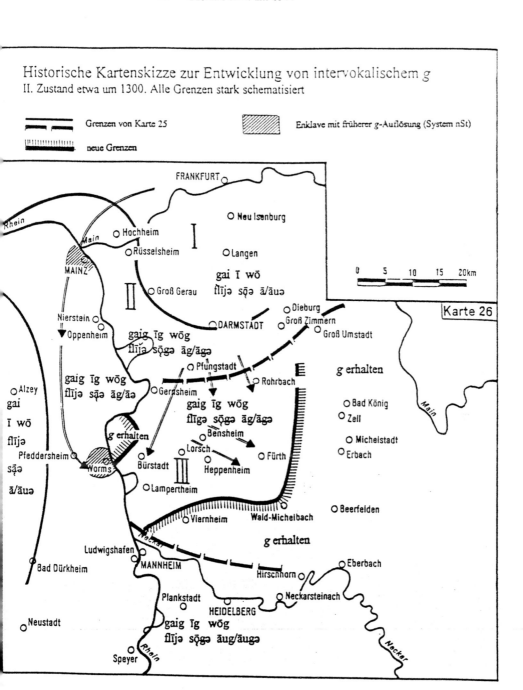

Historische Kartenskizze zur Entwicklung von intervokalischem g
II. Zustand etwa um 1300. Alle Grenzen stark schematisiert

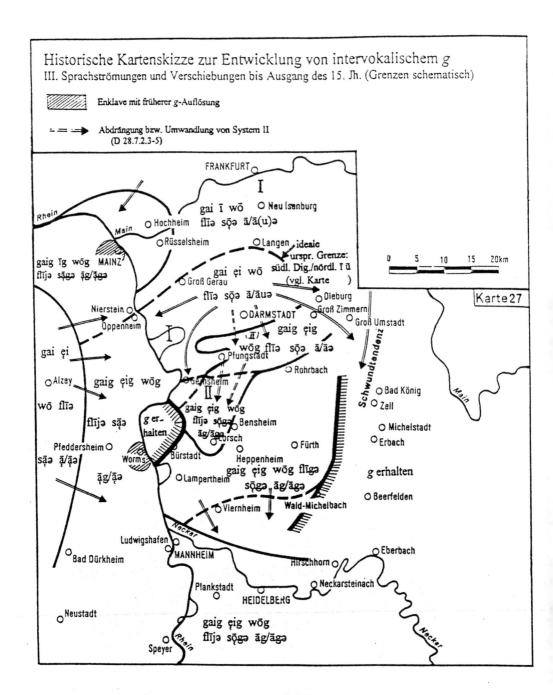

Historische Kartenskizze zur Entwicklung von intervokalischem *g*
III. Sprachströmungen und Verschiebungen bis Ausgang des 15. Jh. (Grenzen schematisch)

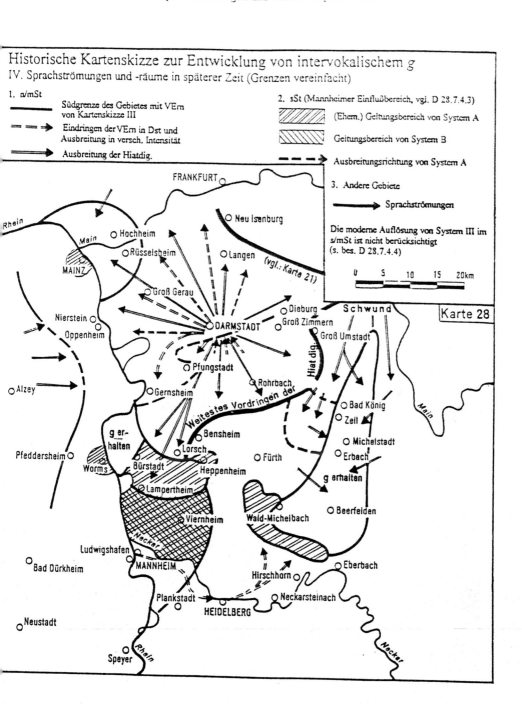

Historische Kartenskizze zur Entwicklung von intervokalischem g
IV. Sprachströmungen und -räume in späterer Zeit (Grenzen vereinfacht)

1. n/mSt
Südgrenze des Gebietes mit VErn von Kartenskizze III
Eindringen der VErn in Dst und Ausbreitung in versch. Intensität
Ausbreitung der Hiatdig.

2. sSt (Mannheimer Einflußbereich, vgl. D 28.7.4.3)
(Ehem.) Geltungsbereich von System A
Geltungsbereich von System B
Ausbreitungsrichtung von System A

3. Andere Gebiete
Sprachströmungen

Die moderne Auflösung von System III im s/mSt ist nicht berücksichtigt (s. bes. D 28.7.4.4)

0   5   10   15   20km

Karte 28

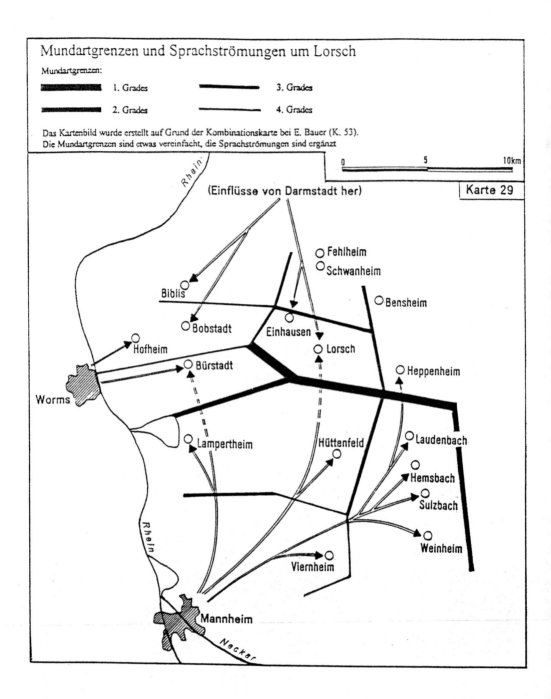

Mundartgrenzen und Sprachströmungen um Lorsch

Mundartgrenzen:

▬▬▬▬ 1. Grades   ▬▬▬▬ 3. Grades

▬▬▬▬ 2. Grades   ——— 4. Grades

Das Kartenbild wurde erstellt auf Grund der Kombinationskarte bei E. Bauer (K. 53).
Die Mundartgrenzen sind etwas vereinfacht, die Sprachströmungen sind ergänzt

0   5   10km

(Einflüsse von Darmstadt her)

Karte 29

Register

Das Register enthält alle in der vorliegenden Arbeit vorkommenden Wörter und Namen. Dabei ist folgendes zu beachten: Von einigen wenigen Sonderfällen abgesehen, sind Pl.- und Dem.-Formen von Sbb. grundsätzlich unter der Sg.-Form, Steigerungsstufen (Komparativ, Superlativ) von Adj. unter der Grundform (Positiv) und Verbformen unter dem Infinitiv zu finden. Die einzige Abweichung bilden starke und unregelmäßige Partizipien (Perfekti), die jeweils eigens aufgeführt sind.

Historische Belege sind nur in Auswahl und vor allem dann (in moderner Form) aufgenommen, wenn das betreffende Wort selbst schon an anderer Stelle Gegenstand von Erörterungen war oder die Belege sonst bemerkenswert zu sein schienen - also eine etwas subjektive Auswahl.

Wörter (Appellative)

B

Bangert   C 8.4.2; 7.3.2; 44.2.4.1b; D 6.3; 3.1.3

Bankrott   C 39.4.2.3

Banz   D 3.4

-bar   C 34.2.4.1b

Bär   C 4.3.4; 11.4; 22.3,2; 22.5.2.1; 22.5.3.7; 35.2.2a; D 8.3.1; 8.3.7.1; 10.1f

barbarisch C 5.5.3,2; 33.1.2; D 8.4.1

barbieren   D 12.3

barfüßig   D 16.2.3.2,4

Barg   C 7.3.1; 22.4.1.2,1; 22.4.3.1,2; 48.3.1; D 8.3.2; 8.3.3.2

Barn   C 38.5.2.1

Baron   C 4.3.5

Bart   C 7.1.1,1; 7.4.1; D 10.2

Base (-ä-)   C 4.1.2.1

Baskenmütze   D 57.5.3

Bataille   D 30.4

batten   C 4.1.2.2,3; D 14.3.2,2; 24.9.6f.

Batterie   C 20.5

Bauch   C 20.6.2.1

bauen   B 1.7.3.1; 1.7.3,3; 1.7.4,1; C 20.6.2.1; 25.1.4; 25.4.1.1; 40.2.7.1; D 24.3.2,4f.; 28.4.2; 39.2.4.1

Bauer   B 1.7.3,1; 1.7.3,3; 1.11.2C9; C 20.6.2.1; 22.2.4.1; 25.1.4; 25.6,1b; 35.2.2a; 38.4.2.1; D 8.4.1

Bauerei   B 3.1.4 zu a1; C 22.2.4.1

Bauersleute   D 42.3.1

Baum   B 1.9,2; 1.11.2C6; C 2.3.3.2; 2.3.3.5; 16.2.3f.; 23.3.2.1; 23.5.3.1; 23.5.4.1; 23.5.5.3; D 4.2.2,2

Baumgarten   s. Bangert

bäurisch   C 22.2.4.1

be-   B 2.7.1; 3.1.2; C 27.2f.; 40.0-4; 46.2; D 37.2.1.2; E 2.3.2,1

Beamter   B 2.4.1,2; D 4.2.1

Becher   C 17.2.4; E 3.2.6

Becken   C 29.4.2,3; 34.2.1

bedeuten   C 20.6.2.1; 40.2.7.1

Beefsteak   C 17.2.3

heerdigen   B 2.7,1; C 46.1.1

Beere, -beere   C 2.1.3; 20.4.1.1,1a; 22.5.2.2.1c; 22.5.3.1,4c; 34.2.4.1b

Befehl   D 47.3,3

befehlen   B 1.11.2B3; 1.11.2 D1; C 5.3.1.4; 20.9.3; 40.1.1,1; D 35.5.1,1; 35.5.2; 47.3,3; E 3.2.2

befohlen   C 5.3.1.4; 20.4.1.1,2; D 35.5.2; E 3.2.2

befreien   C 40.1.1,1

begegnen   D 4.3.2; 4.5,1; 23.2.2.7; 23.2.2.9; 28.2.1,III

begraben   C 40.2.7.1

behäbe   C 40,1.1,2

behächsen   D 35.4.2

behalten   C 40.1.1,2; 40.1.2.2

behandeln   C 39.4.2.3; 40.1.1,2

behauen   C 40.1.1,2

behaupten   C 20.7.1.3; D 53.2.1

behelfen   C 40.1.1,2

bei   C 20.6.2.1; 32.3.1; 44.1.2g

Beichte   C 12,1; 20.6.2.1; D 16.5.4.3; 16.5.4.6; 23.2.2.12; 48.1

Beichtstuhl   D 53.2.1

beide   C 20.4.1.1,1a; 35.2.2b2

beige   C 20.9.3

Beil   B 2.4.1; C 20.6.2.1; 25.3.1.2; 25.3.1.4,3; 25.4.3.3; 25.5.0f.; E 3.2.6

Bein   B 2.6.5; C 11.4; 16.2.3; 20.3.2.1,2a; 23.3.2.1; 35.2.2a

beißen   B 1.11.2A; C 5.3.2.2; 35.2.2d

bekannt   C 40.2.7.1

bekanntgeben   D 52.2,5

beladen   C 40.2.3

Bele   C 20.4.1.1,1b

belesen   C 40.2.3

bellen   C 38.7.5.1; D 24.9.2

belohnen   C 40.2.3

belügen   C 40.2.3

beluren   C 40.2.3

bemühen   C 25.1.3,1a

Benediktiner   C 46.5ab

Benzin   C 22.5; D 57.4.2

beobachten   D 22.4; 53.2.1

bepacken   C 40.2.7.1

bepinseln   C 40.2.7.1

bequem   C 23.3.2.1

bereuen   C 25.4.1.1

Berg   B 1.7.3,2; C 7.3.1; 7.4.1; 19.1.2; 22.2.3.1; 22.3.2; 22.5.2.1; 35.2.2a; 48.1.1; 48.2.1,4b; 48.3.1; 48.7 A. 327; D 8.3.2; 8.3.5; 8.3.7.1; 26.3; 30.1.1

Berme   D 57.4.2

Beruf   C 35.2.2a

berühmt   D 53.2.1

berühren   C 22.5.3.1,4a

besämen   C 23.7.6.1
besam(m)eln   C 13.1.1; 23.3.2.1
bescheren   C 20.4.1.1,2a; 22.2.3.1;
    40.1.1,1
beschließen   C 40.1.1,1
beschrieben   C 25.5.4.4
besehen   C 25.5.5.4
Besen   C 5.4.2; 35.2.2a; 39.2.5; 39.3.2;
    39.4.2.3; 42.5.1.1; D 2.2.5
besetzen   C 40.1.1,1
besinnen   C 40.1.1,1
besoffen   C 40.1.1,1
bespringen   C 19.3.1,1b
bespritzen   C 19.3.2
besser   D 42.5.2; 42.6.4,3; 56.2,1
best-   C 17.1.2; D 56.2,1
bête   C 20.9.3
beten   B 2.6,2,Ib; C 4.1.2.1; 5.3.2.3,1;
    20.9.3; 22.2.1; 40.2.7.1; D 15.1
Beton   B 3.1.2; C 17.2.3
betrogen   C 5.3.1.4; 20.4.1.1,2b;
    25.5.5.2,2b; D 28.3.1,II; 28.7.3
Betrug   C 4.1.6; D 27.2,1
Bett   B 2.4.1,2; C 10.2; 35.2.2a; D
    24.3.2,1; 24,6
betteln   C 5.3.2.2; D 7.3.2; 24.9.1f.
Bettuch   D 50.2.3
Bettzipfen   C 19.3.1,2a
Beuge   D 28.4.6; 28.7.2.1
beugen   B 1.7.4,1; C 1.4.5.3; 20.7.1.1,1; D
    28.2.1,IId; 28.4.1; 28.4.6; 28.7.3;
    28.7.4.1; 28.9.22; 49.4,1
Beutel   C 5.2.2.1; 20.6.2.1; D 24.9.1
bevor   C 40.1.1,1
bewegen   D 27.2,1; 28.4.4.1
bezahlen   B 1.11.2C6; C 4.3.2.1;
    4.3.2.3,4; 16.3,4; 38.5.2.2; 40.2.7.1
Bezahler   C 16.3,5a
bibbern   C 19.3.1,1a
Bibel   C 5.5.3,1
Bibliothek   C 33.2.2; D 57.1
biblisch   C 5.5.3,1; 39.2.1
biegen   C 25.1.3,1a; 25.4.1.1; 25.5.3.3f;
    25.5.4,6; D 28.2.1,IIa; 28.4.4.1
Biene   B 1.9,2; C 4.3.3; 19.1.4; 19.3.1,1a;
    23.7.6.2; E 3.2.4
Bier   C 20.5; 22.5.3.1,4a; 25.1.3,1b
bieten   C 8.2.3; 20.5; 22.2.1; D 24.3.2,3;
    24.9.7; 37.2.1.2
Bild   D 52.2,2; 54,3

Binde   B 1.11.2B2
binden   B 1.9,2; 1.11.2B2; C 19.1.4;
    19.3.1,1b; 19.3.2f.; D 20.6; 31.1
Binder   C 19.3.2f.
Binnes   C 19.3.1,2a
Binse   C 19.3.1,1a; 19.5.2; 37.1.2.3;
    37.1.5; D 3.4; 43.1
Binzerin   C 19.3.1,1b
Bippes   C 19.3.1,2a und Ende
Birke   B 1.7.3,2; C 7.3.1; 48.1.1; 48.3.1;
    48.9; D 8.3.2; 8.3.3.2; 8.3.7.1; 14.2.2
Birne   C 4.3.4; D 8.3.7.1; 57.4.1
bis   C 19.3.1,2b; D 14.3.2,2
Bischof   D 36.3.2; 57.4.1
Biskuit   C 25.1.3,2; 25.6,3a
Biß   B 1.11.2A; C 4.2.2
Bitte   C 19.3.2
bitten   C 5.3.1.4; 19.1.4; D 20.9; 23.2.1.4
    A. 116; 24.6; 50.2.2
bitter   C 19.1.4; 19.3.1,1b; D 20.9; 24.6;
    50.2.2
bitzeln   C 5.3.2.2; 19.3.2
blähen   C 20.2.1; 25.4.1.1
Blamage   D 57.5.4
(an-)blanchieren   C 18.2
Blase   C 20.1.2 A 108
blasen   C 16.2.5; 20.1.2 A.108; D 56.2,2
Blatt   B 1.11.2C4; 2.6,2,Ia; 7.6,2,IIb; C
    4.1.2.1; 4.1.2.2,4; 4.1.7; 4.3.2.2;
    5.3.1.6; 5.4.3.3; 16.1.2; 16.2.1;
    17.1.2; 22.2.1; D 4.2.2,2 A. 16;
    9.1.2; 24.3.2,1; 24.9.1; 49.3.2,2a
blätteln   D 24.9.1
Blatter   C 5.2.1
blau   C 20.1.1; 25.1.3,1a; D 39.2.4.1
Blaumal   C 16.3,1; 23.3.1.1; 23.6.1.3 A.
    186; 33.1.3.1
Blech   C 4.2.1d
blecken   C 19.7.2
bleiben   C 8.2.1; 20.6.2.1; 32.3.1; 40.2.3;
    D 37.2.1.1; 52.2,7
bleichen   C 28.3.4.1
Bleuel   C 1.3.3.2; 25.3.3; 25.4.2.3;
    25.5.0f.; D 39.2.4.1-3
bleuen   D 39.2.4.1f.
blicken   C 19.7.2
Blicksem   C 42.5.1.1
blind   C 19.1.4; 19.2.3; D 31.2; E 3.2.3
blinzeln   D 3.4; 5.2.2,6
blitzen   D 53.2.3

Block   D 14.2.1

blöde   C 20.4.1.1,1a

blöksen   D 53.2.3

blond   C 23.3.1.1; 23.6.1.1

blühen   C 25.4.1.1; 25.4.1.3; 25.5.3.2; 25.5.4,5; 25.5.5.2,1; 25.5.5.4; D 28.4.2; 48.1

Blume   C 4.3.1; D 4.2.1

blümen   B 1.9,2; C 4.3.1; 20.5; 23.3.2.1; 23.7.7.1f.

Blut   C 10,2; 20.5

bluten   B 2.6,2,Ia; C 10.2; D 4.3.2,4; 25.1.2

blutig   C 16.3,5b

blutt   C 19.1.1; 19.3.1,1a; D 14.3.2,3; 24.3.2,2

Bock   C 17.1.2

Bockshode   D 35.6.1d

Boden   B 1.11.2C7; C 5.3.1.1; 5.3.1.6; 39.2.5; 42.5.1.1; 48.5.2; 48.7; D 2.2.5

Bogen   B 1.6; C 4.1.5; 20.4.1.1,2; 20.4.1.3; 25.1.3.1a; 25.1.5; 25.4.1.1; 25.5.3.2-4; 35.2.2a; D 27.1; 28.2.1.IIb; 28.3.1,II; 28.7.3; 28.7.4.1; 29.1,1

Bohne   B 1.9,2; C 20.4.1.1,2b.; 23.3.2.1; 23.5.4.1f.; 23.6.4; D 3.1.2.2,1

bohren   B 2.6,2,Ia; C 2.1.3; 22.5.3.1,3a; 25.1.3,1bc; 25.1.5

Bohrer   C 22.2.3.1; 25.1.3,1b; D 8.1

Bolle(n)   C 13.1.2; 19.5.1,2a; 38.7.5.1

Bombe   C 23.3.1.1

Bonz   C 3.4

Bord   C 2.1.3; 7.1.1.6; 22.2.3.1; 22.5.3.1,3a; 25.1.3,1b; 45.1,1; D 8.3.7.1

Bore (-l-)   C 20.4.1.1,1b

borgen   D 28.4.4.1; 30.1.2; 30.1.4

Borkirche   C 22.3.1,3a; 45.1,1

Born   D 11.1

böse   C 20.4.1.1,1a; 20.4.1.3; 20.4.2.2,4 A. 128; 35.2.2b; D 16.4.3

Bosheit   C 34.2.4.1b

Bot   C 4.1.5

Bote   C 4.1.5; 11.2.2; 35.2.2a; D 25.1.2

Botsch   D 45.3,1a

Botterich   C 19.3.1,2a

Botz   D 45.3,1a

Boz(en)   C 13.1.2

brach   C 9.2.4; 20.1.1; 20.4.3.3; 20.4.6.2,1; D 27.6

Brache   C 9.2.4

Brächsem   C 42.5.1.1; D 35.4.2; 35.4.6,1

brallen   C 38.7.5.1

Brasil   C 4.3.2.4

Brast   C 8.3.3.4

braten   B 2.6,2,Ia; C 16.2.5; 20.1.1; 22.2.1

Braten   C 20.1.1; 22.2.1; D 24.1

brauchen   B 2.4.2,3; C 19.1.2; D 27.7.2; 37.2.4; 53.2.1; 53.2.5.4

brauen   C 1.3.3,2; 25.3.3

braun   B 1.9,1; 1.11.2C10b; C 23.3.2.1; 23.5.2.1; 23.5.4.2; 23.5.4.4; D 3.1.1; 3.1.2.1

bräunen   B 1.9,1

bravo   C 5.5.3,2

Break   C 10.1; 17.2.3

Breche   B 1.11.2B2

brechen   B 1.11.2B2; 1.11.2D1

Brei   C 20.6.2.1

breit   B 1.11.2C2b; C 16.2.4; 16.3.3; 20.3.1.2; D 8.1; 24.1; 24.3.2,2; 45.3,1a

breiten   D 3.1.2.2,4b; 24.9.6f

Breitung   C 34.2.7; D 31.1

Bremse (Vieh-)   C 4.3.1; 23.3.2.1; 23.7.2

brennen   C 16.3,4

Brennessel   C 5.3.2.3,2; 20.4.1.1,2; 20.4.1.3; E 3.2.3

Brett   B 1.11.2D2; 2.6,2,Ia; C 4.1.2.1; 5.3.1.6; 5.4.3.3; D 16.5.4.6; 24.3.2,1

Brezel   C 38.4.2.1; 39.4.2.3

Brief   D 25.3.2

Brikett   C 17.2.3; D 57.1

Brille   C 19.3.2; 35.2.2a

bringen   C 19.1.2; 19.1.4; D 16.5.4.3 A. 89; 27.6; 53.2.1; 53.2.5.2

britzebreit (-tsch-)   D 45.3,1a

brodeln   C 5.3.2.2; D 24.9.1

broges   C 20.4.1.1,1b

Brombeere   C 5.2.1,1; 8.4.2; 23.3.2.1; 23.6.3.3; 34.2.4.1b; 38.42.1; D 12.3; 31.3; 31.5.2

Bronchien   C 23.3.1.1; D 57.1

Brosame   C 5.2.1; 38.1.1.2; 39.4.2.3; 42.5.1.1; D 2.2.5

Brot   C 20.3.1.2; 21.4.1.1,1b/,2; 20.4.1.3; 20.4.2.2,3; E 3.2.7

Brüch   B 1.11.2B3; C 4.2.1d; D 49.6.2.2

Brūch   s. FIN
Brücke   C 1.4.5.1,I; 35.2.2a
bruddel-   C 19.3.1,1a
Bruder   B 1.6; 1.11.2C8; C 5.2.2.1;
    5.2.2.2b; 20.5; 22.2.1; D 8.4.1f.;
    9.1.2; 10.3.1; 24.1; 24.3.1; 24.3.3;
    24.4
brühen   C 25.4.1.1; 25.4.1.3; 25.5.3.2-4;
    25.5.4,5; D 24.2,1
Brulljes   D 48.3.2
brummeln   C 39.4.2.3
Brunnen   D 11.1
brunzen   D 3.4
Brunzich   C 37.4.7; 42.3.1
Brust   B 1.11.2C8; C 19.1.4; 19.3.1,1a
brutal   D 57.4.4
brüten   D 24.2,1
Brutsch   D 45.2; 45.3,1c
brutzeln   C 19.1.1
Bube   C 20.4.3.3; D 4.2.1; 25.5
Bubenlutsch   C 19.3.1,2a
Buch   B 1.11.2C8; 2.6,4a; C 9.2.1f.; D
    27.5; 49.6.2.2
Buche   C 9.2.1-3; 49.6.2.2
Buchel   C 9.2.2; D 12.3; 29.6
buchen, bü-   C 9.2.2
Buchmarder   C 9.2.2
Buchs   C 19,3.1,1b
Büchse   D 47.4.1
Buchstabe   B 3.1.4 zu b; 3.1.7.3
Buckel   B 2.4.1,4b; C 1.4.5.1,I; 16.3,1;
    19.3.2; D 7.1
buck(e)lig   C 39.2.1
bücken   C 1.4.5.1,I; 19.3.2
Bude   C 10.1; D 24.3.2,1
Buffet   B 3.1.2
Bug   C 9.1; D 28.3.1cIII; E 3.2.7
Bügel   C 5.3.1.6; 25.4.2.1f.; 25. 5.3.2; D
    29.1,1
bügeln   C 5.3.2.2; 25.4.2.1f.; 25.5.3.2;
    25.5.3.4; 39.2.1; 39.4.1; D 26.3.7;
    29.1,1; 29.3
Bühl   s. FIN
Bühne   C 19.3.1,1b; 23.3.2.1; 23.7.6.2
Bund   B 1.11.1B2; C 19.5.1,1
Bündel   C 23.3.1.1
bunt   C 19.5.1,1; 31.4,6
Bürde   C 1.4.5.1,II; 7.1.1.5; 7.1.1.1.7;
    7.1.5; D 31.8.1
Burg   C 19.5.1,1; 22.2.2; D 8.3.6

Bürge   C 1.4.5.1,II; 7.3.3; 35.2.2a; D
    8.3.2; 30.1
bürgen   D 30.1.1
Bürger   C 1.4.5.1,II; 7.3.3; D 8.3.2; 30.1
Bürgermeister   B 3.1.3; 3.1.7.2; C
    1.4.5.1,II; 2.3.2.2; 7.3.3 A. 75; 18.2;
    45.1,2; 45.2; D 8.3.2; 8.3.3.2,4;
    9.3.2; 28.4.4.1; 30.1
Burgunder (Wein)   D 8.3.4
Büro   B 3.1.2; C 5.5.3,2; 22.2.2
Bursche   C 22.2.2; D 42.2.4; 53.2.5.2
Bürste   C 1.4.5.1.II; 7.1.2; 22.5.3.1,3b; D
    8.3.2
Bürstenbinder   C 19.3.1,1b
Burzel (Bo-)   C 7.1.1.6
Bürzel   C 1.4.5.1,II; 7.1.1.5; 22.5.3.1,3b
Bus   C 35.2.2a
Busch (P-)   C 4.2.4; 19.1.4; 19.3.1,1b; D
    38.2.3
büscheln   D 45.3,2b
Busen   C 5.2.1; 19.13; 38.1.1.2; 39.2.5;
    42.5.1.1; D 2.2.5
büßen   C 20.5
Butelje   C 19.3.3
Butik   C 5.5.3,2; 19.3.3
Butsch   D 45.3,1c
bütscheln   D 45.3,2b
Buttdarm (P-)   C 19.3.1,2ab
Bütte   C 5.3.2.1
Butter   C 5.3.2.1; 19.1.4; 19.3.1,1b;
    19.3.1.2b; D 24.3.3; E 3.2.6; 3.3.1
Butterrisel   C 19.3.1,2a
Butz   D 45.3,1a
Butzen   C 13.1.2
Butzig   C 42.3.1

C

Caritas   C 5.5.3,3
Ce-ka   C 5.5.3,2; 17.2.3
Cello   D 57.5.5
Chaise   C 20.9.3
Chaiselongue   B 3.1.2
Charge   C 22.3.1; 22.4.1.2,1; 22.4.2
Chauffeur   C 33.1.3.1f.
Chaussee   B 3.1.2; D 36.1.1
Chemie   D 57.5.1
chemisch   C 5.5.3,2
-(e)chen   C 37.4.7; 42.4.1 A. 305; D
    4.2.2,2; 36.3.1; 49.3.2,2a

drunten   C 40.5.2
du   C 11.4; 20.6.2,3; 22.5.2.2,2b;
    22.5.3.1,3b; 25.1.3,1a; 30.2.4;
    32.3.1; 32.5.1; 35.2.1.2; 37.2.3;
    41.4,2; 46.2f.; D 8.4.1
Dual   C 25.1.3,1a
ducken   C 1.4.5.1,I; 19.3.2
duckig   C 1.4.5.1,I
Duckmäuser, -au-   C 19.3.1,2a; 23.2.2.2;
    23.5.4.1
duckmäusig   C 19.3.1,2a
dudeln   C 5.5.3,1
Duft   C 19.3.2
dulden   C 1.4.5.1,III; 6.1.4
dumm   D 31.2
Dummbäbbeler   C 39.2.1
dunkel   C 23.6.7.4; 39.2.1; 39.4.3.3
Dunkelheit   C 34.2.5b
dünn   C 19.3.2; 23.3.1.1
Dunst   D 3.3.1
duppen   C 19.3.2
Düppen   C 1.4.5.1,I; 19.3.2; 29.4.2,3;
    34.2.1
durch   C 7.3.2; 22.4.2,3; 47.1,1; 47.2;
    48.1.1; 48.3.1; 48.6.3; 48.8; D 8.3.2;
    16.5.3.3; 42.2.2 A. 213; 47.3,3; 47.6;
    49.3.2,2a; 49.6.2.2
durcheinander (D-)   D 36.3.1
dürfen   C 1.4.6; 7.2.3; 19.1.2; 22.4.1.1;
    48.6.3; D 8.3.2; 8.3.3.2,4; 8.3.7.1;
    9.3.2; 16.2.3.1; 36.3.2; 53.2.2.1
dürr   B 1.10; C 1.4.5.1,II; 11.4; 22.2.2;
    22.4.2,4; D 8.3.1; 8.3.7.1; 9.3.1; 10.2
Dürrarsch   D 8.3.1
Dürreiß   C 2.3.2.3
dürren   B 1.10; C 38.7.5.1; D 8.3.2; 10.2
Dürrobst   D 8.3.1
Durst   C 7.1.2; 8.3.2; D 42.2.4; 53.2.1
Dus(ch)el   D 42.2.2
duselig   C 39.4.2.3
duseln   C 39.4.2.3; D 42.2.2
düster, -u-   C 1.3.3.4; 19.3.1,2a; 23.2.2.3
dutscheln   D 45.3,2b
Dutzend   C 19.3.1,2b; D 4.3.2; 53.2.5.2;
    53.2.5.5
Dynamo   B 3.1.4 zu a2

E

eben "gerade, jetzt"   C 5.3.1.1; 5.3.1.3;
    5.3.1.7,4; D 8.4.1
eben "planus"   C 5.3.1.3
Ebensomär   C 5.3.1.1; 32.5.3; 33.2.2
Eber   C 5.3.1.6; 5.4.1
echt   C 12,1
Ecke   C 17.1.2
Edamer   C 5.5.3,3; 17.2.3; 33.1.3.3
Edeka   C 5.5.3,3
Edelmann   D 24.9.1
egal   C 20.8.1.2
Egel   C 20.4.1.2; D 23.2.1.1 A. 112
Egge   C 25.5.3.4; D 23.2.1.2; 28.2.1,IIc;
    28.4.2; 28.4.6; 28.7.2.1; 28.7.2.3
eggen   C 4.1.3; 25.5.3.2; D 23.2.1.2;
    28.2.1,IIc; 28.4.4.1; 28.7.3
Ehe   B 1.7.4,1; C 20.4.1.1,2; 20.4.1.3;
    20.4.6.2; E 3.2.3; 3.3.1
ehe(r)   B 1.7.4,1; C 8.4.3; 20.4.1.1,1a;
    22.5.3.7; D 9.5; 31.4,4; E 3.2.3
ehe daß   D 31.4,4
Ehre   B 1.7.4,1; C 2.1.3; 20.4.1.1,1a;
    20.4.1.3; 22.2.4.1; 22.5.2.2,1b;
    22.5.3.1,4b
ehrlich   C 20.4.1.1,2a; 20.4.1.3; 22.2.3.1
ei!   C 32.3.1
Ei   B 1.7.3,2; 1.7.4,1; C 2.3.2.6; 20.7.1.1,1;
    20.7.1.2f.; D 26.5.1,4; 28.2.1,IId;
    28.2.4; 28.4.6; 48.1; E 3.2.6
Eiche   C 20.3.4.1f.; D 49.3.2,2a
Eichel   C 20.3.4.1; 39.4.2.3; D 12.3; 29.6;
    49.6.2
eichen   D 34.2.1; 39.2.4.1
Eid   C 1.3.1; D 16.3.3; 16.3.6.4; 16.5.3.2
    A. 85
Eidechse   C 20.3.1.2; D 23.2.1.2; 35.4.2
eifrig   C 39.4.2.3
eigen   C 20.7.1.1,1; 38.1.2; D 26.3,1;
    28.2.1,IId; 28.4.4.1; 28.4.6; 28.7.4.2
eigentlich   D 53.2.5.3
Eigentum   D 27.1; 28.4.4.1
eilen   C 38.5.2.2
eilig   C 5.2.3
Eimer   C 5.2.2.1; 16.2.3; 23.3.2.1
ein-   C 4.3.3; 19.1.2; 19.3.1,1a; 23.7.6.2;
    32.1.5; D 3.1.1
ein(-) (Zahlwort, best. Art.; alle Formen)
    C 5.2.3; 22.2.2; 32.1.5; 32.5.1;

Fusel   D 42.2.2
Fusem   C 42.5.1.1
fusern   C 5.3.2.2
Fuß   B 1.11.2C8; C 9.2.3; 20.5; 38.4.2.1;
   D 16.2.3.2
futsche(l)n   D 42.2.2; 45.3,2ab
Futt   C 4.1.6
Futter   C 5.2.2.1; 20.5; D 24.3.3; 24.4; E
   3.2.6; 3.3.1
füttern   C 5.2.2 2e; 20.5; 38.4.2.1;
   39.2.4.2; 39.4.3.2; D 24.3.3

G

g (Name des Buchstabens)   D 27.1; 47.2;
   49.7.2,2a
Gabel   C 5.3.2.1; 4.4.2; 35.2.2a; 38.4.1;
   38.4.2.1; 39.4.2.3
gack-/gāk-   C 13.1.2
Gaden   D 2.2.4f.
gähnen   C 4.3.3; 23.3.2.1; 23.7.2
Gala   C 5.5.3,2
Galgen   B 2.4.4,2; C 6.2.3; D 30.1
Galle   C 17.1.2
Galopp   D 57.4.2
galoppieren   D 57.4.2
Galoschen   D 57.4.2
Gamaschen   D 57.4.2
Gang   B 1.9,2; 1.11.2C6; C
   23.3.1.1;23.5.1.1; 23.5.6.2; D 31.2
Gans   C 23.5.1.1; D 3.3.1; 3.3.4;42.2.3;
   43.2
ganz   D 3.4; 14.3.1; 43.2
gap(p)sen   C 13.1.2
gar   C 4.3.4; 11.4; 22.2.3.1; 22.2.4.4; D
   8.3.1; 8.3.7.1; 39.2.5
Garage   D 57.4.2; 57.5.4
Garbe   C 7.2.1,1; 48.2.1,4f.; 48.7; D
   8.3.2; 8.3.3.2,2; 8.3.5,1; 8.3.7.1;
   8.3.9.2
Garderobe   C 10.3; 39.2.2; D 9.3.2; 22.5
Gardine   D 8.3.4
gären   C 19.1.2; D 48.2.2
Garn   C 7.1.3; 22.5.3.1,1; 38.5.2.1; D
   10.1
gar nicht   C 32.5.4,3
Garnison   D 8.3.4
Gärrsprinz   C 19.1.1; 19.3.1,1a; 23.3.1.1
garstig   C 7.1.2; 7.4.1; 46.1.1; E 3.2.5

Garten   C 7.1.1.1; 7.4.1; 22.2.3.1;
   22.5.3.1,1; 22.5.3.4,2; D 31.8.1;
   31.8.3
Gärtner   C 7.1.1.2; 16.3,5a; 39.2.4.1;
   39.4.2.3f.
Gärtnerin   D 4.2.2,3
Gas   C 21.4.3.2,1
gassatern   D 57.4.2
Gasse   C 5.4.3.3; 17.1.2; 38.7.4,3
gatting   C 5.3.1.6; D 4.3.4; 24.3.2,6; E
   3.2.6
Gau   C 1.4.5.3; 2.3.2.6 A. 25; 2.3.2.8
gaufrieren   C 39.4.2.3
gaukeln (alle Bedeutungen)   C 1.4.5.3;
   20.7.1.1,2a; D 50.3.4
Gaul   C 20.6.2.1
Gaumnen   C 4.3.1
gau(n)(t)schen   D 45.3,2b
gauzen   D 24.9.2
ge-   B 2.7,1; 3.1.2; C 27.2f.; 40.0-4; 46.2;
   D 37.2.1.2; 53.2.2.2; 53.2.4; E
   2.3.2,1
Gebäbbel   C 39.4.2.3
gebacken   C 39.2.4.1
geben   B 1.11.2D1; C 1.1.5; 4.1.2.2,1f.;
   4.2.7; 17.1.2; 17.2.2; 19.1.2;
   23.3.1.1; D 12.4; 22.2; 24.1;
   24.3.2,4; 25.1.2; 37.2.1.1; 53.2.2.1f.;
   53.2.5.2
gebenedeit   C 46.5b
Gebet   D 22.4
gebeten   C 5.3.1.4
gebich   C 37.4.3
Gebirge   C 19.1.2
Gebiß   C 19.3.1,2b
gebissen   B 1.11.2A; C 19.1.1
geblieben   C 5.3.1.4; 19.1.1; 40.2.7.2
gebogen   C 4.1.5; 5.3.1.4; 20.4.1.1,2;
   25.1.3,1a; D 28.3.1,II
geboren   C 5.3.1.4; 22.5.2.2,2a; 25.1.3,1b
Gebot   C 4.1.5; 11.1.3 A. 83
geboten   C 5.3.1.4; D 24.3.2,3; E 3.2.2
gebracht   C 12.1; 20.1.1; 40.2.7.2; D
   16.5.4.6
gebrochen   B 1.11.2B3
gebunden   B 1.11.2B2
Geburt   C 22.2.2; 22.4.1.1; E 3.2.2
gedacht   C 12,1
Gedächtnis   D 53.2.1
Gedanke   C 35.2,2a

geschnitten   C 5.3.1.4; 19.1.1; D 24.1
geschoben   C 5.3.1.4; 24.2.2
geschoren   C 2.1.3; 5.3.1.4
geschossen   B 1.11.2B1
Geschrei   C 20.7.1.2
geschrieben   C 5.3.1.4; 19.1.1; 40.1.1,1
geschwiegen   C 25.5.3.1f.
Geschwulst   D 53.2.5.4
Gesegen   D 23.2.2.7
gesegenen   D 23.2.2.7
gesehen   C 25.1.2a; 25.5.3.1f.; 15.5.3.4;
   25.5.4,1
gesessen   B 1.11.2B1
gesetzt   D 14.3.2,2; 18.6.5
Gesicht   C 12,1
gesoffen   B 1.11.2A; C 2.3.3.4; 17.1.2;
   40.1.1,1
gesotten   B 2.6,2,Ia; C 5.3.1.4; D 24.1;
   24.3.2,3
gesponnen   B 1.11.2B2
gesprickelt   C 19.1.1; 19.3.1,2b
gesprochen   B 1.11.2B3
gesprungen   B 1.11.2B2
Gestank   B 1.11.2B2
Gestell   C 17.2.3
gestern   D 5.3.1,2; 8.4.3; 53.2.5.2
gestern abend   D 8.4.3
gestiegen   B 1.7.4.1; C 5.3.1.4; 19.1.1f.;
   19.11.1; 25.5.3.1; 25.5.3.2; 25.5.4,6;
   D 28.2.1,IIb; 28.2.4; 28.4.4.1; 28.7.3
gestohlen   B 1.11.2B3; C 5.3.1.4;
   20.4.1.1; E 3.2.2
gestorben   C 7.2.1.5; 22.4.2,2; 22.5.3.7; D
   8.3.2; 8.3.7.1
gestrichen   B 1.11.2A; C 5.3.1.4; 40.1.1,1
gestritten   C 5.3.1.4
gestunken   B 1.11.2B2
gesund   C 16.3,3; 40.1.1,1; D 31.4,6;
   52.2,5; E 3.2.3
gesungen   C 23.3.1.1
getan   C 23.3.2.1; 23.6.3.2; 23.6.6;
   40.2.7.1
Getiers, -z   D 53.2.3 A. 251
getragen   C 15.1.2b
Getreide   D 23.2.1.2
getreten   C 5.3.1.4
getrieben   C 5.3.1.4; 19.1.1; 40.2.7.1
getroffen   C 40.2.7.2
gewähren   B 2.6,2,Ib; 2.6,5; C 40.2.2

Gewehr   C 4.3.4; 20.4.1.1,1a; 22.5.2.2,1c;
   22.5.3.7; 40.2.2
gewesen   C 4.1.2.1; 5.3.1.4
Gewibber   C 19.3.1,2b
gewichen   C 19.1.1; 19.11.1
gewiesen   C 5.3.1.4; 19.1.1
gewinnen   C 40.2.2
gewiß   C 4.2.2; 40.2.1
Gewitter   B 1.10; C 5.3.1.6; 5.3.2.1;
   19.1.4; 19.3.1,1b; 40.2.2; D 24.3.3
gewitzt   C 19.3.1,1b
gewogen   C 5.3.1.4; 20.4.1.1,2b; D
   28.3.1,II
gewöhnen   C 4.3.3; 20.4.1.1,2a; 23.3.2.1;
   23.7.4; 40.2.2
Gewohnheit   C 20.4.1.1,2b; 23.3.2.1;
   23.6.5; 34.2.4.1b; 40.2.2; D 35.6.1d
gewonnen   C 23.3.1.1
(ge)worden   C 7.1.1.8; 40.2.7.1
geworfen   C 7.2.3; D 8.3.2; 36.3.2
Gewulst   C 19.3.1,1
Gewürz   C 1.4.5.1,II; 7.1.1.5; E 3.2.6
gewußt   C 40.2.2
gezahlt   C 40.2.8,3
Gezoddel(s)   D 24.9.1
gezogen   B 1.11.2B1; C 5.3.1.4;
   20.4.1.1,2b; 25.5.3.2; 25.5.3.4f.;
   25.5.5.2,2b; D 28.3.1,II; 28.5.2
Gicht(en)   C 12,1; 19.1.4; D 16.5.4.6;
   48.2.2
Gickser   C 19.3.1,1b
Giebel   C 5.3.1; 19.3.1,2a; D 48.2.2
giebeln   D 48.2.2
gierig   B 1.6
Gieße   B 1.11.2B2
gießen   B 1.11.2B1; 2.4.1,4a; C 20.5; D
   44; 49.1
Gift   C 8.3.3.3
Gilpch   C 19.3.1,2a
Ginster   C 19.3.1,2a; D 3.3.1
Gipfel   D 48.2.2
gipfeln   D 48.2.2 A. 236
Gippelkern   C 19.3.1,1b
Gips   D 48.2.2; 57.5.4; E 3.2.7f.
Giraffe   D 57.5.4
Girokonto   D 57.5.5
Gitarre   B 3.1.2; C 11.4; D 10.1f.
Gitsche   C 13.1.2
Gitschel   D 45.3,2a/c
Gitter   D 24.3.3; E 3.2.7; 3.3.1

Hand   B 1.11.2C6; C 16.3,2; 19.5.1,1;
   23.3.1.1; 23.5.1.1; 23.5.6.1f.;
   23.6.7.4; D 3.5.1f.; 31.2; 52.2,5
Handball(en)   D 52.2,5
Handbesen   D 52.2,5
Handel   C 39.2.1; 39.4.2.3
handeln   C 39.2.1; 39.4.3.2f.
Händler   C 39.2.1; 39.4.1; 39.4.2.3
Handlung   C 39.4.2.4
Handschuh   C 34.2.4.1b; 42.3.1; 42.3.3; D
   4.3.4.1f.; 54,3
Handtuch   B 2.4.1,2
Handvoll   D 3.2; 14.1.2.3; 54,2
Hanf   C 48.3.1; D 6.2; 53.2.5.2
hängen   B 2.4.1,2; C 40.1.1,2; D 3.5.2,1;
   31.4,5; 50.3.3
Häpe   D 22.5; 50.3.4
hapern   D 22.4
harmonieren   C 39.2.4.1; D 8.3.4
Harmonium   D 8.3.4
hart   B 11.2C2a; C 1.4.4.1c; 7.1.1.1;
   7.1.1.4; 7.2.2 A. 72; 7.2.3,4; 7.3.1;
   11.3.2; 16.3,3; 22.2.2; D 8.3.2;
   8.3.7.1f.; 9.3.2
härtlich   B 1.11.2C2a
Harz   C 7.1.1.1; 7.4.1; D 23.4
hasardig   C 7.4.1
Hase   C 4.1.2.1; 6.1.2; 21.4.3.2,1;
   38.7.4,2; D 35.4.2 A.191
Haselnuß   B 2.4.2,5; C 5.3.1.6
Haß   B 1.4; C 4.2.2
haudern   C 5.2.2.2e
hauen   C 1.4.5.3; 9.3 A. 81; 16.2.3; 16.3
   A. 91; 20.7.1.1,2b; 20.7.1.2;
   20.7.4.1; 20.7.4.2 A. 152; 20.7.4.3f.;
   25.4.1.1; 25.5.3.5; 25.6,3c; D 25.3.1;
   27.7.2; 28.7.4.3; 28.8; 39.2.4.1; E
   1.1; 1.2.2
haufe(l)n   C 23.2.2.3
Haufen   C 16.3,1; 23.2.2.3; D 4.2.2,2 A.
   16
haun(i)sch (heu-)   C 23.5.4.2; 37.4.3; D
   3.3.1
Haupt   C 1.4.5.3; 37.3.2.1; D 22.5;
   53.2.5.4; 55
Hauptmann   D 52.1,1
Haus   B 1.7.3,2; 1.11.2C9; C 16.3.1; D
   4.2.2,2; 16.4.3; 35.4.2 A. 191;
   36.3.1; 42.5.1
Hauseingang   B 3.1.4 zu b

Hausgang   B 3.1.7.2
haushaltern   C 32.3.1
Haushaltung   C 33.2.2
hausieren   C 32.3.1
hausmacher   D 4.5,2; 9.1.4; 32
Hausschlachtung   B 3.1.4 zu b
Hausspan   D 56.2,2
Haustür   B 3.1.3; 3.1.4 zu b; 3.1.7.2f.; C
   34.1
haut   C 1.3.3.2; D 17
Haut   C 20.6.2.1; D 16.5.4.6; 17.1 A. 93;
   25.1.2
Hebel C 5.5.2; 20.4.1.1,1a
heben   B 1.11.2A; C 1.4.1; 4.1.3; 8.2.1; D
   16.2.1; 16.2.3.1; 22.2; 53.2.2.2.2
hecheln   C 39.4.2.3
Hederich   D 12.3
Hefe   C 4.1.3; 35.2.2a; D 25.3.2
Heft   C 8.3.3.3
heften   D 53.2.1
hegen   C 4.1.3; 25.4.1.1; D 28.2.1,IIc
Heide (der)   C 20.3.1.2; D 25.4; 27.4; E
   3.2.3
Heidelbeere   D 24.9.1
Heidese   D 4.2.2,3 A. 18
Heidich   C 37.4.3; 37.4.7
heien   D 28.4.6
Heier   D 28.6
heierig   C 22.2.4.1; 39.2 2; 39.4.2.3
heilen   B 1.7.4,1; C 20.3.1.2; 38.5.2.2; D
   24.9.1
heilig   C 2.3.2.3; 8.5.2; 20.3.1.2; 20.3.3.3;
   37.4.2; 37.4.4; 46.1.1; D 30.1.4;
   30.2.2; 30.2.5 A. 178; 49.5; E 3.2.3
Heilings-   D 4.3.4.1
heillos   D 50.2.3
heim   B 3.1.7.2; C 8.4.3; 20.3.2.1,2a;
   23.3.2.1; 23.5.5.3; 42.5.1.1; D 2.2.5;
   2.3
Heimat   C 34.2.4.1a
Heimducker   C 1.4.5.1,I
heimlaufen   B 3.1.7.2
heimlich   C 8.4.3; 39.4.2.3; D 6.3
heimmachen   D 50.2.3
heimtückisch   C 1.4.5.1,I
heinseln   D 3.3.1
Heinz   D 3.4
Heirat   C 39.4.2.3
heiraten   C 22.2.4.1; 39.2.2; 39.4.2.3;
   40.1.1,2; D 8.4.1; 24.2,1

Hofstatt D 25.3.2
Hoftor C 34.1
Höhe B 1.11.2C10a; C 20.4.1.1,1a; 25.2;
  35.2.2a; D 35.3.1; 47.4f.
höher C 25.5.3.2; 47.4
hohl C 4.3.2.1; 4.3.2.3,2; 20.4.1.2
Hohl(e) s FIN
Höhle C 20.4.1.2
holen B 1.11.2C7; C 4.3.2.1; 4.3.2.3,4;
  13.2; 16.3,4; 17.3; 20.4.2.2,4; 36;
  38.7.5.1; 40.1.1,2; D 5.3.2
Hölle C 1.4.1; 35.2.2a
holprig C 39.2.2; 39.4.2.3
Holunder C 37.1.2.3; D 5.3.1.1; 31.7.3
Holunderbusch D 38.2.3
Holz C 6.1.4; 18.1; D 43.1f.
holzig C 16.3.5b
Honig C 5.3.1.7,4; 20.4.1.1,2; 42.3.1; E
  3.2.4
Honnör C 33.1.3.1
hoppelig C 39.4.2.3
hoppe(l)n C 16.3,4
horcheln D 36.3.1
horchen C 7.3.2; 8.5.1; 48.1.1; 48.3.1; D
  36.3.1; 56.2,2
Horde C 7.1.1.6f.; 7.1.5; D 31.8.1
hören B 2.6,2,IIa; C 20.4.1.1,1a;
  22.4.1f.; 22.5.2.2,1b; 22.5.3.1,4b;
  22.5.3.7; 38.5.2.1; 40.1.1,2; D
  53.2.2.1; E 1.1
Hormel C 7.2.2
Horn C 22.4.2,1
Hornisse C 1.4.5.4; 22.4.1.2 A. 164a;
  22.4.3.1,2
Hornung D 4.3.4.1
Hose B 1.11.2C7; C 5.5.3.2,1
Hospes C 19.7.2
Hotel B 3.1.7.4,2a
Hube C 20.4.3.3
Hüb(b)el C 19.2; 19.3.1,1a
hüb(b)elig C 19.3.1,1a
Hubschrauber C 10.1
Hudel-derudel-dudel D 24.9.1
hudeln C 5.2.2.2; D 24.9.1
Huf C 9.2.3; 20.5; D 25.3.2
Hüfte C 19.3.1,2a; D 53.2.5.2
Huhn/Hühner C 22.5.2.3,1 A 169;
  22.5.3.1,4a; 23.6.6; 23.7.7.1f.; D
  3.1.2.2,1
Hühnerdarm C 22.5.3.1,4a

Huhns- C 23.6.6
hui B 1.7.1
Hülse C 16.4.3; 43.2
Humbug D 27.4
Humor C 4.3.5
Hund C 16.3.1; 19.5.1,1; 23.3.1.1;
  23.5.6.1; 23.6.7.1; 23.6.7.4; D 54,3
Hundbutzen C 19.1.1; 19.3.1,1b; D
  52.2,5
hundert C 32.5.2.1; 44.1.2b; D 8.4.1;
  10.3.1; 35.3.1; 35.6.1d
Hunger D 31.1
Hungerlitter C 19.3.1,1a
hungrig C 39.2.2; 39.4.2.3
Hünkel C 5.2.4; 19.3.2; 19.13; 23.3.1.1;
  23.6.6; 34.2.5a; 39.5.2,2; D
  3.1.2.2,1; 4.3.3; 5.3.2
Hünkelchen C 10.1
Hünkelsleiter B 1.3.1; 3.1.4 zu b
hupen C 10.1
hüpfen C 1.4.5.1,I; 19.1.4; D 53.2.3
Huppe C 19.3.1,1b
Hupper(t) C 19.3.1,1b
Huppla C 19.7.2
Hure C 22.5.2.2,1a
huren C 22.2.3.1
hurtig C 7.1.1.7; 7.1.4; 16.3,3; 19.1.3
husten C 8.3.3.1; 20.5
Husten C 8.3.3.1; 20.5
Hut C 20.5
hüten D 24.3.2,4
Hutschebippes C 19.1.1; 19.3.1,1a;
  19.3.1,2a und Ende
Hütte C 19.5.1,1; D 24.6
Hüttenwagen D 24.6
Hutzel C 19.3.1 Ende
hutzeln C 19.3.1 Ende

I

Ibelo C 5.5.3,2; 17.2.3
ich C 1.1.5; 4.2.1b; 4.3.3 A. 43; 20.6.2.3;
  19.12.1 A. 107; 30.1; 30.2.4; 32.4;
  32.5.2.1; 44.2.2c; 46.1.1; D 14.2.1;
  35.6.1d; 47.3,3; 49.5; 56.2,2
-ich C 37.3.2.2; 37.4.1ff.; 37.4.5; 37.4.7;
  42.3.1-3; 46.1; D 4.3.4
-icht C 29.4.2,2; 37.4.7; 42.3.1 A. 303; D
  9.1.4; 16.5.4.4; 30.3; 37.2.4
icht D 17

Kappe   C 10.2; 18.1
Kappes   C 37.3.2.2
kaputt   C 39.2.4.1; D 57.4.2
Kapuze   C 10.3
Kapuziner   C 33.2.2
Karbid   C 10.1; D 8.3.4
Karch   C 7.3.2; 22.4.1.2; 42.3.1; 48.3.1;
      48.4; D 49.6.2.2
Kardinal   B 3.1.7.4,1; D 8.3.4
Karfreitag   C 33.1.1
Karwoche   C 33.1.1
karg   C 48.3.1; 48.7 A. 327
Karo   C 5.5.3,2
Karotte   D 57.4.2
Karpfen   D 57.5.1
Karren   B 1.9,2; 1.11.2C2a; C 18.1;
      38.7.4,1; 38.7.5.1; D 8.3.2; 10.1f.;
      24.9.7; 50.2.2
Karriere   C 22.5.3.5a
Karte   B 1.11.2C5; C 7.1.1.1; 20.8.1.2
karten   D 31.8.3
Kartoffel   C 38.4.2.1; D 9.3.2; 57.4.1f.
Karton   B 3.1.2
Kaschee   D 57.4.2
Käse   C 20.2.1; 35.2.2a
Kasko   D 57.5.3
Kasper   D 42.2.1
Kassenett   D 53.2.2.1
Kassoren   C 20.4.1.1,1b; 22.4.1
Kastanie   C 1.4.4.2; 8.3.3.5; 8.4.3;
      38.4.2.1; D 30.4; 49.3.2; 57.5.3
Kasten   B 1.11.2C2a; D 42.2.1
Katalog   C 33.2.2; 39.2.1
Katarrh   C 11.4
katastrophal   C 33.2.2
Katastrophe   C 33.2.2
Katechismus   C 5.5.3,1; D 57.4.1
Kater   B 2.6,2 A. 5; C 5.3.2.1; 5.4.2;
      22.2.1; D 9.1.2; 12.3; 18.3.2,2; 24.1
katerig   C 39.4.2.3
Katheder   D 5.7.4.2
Katholik   C 10.1; 33.2.2; 39.2.1
katholisch   C 5.5.3,2; D 57.4.2
Kattun   C 23.3.2.1; D 57.4.2
Katze   D 10.2
kaudern   D 39.2.3,1
käueln   D 39.2.4.2f.
kauen   C 1.3.3.2; 25.3.3; 25.4.1.1;
      25.4.1.3; D 24.3.2,5; 39.2.4.2

kaufen   B 2.4.1; C 1.4.5.3; 16.2.3; D
      14.2.2
kaum   C 23.3.2.1; 23.5.4.1
kaumerst   C 23.3.2.1; 23.5.2.1; 23.5.4.1;
      23.5.4.3
Kaute   C 20.6.2.1; D 14.3.2,3; 24.3.2,1;
      25.1.2
Kavalier   D 57.4.1
Kavallerie   B 3.1.2; C 39.2.1f.; 39.4.1; D
      57.4.1
Kegel   C 5.3.1.6f.; 25.4.2.1f.; 25.5.3.2;
      25.5.3.4f.; D 29.1,1
kegeln   C 5.3.1.6; 25.4.2.1f.; D 29.1,1
Kehle   B 2.4.1,4a; C 4.3.2.1f.
Kehre   C 20.4.1.3; 22.5.2.2,1b;
      22.5.3.1,4b
kehren   C 20.4.1.1,1a; 22.2.4.1;
      22.5.2.2,1b; 22.5.3.1,4bc; 22.5.3.7;
      25.1.4; 40.2.7.1
Keil   C 35.2.2a
Keim   B 1.9,1
kein   B 1.9,2;   C 2.3.3.5 A. 30;
      20.3.2.1,2a; 23.8.3.2 A. 202; 26.2 A.
      226; 35.2.2b2; D 3.1.2.2,3; 3.1.4;
      3.3.1; 10.2; 47.3,1; 53.2.5.4 A. 252
-keit   s. -heit
Kelch   C 48.3.1
Keller   C 17.2.4; D 15.4.2,3
Kelter   B 2.4.1,2; D 20.12.2; 31.7.3;
      52.2,2
kennen   C 16.3,4; 23.3.1.1; 23.7.1.2;
      46.5b
Kerl   C 7.1.4; D 8.3.2
Kern   B 2.4.1; C 7.1.3; 22.5.2.1; 38.5.2.1
Kerze   C 22.2.2; D 10.2
Kessel   C 19.5.1,1 u. ,2a
Kette   C 4.1.3; 5.3.2.1; 7.1.1.8; D 24.3.2,1
Kicherling   C 19.1.1; 19.11.1
kichern   C 19.3.1,1b
Kiefer   D 57.4.2
Kien   C 23.3.2.1; 23.7.7.1-3
Kienknubberer   C 39.2.2
Kies   C 4.1.4; 4.2.2; 19.1.4; 19.3.1,1b;
      19.5.1,1
Kiesel   C 4.2.2; 5.3.1.6; 19.1.4; 19.5.1,1;
      D 42.2.2
Kilo   C 5.5.3,2
Kind   B 1.3,5; C 19.1.4; 19.3.1,1ab;
      23.7.1.2; 23.7.6.3; 35.2.2a; D

Korn   C 7.1.3; 18.1; 18.3; 22.4.3.1,2; D 8.3.2; 8.3.7.1
Korona   C 33.1.3.1; D 57.4.2
Körper   D 22.4
Korrektion   D 53.2.3
Korrektionshaus   C 33.1.3.1
Korsett   C 17.2.3; 33.1.3.1; D 9.3.2
koscher   C 20.4.2.2,1b
kosten   D 53.2.1
Kosten   C 16.3,1
kostspielig   D 53.2.1
Kot   D 39.2.3,1
Kotelett   C 17.2.3; 33.2.3; 39.2.1; 39.4.2.3; D 57.4.2
kötze(r)n   C 13.1.2
Köze   C 20.4.1.1,1a
krächzen   D 53.2.3
Kracke   C 13.1.2
Kraft   C 8.3.3.3; D 16.5.4.6
kräftig   C 46.1.1
Kragen   C 4.1.2.1; 16.3,1; 20.8.2.1; 25.5.3.2; D 26.5.2,1; 26.5.2,3; 28.2.1,III; 28.3.1,Ib; 28.4.4.1; 28.7.3; 19.1,1
krähen   C 25.5.4,5; D 28.4.1
Krakauer (Wurst)   C 5.5.3,2
Kram   B 1.9,2; 1.11.2C7; C 16.3,1; 23.6.3.2f.; D 2.2.5
Krämer   C 16.3,5a; 23.3.2.1
Kran(en)   B 1.11.2C7; C 4.3.3; 23.3.2.1; 23.5.5.1
Kranich   C 5.3.1.6; 42.3.1
krank   C 16.3,3; 23.5.1.1; 23.5.2.1; D 14.2.2; 20.2; 54,4
Krankheit   C 34.2.4.1b; 42.4.2; D 20.12.1.2; 24.3.2,1; 35.6.1d
Kranz   C 23.5.1.1; D 3.4
Krapen   D 22.4
krätsche(l)n   C 13.1.2; D 45.3,2c
kratzen   C 37.3.2.1
krätzig   C 13.1.2
Kräuel   C 25.4.2.3
kraueln   C 20.7.4.3
krautern   C 39.2.2
Krauterer   C 39.2.2
krawaschen   C 13.1.2
krawatschen   D 45.3,1c
Krebs   C 4.1.2.2,7; 8.2.1; 17.2.3; D 23.4; 25.1.2
Kredit   C 10.1; D 57.4.1 A. 254

Kreuz   C 20.6.2.1; 35.2.2a
(ver-)krickseln   C 13.1.2; 19.3.1,1b
Krieche   C 9.2.2
kriechen   C 9.2.1f.
Krieg   C 9.1; D 24.3.1; 27.2,1; 56.2,2
kriegen   B 1.7.4.1; 2.6,5; C 8.2.1; 9.1; 19.1.2; 20.5; 25.1.3,1a/c; 25.4.1.1; 25.4.1.3; 25.5.3.2f.; 25.5.3.5; 25.5.4,6; 45.1,4; D 16.5.4.3 A. 89; 23.2.2.4; 23.2.2.7; 23.2.2.9; 24.1; 24.3.2,4; 26.5.1,4; 27.6; 28.2.1,IIa; 28.2.4; 28.4.2; 28.4.4.1; 28.4.6; 30.1.4; 37.2.1.1f.
Kringen   C 19.3.2
Kripo   C 5.5.3,2
Krippe   C 19.3.2
Kritik   C 10.1
kritisch   C 5.5.3,2
kritzeln   C 19.3.1,1b
Krokodil   C 4.3.2.4
Krone   C 20.4.1.1,2b; 23.6.4; D 3.1.2.1
kröpeln   C 8.3.3.4; D 22.4
Kröpert   D 22.4
kröpig   D 22.4
Kröte   C 1.4.5.4; 4.1.5
Krucke   C 19.3.1,1b
Krücke   C 1.4.5.1,I; 19.3.2
Krug   C 9.1; D 26.2
Krümel   C 5.3.2.1
krumm   C 19.5.1,1; 23.3.1.1
krummbeinig   B 2.6,5
Krüppel   D 22.4
krüppelig   C 39.4.2.3
Krusch(t)   C 5.3.2.3,1; 8.3.3.4; 40.2.3; D 42.2.2; 53.2.5.4
Kruschel   D 42.2.2
kruscheln   C 5.3.2.3,1
Kruste   B 1.11.2C7; C 19.1.1; 19.3.1,1a
krutzeln   C 19.3.1,1b
Kübel   C 5.3.1.6; 19.3.1,2b; 39.4.2.3
Küche   C 7.1.1.8; D 4.2.1
Kuchen   C 9.2.1f.; D 10.3.1
Kuchenplatte   B 3.1.3
Kuckuck   D 57.4.1
Kuddel   D 24.9.1
kuddern   D 39.2.3,1
Küfer   C 9.2.3
Kugel   C 4.1.6; 5.3.2.1; 25.4.2.1f.; 25.5.3.1f.; 25.5.3.5; D 27.4; 29.1,2; 29.2 A. 173; 29.5

Kuh   B 1.11.2C8; 2.4.1,4a; C 20.5;
   38.4.2.1; D 49.1
kühl   C 20.5
kühn   C 23.7.7.1
Kuhstall   B 3.1.3; 3.1.4 zu b
Küken   C 10.1
Kukumer   C 19.1.3; 22.2.2; 33.1.3.1; D
   57.4.1
Külpe   C 47.3.1
Kultur   C 20.5
Kümmel   C 5.3.1.6; 23.3.1.1
Kummer   D 31.1
kümmern   C 23.3.1.1
Kunde   B 1.9 2; D 4.2.1
Kur   C 20.5; 22.2.3.1
Kürbis   C 1.4.5.1,II; 7.2.1.4; 37.3.2.2; E
   3.2.4
Küres   C 19.1.2; 34.2.6
kurieren   C 22.2.2
Kurs   C 35.2.2a
kurz   B 1.11.2C5; C 1.4.5.1,II; 7.1.1.7;
   16.3,3; 19.5.1,1; 22.2.2; D 14.3.1;
   56.2,2; E 3.2.7
(ver-)kürzen   C 1.4.5.1,II
kus(ch)eln   D 42.2.2; 45.3,1b; 57.4.2
kuschen   D 57.4.1
Kusper   C 19.3.1,2b
Kuß   C 1.1.4; 4.2.2; D 16.4.1
Kutsche   D 57.4.1
kutscheln   D 42.2.2; 45.3,1b
Kutte   D 24.6
Kuvert   D 57.4.1f.

L

Lache   C 5.4.3.3
Lachs   C 18.1
Lackro   C 39.4.2.3
laden   C 4.1.2.1; 16.2.5; 20.4.1.2; D
   24.9.7; 37.2.1.2
Laden   C 4.1.2.1; 35.2.2a; D 4.2.1; 10.3.1
Ladung   C 34.2.7
Lage   D 27.2,1
Lager   C 5.5.3,1; 25.5.3.2f.; D 27.2,1;
   28.2.1,III; 28.3.1,Ia
lahm   C 4.3.1; 23.3.2.1; 23.5.5.1
lähmen   C 4.3.1; 20.4.1.1,2a; 23.3.2.1;
   23.7.4
Lähmung   C 34.2.7

Laib   C 20.3.1.2; 32.1.2; 35.2.2a; D
   25.1.1
Laib Brot   D 50.2.3
Laie   C 20.7.1.1,1; 20.7.1.3; D 28.2.1,IId
Lakai   C 20.7.1.3
Lambris   C 33.1.3.3; 39.2.2; 39.4.2.3
lamentieren   D 4.3.2
Lamm   B 1.11.2C6; C 23.5.1.1; D 31.2f.
Land   B 1.7.3,2; 2.4.5,2; C 23.5.6.2; D
   31.2
Lände   C 5.4.3.2,2
lang   B 1.11.2C6; C 16.3,3; 23.3.1.1;
   23.5.1.1; 23.5.6.2; D 3.5.1; 3.5.2,1;
   7.1; 31.2
langen   'B 2.4.5,2
Langwiede   C 19.7.2; 34.2.6
Lappes   C 37.4.3
läppisch   C 37.4.2f.
lassen   B 1.11.2C7; C 5.2.2.2e; 16.3,4;
   19.7.2; D 14.3.1; 53.2.2.1
Latsche   D 45.3,1c
la(t)schen   D 45.3,1b
lätschen   D 45.3,1c
Latte   D 24.3.2,1; 24.6
Lattich   C 37.4.3
Latwerge   B 2.4.4,2; 3.1.4 zu a3; C
   22.5.2.1; 22.5.3.1,2; 35.2.2a; 48.3.1;
   D 8.3.2; 8.3.3.2,4; 30.4; 39.2.6
lau   C 20.1.1; D 39.2.4.1
Laub   D 25.1.1
Lauch(zwiebel)   C 20.3.4.1f.
lauern   C 20.6.2.4,2
Läufel   C 39.4.2.3
laufen   B 1.11.2C3; 1.11.2D4; C 16.2.3;
   16.3,4; 20.7.1.1,2a; 21.4.3.2,1; D
   4.2.1; 27.7.2
Läufer   C 16.2.3; 16.3,5a; 20.1.2
Lauge   C 19.7.2; 20.7.1.1,2a; 20.7.4.4;
   35.2.2a; D 28.4.2; 28.7.2.3
Laune   B 1.9,1; C 35.2.1.2
Laus   C 20.6.2.1
laut   C 20.6.2.1
lautbar   C 34.2.4.1b; D 52.2,1
läuten   C 20.6.2.1
lauter   D 15.1; 16.3.2; 20.5; 24.1; 24.3.3;
   50.3.3f.
lawa(t)schen   D 45.3,1b
Lawu(t)sch   D 45.3,2b
leben   C 1.4.2.1; 8.2.1; 17.2.2; D 22.2
Leben   C 4.1.2.1; D 22.1

Mamme   C 34.2.6; D 24.3.3

manch   C 37.4.3; 48.3.1; 48.4; D 30.2.4,2b; 30.2.5

Mande   C 5.4.3.2,2

Manieren   C 33.1.3.3

Mann   C 4.3.3; 16.3,1; 32.5.1; D 4.2.2,2 A. 16; 10.3.2; 49.5

mans-   D 3.3.1

mansche(l)n   D 3.3.1

Mantel   B 2.4.1,4b; D 31.4,6

mantenieren   C 39.2.4.1; 39.4.1

Margarine   C 39.2.2; D 8.3.4; 12.3

Margeriten   C 39.2.2; D 8.3.4; 12.3

Mark (die, das)   C 7.3.1; 22.4.1.2,3; 22.4.3.1,2; 48.1.1; 48.3.1; 48.6.3; D 8.3.7.1

Marke   C 22.4.3.1,2

markieren   D 8.3.4; 57.4.3

Markise   D 8.3.4; 57.4.3

Markt   B 1.7.3,2; C 7.3.1; 7.4.1; 22.2.3.1; 22.4.1.2,3; 22.5.3.1; 37.3.2.1; 48.1.1; 48.3.1; D 8.3.2; 9.2.2.2; 14.2.2; 52.2,3; 53.2.5.4; 55

Marsch   D 8.3.6

Martyrer   D 12.3

März   C 7.1.1.4

Maserung   C 5.5.3,1

Maske   D 57.5.3

Maß   B 1.11.2B3; C 4.2.2; 5.2.3; 20.2.1

mäßig   C 5.2.3; 20.2.1

Material   C 25.6,3b

Materie   D 4.3.4; 30.4; E 3.2.3

Matsch   D 45.3,1c

matt   D 24.3.2,2

matzenäugig   D 8.4.1

mau   C 23.2.2.2f.

Mauer   C 20.6.2.1; 22.2.4.1.f.; 38.4.2.1

Maul   B 1.11.2C9; C 20.6.2.1

Maulwurf   C 19.7.2; D 39.2.6

maunzen   D 3.4

Maurer   C 16.3,5a; 22.2.4.1f.; 39.4.2.3; D 9.1.1.2; 9.1.2; E 3.2.7

Maus   B 1.11.2C9

Medizin   C 4.3.5

Meer   C 5.3.1.7,3; 20.4.1.3; 22.5.3.1,4a; 35.2.2a

Mehl   C 4.3.2.1; 23.2.2.2; 35.2.2a; D 39.2.5

mehlig   D 39.2.5

mehr   C 20.4.1.1,1a; 20.4.1.2; 23.2.2.2f.; 23.3.2.1; D 3.1.3; 9.5 A. 41; 31.4,4

mein   C 26.2 A. 226; 32.3.1; 35.2.2b2 mit A. 268; 41.2,2; D 2.2.4; 3.1.1; 3.1.2.2,3; 3.1.4; 3.3.1; 6.5.3

meinen   D 3.1.2.2,2; 3.3.1; 3.5.2,1; 54,3

meinetwegen   B 3.1.7.4,2a; C 45.1,2

Meise   C 23.2.2.2-4; 34.2.4.1a

Meißel   C 23.2.2.2-4; D 42.2.2

meist   C 23.2.2.2f.

Meister   C 20.3.2.1,2a; 23.2.2.2-4; E 3.2.7

Melde   C 5.1.3; D 31.7.1

melden   C 6.1.3; D 31.7.1

melken   C 6.2.3; D 14.2.2

Mennige   D 4.3.4; 30.4; E 3.2.7

Mensch   C 23.7.5; 35.2.2a; 37.1.4; D 3.3.1; 4.2.1; 43.1f.; 49.5

Mergel   C 25.4.2.3

merken   C 7.3.1; 48.1.1; D 8.3.7.1

meschant   C 33.1.3.4

meschugge   C 33.2.3.4

messen   B 1.11.2B3; C 19.1.4

Messer   C 24.1.1,1; 35.2.2a

Metall   C 17.2.3; D 24.3.4

Meter   D 24.3.4

Methode   D 57.4.4

Methylalkohol   D 57.4.4

Mette   C 24.1.1,1

Metzger   C 24.1.1,1; D 30.4; E 3.2.7

Metzgerei   B 3.1.7.2; 3.1.7.4,1

mich   C 4.2.1b; 20.6.2.3; 30.2.4; 32.5.2.1; D 6.5.3; 52.1,1

Mi(e)ne   C 23.3.2.1

mies   C 20.5

Miete   D 24.3.2,1; 25.1.2

mieten   D 25.1.2

Milch   C 19.3.2; 19.11.2; 42.3.1; 48.1.1; 48.3.1; 48.4; 48.7; D 14.2.2; 47.3,3

mild   C 6.1.4; 19.3.2

Militär   D 24.3.4

Miliz   C 10.3

Milz   C 6.1.4; 19.3.2

Minimum   C 5.5.3,3

Minister   D 57.5.3

Minute   C 10.1; D 24.3.2,1

mir   C 4.3.4; 30.2.4; 37.1.2.4; D 6.5.3; 8.3.1; 8.4.1; 52.1,1

Mirabelle   D 22.4

Mispel   C 19.3.2

Mutti D 24.3.3
Mutz C 19.3.1,1b
Mutzel C 19.1.1
mutzen C 19.1.1; 19.2.1,1a
Mutzen C 19.3.1,2a

N

na (no) C 13.2; 23.2.2.2-4
Nabel C 5.3.2.1
nach C 23.2.2.2; D 37.2.4.1b
Nachbar C 8.1; 8.3.1; 34.2.4.1b
nächst C 8.3.4; 20.2.1; 25.3.1.1; D 35.4.3
   A. 192; 35.4.4; 42.5.1; 53.2.1
nach-t C 20.1.2
Nacht C 1.4.4.1a; 5.2.1; 12,1; D 16.5.4.1;
   16.5.4.3; 16.5.4.6; 20.3
nackt C 37.4.7; 46.1.1; D 30.3; 53.2.5.4
Nadel B 2.4.1,4b; C 25.4.2.2; D 24.9.1;
   24.9.5.2
Nagel B 1.11.2C2a; 2.4.1,4b; C 5.3.1.6f.;
   16.2.1; 25.4.2.1f.; 25.5.3.2-5;
   39.4.2.3; D 23.2.2.2; 23.2.2.4;
   26.3,6; 26.5.2,2; 28.7.2.3; 29.1,2;
   29.2 A. 173; 29.5; 49.6.2.3
nagen C 4.1.2.1; 25.5.4,2; D 28.3.1,Ib
nahe C 8.2.4; 16.3,3; 20.2.1
nähen C 20.2.1; 25.1.3,1a; 25.5.3.1f.;
   25.5.3.5; 25.5.4,5; 25.5.5.2,1;
   25.5.5.4; 32.3.1
Näher C 25.5.3.2
nähren C 20.4.1.1,2; 20.9.3; 47.1,3; D
   48.1; 48.3.2
Naht D 15.5.4.6
Nähterin D 24.3.3; E 3.2.7; 3.3.1
Nähz D 53.2.3
Name C 4.3.1; 23.3.2.1; 35.2.2a; D 4.2.1
Narbe C 7.2.1.1; 22.4.1.2,3
Narr B 1.10; 2.6,5; C 11.4; 22.2.2; D
   8.3.1; 8.3.7.1; 9.3.1; 10.2
Narrheit C 34.2.4.1b
närricht C 37.4.7; 48.5.2; 48.7; D 30.3
narrisch B 1.10; 2.6,5; C 11.4; 16.3,5b;
   48.5.2; D 10.2
Narte D 31.8.3
naschen C 1.4.3; 2.3.2.7
Nase C 4.1.2.1; 23.2.2.2-4
naß C 4.2.2
national C 25.6,3b
Nationalsozialist C 33.2.2

Natron C 4.3.5; 8.2.4; 23.3.2.1
Natur C 20.5
natürlich C 20.5
nauseln C 23.2.2.2f.
näuseln C 23.2.2.2
naut C 1.3.3.2; D 17
näutern C 23.2.2.2
Nazi C 5.5.3,2; 21.4.3.2,1
neben C 5.3.1.1; 5.3.1.3; 23.2.2.2;
   30.2.2,3; 44.1.2g; D 4.5,5
negativ C 5.5.3,3
Neger D 27.2,1
nehmen B 1.9,2; 1.11.2B3; 1.11.2D1; C
   4.1.2.2,2; 4.4.3; 19.3.1,1a;
   23.3.1.1f.; 23.7.1.2; D 52.1,3
Neid C 5.2.3
neidisch C 5.2.3
nein B 3.2.6,2b
nennen C 38.7.4
Nerv D 8.3.2
Nest C 8.3.3.4f.
nesteln C 8.3.3.5; 19.7.2; 20.4.1,3
neu C 1.3.3.2; 20.6.2.1; 21.4.3.2,2;
   25.1.4; 35.2.2b2; D 39.2.4.1;
   39.2.4.4; E 3.2.6
Neugier C 5.3.1.7,3
neugierig C 5.3.1.7,3; 19.1.2; D 4.1.2
Neujahr D 50.2.3
neun C 1.3.3.3; 1.4.2 A. 13; 23.3.2.1;
   35.2.2c
Neuntöter D 12.3
neunzig C 46.1.1
neust D 17
nicht (auch ahd. ni, mhd. ne) C 4.3.6,3;
   19.13; 32.1.5; 41.2,5; D 16.5.4.4; 17;
   37.2.2.3; 37.2.4
nicht einmal C 44.1.2d
nicht mehr D 37.2.2.3
nichts C 25.3.3; D 17; 35.4.4; 39.2.4.4
Nichtsnutz C 1.4.5.1,I
nieder C 5.3.1.3
niemand D 53.2.5.4
Niere C 38 5.2.1
Nikotin C 33.2.2
nirgend- B 2.4.4,2; C 7.3.3; 19.13;
   22.3,3; D 4.3.2; 8.3.2; 27.7.1;
   28.4.4.1; 30.1.1; 53.2.5.2; 53.2.5.4f.
-nis C 38.3.1
nobel C 5.5.3,1

noch   C 4.2.1c; 4.2.6; 9.2.3; 20.1.3.2 A.
         111; 32.3.2; D 16.5.3.3; 37.2.4;
         47.3,3
Norden   C 7.1.1.6
normal   D 8.3.4
nös(ch)eln   C 13.1.2; 38.4.2.1; D 42.2.2
nostern   C 8.3.3.4
Not   C 5.5.3; 20.4.1.1,1b; 20.4.2.2,4
Notar   D 30.2.4,1b; 30.2.5; 30.4
Note   C 10.3; D 24.3.2,1
nötig   C 5.2.3; 16.3,5b; 20.4.1.1,1a;
         22.2.1
Nougat   C 27.4
November   C 23.3.1.1; D 57.5.1
nüchtern   C 12,1
nucken   C 1.4.5.1,I; 19.1.4
Nudel   C 5.5.3,1; D 24.9.1
Nudelchen   C 5.3.1.6; D 7.2f; 24.9.1
nudeln   D 7.2f
nun   C 23.2.2.2
nur   C 22.3,1; 22.4.1.2,2; 22.4.2;
         22.4.3.1,2; 22.4.3.2; 32.3.2
Nürsch   D 53.2.5.2
nus(ch)eln   D 42.2.2
nuschen   C 13.1.2
Nuß   C 4.2.2; 11.3.1
nustern   C 19.1.1
nutzen   C 1.4.5.1,I; 19.3.1,2b

O

ob C 1.4.4.2; 32.3.2; 41.2,7; D 22.2
Obacht   D 22.4
oben   C 5.3.2.1; 24.2.2; D 23.4
ober   C 1.4.5.4; 5.3.2.1; 20.1.3.2 A. 111;
         32.3.2; D 22.1; 23.4
Oberer   C 39.2.2
oberst-   C 17.1.2
Obst   C 4.1.5; 8.2.2; 20.4.1.1,2;
         37.3.2.1f.; D 23.4; 25.1.2; 42.3.3;
         53.2.5.2; 53.2.5.4f.; E 3.2.6; 3.3.1
obstinat   C 33.1.3.1; D 53.2.2.1
Ochse   C 18.1; D 35.4.2f.; 35.4.6
Odel   D 24.9.1
oder   C 5.3.1.8; 20.1.3.2 A. 111; 32.3.2;
         32.5.1; 45.1,3; D 8.4.1; 16.3.6.5
Ofen   B 1.9,1; 1.11.2C10a; C 2.1.3;
         5.3.1.1; 5.3.1.5; 5.4.1; 20.4.1.1,1b; D
         4.2.2,2 A. 16; 16.2.3.1; 25.3.2; E
         1.2.1

Ofenrohr   B 3.1.3
offen   C 39.2.4.1; D 14.1.1
Offizier   C 33.2.4; D 57.5.3
ohne   C 23.3.2.1; 23.6.3.1f.; 34.2.4.1a
Ohr   B 1.7.3,3; C 2.1.3; 20.4.1.1,1b;
         22.2.4.1; 22.5.3.1,4b; 22.5.3.6;
         25.1.4; 35.2.2a; D 10.3.2; E 1.1
Ohrfeige   D 28.4.1f.
Öl C 1.4.3; 5.3.1.1; 5.3.1.6; 17.1.2;
         34.2.4.1a; D 30.4
Oma   C 5.5.3,2; 32.1.2
Omnibus   C 33.2.2; 34.2.6
Onkel   C 23.3.1.1
Opa   C 5.5.3,2
Opel   C 5.5.3,1
Oper   C 5.5.3,1
operieren   C 39.2.2; D 4.4.3; 57.4.3
-or   C 34.2.6
Orangeat   B 3.1.2; 3.1.7.2; C 5.5.3,3;
         33.2.2
Orchester   D 57.5.3
ordentlich   C 39.2.1; 39.4.1; D 53.2.5.3
ordinär   C 20.9.3; 39.2.4.1; 39.4.1
ordnen   C 39.2.4.1; D 4.5,1 A. 32
Ordnung   C 39.2.4.1
oren   C 20.4.1.1,1b
Orgel   B 2.4.1,4b; C 25.4.2.3; D 8.3.2;
         29.1,2
orgeln   C 25.4.2.3; 25.5.1
Ort   C 7.1.1.6
Osten   C 8.3.3.1; D 42.4.2; 57.5.3
Ostern   C 8.3.3.1; 20.4.1.1,1b
Oxid   C 10.1
Ozean   C 25.6,3b

P

Pacht   C 12,1; D 16.5.4.6
packen   C 16.3,4
Pädagoge   D 27.2,2; 27.4
pädagogisch   D 27.2,2; 27.4
Paket   D 57.4.1
Palatine   C 6.1; 33.2.3; D 31.7.3
Palme   C 6.2.2; 48.3.1; D 57.4.1
Palmin   B 3.1.2
panieren   C 33.1.3.3
Panne   C 23.3.1.1
Papa   C 13.1.1; 34.2.6; D 24.3.3; E 3.2.5
Papagei   C 5.5.3,3; D 57.4.1
Papier   C 20.6.2.4,1; D 22.4; 57.4.1

Pulver   C 19.3.1,2a; D 57.4.1; 57.5.1
Pumpe   B 2.4.1,2
pumpen   B 2.4.1,2
Punkt   D 52.2,6
Puppe   C 19.1.1; 19.3.1,1a
pur   D 57.4.1
Purpur   C 4.3.5
purzeln   C 1.4.5.1,II; 7.1.1.7; 22.2.3.1
Pusch (s.auch B-)   D 45.3,1b
pustieren   C 19.3.3
Putsch (-o-)   C 19.3.1,2b; D 45.3,1b
Putter   C 19.3.1,2a
Putterich   C 19.3.1,1b
putzen   C 19.1.4; 19.3.1,1b; D 56.2,2
Pyramide   C 22.2.2

Q

quälen   C 4.3.2.1; 40.2.2; D 20.1f.; 39.2.3
Qualität   C 33.2.2
Quark   C 7.4.1
Quartal   C 4.3.2.4; 20.8.1.2; 22.2.2; D
8.3.4
Quatsch   D 45.3,1c
Quecke   C 40.2.2; D 39.2.3
Quelle   C 40.2.2
quer   C 20.9.3; 22.2.3.1; D 35.5.1,1;
38.2.2; 47.6 A. 234
quetschen   D 45.1; 45.3,1c
Quitte   C 40.2.2; D 39.2.3

R

Rad   B 1.11.2C4; C 4.1.2.1; 5.3.1.6;
16.2.1; 20.9.3; D 4.2.2,2 A. 16;
24.3.2,1; 24.9.1
Radio   C 8.2.4; 8.5.2; D 57.1
raffinieren   C 39.2.4.1
räh   C 20.2.2
Rahm   C 23.3.2.1
Rahmen   C 4.3.1
rahn   C 23.3.2.1
Rain   C 2.3.2.2; 4.2.1b; 19.5.1,1
Rakete   D 27.3
Ranchel   D 3.3.1; 36.3.1
Rand   D 31.2
Ranft   C 48.3.1
rangieren   C 23.3.1.1; 33.1.3.3
ranksen   D 3.5.2,1
ranzeln   D 3.4

Räppeisen   D 22.5
rappeln   C 39.2.1; 39.4.1
räppen   D 22.5
rasen   C 20.1.1; D 16.4.3
rasseln   C 39.2.1; 39.4.2.3
rässeln   C 39.4.2.3
Rat   C 10.3; 20.1.1
raten   B 1.11.2C7; C 16.2.5
Rathaus   C 34.2.4.1b
ratsch   D 45.2
Ratte   B 2.6,2,IIb
rauben   C 20.7.1.3
Räuber   C 20.3.1.2
Rauch   C 20.3.4.2; 20.7.1.1,2a; D 28.3.3
rauchen   C 8.3.2; D 27.7.2; 28.3.3;
49.3.2,2a
räuchern   D 10.3.1
Räuel   C 25.4.2.3; 25.5.0f.; D 24.9.5.2
rauh   C 35.2.2 b2; D 47.4
Raum   C 23.5.2.1
räumen   C 1.4.5.2; 23.3.2.1; 23.5.2.1;
23.5.4.1
Raupe   D 22.4
rebellisch   C 17.2.3; D 22.4
Rech   C 4.2.1b; 19.5.1,1; 19.11.1
rechnen   C 39.4.2.3; D 4.5,1; 49.6.2.2
Rechnung   C 39.2.4.1
recht, R-   C 12,1; D 16.5.4.9; 16.5.4.3;
16.5.4.6
Rede   C 4.1.3; D 24.3.2,6
reden   C 4.1.2.2,3; 4.1.3; 4.4.3; D 24.3.2,6
Reff   C 4.2.3
Reformation   C 33.2.2; D 8.4.1
Regal   C 17.2.3; D 27.4
Regard   C 17.2.3
regen   B 1.7.4,1; 2.4.4,1f.; C 4.1.3; 8.2.1;
25.4.1.1; 25.5.3.2; D 26.3,2; 26.4,3;
26.5.1,1; 26.6; 27.2,1 A. 147;
28.2.1,IIc; 28.2.2f.; 28.4.4.1
Regen   C 5.3.1.6; 25.3.1.1; 25.5.3.2;
39.2.2; D 4.5,1; 23.2.2.7; 23.2.2.9;
28.2.1,III; 28.2.4; 28.4.4.1; 28.9.2.4
regieren   D 27.2,2
Regiment   C 17.2.3; 33.2.4; D 27.2,2;
27.4
regnen   C 5.3.1.6; 5.3.2.1; 25.3.1.1;
25.5.3.2; 25.5.5.2,3; 38.4.1; 39.4.3.2;
D 3.5.2,1; 4.3.2; 4.5.1; 23.2.2.7;
23.2.2.9; 23.2.2.11; 27.7.1;
28.2.1,III; 28.4.4.1; 28.9.2.4

rufen   B 1.11.2C8; C 9.2.3; 16.3,4; 20.5; D 14.1.1
Ruhe   C 11.4; 20.5
ruhen   B 1.6; C 25.1.3,1b; 25.3.3; 25.4.1.1; 25.5.4,4; 25.6,3c; D 24.3.2,4; 27.7.2 A. 156; 28.4.4.2; 28.4.5; 28.7.4.3; 39.2.4.1
ruhig   B 1.7.1; C 1.4.5.6; 25.6,3d; D 39.2.4.2f.
Ruhm   B 1.9,2
rühmen   C 1.4.5.6; 23.7.7.1-3
Ruhr   B 1.6; C 25.1.3,1b
rühren   C 20.5; D 27.2,1 A. 147
Rührer   C 22.2.3.1
Rum   C 23.3.2.1
runzelig   C 16.3,5b
rupfen   C 1.4.5.1,I; 16.3,4; 19.1.1; D 52.2,7
Ruppe   C 19.2
Rüssel   B 2.4.2,5; C 5.2.2.1; 20.5; 39.2.1; D 42.2.2
rüsten   C 19.3.2; D 49.5
Rüster   C 20.4.6.2,1
rutschen (-ü-)   C 1.4.5.1,I; D 45.1; 45.3,1c
rütteln   C 1.4.5.1,IV; 5.3.2.2; D 24.9.1

S

Saal   C 4.3.2.1
Sache   C 5.4.3.3
Sack   C 4.2.7; 17.1.2
säen   C 20.2.1; 25.5.3.2; 25.5.4,5; D 39.2.4.4; 48.3.1,1
Safran   C 8.3.2
Saft   D 53.2.5.2
saftig   C 16.3,5b
Sägbock   D 28.4.2
Sage   D 27.4
Säge   C 4.1.2.1; D 26.4,3; 28.2.1,III; 29.1,1
sagen   B 1.7.4,1; 1.11.2C6; 2.6,5; C 4.1.2.1; 8.2.1; 11.4; 13.2; 16.3,4; 25.1.2b; 25.3.1.1; 25.5.3.2-5; 25.5.4,2f.; D 4.3.2; 16.4.3; 23.2.1.3; 23.2.2.2; 23.2.2.4; 26.3,3; 26.4,1f.; 26.5.1,3; 26.6; 27.1; 27.5; 27.7.1f.; 28.2.1,IIb; 28.3.1,Ibc; 28.3.2; 28.4.2; 28.4.4.2; 28.7.3f.; 29.5; 29.7; E 1.2.1

sägen   B 1.7.4,1; C 4.1.2.1; 25.5.3.2; D 26.3.3; 26.5.1,2; 28.2.1,III; 28.2.2; 28.4.4.1
Sago   D 27.4
Sahne   C 35.2.1.2
Sakristei   C 20.6.2.1; 20.7.1.3; 33.2.2; E 3.2.3
-sal   C 16.2.2
Salamander   C 33.2.2
Salat   C 10.3; 20.8.1.2; 33.1.2; D 16.4.3
Salbe   C 48.3.1
Salbei   B 2.4.4,2; C 1.4.4.2; 34.2.4.1a; 35.2.2a; E 3.2.3
Saltrat   C 34.2.6
Salut   C 10.1
Salz   C 6.1.1f.; D 54,3
Same   C 23.3.2.1; 23.5.4.1f.; 23.6.3.2f.; 23.7.6.1
sammeln   C 5.3.2.2; D 4.5,1
Samstag   D 42.3.2f.; 42.4.2; 42.6.3
samt   D 52.1,3
Sand   D 3.5.2,1
sandig   D 31.2
sankt   D 52.2,6
Sarg   C 7.4.1
satt   C 4.1.2.2,4; 5.3.2.1
Sattel   C 5.3.1.6; 39.4.2.3; D 24.9.1
sättigen   C 5.3.2.1
Satz   C 4.2.5
Sau   B 1.9,1; C 20.6.2.1; D 16.4.3
sauber   C 5.2.2.1; 5.2.2.2c; 16.3,3
Saucier   C 8.3.2
sauer   C 22.2.4.1; 25.1.4; 39.2.2
Sauerei   C 22.2.4.1
Säueschnitter   C 19.1.1
saufen   B 1.11.2A; 1.11.2C9; C 8.3.2; 16.3,4
saugen   D 27.7.2; 28.3.1,VI; 28.7.3
säugen   C 2.3.2.8; D 28.4.4.1
Saum   C 23.3.2.1; 23.5.4.1
säumen   C 1.4.5.3; 23.3.2.1; 23.5.4.1
Sauna   B 1.9,1
sausen   C 5.3.2.2
Scala   D 57.5.3
Schabe   D 4.2.1 A. 13
schaben   C 4.1.2.1; 8.2.1; 16.2.2; 35.2.2d
schäbig   C 5.3.1.2; 16.2.2
Schachtel   C 12,1
Schädel   C 20.9.3

schleifen   C 8.3.2; 20.3.1.2
Schleim   C 23.3.2.1
Schliefer   C 5.3.2.1; 19.1.4; 19.3.1,2b
Schließe   B 1.11.2B1
schließen   B 1.11.2B1
schließlich   C 8.3.2
schlimm   C 19.1.4; D 31.2
Schlinke   C 19.3.1,1b
Schlitten   B 1.6; C 4.1.4; 19.1.2; 22.2.1; D 4.5,3; 24.6
Schlitz   C 4.2.5
Schloß   B 1.11.2B1; C 4.2.2
schloßen   C 39.4.2.3
Schlosser   C 16.3,5a
schlottern   D 24.3.3
schlucken   C 1.4.5.1,I; D 53.2.3
Schlückser   D 53.2.3
Schlupf   C 19.1.1
schlüpfen   C 1.4.5.1,I; 19.1.1; 19.1.4
schlürfen   C 1.4.5.1,II; D 36.3.2
schlurpsen   C 7.2.1 A. 71
Schluß   B 1.11.2B1; D 14.3.1
Schlüssel   19.5.1,1; 35.2.2a
schlutzern   C 1.4.5.1,I; 19.1.1; D 53.2.3
Schmach   D 27.6
schmal   C 16.2.4; 16.3,3; 23.2.2.2f.
schmatzen   D 53.2.3
schmecken   C 1.4.4.2
schmeiß-, Sch-   C 23.2.2.2f.
schmeißen   C 7.2.3.5; D 27.7.2; 42.2.1
schmelzen   C 17.2.4; 24.1.1,1; D 14.3.1; 36.2.2; 54,3; 56.2,2
Schmerz   B 2.4.3,1; C 7.1.1.3; D 4.2.1; E 3.2.3
Schmied   C 4.1.4
Schmiede   C 4.1.4; D 16.3.6.5; 24.6
Schmieh   C 19.3.1,2a
schmieren   C 22.2.3.1; 37.1.2.2; D 39.2.5; 42.2.1
schmierig   C 22.2.3.1
Schmirgel   D 29.2
Schmiß   C 4.2.2
Schnabel   C 5.3.1.6; 16.2.1
schnächen   C 1.4.3; 2.3.2.7
Schnake   C 20.1.1; D 50.3.4
schnarchen   C 7.3.2; 48.1.1; 48.2.1,4a ; 48.6.3
schnaufen   C 1.4.5.1,IV; 5.3.2.2; 20.6.2.1
schnäuken   C 1.4.3; 2.3.2.6; 5.3.2.2; 20.7.1.1,1; D 18.5 A. 103; 50.3.4

Schnauze   D 14.3.2,3
Schnecke   C 17.1.2
Schnee   D 39.2.4.1; 42.2.1
schneiden   B 2.5,2,IIa; C 5.3.2.2; 22.2.1; D 24.1; 24.9.7; 25.1.2; 37.2.1.2; 42.2.1
Schneider   C 22.2.1; 35.2.2a
Schneiderin   D 4.2.2,3
schneien   D 39.2.4.1; 47.4
Schneise   C 20.3.1.2; 23.2.2.2
schneuzen   D 24.9.1
schnicken   C 19.3.1,2a
schnippsen   C 1.4.5.1,I
Schnitt   C 4.1.4; 4.1.7; 11.3.1
Schnitte   B 1.11.2A; C 4.1.4; 4.1.7; 4.3.3; 10.3
schnitzeln   C 5.3.2.2
schnuckeln   C 5.3.2.2
schnud(d)eln   C 5.9.2.2; 19.1.4; D 24.9.1
schnüffeln   C 1.5.1,IV; 5.3.2.2; 39.4.2.3
Schnur   C 20.5; 22.5.2.1,1a; 25.1.3,1b
Schnurrbart   C 22.3,1; 22.4.3.1,2
schnurren   B 1.10; C 16.3,5b; 22.2.2; 22.3,1; 22.4.2,4
schnurrig   B 1.10; C 16.3,5b; 22.2.2
Schnute   C 10.1; 20.6.2.4,2; D 14.3.2,3; 24.3.2,1
schofel   C 20.4.1.1,1b
Schokolade   C 20.8.1.2; 33.2.3; 39.2.1f.
schon   C 4.3.3; 16.1.1; 23.3.1.1; 32.3.2; 32.5:2.1; 35.2.2b2; D 3.1.1; 53.2.5.2
schön   B 2.6,5; C 5.2.2.2c; 8.4.3; 16.1.1; 20.4.1.1,2a; 23.3.2.1; 23.7.3; 23.7.6.2; 23.8.3.2; D 3.1.1; 3.3.1
(ver-)schonen   C 20.4.1.1,2b; 23.3.2.1
schöpfen   D 4.2.7; 20.2
schoren   C 2.1.3; 22.5.3.1,3a
Schorf   C 7.2.3; D 8.3.2
Schornstein   C 22.4.1.2,4; 34.2.4.1b
Schote (der)   C 20.4.1.1,1b; D 24.3.4
schräg   D 28.4.2
Schrank   D 8.1
schränkeln   C 39.4.2.3
schrauben   C 8.2.1
schrecklich   B 3.1.4 zu a2
Schrei   C 2.3.2.6; 20.7.1.1,1
schreiben   C 20.6.2.1; D 4.3.2; 25.1.2; 41.1
Schreiner   C 23.3.2.1
Schritt   C 4.1.4; 35.2.2a

Schröter   C 20.4.1.2
Schub-   C 4.1.6
schubeln   C 1.4.5.1,IV; 5.3.2.2
schubsen   C 53.2.3
Schuh   C 9.1; 9.2.4; 25.1.3,1a; D 27.6;
    47.5; E 3.2.6
Schuhbändel   D 47.5
Schuhmacher   C 8.3.3.1; D 47.5
Schuld   C 6.1.4; 19.1.4; D 31.7.1
schuldig   C 1.4.5.1,III; 6.1.4; 16.3,5b; D
    31.7.1
Schuldiger   D 27.1
Schuldigkeit   C 34.2.5b
Schulter   C 1.4.5.1,III; D 31.7.1
Schultheiß   C 19.3.1,2a; 34.2.4.1b; D
    31.7.1; 31.7,3; 35.6.1d
Schupo   C 5.5.3,2
-schur   C 22.5.3.1,4a
Schurz   C 1.4.5.1,II; 7.1.1.7; D 8.3.7.1; E
    3.2.7
schürzen   C 1.4.5.1,II; 7.1.1.7
Schuß   B 1.11.2B1; C 4.2.2
schusseln   C 1.4.1,IV
Schuster   C 8.3.3.1
schustern   C 8.3.3.1
Schutt   C 1.4.5.6
schütteln   C 5.3.2.2; 38.4.2.1; D 24.9.1;
    24.9.5.1
schütten   C 1.3.3.5; 1.4.5.1,IV; 4.1.2.2,3;
    4.1.3f.; 8.2.3; 22.2.1; D 24.1;
    24.3.2,4; 24.6; 50.3.5
schuttern   B 1.10; C 1.4.5.1,IV; 19.1.1;
    D 24.3.3; 50.3.5
schutzen   C 1.4.5.1,I
schwach   C 4.2.1a; 16.3,3
schwädemen   C 5.3.2.1; 7.2.2; 48.1.1;
    48.5.2
Schwager   B 1.11.2C7; C 16.3,1; 24.1.2;
    D 28.2.1,IIb; 28.2.4; 28.3.1,IV;
    28.7.3
Schwägerin   B 1.11.2C7; C 25.5.4,6;
    D 28.2.1,IIb; 28.4.4.1
Schwäher(in)   C 25.3.1.3 ; 25.5.4,1
Schwalbe   D 25.3.1; 39.2.5
Schwanz   D 42.2.1; 52.2.6; 54,3
Schwären   C 35.2.2a; 38.5.2.1
Schwarte   D 31.8.1
schwarz   C 1.4.4.1c; 7.1.1.1; 7.1.1.4;
    7.2.2 A. 72; 7.2.3,4; 7.3.1; 11.3.2;
    16.3,3; D 39.2.3; 56.2,2

schwätzen   B 2.4.3,1f.
schweben   C 20.9.3
Schwefel   C 5.3.1.6; 17.2.1
schweigen   D 28.4.2
schwellen   C 17.2.4; 24.1.1,1
schwer   C 20.2.1; 22.2.3.1; 25.1.3,1b;
    D 8.3.7.1; 42.2.1
Schwert   C 7.1.1.2
Schwester   C 17.2.2; 17.2.4; 35.2.2a;
    39.2.4.2; D 39.2.3,2; 42.4.2; E 3.2.3
Schwieger-   D 26.3,1; 28.2.1,IIab; 28.7.3;
    28.9.2.2
Schwielen   C 4.3.2.1
schwimmen   C 19.1.4; 38.7.4; D 39.2.3,2;
    50.2.2
schwören   C 20.4.1.1,2; D 30.4; E 3.2.2
schwül   C 20.5
sechs   B 1.11.2D2; C 1.4.2 mit A. 13;
    35.2.2c; D 35.4.2f.; 35.4.6; E 3.2.6
sechzehn   C 1.11.2D2; C 1.4.2; D 35.4.3
sechzig   B 1.11.2D2; C 1.4.2; 46.1.1; D
    53.2.1
See   C 20.4.1.1,1a; 25.3.6; 35.2.2a;D
    16.4.3; 39.2.4.1
Seele   C 20.4.1.1,1a
Segen   B 1.7.3,3; C 5.3.1.6; D
    26.3,3;28.2.1,III; 28.4.4.1
segnen   C 5.3.1.6
sehen   B 1.7.3,3; 7.4,1f.; 1.11.2D1;
    C 4.1.2.1; 13.2; 25.1.2a; 25.3.1.1;
    25.3.3; 25.5.3.2-4; 25.5.3.6;
    25.5.4.1f.; 25.5.5.2,2c; 38.1.3;
    D 24.3.2,4; 28.4.2; 35.3.1-3; 47.3,3;
    E 1.2.1
sehnen   C 23.7.4
seichen   C 30.3.4.1; 20.3.4.3
Seide   D 24.3.4
Seife   C 20.3.1.2
Seihe   B 1.9,1
seihen   C 25.3.3
Seil   C 20.3.1.2
sein "suus"   B 1.9,1; C 23.3.2.1; 26.2 A.
    226; 32.3.1; 41.2,2; D 3.1.2.2,3;
    3.1.4; 3.3.1; 6.5.3
sein "esse"   B 1.9,1; C 5.3.1.4; 19.1.2;
    19.1.4; 23.3.2.1; 32.3.1; 32.5.2.1;
    D 3.1.2.2,4a; 3.1.3; 27.6 A. 152;
    37.2.2.2; 53.2.2.1; 53.2.4; 53.2.5.4f.;
    56.2,2
seit   C 32.3.1

seitdem C 32.3.1
Seite D 25.1.2
Seiterlappen C 39.3.2
seitern C 5.2.2.2e; 39.3.2; D 24.3.3; E 3.25
Sekretär C 20.9.3
Sekt C 17.2.3
Sekunde C 17.2.3
sekundieren C 17.2.3; D 4.3.2
selb- C 38.1.1.2b; D 2.2.4; 3.1.2.2,3; 4.2.2,1; 37.2.2.1; 48.2.1
selber D 53.2.5.2; 53.2.5.5
selb-t C 7.1.1.6; D 7.2a; 37.2.2.1; 53.2.5.2; 53.2.5.4f.
selig C 5.2.3; 20.2.1; 20.4.1.1,1a
-selig C 5.3.1.2; 16.2.2; 16.3,5b; 20.2.1; 20.4.1.1,1a
Sellerie C 17.2.3; D 30.4
Senf B 2.4.2,2; C 23.3.1.1; 48.3.1; 48.4; D 6.2; 53.2.5.2
Senior C 8.4.3
Sense D 23.2.2.7; 23.2.2.9; E 3.2.6
separat C 33.2.2
Service D 8.3.4; 57.1
Serviette C 33.1.3.2
setzen C 17.1.2; D 14.3.2,2; 8.6.5; 53.2.2.2
Seuche C 20.3.4.3; 20.6.2.1; 20.7.1.3; E 3.2.3
sexuell C 25.1.3,2
sich C 30.2.4; 32.5.2.1; 46.1.1; D 42.3.3; 56.2,2
Sichel D 49.6.2.2
sicher C 39.2.2
sie C 1.3.3.1f.; 30.1,1; 30.2.4; 32.5.1; 35.2.1.2; 37.2.3; 41.2,2; D 8.4.1
Sieb C 4.1.4; 4.1.7; 19.1.2
sieben (Vb.) C 4.1.4; 4.1.7; 19.1.2
sieben "septem" C 1.4.2 A. 13; 5.3.2.1; 19.5.1,1; 35.2.2c; D 4.2.6; 8.4.1
siebzig C 46.1.1
sieden B 2.6,2,Ia; D 24.1; 24.3.2,3
siedig B 1.6
Sieg D 27.2,1
Siegel C 5.3.2.1
Sillscheit C 4.3.2.1; 8.5.2; 19.1.1f.; 19.12.3
Silo C 5.5.3,2
Silvester C 17.2.3
Simmer C 34.2.1; D 31.5.1

singen B 2.4.5,2; C 19.1.4; 23.3.1.1; D 31.1; 31.6
sinken D 54,4
Sinn C 4.3.3
sinnen D 31.6
Sirup C 5.5.3,2
Situation C 25.1.3,2
Sitz B 1.11.2B1; C 4.2.5
sitzen B 1.11.2B1; C 19.1.4; 19.12.1 A. 107; D 23.2.1.4 A. 116; 50.2.2
Skat D 57.5.3
Ski C 11.4
Sklave D 57.5.3
Skrupel C 5.5.3,1
Slowake (Appellativ!) C 10.1; 33.1.3.1; D 57.5.3
Smaragd D 57.5.3
Smoking C 5.5.3,2
so B 1.9,1; C 13.2; 20.4.1.1,1b; 25.1.4; 30.2.2.3; 32.3.1; 32.5.3; 33.1.2; 40.0; 40.5.1; D 16.4.3
Soda C 5.5.3,2
so+ein C 25.1.4; 39.2.4.1; 44.1.2g
Sofa C 5.5.3,2
sogar C 32.3.1
Sohle C 4.3.2.1; 20.4.1.2
Sohn B 1.11.2C7; C 4.3.3; 19.1.2; 23.3.2.1; 23.6.7.1-3; 23.7.6.2; 35.2.2a; D 3.1.1; 3.1.2.1; 16.5.4.6; E 3.2.2
Soldat C 10.3; 20.8.1.2; 33.1.3.1f.; D 24.3.2,1
sollen C 1.4.6; 4.3.2.1; 4.3.2.3,1; 5.2.2.2e; 19.1.2; 32.1.5; 38.7.5.1; D 7.2a; 41.4
Sommer C 5.3.1.6; 23.3.1.1
sommerig C 39.2.2
Sonne C 23.3.1.1; 23.6.1.3
sonst C 23.2.2.3f.; D 42.2.1; 53.2.1; 53.2.2.2; 53.2.5.2; 55
Sorge C 7.3.3; D 8.3.2; 30.1.1
sorgen C 7.3.3; D 8.3.2; 28.4.4.1; 30.1.1; 30.1.4
Sörle C 20.4.1.1,2b
Sorte C 7.4.1
Soße B 1.11.2C7
soviel B 3.1.7.4,1a; C 32.5.4,2
so+wer usw. C 32.4; 40.5.1
sowieso C 32.3.1
Soze C 10.3

sterben   C 7.2.1.2; 7.2.1.4; 7.2.3,5; 19.1.4;
   20.9.3; 22.2.2; 48.2.1,5a; D 8.3.2;
   8.3.3.2,2; 8.3.7.1; 8.3.9.2; 22.1;
   25.1.2
Stern   C 7.1.3
Steuer   C 20.6.2.1
sticheln   D 49.6.2.2
Stickgarn   D 50.2.3
Stiefel   C 5.5.2; 39.4.2.3
Stiege ("Stege")   C 4.1.2.1; D 28.2.1,III;
   28.4.1
Stiel   C 4.3.2.1; 19.1.4; 19.3.1,1a
stinken   B 1.11.2B2
Stirn   C 7.1.3
stopfen   D 20.10.3; 50.2.2
Storch   C 7.3.1; 16.3,1; 22.4.2,3; 48.3.1;
   D 8.3.2; 14.2.2
Store   D 57.5.3
stören   C 20.4.1.1,2a
storren   C 18.1; D 8.3.1f.
Storzen   C 7.1.1.6
Stoß   C 20.4.1.2
stoßen   B 1.11.2C10a; C 16.3,4;
   20.4.1.1,1b
Strandel   C 39.4.2.3
Strapaze   C 10.3
strapazieren   D 57.1
Straße   D 42.2.1
Strauß   C 20.6.2.1
Streich   B 1.11.2A; C 20.3.4.1
streichen   B 1.11.2A
streifen   C 1.4.5.3
stremmen   C 23.3.1.1
streuen   C 1.4.5.3; 25.3.3; 25.4.1.1; D
   3.1.2.2,4b; 24.3.2,4f.; 24.9.7; 28.8;
   39.2.4.1; 42.2.1
Strich   B 1.11.2A
Strick   C 4.2.7
Strickzeug   D 4.3.2
Striegel   C 5.3.1.6; 25.5.3.2; D 29.2
striegeln   C 25.4.2.1
Striemen   C 23.3.2.1; 23.7.7.1f.
strippen   C 1.3.5.1,I
Stroh   C 20.4.1.1,1b; D 39.2.4.1
Strom   C 2.3.3.3
Stromer   C 2.3.3.3
strubelig   C 1.3.4.1,IV; 24.2.2
(ver-)strubeln   C 1.4.5.1,IV; 5.3.2.2;
   24.2.2

Strumpf   C 23.6.7.1; 23.6.7.4; 23.7.6.3; D
   52.2,4
strunzen   D 3.4
Stube   C 4.1.6; 19.1.1; 38.7.4,2; D 25.1.2
stübern   C 5.3.2.2
Stübich   C 5.3.1.6
Stück   C 1.4.5.1,I
Student   D 24.3.4
studieren   D 24.3.4
Studium   C 8.2.4; 20.5
Stuhl   B 1.11.2C8; C 16.1.3; 20.5
Stulpen   D 22.4
stülpen   D 22.4
Stummin   D 4.2.2,3
stumpen   D 54.4
stumpf   D 14.1.2.2
Stunde   C 5 4.3.3; D 31.1; 31.4,1; E 3.2.3
Stunk   B 1.11.2B2
Sturm   C 7.2.2
stürzen   C 1.4.5.1,II; 7.1.1.5
stützen   C 1.4.5.1,I; 19.1.4
suchen   B 2.4.2,3; C 1.4.5.6; 9.2.1
suckeln   C 39.4.2.3
Suff   B 1.11.2A; 1.11.2C8
Süffer   B 1.11.2C8
Suite(n)   C 8.2.4; D 57.5.3
Suitier   C 8.2.4; D 57.5.3
Sultanine   C 33.1.3.3
Sünde   C 5.4.3.3; 35.2.2a; D 20.6; 31.1
Sunil   C 4.3.2.4
Super   C 5.5.3,1
Suppe   C 19.1.1
Suppengrün   C 35.2.2b A. 267
süß   C 20.5; D 16.4.3
susseln   C 1.4.5.1,IV; 5.3.2.2; D 42.2.2
Sutter   C 5.5.3,1; D 24.3.4
Sweater   D 57.5.3
Synogoge   D 27.2,2; 27.4

T

Tabak   C 5.5.3,2; 24.2.2; 25.1.3,1a;
   25.1.5; 25.5.5.2,2d
Tabernakel   C 5.5.3,1; D 8.4.1; 22.4
Tablett(e)   C 17.2.3
Tadel   C 5.5.3,1; D 38.2.1
tadeln   C 5.5.3,1; 39.4.2.3; D 38.2.1
Tafel   C 20.1.1
Tag   B 1.11.2C5; C 4.1.2.1; 11.3.1;
   16.3,1; D 16.3.6.2; 16.5.4.6; 26.2;

Tor   C 2.1.3; 4.3.4; 22.5.2.2,2a;
22.5.3.1,3a; 25.1.3,1bc; 35.2.2a; D
8.3.1; 8.3.7.1
Toreinfahrt   C 25.1.3,1b
töricht   D 30.3
torkeln   C 48.3.1
Tornister   D 8.3.4
Torsche   C 7.1.2; D 53.2.5.2
Tort   C 22.4.3.4
Torte   C 7.1.1.1; 7.4.1; D 38.2.1
tot   C 20.4.1.1,1b; D 16.3.6.2; 24.3.2,2
töten   C 20.4.1.1,1a
Totengräber   C 5.3.2.3,1; 16.3,5a
Toto   C 5.5.3,2
Tracht   D 16.5.4.3 A. 90
trachtbar   C 18.1; 34.2.4.1b; D 53.2.4
tragen   C 5.3.2.3,1; 8.2.1; 16.2.1; 16.2.5;
16.3,4; 20.9.3; 25.1.2b; 25.3.1.1;
25.4.1.1; 25.4.1.3; 25.5.3.2;
25.5.3.4f.; 25.5.4,2; 25.5.5.2,3; D
4.2.1; 23.2.1.3; 23.2.2.2; 23.2.2.4;
26.4,1f.; 27.1; 28.2.1,IIb; 28.3.1,Ibc;
28.3.3; 28.4.4.2; 28.4.6; 28.7.3
Träger   C 5.3.2.3,1; 20.9.3; E 3.2.6
Tragets   C 25.4.2.4f.; 25.5.4,2f.
Training   C 23.3.1.1
Traktor   C 34.2.6
Tral(le)watsche   D 45.3,1c
tral(le)watschen   D 45.3,1c
Träne   C 25.3.1.1 A. 213
tränken   C 16.1.1
trans(ch)eln   C 23.3.2.1; 3.3.1; D 42.2.2
Transformator   D 8.4.1
Trassel   D 42.2.2
Trassem   C 39.4.2.3
tratschen   C 13.1.2; D 45.3,1c
trauen   C 20.6.2.1; D 39.2.4.1
Trauer   C 20.6.2.1
trauern   C 22.2.4.1
Traum   C 23.3.2.1; 23.5.3.1; 23.5.4.1;
23.5.4.4
träumen   C 1.4.5.3; 23.3.2.1; 23.5.3.1;
23.5.4.1; 23.5.4.4
Träunschel   D 3.3.1; 42.2.2
traurig   C 22.2.4.1
trefer   C 20.4.1.1,1b
Trester   C 8.3.3.4f.
treten   B 1.11.2D1; C 4.1.2.1; 5.3.1.4;
19.1.4; 19.3.1,2a; D 24.3.2,4
treu   C 1.3.3.2

Treue   C 1.3.3.2
Trichter   C 12,1; D 49.5
trie(t)schen   D 45.3,1b
Trift   C 19.3.1,1b
Trikot   B 3.1.2
trinken   C 16.1.1; 19.1.4; 23.7.6.3; D
4.2.1; 16.3.6.2
tritschen   D 45.3,2a
Tritt   C 4.1.4; 11.1.3 B2a; C 19.3.2f.
trizen   D 45.3,2a
trocken   C 19.7.2; 39.2.4.1; 39.5.3; D
4.5,1
Trockenung   C 34.2.7; 39.2.4.1
trocknen   C 19.7.2; 39.4.2.3; D 4.5,1
Trog   C 4.1.5; 20.4.1.1,2b; 20.4.1.3; D
26.2; 29.2; E 3.2.6; 3.3.1
Trompete   C 10.3
Tropen   C 10.3; D 22.4
tropfen (troppsen)   C 16.3,4; 17.1.2;
37.3.2.1
Trossel   D 42.2.2
trösten   C 20.4.1.1,1a
Trottoir   C 25.1.3,2; 25.6,3a; D 57.4.1 A.
254
Trotz   C 19.7.2
trotzdem   B 3.1.7.4,2a
Trub   C 1.4.5.6
trübe   C 1.4.5.6; D 25.1.2
Trubel   C 5.5.3,1
Truhe   C 25.1.3,1a; 35.2.2a
Trumpf   D 14.1.2.3
Trunschel   D 3.3.1; 42.2.2
Trupp   C 19.3.3
Truschel   D 42.2.2
Tru(t)schel   C 19.1.1; D 45.3,1b
Tube   C 10.1; 20.5; D 22.4
Tuch   C 9.2.1f.; 14.2.1; D 49.6.2.2
tüchtig   C 46.1.1
Tulpe   D 22.4
-tum   C 4.3.1; 34.2.7; 42.5.2
tummeln   C 39.4.2.3
Tümpel   C 19.3.1,2a
tun   C 9.3; 19.1.2; 22.2.1; 23.3.2.1;
23.6.3.2; 23.6.6; 25.1.3,1a; 32.1.5;
35.2.2d; D 3.1.2.2,4; 12.4; 16.3.6.2;
23.3 A. 126; 24.1; 24.2,2; 24.3.2,4;
24.9.6f.; 27.6 A. 152; 37.2.1.2;
53.2.1; 53.2.2.1; 53.2.5.2
Tüncher   D 36.3.1
tupfen   C 1.4.5.1,I

Namen

1. Flurnamen und Verwandtes

Das Register enthält zunächst alle im Text vorkommenden historischen und heute noch gebräuchlichen Lorscher Flur- (und Straßen-) Namen; ferner die allermeisten aus den anderen Orten des Arbeitsgebietes, wobei jedoch historische aus Platzgründen i.a. nicht aufgenommen sind. Bei häufiger vorkommenden Namen sind keine Ortsangaben gemacht. Außerdem sind einige Zusammenfassungen vorgenommen worden. So steht z.B. *Sunt-* für alle dieses Element enthaltenden Namen. Erklärende Zusätze (wie *auf dem ...*, *in der ...*) sind weggelassen, wenn der Name auch so verständlich ist.

Malenborn (Az-Udh)   C 25.3.1.1
Malschen (Berg)   D 41.3
Mark in FlN   C 20.8.4
Martinspforte (Ws)   D 52.2,3
Maulberg (Az-Udh)   C 48.3.1; 48.7
Mersch   C 5.3.1.7,3; 7.1.2; 20.4.1.3;
    37.1.5; 37.4.3; D 30.2.4,1b mit A.
    175; 42.5.1
Metzgers Löchel (Lorsch)   D 30.4
Milch in FlN   C 19.5.1,3; 19.11.2
Mitlich (Wo-Herrnsh)   C 19.4.1.3; 42.3.1
Mokenacker (Be-KHaus)   D 4.2.6
Mondschein (Wo-Herrnsh)   C 23.6.3.4f.;
    D 53.2.5.2
Moorstein (Wo-Westh)   C 2.3.2.2; D
    53.3,2
Mörig (Be-Scheuerb)   C 20.4.1.3
Mulbertswiese (Lorsch)   C 18.2; 19.2;
    19.7.1
Nächte(n) (Wo-Eich Hamm)   D 4.2.6
Neuenacker (Lorsch)   D 4.2.6
Neulichsbrunn (Be-Schwanh)   D 4.3.4.1
Neusatz (Ws)   D 14.3.2,2; 39.2.4.4
Nordried (Wo-Mett)   C 34.2.4.1b
Obstgarten (Wo-Gundersh)   C 37.3.2.2
Ochse(n)-   s. D 35.4.3f.
Öl in FlN   s. D 30.4 und Appellative
Ölritt (Lorsch)   C 34.2.4.1b
Ottenberg (Wo-Eich)   D 9.1.1.2
(auf dem) Pabst (Wo-Monsh)   D 57.4.1
Pfaffenacker (Lorsch)   D 4.2.6
Pfälzer Wiese (Be-KHaus)   C 46.1.1
Pflänzer   D 3.4
Pforte in Wormser Tornamen   D 52.2,3
Quergewann (Wo-Dalsh)   D 38.2.2
Quotbach (Wo-Abh...)   D 39.2.3,1
Rain in FlN   s. Appellative
Rankenacker (Be-Scheuerb)   C 23.5.1.1
Rasselseck (Wo-Osth)   D 35.6.1d
Rauchwiesen (Hd)   D 47.4
Rauschbaum (Wo-Frett)   D 32
Rebenäcker (Da-Bibl)   D 4.2.6
Rehngarten (Lorsch)   C 5.4.3.3; 19.1.2;
    23.3.2.1; 23.7.5; 23.7.6.3; D 3.5.2,1
Rehwiese (Wo-Gundersh)   D 3.1.5
Reilingsteilung (Lorsch)   C 30.3.3.2; D
    24.9.1
Reitel (Wo-Osth)   C 20.6.4.1 A. 146
Rembelshecke (Wo-Westh)   C 2.3.2.2;
    8.4.1; 19.5.1,2a

Remeyerhofstraße (Ws)   C 20.6.3.2,1 A.
    143; D 28.6
Riedelweg (Wo-Abh)   D 5.3.2
Riemen (Be-Mörl)   D 9.1.3
Rinngraben (Be-KHaus)   C 5.4.3.3 A. 58;
    19.5.2
Ritches- (Lorsch)   C 19.2; 19.7.1f.
(im wüsten) Rodt (Da-Erzh)   C 20.4.3.3
Rod, Roth u.ä. (vgl. Lorsch: im Roth)   C
    4.1.5
(im) Römer (Be-Mörl)   C 23.7.7.2
Rotenpfuhl (Az-Schornsh)   C 20.4.3.3
Röll (Be-KHaus)   C 5.2.2.2b
Roppengrund (Hp)   C 19.2
Rüben-   C 20.4.3.3
Rudelswey (Wo-Osth)   D 24.7.2.2,5; 25.4
(im) Rührenzaun (Wo-Hepp)   C 22.5.2.6
Runst in FlN   D 3.3.1; 3.3.4
Ruppenbruch (Lorsch)   C 19.2
Rupperts Dus (Lorsch)   D 9.1.1.2
Ruprechtsacker, -wiese (Be-KHaus)   C
    19.5.3; 19.13
Rüst   C 19.5.1,1
Sachsenbuckel (Lorsch)   C 18.1
Sallen-, Sellen-   D 9.1.1.2; 35.5.1,2;
    35.5.2
Sand-   C 23.5.6.1
Sandhöhle (Wo-Alsh)   C 23.5.6.1
Sauwuhl (Lorsch)   C 1.4.5.1,IV
(hinter) Schartenhaus (Wo-Gundersh)   D
    35.6.1d; 42.3.3
Schaubsgrund (Be-Auerb)   C 23.6.1.4,1
Schaulweide (Az-Wörrst)   D 35.5.2
Schelmböhl (Da-Alsb)   C 25.3.1.2
Schild in FlN   C 6.1.4
Schimmelhart (Wo-Herrnsh)   C 19.5.1,1
Schlergarten (Be-Mörl)   D 9.1.1.2
Schleuse (Wo-Hamm)   C 1.3.3.4
Schlittweg   C 4.1.4; 8.2.4; 8.6; 19.5.1,1
Schlopf (Wo-Pfedd)   C 19.5.1,1
Schnorhecke (Hp)   C 22.5.3.1,4a; 22.5.3.6
Schnorr (Ho-Heßl)   C 22.5.2.2,1a
Schutzrecht (Wo-Hamm)   C 19.5.1,1
Schwalbenzahl (Hp)   D 23.2.2.2
Sechshalbe Morgen (Be-Auerb)   D 35.4.3
Semmelsgasse (Hd)   C 19.5.3
Sensfelderpfad (Da-Erzh)   C 6.1.3
Sommerbaum (Wo-Pfiffl)   C 23.6.1.4,2
Spiedelberg (Lorsch)   C 34.2.6
Spitz (Lorsch)   C 4.2.5

Steige (Hd) D 28.7.4.2
Steinböhl (Be-Mörl) C 25.3.1.2
Steinbügel (Wo-Heßl) D 31.3
Stiegel (Lorsch) D 29.4
(in den ...) Stricken (Wo-Pfedd) D 20.10.3; 50.4.2
Sunt- C 23.5.6.1
Taubenborn (Wo-Gundersh) C 38.7.5.2
Täubertspfad (Wo-Heßl) D 9.1.1.2
Taumelsteilung (Lorsch) C 23.5.3.1; D 9.1.1.2
-teilung (Lorsch) C 34.2.7
Trappengasse (Wo-Abh) D 9.1.6
Trieb (Lorsch) C 4.1.4; 19.1.4
Umbrich (Wo-Abh) C 42.3.1
Untergasse (Lorsch) B 3.1.3
Viehtrift (Da-Erzh) C 8.3.3.3
Viehweide (Lorsch) C 2.3.2.2; 19.7.2; 34.2.4.1b; 42.4.1f.
Vordersberg (Hp) D 16.2.3.2,2
Wachswiese (Da-Hähnl) D 35.4.2
Waldstraße (Lorsch) D 52.2,2
Wattenheimer Brücke (Lorsch) C 39.2.5
Weed C 2.3.2.2; 4.1.3

Wehling (Wo-Herrnsh) C 19.5.1,2b
Weihenpfad (Lorsch) D 9.1.1,2
Weingarten (Hd) D 3.1.5
Wert "Insel" C 37.1.5
Weyrich (Be-Schwanh) D 24.7.2.2,2
Wiesen- D 9.1.1.2
Wittenhohl (Wo-Gundersh) D 35.6.1d
Wittum D 2.2.5
Wolfau (Wo-Bechth) D 16.2.3.1
Wolfheck (Lorsch) D 35.6.1a
Wölm (Wo-Bechth Osth) C 19.4,1a; 34.3.4.2; 34.3.4.5; 48.5.2; D 5.2.2,3
Wust C 1.4.5.1,IV
(auf der) wüsten Kirche (Wo-Bechth) D 53.2.4
Zaunsbaum (Wo-Gundersh) C 23.5.4.2
Zehnten- s. Appellative
Zeilicher Weg (Wo-Hepp) C 48.5.1
Ziegelgasse (Hd) D 28.7.4.2
Ziegelsrain (Wo-Dalsh) D 35.4.4 A. 193; 42.3.2
Zwerch- D 38.2.2
Zwerchgraben (Az-Udh) D 47.6
Zwerrenberg (Hd) D 35.5.2

2. Gewässernamen

Eisbach (bei Ws) D 35.3.2f.
Gersprenz D 44
Lauter C 1.3.3.2; 28.1; 34.3.1.1; 39.5.2,3c; D 20.5
Meerbach C 20.4.1.1,2a; 22.2.3.1; 22.5.3.6; 45.1,1
Modau C 5.3.2.1; 34.3.1.1f.
Mümling C 19.4,1b
Pfrimm C 34.3.1.1

Rhein D 3.1.1; 3.1.2.1
Rombach (bei Hd) C 23.6.3.5
Selz C 37.1.2.3; 37.1.3
Ulfenbach C 19.6.2
Weschbach C 19.4,1a
Weschnitz C 17.2.3; 19.4,1a; 19.11.1; 19.12.3; 24.1.1,1; 34.2.4.1b; D 15.3; 20.3; 41.2f.; 42.5.1; 44; 50.4.1; E 3.2.3

3. Ortsnamen

a) aus dem Südhessischen

Az:

Albig   D 4.2.4.2
Alzey   C 34.2.4.1a; D 36.1.1; 43.2
Bech(enheim)   D 4.4.2
Becht(olsheim)   C 37.2.2.2; D 56.1
Berm(ersheim)   C 34.3.4.2; D 9.1.1.2
Biebelnh(eim)   D 5.2.2,3
Blöd(esheim)   C 4.4.1; 20.4.3.2; D 4.3.3
EBüd (Erbes-Büdesheim)   C 34.2.4.1a; D
   4.3.3
† Eichloch (heute Rommersheim)   C
   20.4.3.2
Ensh(eim)   D 4.3.3
Epp(elsheim)   C 39.5.2,3d; D 5.2.2,1
Ess(elborn)   D 5.2.2,1
FLaub (Frei-Laubersheim)   C 37.2.2.2;
   39.5.2,2; 42.5.1.1; D 37.2.3
Flomb(orn)   C 23.5.6.1
Flonh(eim)   C 12 A. 87; 17.2.1 A. 92;
   34.3.4.2; 37.1.2.3; 38.3.1
Fram(ersheim)   C 2.3.2.2
Freim(ersheim)   C 34.3.4.2
Gabsh(eim)   C 2.3.2.2; D 37.2.3
GBick (Gau-Bickelheim)   C 42.5.1.1; D
   5.2.2.3
GHepp (Gau-Heppenheim)   D 20.10.3
GKöng (Gau-Köngernheim)   D 5.2.2,4
GOd (Gau-Odernheim)   C 5.2.2.1; D
   5.2.2.4
Wü Goßelsheim (bei Az-Eck)   D 56.1
Gumbsh(eim)   D 6.7.1
GWein (Gau-Weinheim)   D 23.2.2.11;
   35.3.2
Heim(ersheim)   C 37.2.2.2; 39.5.2,2; D
   37.2.3
HWeis (Hangen-Weisheim)   D 32
Kett(enheim)   C 4.4.1; 19.4,1a; D 50.4.2
Lonsh(eim)   C 23.2.1.1; D 3.3.1
Nack   D 4.2.4.2
O/NSaulh (Ober-/Nieder-Saulheim)   C
   20.7.4.3; 25.4.2.1; D 5.2.2,3
Romm(ersheim)   C 4.3.1; 23.6.1,4,3
SBock (Stein-Bockenheim)   C 19.4,1a

Schimsh(eim)   C 19.4,1b
Schornsh(ein)   D 5.2.2,2; 9.3.1
Sulzh(eim)   C 19.4,1b
Udh (Udenheim)   D 4.4.1
Wahlh(eim)   C 37.2.2.2; D 35.5.1,1
Wall(ertheim)   C 42.5.1.1
Weinh(eim)   C 25.3.1.1; D 23.2.2.11
Wend(elsheim)   C 19.4,4; 34.3.4.2
Wolfsh(eim)   D 56.1
Wöllst(ein)   C 19.4,1a; 34.3.5.2; D 4.3.3
Wonsh(eim)   C 17.2.1 A. 92; 23.2.1.1;
   23.5.6.1; D 3.3.1
Wörrst(adt)   C 34.3.3.2; D 4.3.3

Be:

Aff(olterbach)   C 34.3.5.1
Alb(ersbach)   D 9.1.1.2; 42.3.2
Auerb(ach)   C 1.3.3.5; 20.6.2.3; 34.3.5.1;
   D 9.2.1
Beed(enkirchen)   C 2.3.2.2; 20.3.3.1
Bensh(eim)   C 34.3.4.2; 37.1.2.3; 39.2.5;
   42.5.1.1; D 2.1; 2.3; 3.3.1; 43.2;
   50.4.1
Bibl(is)   C 5.3.2.1; 19.4,2b; 28.1; 34.2.2;
   39.5.2,2; D 16.2.3.2,4
Birk(enau)   C 7.3.1; 34.3.2.1f.
Bobst(adt)   C 8.2.1; 20.1.2; 34.3.3.2; D
   4.3.3; 25.5
Bombach   C 37.2.2.2
Bonsw(eiher)   C 23.5.1.1; 23.5.6.1;
   39.5.2,1/3d; D 3.4
Bürst(adt)   C 7.1.2; 15.1.1; 19.4,1b;
   34.3.3.2; D 4.3.3; 8.3.2; 25.5; 42.2.4
Ell(enbach)   C 34.3.5.1; D 31.3
Elmsh(ausen)   B 3.1.3
Erb(ach)   D 52.2,3
Fahr(enbach)   D 31.3
Fehlh(eim)   C 6.1.3; D 2.2.2f.; 16.2.3.2;
   31.7.1
Fürth   C 1.4.5.1,II; 7.1.1.5; 19.1,1b;
   35.2.2a; D 31.8.1
Gadh (Gadernheim)   C 20.3.3.1;
   20.6.3.2,3; D 2.1; 4.4.1f.

Gadn (Gadern) D 4.4.2

GHaus (Groß-Hausen) C 20.6.2.3; 32.4

Glattb(ach) D 52.2,1

GRohr (Groß-Rohrheim) C 5.2.2.2a; 20.4.1.1,1b; 22.2.4.1f.; 42.5.1.1; D 2.2.2f.

Gron(au) C 5.2.3; 5.2.5.; 23.3.2.1; 23.6.3.3; 23.6.3.5; 23.6.6; 34.3.2.1; D 2.2.3

Hamb(ach) C 8.4.2f.; 23.5.3.1

Hp = Hepp(enheim) B 3.1.4 zu a2; C 34.3.4.2; 34.3.4.5; 39.2.2; 39.2.5; 39.3.22; 39.4.1; 39.4.2.3; 39.4.3.3; 42.5.1.1; D 2.2f.; 4.4.1; 14.1.2.1; 20.10.3; 50.4.1

Hofh(eim) C 5.3.2.1; 5.3.2.4; 24.2.2; 34.2.2; 34.3.4.2; 34.3.4.6 A. 263; 37.2.2.2; D 2.2; 16.2.3.1; 35.3.1

KHaus (Klein-Hausen) C 20.6.2.3; 32.4; 33.1.2; D 35.6.1e

Kreid(ach) C 5.5.3; 20.6.2.3; 42.3.1; D 30.2.4,2a

Kolmb(ach) D 31.3

Krumb(ach) D 31.3

Lamp(ertheim) D 2.2.2f.; 52.2,6

Laud(enau) C 34.3.1.1f.

Wü Lauterbach C 1.3.3.2

Lind(enfels) C 37.1.5; D 31.1

Linn(enbach) C 5.4.3.2,2

Lorsch C 1.3.2.1; 1.4.5.5; 5.2.3; 7.1.2; 16.3,5a; 20.4.1.1,2b; 22.2.3.1; 22.5.3.6; 25.1.3,1b; 35.2.2a; 37.1.1; 37.1.2.1; 37.1.3; 37.4.5; D 4.2.4.1; 8.3.2; 8.4.1; 16.4.1; 42.2.1; 42.5.1; 42.6.3; 44; E 3.2.3

LWesch (Lauten-Weschnitz) D 44

Mitt(ershausen) B 3.1.3; C 5.2.2.2a; 19.4,3; 32.1.5; 33.1.1; D 42.3.2

Mörl(enbach) C 34.3.5.1; 48.5.1; D 4.3.3

Neckst (Neckarsteinach) C 34.3.1.1f.; 42.3.1

Nordh(eim) C 7.1.1.6; 45.1,1; D 2.2.2; 2.3

OAbtst (Ober-Abtsteinach) C 34.3.1.1f.

OLaud (Ober-Laudenbach) D 4.3.3

OMumb (Ober-Mumbach) C 19.4,5; 23.6.1.4

Riedr(ode) D 2.2.3

Rimb(ach) C 19.4,3; D 52.2,5

Schönb(erg) C 8.4.1

Schwanh(eim) C 20.3.3.1f.; 34.3.2.1; D 2.2.2

Seehof (b. Lorsch) C 20.4.1.1,1a

Sied(elsbrunn) C 19.4,3; D 5.2.2,1; 24.9.5.1

Sond(erbach) C 19.4,5; 23.6.1.4,2; 34.3.5.1; 39.5.2,3d

Staff(el) C 38.4.2.1

UFlock (Unter-Flockenbach) D 4.3.3

Viernh(eim) C 7.1.3; 37.1.2.3; 37.1.3; 42.3.3,3; D 2.2.2f.; 16.2.3.2,2

Wahl(en) C 6.1.1 A. 60; 34.3.2.1

Watt(enheim) C 34.3.4.2; 39.2.2; 39.2.5; 39.4.1; 39.4.3.3; 42.5.1.1; D 2.2.2f.; 2.3; 4.4.1f.

Zwing(enberg) C 19.4,2b; D 38.2.2

Bi:

Asp(isheim) D 4.3.3

Bad(enheim) D 4.4.1

Wü Bergheim (Bark-) C 17.2.1 A. 92; 22.5.2.1; 22.5.2.4

Biebelsh(eim) C 15.1.1; D 5.2.2,1

Bingen D 2.2.3; 4.2.1

Bos(enheim) C 34.3.4.2f.

Büdh (Bingen-Büdesheim) D 4.3.3

Dietersh(eim) D 36.1.1

Drom(ersheim) C 42.5.1.1; D 36.1.1

Elsh(eim) C 20.4.3.2f.; D 23.2.1.5 A. 117

Eng(elstadt) C 34.3.3.2; D 4.3.3

FWeinh (Frei-Weinheim) D 23.2.2.11

GAlg (Gau-Algesheim) C 37.2.2.2; 42.5.1.1

Grolsh(eim) D 56.1

Ing(elheim) C 42.5.1.1; D 4.4.1; 5.2.2,3; 36.1.1

Ipp(esheim) D 4.3.3

Ock(enheim) C 19.4,1a

O/NHilb (Ober-, Nieder-Hilbersheim) C 37.2.2.2; 37.5.2,2; D 14.1.3; 18.3.2,1; 22.1; 37.2.3

Planig D 42.4.2

Wack(ernheim) C 42.4.1.1; D 5.2.2,4

Zotz(enheim) D 4.4.1

Da:

Alsb(ach)   C 6.2.2; 8.5.2; D 43.5.2; 56.1
Arh(eilgen)   C 2.3.2.3; 2.3.2.5 A. 24; D
   30.2.2
Balkh(ausen)   C 6.2.3
Bick(enbach)   C 19.4,1b; D 50.4.2
Brand(au)   C 34.3.2.1
Braunsh(ardt)   C 34.3.3.3; 34.3.5.2; D
   9.1.1.2; 42.4.1
DSt (Darmstadt)   C 16.3,5a; 34.3.3.2
Ebst (Darmstadt-Eberstadt)   C 34.3.3.2; D
   22.1
Esch(ollbrücken)   C 1.4.5.1,I; D 4.2.7
Frankenstein   D 20.10.2
Griesh(eim)   C 20.4.3.3
Hähnl(ein)   C 20.4.4.1
Wü Heinheim   C 42.5.1.1
Mordach   C 42.3.1
N/OBeerb (Nieder-, Ober-Beerbach)   C
   42.3.1; D 22.7
NMod (Nieder-Modau)   C 34.3.1.1
NRamst (Nieder-Ramstadt)   C 34.3.3.2
Pfungst(adt)   C 19.4,5; 34.3.3.2; D
   14.1.2.1
Wü Scheftheim   C 42.5.1.1
Seeh(eim)   D 2.1
Stettb(ach)   C 19.4,4; 42.3.1
Traisa   C 34.3.1.1f.
Wasch(enbach)   D 42.4.1
Weit(erstadt)   C 34.3.3.2
Wemb(ach)   D 6.5.1

Di:

Brensb(ach)   C 23.7.5; 34.3.5.1; D 3.3.1;
   42.3.2
Diebg (Dieburg)   D 52.2,1
FCrumb (Fränkisch-Crumbach)   C
   23.6.1.4; D 31.3
GUmst (Groß-Umstadt)   C 34.3.3.2
Gund(ernhausen)   C 19.4,5; 23.6.1.4,2f.
Hab(itzheim)   C 20.3.3.1; D 23.4
Harp(ertshausen)   D 9.1.1.2
Harr(eshausen)   D 9.1.1.2
Herg(ershausen)   D 9.1.1.2
Heub(ach)   C 42.3.2
Klee(stadt)   C 34.3.3.2f.
KUmst (Klein-Umstadt)   C 34.3.3.2
Lengf(eld)   C 34.3.5.2; D 6.4

Wü Nalsbach   C 20.3.3.1; D 23.2.2.2
NKling (Nieder-Klingen)   D 9.1.1.2
ORod (Ober-Roden)   C 34.3.1.1f.
Semd   D 31.3
Schlierb(ach)   C 22.5.3.1,4a
Spachbr(ücken)   C 4.2.1a: 18.2; 33.1.1
Stein(au)   C 34.3.2.1
Stockau   C 34.3.2.1
Wü Werlachen   C 22.4.3.1,2
Wers(au)   C 34.3.2.1
Wieb(elsbach)   C 19.4,2b

Er:

Ann(elsbach)   C 34.3.5.1; D 42.3.2
Beerf(elden)   D 9.1.6; 16.2.3.2,4; 37.7.1
Birkt (Birkert)   C 34.3.5.2; D 8.4.2
Böllst(ein)   C 34.3.5.2
Breitenbach   D 31.3
Brunnthal   C 34.3.5.2
Bull(au)   C 34.3.1.f.; D 35.3.2
Erbach   C 7.2.1.2; 34.3.5.1; D 52.2.3
Erbuch   D 52.2,3
Erl(enbach)   D 4.3.3
Ernsb(ach)   D 42.3.2
Forst(el)   D 53.2.2.1
Gumpb (Gumpersberg)   C 19.4,5; 23.5.6.1
Hainst(adt)   C 2.3.2.2; 34.3.3.2; D 3.3.1
Hebst(ahl)   D 53.2.2.1
Hembach   C 34.3.5.1; 42.3.2; D 31.3
Hetschb(ach)   C 34.3.5.1
Hetzb(ach)   C 34.3.5.1
Hilt(ersklingen)   C 19.4,2b
Höchst   D 35.4.4 A. 194
Humm(etroth)   C 19.4,5; 23.6.1.4,2f.
Hüttenth(al)   D 24.6
KBromb (Kirch-Brombach)   D 42.3.2; D
   31.3
Kimb(ach)   C 34.3.5.1; D 52.2,5
König   C 19.4,2a; 19.11.2; 37.4.7; 38.7.3;
   42.3.3; D 18.3.2,2; 31.1; 31.4,6
Lauerb(ach)   D 9.2.1
LWieb (Lützel-Wiebelsbach)   C 19.4,2b
MGrumb (Mümling-Grumbach)   C 19.4,5;
   23.6.1.4
Mich(elstadt)   C 37.1.2.3; 39.5.2,3d;
   42.3.3,3; D 5.2.2,1; 5.2.3
Momt (Momart)   C 23.5.5.3; 34.3.5.2; D
   8.4.2
OKinz (Ober-Kinzig)   C 42.3.1

Dolg(esheim)   C 19.4,1a
Drais   C 34.3.1.1
Wü Dunzinesheim   D 54,3
Ebh (Ebersheim)   C 37.1.2.2; D 5.2.2,2;
22.6
Eimsh(eim)   D 6.7.1
Fries(enheim)   D 4.4.1
Gons(enheim)   C 19.4,5; 23.6.1.4;
42.5.1.1; D 54,3
Gunt(ersblum)   C 19.4,5; 19.6.2
Hahnh(eim)   C 37.1.2.3; D 23.2.2.2
Hechtsh(eim)   C 42.5.1.1
Wü Heddesheim   D 4.3.3
Köng(ernheim)   C 19.4,2a. 37.4.3; D
43.4.1; 5.2.2,4
KWint (Klein-Winternheim)   C 19.4,3; D
5.2.2,4
Momb(ach)   C 19.4,5; 23.6.1.4; 37.1.2.3
Momm(enheim)   C 23.6.1.4,2f.; D 4.4.1f.
Nackh (Nackenheim)   C 34.3.4.2; 34.3.4.5
Nierst(ein)   C 12 A. 87; 34.3.5.2; D 4.3.3
N/OOlm (Nieder-, Ober-Olm)   C 19.3,1a;
48.5.1
Wü Nordelsheim   D 56.1
Opp(enheim)   C 34.3.4.2; 42.5.1.1; D
4.4.1
Wü Reichelheim   C 42.5.1.1
Wü Rudelsheim   D 56.1
Selz(en)   C 37.1.2.3; D 4.2.5
Ülv(ersheim)   C 34.3.4.2; 37.2.2.2;
39.5.2,2; D 37.2.3
Wein(olsheim)   C 37.1.2.3 A. 272;
37.2.2.2; D 56.1
Wint(ersheim)   C 19.4,2b; 34.3.4.2
Zornh(eim)   C 17.2.1 A. 92; 22.5.2.4;
D 5.2.2,4

Of:

Drei(eichenhain)   C 2.3.2.6
Egb (Egelsbach)   C 25.3.5.3
GSteinh (Groß-Steinheim)   C 42.5.1.1
Lang(en)   C 34.2.7; D 31.5.1
NIs (Neu-Isenburg)   C 5.5.3,1
Patershausen   D 9.1.1.2

Wo:

Abh (Abenheim)   C 5.2.5; 20.1.2;
34.3.4.2; 34.3.4.6; 39.4.2.3; 42.5.1.1;
D 4.4.1; 22.1
Alsh(eim)   C 6.3,2; 12 A. 87; 37.1.2.3 A.
270; 37.2.2.2; 47.1,1; 47.2; D
35.5.1,1; 35.5.2; 43.2
Bechth(eim)   C 34.3.4.2; 42.5.1.1
Berm(ersheim)   C 22.4.1.2; 34.3.4.2; D
37.2.3
Dalsh(eim)   D 23.2.2.2; 56.1
DDürkh (Dorn-Dürkheim)   C 1.4.5.1,II;
5.3.1.7,3; 19.4.1b; 34.3.4.2; 37.2.2.2;
38.7.4,1; D 4.3.2f.; 5.2.2,2; 31.5.1
Ditt(elsheim)   C 5.2.4; 19.4,3; 37.1.2.3;
42.5.1.1; D 5.2.2,1
Eich   C 2.3.2.6; 20.3.4.2; D 4.2.4.2
Enzheim   C 15.1.1; 19.4,4; 37.1.2.3; D
36.1.1
Frett(enheim)   C 19.4,1a; D 4.4.1
Wü Geisenheim   C 34.3.4.2; 34.3.4.5
Gimbsh(eim)   C 19.4,1b; 34.3.4.2;
37.1.2.3; D 6.7.1
Gundh(eim)   C 19.4,5; 23.6.1.4; 34.3.4.2
Gundersh(eim)   C 19.4,5; 39.2.5; D
5.2.2,2; 42.2.1
Hamm   D 4.2.4.2
Hangen-Wahlhein   C 47.1,1; 47.2; D 32;
35.5.1,1; 35.5.2
Hepp(enheim)   D 4.4.1; 20.10.3
Herrnsh(eim)   C 34.3.4.2; D 42.5.1
Hochh(eim)   C 5.2.2.2a; 5.2.4; 34.3.2.2,3;
34.3.4.2; 34.3.4.5f.; 39.2.5; 39.3.2;
D 2.2; 27.5.1
Horchh(eim)   C 7.3.3; 34.3.4.2; 37.2.2.2;
39.2.5; 42.3.3,3; 42.5.1.1; 48.4;
D 30.2.5; 35.3.1; 36.3.1
HSülz (Hohen-Sülzen)   C 19.4,2b;
34.3.4.2; 34.3.4.4; D 9.2.1
Ibh (Ibersheim)   C 5.3.2.1; 19.4,2b;
37.1.2.2f.; 38.4.1; D 2.1; 5.2.2,2;
9.1.1.2; 42.2.1
Kriegsh(eim)   D 23.2.2.11; 42.5.1
Leis(elheim)   C 5.2.2.1; 5.2.5; 15.1.1;
D 5.2.2,3; 42.5.1
Wü Lindesheim   C 19.4,4; 19.7.2 A. 101;
D 9.1.1.2
Mett(enheim)   C 34.3.4.2; 4.4.1
Mölsh(eim)   C 15.1.1; 19.4,1a

b) Sonstige

4. Geografische Bezeichnungen (nebst Ableitungen)

Maingau   C 42.3.3
Mars   D 8.3.6
Mexiko   C 33.2.2
Niddagau   C 42.3.3
Pakistan   C 5.5.3,3
Palästina   C 33.2.2
Pfalz   C 6.1.1; D 5.3.1,1; 54,3
Philippinen   C 5.5.3,1
Rhein-Gau   C 42.3.3
Ried   C 20.5
römisch   C 37.4.3
Rumänien   C 23.3.2.1
Schwabe   C 20.1.1; 24.1.2

Spanien   C 8.4.3
spanisch   C 5.5.3,2
Spessart   D 8.3.4
Speyergau   C 42.3.3
Tschechen   D 57.5.5
Tunesien   C 8.3.2
Türke   C 5.3.1.7,3; 7.3.1; 48.1.1; 48.3.1
Ukraine   C 23.3.2.1
Vatikan   C 33.2.2; 57.5.1
welsch   C 1.4.4.1b; 8.5.1; 37.2.3; 37.4.2;
    37.4.6; D 35.5.1,2; 35.5.2; 36.2.2
Wormsfeld   D 42.5.2; 42.6.4,1
Zypern   C 5.5.3,1

5. Personennamen (Vor- und Zunamen)

Aaron   C 4.3.5; 5.5.3,2
Abraham   D 35.3.1
Adam   C 1.4.4.2; 5.2.3; 5.5.3,1; 34.2.6;
    42.5.1.1; D 24.3.4
Adelbert   D 23.3
Adelheid   D 23.3; 35.6.1b
Adolf   C 5.5.3,2
Adrian   D 57.1
Agathe   C 5.3.2.3,2; 5.5.3,3; 20.1.2;
    34.2.6; D 27.4
Agnes   D 52.1,4
Alex   C 17.2.3
Andreas   C 39.4.2.3; 39.5.2,3c
Anna   C 11.4
Anna Maria   D 30.4
Anni   C 20.5
Anschel   s. Appellative
Anselm   D 3.3.1
Anton   C 4.3.5
Apollonia   C 23.6.4
Arthur   C 4.3.5
August   D 27.2,2
Babette   B 3.1.2; C 17.2.3
Balthasar   C 6.1.1; 34.2.6
Barbara   C 33.2.2
Barthel   C 20.8.1.2
Bartholomäus   C 33.2.3; 34.2.6
Baruch   C 5.5.3.2
Benedikt   D 53.2.5.4
Bernhard   D 35.6.1b
Berthold   D 35.6.1b

Bonifatius   C 8.2.4
Brahms   C 23.3.2.1
Brüning   C 5.5.3,2
(Cä-)Cilie   C 8.5.2; D 48.3.2
Chlodwig   D 16.5.2.2
Christian   C 19.3.1,2b
Christina   C 19.3.1,1b
Christ(us)   D 11.1; 57.5.3
Churchill   D 57.5.5
Claudia   C 25.6,3b
Cleopha   D 57.5.1
Dambor   C 45.1,1
Daniel   C 8.4.3
Degen   D 27.4
Denefleh   C 5.5.3,3
Dieter   C 5.2.2.2a; 4.5,4
Dietrich   C 5.2.4; 39.2.2; D 56.2,2
Ditter   D 42.3.1
Dölger   D 27.2,2
-dörfer   D 8.3.2; 8.3.3.2,4
Dracula   C 5.5.3,3
Dudo (bes.in FIN)   C 20.4.3.3
Eberhard   D 8.3.4; 22.6; 35.3.1
Eberle   C 39.2.4.2; 39.3.2
Edgar   C 17.2.3
Eduard   C 25.1.3,2; 25.6,3a
Elisabeth (mit Kurzformen, s. aber auch
    Lis-)   C 5.5.3,3; 17.2.3
Embach   D 52.2,5
Erhard   D 35.3.1
Erich   C 5.5.3,2

Erika   C 5.5.3,2
Eugen   D 27.2,2
Eva   C 34.2.6; D 25.3.1f.; 57.5.1
Fahney   C 5.5.3,2
Fassoth   C 32.5.4,3
Faut(h)   D 23.2.2.8
Franz   D 3.4
Friederike   C 10.1
Friedrich   C 39.2.2; 39.4.2.3
Gabriel   C 39 4.2.3
Gebhard   D 35.6.1b
Georg   C 22.4.3.4; D 57.5.4
Gerd   C 7.4.1
Gerda   D 8.3.6
Gerhard   D 8.3.4; 35.3.1; 35.6.1b (s. auch
    Appellative)
Gerlinde   C 23.3.1.1
Gertrud   C 8.5.1
Gisela   C 5.5.3,1
Goliat   C 8.5.2
Grete   C 20.4.1.1,1a
Groha (Supermarkt)   C 25.1.3,1a
Günter   D 4.5,4
Gutenberg   C 5.5.3,1
Gutjahr   C 8.2.4
Gutschalk   C 8.2.4
Hambach   C 8.4.2
Han(ne)s   C 46.4
Heckmann   C 39.2.4.1
Hedwig   C 8.2.4
Heiner   D 4.5,4
Heinrich   C 2.3.2.3; 5.2.4; 5.6; 20.3.3.3;
    23.3.1.1; 23.3.2.1; 34.2.1; 39.2.2;
    39.4.2.3; D 56.2,2
Heinz   D 54,3 (s. auch Appellative)
Helene   B 3.1.2; 3.1.4 zu a2; C 5.5.3,3;
    17.2.3; 34.2.6
Henkes   C 39.2.4.1
Her(i)bert   C 5.5.3,3; D 8.3.4; 8.3.6
Hieronymus   D 48.2.3
Hinz   D 3.4
Hiob   C 10.3
Hirt   D 8.3.6
Hitler   C 8.2.4
Hohe   C 25.1.3,1a
-(h)old   D 35.6.1b
Horst   D 42.4.2
Huba   D 22.4

Hubert   C 5.5.3,1
Hufnagel   D 4.2.2,3
Hugo   D 27.2,2
Ignatius   D 52.1,4
Ignaz   C 19.3.1.2b
Jäger   C 45.1,2
Jakob   C 5.5.3,2; 34.2.6; D 15.4.2,3;
    23.2.2.2
Jean   C 23.3.2.1
Jesus   C 13.2; 3.2.6
Jockel   C 13.1.2
Johann Adam   C 1.4.4.2
Jörg   C 48.3.1; D 57.5.4 A. 257
Jörgel   D 29.1,2
Josef   C 5.2.3; 5.5.3,3; 20.4.1.1,1b; D
    57.5.1
Josefine   C 5.5.3,3
Julius   C 8.2.4
Justine   B 3.1.2; 3.1.4 zu a3; D 42.4.2
Kagermeier   C 5.5.3,1
Karl   C 7.1.4; 48.3.1f.; D 8.3.2; 8.3.7.1
Karl-Heinz   D 35.6.1b
Kaspar   C 34.2.6
Katharina   C 33.2.3; 39.2.2; 39.4.2.3; D
    3.1.1
Käthi   C 5.5.3,2
Kemeter   C 5.5.3,3
Kilian   C 8.5.2
Klara   C 5.5.3,2; 20.8.1.2
Konrad   C 20.4.3.3 A. 130
Krieger   D 27.2,2
Kunz   D 3.4
Kurt   C 7.4.1; 22.2.2
Lazarus   C 5.5.3,1
Lene (= Apollonia; Magdalena)   C
    20.4.1.1,2a; 23.3.2.1
Lenin   C 5.5.3,2
Leonhard   C 5.5.3,1; 34.2.6; D 8.3.4; 11.1;
    35.6.1a
Leopold   C 5.5.3,1; 34.2.6
Lerch   C 39.2.4.1
Levasier   C 5.5.3,3; 19.2; 22.3,3; 33.2.2;
    D 57.5.1
Liese   C 4.1.4
Liesel   C 4.1.4
Lisbeth   C 4.1.4; 8.3.2
Lisette   B 3.1.2
Lohr   B 1.6